大學叢書

# 新亞論叢

## 第二十一期

《新亞論叢》編輯委員會
主編

## 稿　約

(1)本刊宗旨專重研究中國學術，以登載有關文學、歷史、哲學等研究論文為限，亦歡迎有關中、西學術比較的論文。

(2)來稿均由本刊編輯委員會送呈專家審查，以決定刊登與否，來稿者不得異議。

(3)本刊歡迎海內外學者賜稿，每篇論文以一萬五千字內為原則，中英文均接受；如字數過多，本刊會分兩期刊登。

(4)本刊每年出版一期，每年九月三十日截稿。

(5)本刊有文稿行文用字的刪改權，惟以不影響內容為原則。

(6)文責自負，有關版權亦由作者負責，編委會有權將已刊登論文轉載於其他學術刊物。

(7)若一稿二投，需先通知編輯委員會，刊登與否，由委員會決定。

(8)來稿請附約二百字中文提要及約一百字作者簡介，刊登時可能會刪去。

(9)來稿請用 word 檔案，電郵至：socses@yahoo.com.hk

# 目次

# 編輯弁言

　　二○二○年，農曆歲值庚子，新冠狀病毒肺炎散布全球。執筆之時患者近八千萬，死者近一百八十萬。疫情似未有緩和跡象，幸好疫苗已進入可向民眾注射階段。整整一年，各編輯委員多在家工作，或停留異地，各自生活，故有關本期的編輯與審稿，全由電郵或電話溝通。

　　感謝不同地區的學者專家，踴躍投稿，稿件數量，如往常一樣，未有受疫情影響，多達數十篇之多。本期有關先秦、兩漢、魏晉的論文多達三分之一；唐至明的論文又約三分一，研究範圍非常平均，水平亦非常高。部份稿件是經過兩次評審後才落選，主要原因除部份論文不合論文規格外，過於議論，而忽略證據支持。其次，論文有關思想宗教者，爭議亦較大。凡遇此情況，總編輯會格外細心，一看再看才作決定，希望不致滄海遺珠。

　　本刊已是超越二十年的學術刊物，或多或少對學術界有一定的貢獻。在未來的日子，更希望盡力改善，使之維持高質素的水平。最後，感謝林以邠編輯，細心為本期內容校對。由於編輯時要應對疫情關係，來往電郵常常未及回應，抱歉耽擱了編輯的時間。

　　　　　　　　　　　　　　　　　　　　　　　　　　《新亞論叢》編輯委員會
　　　　　　　　　　　　　　　　　　　　　　　　　　二○二○年十二月

# 〈洛誥〉所涉周初史事考疑[*]

## 李明陽

北京　中國社會科學院

　　通常認為，《尚書》[1]中「周初八誥」是可靠的西周文獻，其中以〈洛誥〉篇最為難解。主要原因就在於〈洛誥〉牽涉的史事眾說紛紜，使文獻所涉故實、本事難以捉摸。

　　例如今本《尚書・洛誥》以「周公拜手稽首曰：『朕復子明辟』」開篇，歷代學者關於「朕復子明辟」的闡釋，多集中於是否帶有歸政成王之意。顯然，周公的執政與歸政是解讀〈洛誥〉主旨和歷史背景的核心問題。相關地，周公居東甚至周公奔楚的傳說也牽連著人們對西周早期史事的理解，這涉及周公與成王的關係和〈洛誥〉中周公與成王推讓鎮守洛邑的政治局勢。當然，營建洛邑是〈洛誥〉的核心內容，「洛邑」與「王城」和所謂「成周」的位置關係等形成了龐大的問題簇。作為探討〈洛誥〉文本的基礎，這些是必然要考證的問題。

　　本文將在梳理已有成果觀點、文獻和研究思路的基礎上，嘗試對上述問題得出相對中正、可靠的看法。不足之處，祈請專家指教。

## 一　周公執政

　　「周公執政」是顧頡剛先生的說法[2]。顧先生採用這一表述是為了規避「攝政」一詞在王朝時代政治文化中留下的成見。然而，成見往往與議題伴隨而生，倘若真誠地試圖釐清這一問題，就不得不回顧前人的討論路徑，並對其中涉及的關鍵論證做出回應和解釋。

　　事實上，古人對「周公攝政」並不表示懷疑。然而，周公攝政在古代政治文化中形成了非常複雜的成見。僅漢代而言，就出現了霍光和王莽兩次打著模仿「周公攝政」的破壞政統現象。此後歷代在稱美周公之德時總要依託儒家觀念曲意替周公解釋，這種遮

---

[*] 本文為國家社科基金重大項目「中國古代都城文化與古代文學及相關文獻研究」（18ZDA237）階段性成果。

[1] 本文提及和所引《尚書》文本，凡不加說明者，內容遵從孔安國傳，孔穎達正義：《十三經注疏》上海：上海古籍出版社，2007年。

[2] 顧頡剛：〈周公執政稱「王」〉，氏著：《顧頡剛全集・古史論文集・卷十》北京：中華書局，2007年。

遮掩掩的行徑似乎隱含地表達著周公「攝政」並不光彩。到了宋儒那裡，解釋周公「攝政」的正統性更成了棘手的問題。就連以豁達著稱的蘇軾，也不免言不由衷地表示：「周公雖不居位稱王，然實行王事。」[3] 在非常看重「正名」觀念的傳統社會，古代學者試圖將居王位與行王事分開，儘管很具有啟示意義，卻也留下了嚴重的隱患。例如清儒錢塘即沿著蘇軾的路子進一步釐析道：「公之攝政，恆也；攝王，非恆也。出政之謂攝政，稱王之謂攝王。王者有大事則攝，平時固攝政之冢宰也。特以子視稱王焉。大事攝王，故會明堂則天子負斧依南向，子視成王，故致政之言曰：『朕復子明辟』，其作洛之年，猶涉王也。命大事，則稱王。」[4] 相對而言，蘇軾提出的「攝政但不稱王」是有可能的，但錢塘恐怕將問題想複雜了，這種試圖解構「稱王」的做法無益於將解釋導向清晰：顯然，王位必須是固定的，不可能忽而周公，忽而成王。

　　晚清碩儒王國維先生在討論殷周之際從兄終弟及到父死子繼的繼承制度變革時為周公攝政問題定下了基調。王先生指出：「周公乃立成王而己攝之，後反政焉。攝政者，所以濟變也；立成王者，所以居正也。自是以後，子繼之法，遂為百王不易之制矣。」[5] 這一看法可謂披荊斬棘、要言不煩地指出了周公攝政的制度背景，可惜未對相關文獻展開詳論。繼此作出詳細闡釋的是顧頡剛先生。顧先生在〈周公執政稱「王」〉中考察了「周公攝政」傳說的流傳史，剖析了漢代霍光、王莽以降，篡位者對周公攝政事件的利用與書寫以及由此造成的經師對此事件的有意遮蔽，受王先生「古諸侯于境內稱王」的啟發，顧先生借用人類學家摩爾根在《古代社會》中建構的早期權力模型，描繪了周公與成王間近似「兩頭政長制」的權力關係。然而，顧先生舉出的青銅銘文及其解讀遭到了馬承源先生的質疑。

　　馬承源先生從出土文獻角度質疑顧先生對小臣單觶和禽簋銘文的解讀：兩個器物都提到了成王和周公，然而周公只是出於輔佐地位，沒有踐祚稱王，甚至也看不出是攝政的口氣。同時指出何尊銘文關於唯王五祀、營宅成周的記載說明周公踐祚七年並不可靠，武王克商後二年而死，成王即位改元，在五年營建成周，傳世文獻誇大了周公的地位和貢獻。[6] 可見，馬先生代表了一種典型思路：依據文獻中成王與周公地位的高低來判斷周公是否攝政稱王。

　　楊向奎先生也不同意顧頡剛先生對青銅銘文的解讀。他針對顧先生引用的沬司土疑簋和王在魯尊銘文展開論述，認為兩篇銘文中的「王」都非如顧先生所言指周公，而是指成王。同時，楊先生對馬先生的論述也提出了不同想法，認為馬先生的看法太過極

3　（宋）蘇軾：《東坡書傳》海南：海豚出版社，2018年影印本，卷十三，頁485。

4　（清）錢塘：《溉亭述古錄》北京：中華書局，1991年，卷一，頁24。

5　（清）王國維：〈殷周制度論〉，氏著：《觀堂集林》北京：中華書局，1959年，卷十，頁456。

6　馬承源：〈何尊銘文和周初史實〉，載《王國維學術研究論集》，第1輯，上海：華東師範大學出版社，1983年，頁45-61。

端，儘管周公並沒有稱王，但傳世文獻中關於周公攝政的記載並不能輕易抹殺。[7]此後，彭裕商先生澈底清理了記載周公攝政的文獻，否認周公攝政的真實性，他認為，記載周公攝政的典籍成書年代大致從戰國晚期到秦漢，尚未發現可靠的西周文獻，而戰國文獻中所載史事並不可靠。[8]

支持周公攝政說的學者卻也依然存在，例如郭偉川[9]、杜正勝[10]、張建軍[11]等學者分別從《尚書》、《逸周書》、《詩經》等方面展示了周公攝政的證據，指出《尚書·康誥》、〈酒誥〉、〈梓材〉、〈大誥〉諸篇中「王若曰」的「王」字必為周公；《詩經·大雅·思齊》第四章頌攝政之周公的；等等。這些對傳世文獻的闡釋旨在證明周公無疑曾經稱王。

上述學者關於周公攝政問題的爭論，基本構成了本文討論的基礎。簡單來說，贊成周公確曾攝政的看法，主要依據傳世文獻中對周公史事的記載。然而其阻力在於，一方面，誠如彭裕商先生所言，這些記載成書較晚，通常不早於春秋時代，而數量巨大的出土文獻中卻未能提供足以證明周公攝政的史料；另一方面，楊向奎先生的論述涉及一個非常重要的看法，即有學者認為「王若曰」可能是大臣代王宣命，具體到周公攝政的問題上，就是周公以成王的名義發言。倘若有學者試圖通過考證《尚書·周書》中各篇「王若曰」之「王」字的確指，以此證明周公攝政確實存在，楊先生的論述可能會對這種思路造成一定程度的削弱。

那麼，周公攝政或者說周公執政真的不存在麼？傳世文獻似乎從來沒有否認過周公攝政史事的存在，甚至在先秦文獻從伊尹到魯隱公的眾多攝政記載中，後世每論及「攝政」，卻專引「根本不存在」的「周公攝政傳說」說事，這又該怎樣解釋呢？

筆者認為周公執政真實存在。首先我們回應彭裕商先生提出的文獻成書較晚的問題。

誠然，彭先生指出的問題要中肯綮，關於周公執政的文獻主要包括《尚書·周書》和《逸周書》中的一些篇目（其中《尚書·周書》中「王若曰」的解讀部分存疑，但並不排除其中有些篇目中「王」是指周公），《禮記·度邑解》和〈明堂位〉直接言及周公「踐天子之位」，《詩·大雅·靈臺》疏引《尸子》、《荀子·儒效》、《韓非子·難一》和《韓詩外傳》等也有周公攝政的明確說法。這些文獻史源不一，表述也有所不同，說明至少在春秋、戰國時期，周公執政應已成為諸子（思想學派）和學者的基本共識。

有學者指出，「王若曰」意味著大臣可以「代王宣命」，試圖以此解釋周公雖然也稱

---

7　楊向奎：《宗周社會與禮樂文明（修訂本）》北京：人民出版社，1997年，頁141-166。

8　彭裕商：〈周公攝政考〉，載《文史》，第45輯，北京：中華書局，1998年。

9　郭偉川：〈周公稱王與周初禮治──《尚書·周書》與《逸周書》新探〉，載《周公攝政稱王與周初史事論集》北京：北京圖書館出版社，1998年。

10　杜正勝：《周代城邦（第二版）》臺北：聯經出版事業公司，2018年，頁157-220。

11　張建軍：《詩經與周文化考論》濟南：齊魯書社，2004年，頁95-124。

「王若曰」，卻並沒有稱王執政。事實上，周初並不存在「代王宣命」的現象，此處不再贅述。[12] 這裡要補充的是，據一九七七年山西鳳雛村南出土的編號為「鳳雛 H11.84」的西周甲骨記載：「貞：王其拜又大甲，冊周方伯，□叀足，丕左于受有佑。」[13] 李學勤、王宇信認為，王祭祀太甲，太甲應為商王帝辛，王則是文王。當時出在商代末期，周文王並非商王，甲骨中卻稱其為「王」，意味著「王」是相對寬泛的稱謂，諸侯王級別以上的官員都有可能被稱為王，因此，文獻中是否稱周公為「王」，與周公執政與否無關。

進而，我們要對出土文獻中缺乏關於周公稱王記載的現象作出解釋，這是問題的關鍵，因為需要對「攝政」的意涵做出具體闡釋，即周公與成王的權力關係作出必要說明。

此前王國維先生對周承殷制已有堅實論述：「欲觀周之所以定天下，必自其制度始矣。周人制度之大異于商者，一曰立子立嫡之制，……殷以前無嫡庶之制。……特如商之繼承法以弟及為主而以子繼輔之，無弟然後傳子……世故大王之立王季也，文王之舍伯邑考而立武王也，周公之繼武王而攝政稱王也，自殷制而言之，皆正也。」[14] 在此基礎上，過常寶先生關於周公攝政作了富有啟發性的討論。[15] 他依據《尚書·金縢》指出，周公比武王更擅長宗教祭祀事務，再依據大祝禽簋銘文推測，伯禽從周公處承襲的也是宗教祭祀職事，這說明周公在輔佐武王時從事的是相關於祭祀的工作。過先生據此推斷，在周公攝政期間，「政教分離」，周公與成王形成了近似「雙頭政治」的權力關係，其中成王更側重政權，周公更側重神權。這是一個有啟示性的設想。過先生之所以將政權「賦予」成王、將神權「賦予」周公，是基於早期禮樂文化與巫術和神權直接相關、而制禮作樂所依靠的正是宗教職事的便利的考慮，換而言之，只有這樣安排才符合過先生提出的「職事—話語—文獻」理論。

筆者認為，周公與成王確實形成了近似「雙頭政治」的權力關係，只是這種權力關係並不均等，而是傾向成王。與過先生的想法稍有差異的是：周公偏於主政，而成王主祭祀。

前人關於周公攝政的討論似乎忽略了對《史記》記載的細讀。《史記·周本紀》云：

> 武王病。天下未集，群公懼，穆卜，周公乃祓齋，自為質，欲代武王，武王有
> 瘳。後而崩。太子誦代立，是為成王。[16]

---

12 李明陽：〈西周冊命儀式的禮制尋繹〉，載《新亞論叢》，第二十期，臺北：萬卷樓圖書公司，2019年，頁25-38。

13 李學勤、王宇信：〈周原卜辭選釋〉，載《古文字研究》，第4輯，1980年。

14 （清）王國維：〈殷周制度論〉，氏著：《觀堂集林》，卷十，頁453-456。

15 過常寶：《制禮作樂與西周文獻的生成》北京：中國社會科學出版社，2015年，頁22-39。

16 《史記》，卷四〈周本紀第四〉北京：中華書局，1982年，頁131。

「誦」是成王，這段文獻中出現了兩處「代」，第一處是周公欲代武王而死，即所謂周公「多材多藝」，故代武王侍奉鬼神；第二處代是成王代立。成王代誰立呢？只能是周公。

在《逸周書・度邑解》裡保留了武王臨終時欲傳位於周公的記載：

> 王曰：「旦，汝維朕達弟，予有使汝，汝播食不遑食，矧其有乃室。今維天使子，惟二神授朕靈期，予未致，予休，予近懷子。朕室汝，維幼子大有知。……乃今我兄弟相後，我筮龜其何所即。今用建庶建。」叔旦恐，泣涕其手。[17]

引文明確記載了武王傳位於周公的願望和周公的態度，這也是周公稱王執政的合法性根源。近似內容還見於《逸周書・作雒解》。例如孫星衍在《尚書・洛誥》解題中指出：

> 〈周本紀〉云「營洛邑如武王之意」者，此經亦云：「伻來毖殷，乃命寧。」是武王命周公作洛居九鼎也。周書〈作雒解〉云「我維顯服」者，釋詁云：「顯，代也。」是命周公代事也。下云「乃今我兄弟相後」，又云「今用建庶建叔」，是武王欲周公作洛，並命傳位也。下云「旦恐，泣涕共手」，周公不敢承武王之命也。武王既崩，周公乃營洛邑，如武王之志。居攝反政，不從武王「兄弟相後」之命，仁之至，義之盡也。[18]

這段文字解釋了周公還政的原因，與此呼應的是，據《史記・魯世家》記載：

> 周公恐天下聞武王崩而畔，周公乃踐阼代成王攝行政當國。[19]

《史記・周本紀》言成王代周公即位，此處言周公代成王執政，遙相呼應，即如蘇軾所言：「祭則我衝子，政則周公。」[20]如此，可謂傳世文獻將周公攝政問題記載清楚了。

總之，周公執政是西周早期真實存在的史事。據《逸周書》記載，武王病重時曾提出要沿襲殷代兄終弟及的傳統，傳位於周公。周公沒有接受，將王位讓給了成王。成王代周公即位，故《周本紀》言「成王代立」，可知，成王在周族的政治統序中擁有唯一合法地位，而周公則是代成王執政。日常周公執政，當遇到重要事務時與成王共同決策，即《尚書・洛誥》云「我二人共貞」。因周公並未在宗廟中繼統，故在宗廟銘文所體現的祭祀統序中周公並不佔據地位，這正是大盂鼎、史牆盤等國之重器在抒敘先王功績時不記載「周公朝」的原因。

---

17　黃懷信、張懋鎔、田旭東撰：《逸周書彙校集注》上海：上海古籍出版社，2007年，頁474-479。

18　（清）孫星衍撰：《尚書今古文注疏》北京：中華書局，2004年，卷十九〈洛誥〉，頁402。

19　《史記》，卷三十三〈魯周公世家第三〉，頁1518。

20　（宋）蘇軾：《東坡書傳》，卷十三，頁494。

## 二　營建洛邑

史籍記載，武王克商之後動議在洛營建都邑，周公攝政的第七年才最終完成。圍繞洛邑的記載，給後人留下了巨大的想像空間，例如，文獻中出現的「成周」、「洛邑」和「王城」究竟是不是一回事，成王有沒有遷都，等等問題。

洛邑是供王室生活和治理政治的居所，它位於洛地，即漢代以後的洛陽地區。問題在於「王城」與「成周」代表什麼。李民先生[21]、曲英傑先生[22]和杜勇先生[23]認為，「成周」、「王城」均指洛邑，是同一地域的不同名稱。然而，《漢書·地理志》云：「洛陽，周公遷殷民，是為成周」；「河南，……周武王遷九鼎，周公致太平。營以為都，是為王城，至平王居。」[24]可見，成周是洛邑建成後安置殷遺民的廣闊地區，其位置相當於漢代洛陽；而王城表示周天子居所，二者論域並不相同。

「王城」與「成周」的位置關係，前輩學者眾說紛紜。馬承源先生[25]認為洛邑即王城，而成周與洛邑是兩個相近的地區。他依據的史料除〈多士〉：「成周既成，遷殷頑民」的孔傳與孔疏以外，還包括《書序·召誥》言：「成王在豐，欲宅洛邑」，《書序·洛誥》言：「召公相宅，周公往營成周」，由於〈洛誥〉篇並沒有提及「召公相宅」，無法確定「書序」兩處記載是否為同一件事，因此馬先生所據史料不夠堅實，他的觀點並不可靠。

有學者將矢令彝[26]中的「歸自王」、「用牲于王」中的「王」解釋為「王城」。然而，朱鳳瀚先生和李民先生[27]指出西周時期並不存在「王城」。《左傳》僖公五年記載「十月，晉陰飴生會秦伯，盟于王城」[28]，可知王城應是東周時期王室的居所。

除此以外還有兩種說法：一種以宋儒呂祖謙[29]，今人童書業先生[30]、李學勤先生[31]、楊寬先生[32]和史為樂先生[33]等為代表，認為王城是成王建設的宮城地區，成周包括王城。另一種則以陳昌遠先生[34]為代表，認為「王城」與「成周」相鄰，且互不包含。

---

21　李民：〈說洛邑、成周與王城〉，載《鄭州大學學報》，1982年第1期。

22　曲英傑：〈周初成周考〉，載《史學集刊》，1990年第1期。

23　杜勇：〈周初東都成周的營建〉，載《中國歷史地理論叢》，1997年第4期。

24　《漢書》北京：中華書局，1962年，卷二十八上，〈地理志第八上〉，頁1555。

25　馬承源：〈何尊銘文和周初史實〉，載《王國維學術研究論集》，第1輯，頁45-61。

26　吳鎮烽：《商周青銅器銘文暨圖像集成》上海：上海古籍出版社，2005年，第11821、13848號。

27　李民：〈說洛誥、成周與王城〉，載《鄭州大學學報》，1982年第1期。

28　楊伯峻：《春秋左傳注》北京：中華書局，2016年，頁400。

29　呂祖謙：《呂祖謙全集》杭州：浙江古籍出版社，2007年，第八冊，〈大事記解題〉卷一，頁256。

30　童書業：〈春秋王都辨疑〉，載《禹貢》，第七卷合訂本，北平：禹貢學會，1937年，頁239-248。

31　李學勤：《東周與秦代文明》北京：文物出版社，1984年。

32　楊寬：〈西周初期東都成周的建設及其政治作用〉，載《歷史教學問題》，1983年第5期。

33　史為樂：〈西周營建成周考辨〉，氏著：《中國史研究》，1984年第1期。

34　陳昌遠：〈有關周公營雒邑的幾個問題〉，載《中國古代史論叢》，第8輯，廈門：福建人民出版社，1983年。

　　陳先生依據的史料是《尚書蔡傳》:「澗水東、瀍水西,王城也,朝會之也。瀍水東,下都也,處商民之地。」[35]上引《漢書·地理志》可知,在漢代,成周為安置殷民之所,而蔡沈之說,將王城與下都並舉,認為王城並非安置殷民之所,背離了〈地理志〉的記載。又,〈多士〉「成周既成,遷殷頑民」,可見〈地理志〉與《尚書·多士》吻合;而《蔡傳》的觀點當源自「成周既成,遷殷頑民」的孔安國傳(「為洛陽下都」)和孔穎達疏(「周之成周,於漢為洛陽也。洛邑為王都,故為此為下都」),《蔡傳》的宋代傳本已不可考,而孔穎達疏成書較晚,因此《蔡傳》和陳昌遠先生的看法並不足取。與此相對地,童書業、楊寬等先生在充分討論「郟」、「郭」制度和秦漢度量衡制度後,依據《逸周書·作雒解》記載推算王城與成周位置關係,並與考古發掘結果[36]兩相印證,落實了「成周包括王城」的觀點。

　　〈洛誥〉記載,周公「我卜河朔黎水,我乃卜澗水東、瀍水西,惟洛食;我又卜瀍水東,亦惟洛食。」因此周公所建之宅,即使不跨越瀍水,也應離瀍水不遠。考古學家指出:東北方向的大部分地區有大量殷遺民墓,瀍河以西邙山南麓一代發現近四百座周人貴族墓,為遷至洛邑的東方部族和周人平民聚居地。[37]據楊寬先生的看法,我國秦漢以前王室所居之地在都邑的西南方向,[38]因此,西周洛邑中王室所居當在瀍河以西處。

　　朱鳳瀚先生[39]認為周公攝政第五年營建洛邑,至七年初成。〈召誥〉、〈洛誥〉所記即七年洛邑初成之後,召公、周公相宅、卜宅,實為成王選擇營建王宮的位置,同年周公致政成王。這裡涉及成王究竟是否遷都的問題。

　　朱先生認為成王曾經遷都,他提出的證據是一九六三年在寶雞出土的何尊銘文。銘文開篇即言:「唯王初𨚉宅于成周,復禀武王禮,祼自天」[40],爭議在於「𨚉」字的解釋。「𨚉」通常讀作「遷」,然而張政烺先生認為,成王從未遷都至洛邑,為此,他提出「𨚉」字與「省」音近通假,將「𨚉」解作「省宅」或「相宅」,迴避釋為成王遷都。朱先生注意到了張先生的解釋,指出:「『惟王五祀』與〈洛誥〉『惟七年』不合之由,是因為尊銘『五祀或是攝政五年』。但尊銘既言『王(成王)初遷宅于成周』又稱攝王為『王』,似難講清楚」[41],他強調遷宅是成王的行為,而非周公的行為,所以何

35 (宋)蔡沉:《書集傳》北京:中華書局,2018年,卷五,頁214。

36 考古報告通常根據商周墓葬結構不同,將王城畫在成周的西南方向,卻未標邊界。但許宏先生強調,早期都邑沒有外城牆,成周應包括王城地區。參見許宏:《大都無城》北京:生活·讀書·新知三聯書店,2016年,頁150;許宏:《先秦城邑考古》北京:金城出版社、西苑出版社,2017年,上冊,頁216-217。

37 徐昭峰:〈成周與王城考略〉,載《考古》,2007年第11期。

38 楊寬:〈西周初期東都成周的建設及其政治作用〉,載《歷史教學問題》,1983年第5期。

39 朱鳳瀚:〈〈召誥〉、〈洛誥〉、何尊與成周〉,載《歷史研究》,2006年第1期。

40 吳鎮烽:《商周青銅器銘文暨圖像集成》,第11819號。

41 朱鳳瀚:〈〈召誥〉、〈洛誥〉、何尊與成周〉,載《歷史研究》,2006年第1期。

尊銘文所記為成王親政第五年，此時洛邑內王宮已建成，成王始遷都於洛邑，洛邑自此亦稱成周。

事實上，何尊銘文所謂「惟王五祀」既是周公攝政的第五年，也是成王即位的第五年。楊寬先生主張將〈洛誥〉篇尾讀成一句並堅稱周公攝政只有五年，正是為使〈洛誥〉紀年與何尊銘文對應。然而，以西周時期的建築水準，三月占卜選址營建，當年未必能完工落成。況且〈洛誥〉並非銘文，其結尾的「惟七年」並不統攝其開篇所述的周公彙報卜宅結果之事。因此，正如王國維先生指出的，「惟周公誕保文武受命惟七年」應斷為兩句讀，即「周公誕保文武受命」和「惟七年」。前者為記事，後者為紀年。[42]總之，周公卜宅發生在成王五年，〈洛誥〉最後記載的典禮則發生在成王七年，這與何尊銘文並不矛盾。因此「𥛬」讀作「省」，釋為「省宅」、「相宅」，也就讀通了。恰恰相反，朱先生將「𥛬」讀作「遷」或許有問題，因為無論以傳統對周公攝政的判斷，還是各種關於周公攝政的新說，〈洛誥〉顯示，成王並沒有遷至洛邑而是回到宗周，命周公留在洛邑。這也正是「𥛬」字與「遷」如此形近，然張政烺先生、馬承源先生[43]卻偏偏繞開「遷」之本字而另做他想的原因。倘若只是周公和殷民遷於洛邑，則「成周」當並不能釋為因成王遷都而得名，因此，「成周」之名或許與其落成於成王之時有關；而此前豐、鎬為祖輩留下的，故名「宗周」。

營造洛邑後，西周始終沒有遷都至此，反而將殷和東方部族遷居至此由周公負責治理，這並不像建都，反而像安置或看守周公，因此留下了周公被「貶謫」的印象和傳說。[44]關於營造洛邑的目的，常見的說法如《史記・周本紀》所說「天下之中，四方入貢道理均」[45]，樂史解釋為：「周公相成王，以豐、鎬偏在西方，職貢不均，乃使召公卜居澗水東、瀍水之陽，以即中土。而為洛邑，而為成周王都。」[46]前人往往把「入貢」純然看作經濟原因，卻忽略了四方入貢所代表的臣服意義。小邦周控制了大邦殷乃至平定了四方，此時建立和維護「天下共主」的局面是尤為重要的。西周早期在信仰觀念上以「天」代「帝」，建構了天下共同的天神信仰。洛邑的營建並遷東方部族和諸侯居於此，如《逸周書・度邑解》所說：「自洛汭延于伊汭……遠無天室」[47]，是與周人

42　（清）王國維：〈洛誥解〉，氏著：《觀堂集林》，卷一，頁31-39。關於《尚書・洛誥》的結構，筆者另文探討。

43　馬承源：〈何尊銘文初探〉，《文物》，1976年第1期。

44　即下文提到的各類「小說家言」。把洛邑視為都城，與東周時代周公地位的提升有關，筆者將另文討論。

45　《史記》，卷四〈周本紀第四〉，頁133。

46　（宋）樂史撰：《太平寰宇記》，卷三《河南道三・西京一・河南府》，北京：中華書局，2007年，頁40。

47　黃懷信、張懋鎔、田旭東撰：《逸周書彙校集注》，頁480-481。

信仰相關的政治行為，其目的即《尚書大傳》所謂「周公……營洛以觀天下之心」[48]，即在於考察各政治勢力是否穩定，並更好地控制全域。

## 三　周公居東

在釐清了周公執政和洛邑位置問題之後，文獻中還記載了「周公居東」和所謂「周公奔楚」問題。這涉及周公與成王的關係、周公攝政和還政前後的重大史事以及周公在還政後的境遇情況，這些記載是否可信，也是前人眾說紛紜的問題。

《尚書・金縢》和近年整理公布的清華簡「金縢」篇講述了周公居東的故事：武王晚年生病，周公曾為其設壇禱告並表示願意代武王而死。成王親政後周公遭讒，居東二年。秋天，天災降臨，成王打開金縢，看到周公禱告的祝板，迎周公還朝。隨後，刮反風，禾苗復活。

與此相關地，《史記》中有關於周公奔楚的記載：

> 初，成王少時，病，周公乃自揃其蚤沈之河，以祝於神曰：「王少未有識，奸神命者乃旦也。」亦藏其策於府。成王病有瘳。及成王用事，人或譖周公，周公奔楚。成王發府，見周公禱書，乃泣，反周公。[49]
>
> 昔周成王初立，未離繈緥，周公旦負王以朝，卒定天下。及成王有病甚殆，公旦自揃其爪以沉於河，曰：「王未有識，是旦執事。有罪殃，旦受其不祥。」乃書而藏之記府，可謂信矣。及王能治國，有賊臣言：「周公旦欲為亂久矣，王若不備，必有大事。」王乃大怒，周公旦走而奔於楚。[50]

由此可見，所謂周公「居東」與「奔楚」，完全是兩個截然不同的事件，並不應該混為一談。

然而，後世學者往往將周公「居東」與「奔楚」混淆起來。例如清代學者俞正燮〈周公奔楚義〉提及，〈魯世家〉與〈蒙恬列傳〉所言奔楚，即〈金縢〉所謂「居東二年」，「流言」即管叔、蔡叔之亂，因此「流言時商奄未滅，東都未營，未命伯禽為公後，公歸無所，故知是奔楚。」[51]再如，汪中〈周公居東證〉[52]中引用的史料也多源於〈金縢〉。又如，李山教授據〈金縢〉篇尾刮反風，禾苗起的事件指出〈金縢〉篇相當於中國最早的「竇娥冤」並推斷周公曾蒙冤，並認為周公蒙冤的原因與〈金縢〉中周公

---

48　（漢）伏生撰，（漢）鄭玄註，陳壽祺輯校：《尚書大傳》北京：中華書局，1985年，頁89。

49　《史記》，卷三十三〈魯周公世家第三〉，頁1520。

50　《史記》，卷八十八〈蒙恬列傳第二十八〉，第2569頁。

51　（清）俞正燮：《癸巳類稿》瀋陽：遼寧教育出版社，2001年，卷一，頁18。

52　（清）汪中撰，李金松校箋：《述學校箋》北京：中華書局，2015年，頁151-212。

遭管叔、蔡叔流言無關，而是《史記》所言「周公奔楚」之事，並據〈金縢〉推論成王迎周公時周公已歿於楚國。[53]這一推斷與《史記》的記載相距甚遠。

　　《史記・周本紀》記載了周公為武王禱祝、欲代其侍奉先王之事，可見，在司馬遷眼中〈金縢〉與「周公乃自揃其蚤沈之河」並不是同一件事，或者不可看作同一故事的兩個版本。後人將「居東」與「奔楚」混為一談，或者說將〈金縢〉故事的起因與「周公乃自揃其蚤沈之河」事的結尾拼接起來，這種做法顯然並不符合當時的真實情況。

　　歷代學者關於《尚書・金縢》的質疑主要來自兩個方面。

　　一方面是關於其結尾的「神話」色彩，即「刮反風、禾苗起」有違自然規律，不可能是寫實之作。當然，蔡沈指出「武王疾瘳，四年而崩。群叔流言，周公居東二年，罪人既得，成王迎周公以歸，凡六年事也。編《書》者附於〈金縢〉之末，以見請命事之首末，〈金縢〉書之顯晦也」[54]，認為《金縢》故事結尾接搭自其他文獻，但這一說法缺乏足夠堅實的依據。另一方面則是從禮制角度切入，據〈金縢〉記載：「公乃自以為功，為三壇同墠，為壇于南，方北面，周公立焉，植璧秉珪，乃告太王、王季、文王也。」關於「三壇同墠」致祭方式，徐鼎引蔡邕〈獨斷〉指出「周有七廟，則武王時，太王為皇考，王季為王考，文王為考，皆有專廟，不在壇墠之列。且《周禮》『蒼璧禮天』，事祖考亦無植璧之禮，……太王、王季、文王不可以同壇，三壇三墠亦非合祭祈禱之儀。」[55]因此，徐鼎認為所謂「三壇同墠」記載不明，或有違禮制。

　　近年來，圍繞北大藏竹簡〈趙正書〉的性質及其與《史記》所載秦始皇傳位問題的討論眾說紛紜，其中以辛德勇先生的討論最為信實。[56]辛先生尋繹了秦代所謂「耦語詩書者棄市」的規定，指出《漢書・藝文志》中小說家的特徵即寓言，並認為〈趙正書〉就是一篇典型的小說家言。《尚書・金縢》也符合小說家言的特徵。《讀書雜釋》「周書曰嗛其考長」條談及《說文》所引《尚書》今「商書」篇作「周書」，據此推斷出「漢以前《書》無標目，讀者隨其意舉之」[57]是非常合理的。〈金縢〉與〈趙正書〉性質類似，為小說家言，因涉及史事，後被編入《尚書》，並為司馬遷誤信，編入《史記》。

　　清儒趙翼指出《尚書大傳》有其獨立史源，「原非詮釋經文，但某朝事即附於某朝某篇之下，所謂別撰大意也。」[58]其說可信。《路史》後記十〈高辛記下〉註引《尚書大傳》云：

　　　　周公致政封魯，老于周。心不敢遠成王，欲事文武之廟。公疾，曰：「吾死比葬

---

53　參見李山：《西周禮樂文明的精神建構》石家莊：河北教育出版社，2014年，頁260-272。

54　（宋）蔡沈：《書集傳》北京：中華書局，2018年，卷四，頁180。

55　（清）徐鼎：《讀書雜釋》北京：中華書局，1997年，頁19-20。

56　辛德勇：《生死秦始皇》北京：中華書局，2019年。

57　（清）徐鼎：《讀書雜釋》，頁19。

58　（清）趙翼：《陔餘叢考》北京：中華書局，1963年，頁22-23。

　　　　成周，示天下臣于成王」。及死，成王葬之畢，而云：「示天下不敢臣」。故公封
　　　　魯，身未嘗居魯。[59]

對比〈金縢〉與《尚書大傳》的記載，不難看出：〈金縢〉誇大了周公的不幸，尤其以
近似「竇娥冤」的母題描述成王誤解周公致使糧荒，迎周公還朝後災異自行解除的做法
缺乏可信性。總之，周公蒙冤之說並不可靠，倘若周公確曾「居東」二年，也只能理解
為周公還政成王後繼續留在洛邑，即「居於東都洛邑」二年，第三年生病回到豐京，不
久死去。

　　我們再看周公奔楚的記載。〈魯周公世家〉與〈蒙恬傳〉的故事近似，而經過蒙恬轉
述，增加了成王在繈褓，周公負其上朝的漢代色彩。這不能證明司馬遷相信成王即位時
尚在繈褓的觀點，正如司馬遷用「互見法」時往往將歧說中幾率較大的一種放在更顯著
的位置一樣，〈蒙恬傳〉中的說法可以理解為其有意用「隱微寫作」[60]的方式把當時「成
王尚在繈褓」的流俗說法展示出來，而顯然司馬遷所相信的看法在〈魯周公世家〉。

　　周公奔楚的真實性，清儒崔適曾提出質疑：「古人立言多為時事而設，言故事以喻
之，……此周公禱疾事，不言為武王，而言為成王者，蒙氏自喻其忠於二世也。……此
傳不言為武王，《尚書》不言為成王，後人兼竄此言入〈魯世家〉，與上文引〈金縢〉語
相複雜矣。」[61]這個看法是合理的。「出奔」之類行為，常見於《左傳》中大臣、卿士
的流亡，西周早期的政治局勢與春秋時期明顯不同。周初天下未定，周王室內部凝聚力
強，況且周公的政治地位遠非春秋時期輔佐君主的臣僚可及，成王的執政合法性很大程
度上依賴周公，若想維護執政地位，成王必不敢對周公造成直接威脅，更不至於使周公
落得「奔楚」的下場，因此無論從史源上還是從情理考慮，周公「奔楚」傳說的真實性
都值得懷疑。

　　最後來看周公攝政前後年代問題。因武王曾希望傳位給周公，而周公堅辭不受，成
王代周公立，自此形成周公攝政的局面。周初青銅銘文當為以事紀年或以王（祀）紀
年，王國維先生稱《史記》武王克商及周公攝政而以文王受命紀年的說法[62]是《史記》
所採取的漢代通行的歷史觀，意味著在司馬遷看來，成王以前是「先周時代」，而成王
才是周代的開國之君。

　　周公攝政時期，以成王紀年，因此成王親政後並未改元，成王時期的器物所使用的

---

59　「周公封于魯，未嘗居魯也。」（又見於《詩地理考》，卷五所引。（漢）伏生撰，（漢）鄭玄註，
　　　（清）陳壽祺輯校：《尚書大傳》，頁84）

60　（美）列奧・施特勞斯討論柏拉圖對話時提出的寫作理論，強調作者將某種意圖以故意遮掩的方式
　　　隱匿于文中，意在使讀者自覺地發掘其隱含觀點和態度的書寫方式。參見Strauss Leo, *The Argument
　　　and the Action of Plato's Laws*, Chicago: The University of Chicago Press, 1998.

61　崔適：《史記探源》北京：中華書局，1986年，卷八，頁196。

62　（清）王國維：〈周開國年表〉，氏著：《觀堂集林》，別集卷一，頁1142。

紀年多為成王代立後的年份。錢塘所謂：「周公攝政，亦改元乎？曰，所改者，稱王之
年也。……予考攝政時事，頗不似康成說。成王元年葬武王，二年公東征，五年彌殷
亂，六年會方國諸侯于宗周，七年營洛邑、封康叔及仲旄父而致政。見於《尚書》及
《逸周書・作雒》、《明堂解》者如此」[63]，其說可信。〈召誥〉、〈多士〉雖未紀年，根
據楊寬先生[64]和朱鳳瀚先生[65]的推算，其與〈洛誥〉和何尊銘文所記為同一件事。由此
可知，洛邑中的王室居所于成王五年開始營建，至七年完工落成，基礎建設方面可能如
彭裕商先生[66]所言，開始得更早。

## 四　結論

　　周初史事，尤其是圍繞周公攝政和遷都的爭論聚訟紛紜。經考證，本文確認以下觀
點：周初「父死子繼」的即位原則並未確定，武王曾有意傳位周公，但周公並未接受。
成王繼承大統，故周公奉武王之命輔政，存在周公執政史事。洛邑興建之初供周公主持
東方政治使用，成王始終沒有遷都於此。〈洛誥〉記載的正是新舊交替的時代周公與成
王之間關於政權交接和政治理念的觀念溝通。

---

63　錢塘：《溉亭述古錄》北京：中華書局，1991年，卷一，頁24。
64　楊寬：〈西周初期東都成周的建設及其政治作用〉，載《歷史教學問題》，1983年第5期。
65　朱鳳瀚：〈〈召誥〉、〈洛誥〉、何尊與成周〉，載《歷史研究》，2006年第1期。
66　彭裕商：〈新邑考〉，載《歷史研究》，2000年第5期。

# 李光地《中庸章段》之分章結構及思路分析
## ——兼與朱子《中庸章句》比較

孫玲玲

北京師範大學哲學學院

　　李光地乃清代康熙年間著名理學家，是清朝歷史上不可忽視的名臣，曾官至文淵閣大學士。他深得康熙的喜愛與信任，[1]被康熙視為知己，[2]並經常得與康熙帝討論義理，在康熙升格朱熹配祀孔廟一事中也起到過重要作用。[3]可以說，他對朱子學和整個清代理學的發展都有非常重要的影響。目前學界對李光地的研究多著眼於他的音學與易學，或者從政治的角度來研究他。作為一個殊寵一時的儒者，他的思想中所帶有的典型的清初理學家們的特點也是學者對李氏之學的重要研究點。[4]然而，學界對李光地的《中庸》之學卻關注者較少。在少數的幾個注意到李光地《中庸章段》的學者中，其義理上與朱子思想的不同之處往往成為被關注的重點。[5]毫無疑問，這些研究是有其重要價值的。

　　然而，李光地究竟是怎樣理解《中庸》的，其《中庸章段》分章的特點和背後的根據是什麼，為什麼他做出了與朱子全然不同的分章還要說自己是「竊取朱子平生之

---

1　同時代的學者李紱曾評價他：「在政府十四年，寵待之禮，皆殊恩異數，近世人臣未之有也。」

2　康熙曾在李光地死後對他的部臣說：「李光地久任講幄，簡任綸扉；謹慎清勤，始終如一。且學問淵博，研究經籍、講求象數，虛心請益。知之最真無有如朕者，知朕亦無有過於李光地者。」

3　據李光地《年譜》記載，當《朱子全書》成時，康熙有意使朱子躋位四配之次。「李光地奏曰：『朱子造詣誠與四配伯仲，但時世相後千有餘載，一旦位先十哲，恐朱子心有未安。乃定列祀於十哲之末。』」可見康熙有意提升朱子地位與李光地《朱子全書》的編成有關，而不能躋位四配之次，只能列於十哲之後也是循李光地之意。李光地對朱子學發展的影響由此可見一斑。

4　如方小飛的《李光地理學思想研究》，學者李菁的《李光地與清初理學》等。

5　綜合而言，李光地與朱學的不同主要表現在三個方面，首先是其對「性」的理解，朱子認為「理即性」，李氏則以為「性即理」，將「性」強調出來並賦予了新的內涵。其次是對「人欲」的肯定，繼承「飲食男女」皆義理所出的觀點。再次，重視經世致用的實學。這些特點和當時的時代背景息息相關，這些觀點既是李氏與朱子思想不同之處，也體現了清初理學的整體特點。參見孫建偉《清代中庸學研究》，許明珠的〈李光地對朱子學的承接與調修〉（《泉州師範學院學報》，第31卷第1期，2013年2月），樂勝奎的〈李光地對程朱理學的承襲與拓展〉（《湖北大學學報》，第35卷第6期，2008年11月）等文。

意」，其《中庸章段》對我們理解《中庸》文本和內涵又有何價值？這些同樣值得我們關注和研究的問題卻鮮有人注意。

　　本文嘗試對李光地《中庸章段》分章之結構與思路做一個系統的梳理與分析，在與朱子比較的視野之下，探討其分章的根據、與朱子的同異、他本人對《中庸》各章的理解及其分章對我們理解《中庸》的價值和意義。

# 一　《中庸章段》──竊取朱子平生之意

　　李光地著述等身，前後奉旨編修了《朱子全書》、《性理精義》，自己還著有《周易通論觀象大指》、《中庸章段》、《中庸餘論》及《洪範說》等，又有《大學古本說》、《論孟劄記》、《詩所》等。[6]於易學方面造詣最深，奉命所修《禦纂周易折中》是其影響力最大的作品。他的主要作品都被收錄於《榕村集》中。

　　其學術思想經歷了一個變化的過程。年輕時遍讀諸書，興趣廣泛，學無常師。曾向顧炎武請教音學，向梅文鼎請教曆算，遊心於程朱陸王之間。四十歲做《遵朱要旨》，「尊朱」思想才得以確定。《中庸章段》成書於康熙五十五年，即李光地七十五歲之時，便是在尊崇朱學的思想背景下寫成的。

　　《四庫總目提要》認為，李光地的學問源自朱子，因為「能心知其意」，所以變通地闡發朱子的學問，而不拘執於門戶之見。解經講學，兼取漢唐，酌采陸王，能夠在是非得失與事物之所以差異處辨得尤為分明，「往往一語而決疑似」。

　　並指出其分章雖與朱子不同，然大旨上沒有太大出入：

> 其《中庸》不用朱子本，亦不用鄭註古本，自分為一十二章。然特聯屬其文，使節次分明，大旨則固無異。[7]

李光地吸收了朱子認為《中庸》的創作是「子思子憂道學之失其傳而作也」的看法，在《中庸章段序》中表明：子思做《中庸》，正是預知了「異端之說將起，而性道之正將離也」[8]，故傳《中庸》於孟子，以抵楊墨等異端之說。他還把程朱與孟子並列，認為此三人對《中庸》之道的傳承功不可沒。

> 程、朱二子生於千數百年之後，躋《中庸》之庭而入。蓋孟子捄之未亡之前，而

6　（清）吳翌鳳編，任繼愈主編：《中華傳世文選·清朝文微下》長春：吉林人民出版社，1998年，頁927。

7　（清）永瑢、紀昀主編，周仁等整理：《四庫全書總目提要》海口：海南出版社，1999年，頁202。

8　（清）紀昀等：〈中庸章段序〉，《榕村集卷十》，文淵閣四庫全書，臺北：臺灣商務印書館，1983年，1324冊，頁674。

程、朱存之已壞之後，以三子之為功大，益知子思子之為慮深也。二程於《中庸》未成書，然朱子之道，即二程之道也。[9]

李光地極為重視《中庸》首章的作用，認為首章是朱子之學「所以繼絕學、承聖統」之處。然後世講學，錯誤頗多，真義早失，致使道難明於天下。糾正後世學者對朱子之學的誤解，大概便是李光地作《中庸章段》的初衷。[10]

地讀《章句》五十年，然後能明首章之說，覆觀近代講解之所由誤，蓋自宋元之間而已失之，是則七十子未終而大義乖，道之難明易晦也如此哉！[11]是編也，於章段離合之間，雖頗有所連斷，然其義所自來，則皆竊取朱子平生之意，深於此者，或能諒焉。[12]

與其由《初夏錄》增損而成的《中庸餘論》之「雖推索經指，宗述儒先，而附以己意焉。」[13]不同，《中庸章段》之義，乃是「竊取朱子平生之意」而來。

## 二　層次之分──以首章統攝全篇

朱子將《中庸》分為三十三章，李光地將其分為十二章。李氏既然自謂其分章從朱子「平生之意」而來，又與朱子分章迥然相異，則將二人的分章情況及對各章的闡述進行一個對比，便是必要的。

以下列出李光地《中庸章段》與朱子《中庸章句》章節劃分對照表（表一）。

---

9　同上。

10　學者李菁認為，李光地重編《中庸》，是為了闡明他的「明性」思想。見中國學術思想研究輯刊，《李光地與清初理學》。

11　後世尊朱者往往不加分辨，盲信盲從，反而使朱子之義使人誤解。「即確乎得自師說者，其中早年晚歲，持論各殊，先後異同，亦多相矛盾。儒者務博篤信朱子之名，遂不求其端，不訊其末，往往執其一語，奉若六經，而朱子之本旨轉為尊朱子者所淆。」見《御纂朱子全書》，子部一，儒家類，《四庫全書》，頁720-729。

12　（清）紀昀等：〈中庸章段序〉，《榕村集卷十》，文淵閣四庫全書，臺北：臺灣商務印書館，1983年，1324冊，頁675。

13　（清）紀昀等：〈中庸餘論序〉，《榕村集卷十》，文淵閣四庫全書，臺北：臺灣商務印書館，1983年，1324冊，頁675。

表一

| 李氏章次 | 對應朱子章次 | 內容起始 | 李氏章段意義 |
|---|---|---|---|
| 一 | 一 | 天命之謂性——萬物育焉 | 一篇體要 |
| 二 | 二三 | 仲尼曰——民鮮能久矣 | 標一篇之指以起作書之意 |
| 三 | 四至十 | 子曰道之不行也——強哉矯 | 申明首章天命謂性之義 |
| 四 | 十一至十六 | 子曰素隱行怪——誠之不可揜如此夫 | 申明首章率性謂道之義 |
| 五 | 十七至十九 | 子曰舜其大孝也與——治國其如示諸掌乎 | 申明首章修道謂教之義 |
| 六 | 二十 | 哀公問政——雖柔必強 | 全書之樞紐根柢也 |
| 七 | 二十一 | 自誠明——明則誠矣 | 總結上章夫子告君之言 |
| 八 | 二十二至二十六 | 唯天下至誠——純亦不已 | 承上章而言誠之極至以結首章所謂中也 |
| 九 | 二十七至三十 | 大哉聖人之道——此天地之所以為大也 | 承上章而言，明之極至以結首章所謂和也 |
| 十 | 三十一 | 唯天下至聖——故曰配天 | 承前章聖人之道而指其所發之盛以終中節之和之義 |
| 十一 | 三十二 | 唯天下至誠——其孰能知之 | 承前章至誠盡性而指其所存之神以終未發之中之義 |
| 十二 | 三十三 | 詩曰衣錦尚絅——至矣 | 與首章之義相首尾而總結全篇之意 |

　　雖然在朱子《中庸章句》和李光地《中庸章段》中，二人皆未明確對《中庸》文本做出層次的劃分，然而根據他們對各章段的解說和對全篇結構的闡釋，我們可以推導出二人對《中庸》的層次劃分。

## （一）朱子《中庸章句》之分層

　　朱子將《中庸》劃分為五層：[14]

第一層為首章，點明《中庸》一書的主要內容與功用，朱子贊同楊氏認為此章為「一篇之體要」的說法。

---

14　亦有不少學者認為是三層，三層者，將首尾章併入第一層和末層。見許家星〈分章所以原作者之意——論黎立武的〈中庸分章〉研究及其思想意義〉一文。

第二層為第二章至十一章，朱子以為此數章皆是子思引孔子之言，「以明首章之義」。

第三層為第十二章至二十章，「申明首章道不可離之意」並「雜引孔子之言以明之」[15]，其中第二十章為全篇樞紐，第十六章為本層樞紐，兼包費隱小大，前三章與後三章則分別說費之小者與大者。

第四層為第二十一章至三十二章，其中第二十一章為總論，又有承上啟下的作用。此一層內容都是子思所言，「以反覆推明此章之意」。此層又可分為三小層：第一小層為第二十二章至二十六章，為天道與人道交互而言，始於天道又歸於天道。第二小層為第二十七章至二十九章，言人道。其中第二十七章為總論，其下兩章分別言此章之「為下不倍」、「居上不驕」而皆言人道。第三小層為三十章至三十二章，言天道。其中第三十章為總論，其下兩章分別述此章之「小德川流」「大德敦化」而皆言天道。

第五層為末章，子思根據「極致之言」（第二十七章）而求其根本，從下學處推言，至於「篤恭而天下平之盛」，推而至於「無聲無臭而後已」，有總結全篇的功能。

## （二）李光地《中庸章段》之分層

從《中庸章段》中，我們可以看出，李氏共將《中庸》分為六大層：

第一層為第一章，起總括全書總旨的作用，其後的所有章節都是為了「發明推廣此章之旨」。

第二層為第二章（朱子第二、三章），「以見作書名篇之指」，可以理解為此章為本篇破題的部分。

第三層為第三至五章（朱子第四至第十九章），對應首章第一句「天命之謂性，率性之謂道，修道之謂教」，本層作用為闡發「首章性道教之源流」。

第四層為第六章（朱子第二十章），為全篇樞紐。此前三章的作用為「明首章性道教之源流」，此後五章的作用為「明首章致中和之功化」。而此章「達德達道三知三行」則為首章第一句「性道教」的落實，「誠明」為首章後半部分中和的落實。如此，則此節既是首章的縮影，又是全篇主幹部分的縮影和前後內容的過渡。

第五層為第七至十一章（朱子第二十一章至三十二章），對應首章中和位育之說，其作用為闡明「首章致中和之功化」。

第六層為末章（朱子第三十三章），起到「與首章之義相首尾而總結全篇之意」的作用，乃全文之總結與昇華。

---

15　（宋）朱熹：《四書章句集注》北京：中華書局，2012年2月，頁23。

從《中庸章段》的全篇結構來看，李光地與朱子的分層並無大的差異，只不過二人著眼的角度不同。在朱子，除首尾章外，第二層為子思引孔子之言，第三層雜引孔子之言，第四層為子思之言。朱子分層把言說者作為重要的考量因素，而李光地《章段》的分層則是從其全文與首章的關係入手。層次劃分上的不同之處主要有二：一是李氏將朱子第二三章單獨列為一層，等於把朱子的第二層拆成了兩部分，作為行文的一個環節單獨提出，以強調「作書之意」。二是李氏把第二十章單獨列為一層，而朱子則把其歸入第三層中。大體並無實質出入。

雖然從大的層次上來看，李光地與朱子並無實質的大出入處，然而在各章節的劃分上，二者卻表現出了較大的差異。這主要是緣於二人乃從完全不同的角度入手來闡釋《中庸》。

## （三）斷破與合併

李氏《中庸章段》共分六個層次，十二章，六十小節。其中有朱子原本為一章而李氏斷破者，有朱子本為兩章而李氏合為一者。

斷破者有四處。分別為朱子第十章即「子路問強」章，李氏從「故君子和而不流」斷開分其為兩節。第十五章從妻子好合斷開為兩節。第二十六章自「天地之道可一言而盡」被斷為兩節。第二十七章自「故君子尊德性而道問學」被分為兩節。

兩章合為一節者有一處。朱子第二十八、二十九章在李氏則被合為一小節。

李氏第六章、十章、十一章、十二章分別為朱子第二十章、三十一章、三十二章、三十三章。在大章一致的情況下，其間小節之離斷，前已論述，此不贅言。

除以上提到的章節外，其餘每一小節對應朱子之一章。

# 三　章節之分──枝枝相對、葉葉相當

李光地對《中庸》的分章有一個邏輯嚴謹的完整系統，每一章每一節的劃分都有具體的說明，有其分與合的內在邏輯和充分根據。

## （一）第一層：首章──一篇之體要

李光地《中庸章段》首章與朱子《中庸章句》分章一致。共分為五小節，兩個小層次。第一小層為第一節，即「天命之謂性」到「修道之謂教」，為總論。一方面，此節表現出了李氏與朱子在對性與理的理解上的一處差異，即朱子認為性即理，李氏則認為理

即性。[16]「人物得其理以有生,如受天之命者,是之謂性。」[17]他又說:「性即理也,是天命之無妄也;理即性也,是萬物之皆備也。」[18]可見,李氏以性為理的思想實為對朱子心性學的一個補充。另一方面,在承繼朱子對「教」的理解之上,李光地把「教」理解為由內在的心發行到外在的事,從庸言庸行的謹慎到人倫之極致的「因吾所常行者而修飭之」的過程。將《中庸》登高必自邇,行遠必自卑的精神貫徹到「教」之精義中。

　　第二小層為第二節至本章最後,「皆脩道之事也」。其中第二節為睹聞戒懼之說,此節李光地首先判別了道之體用關係。認為道之體在性,性體不可息、不可離,其須臾之離、息會導致「天命於是而不行」的後果,因此道之不可離需要靠君子之睹聞戒懼,要「主敬以存其誠」,即通過人的主觀行為來保證對道的「不離」。因此,在李氏,道之不可離並非客觀事實,而是從功夫論的角度來理解的。第三節為隱微慎獨之事,乃「精義而察其幾之事」,君子所慎之「獨」即隱微之處。關於隱微慎獨的理解,與朱子無大異,然所著落之重點不同。李氏主張君子當謹於善惡之分,朱子則認為,需要特別注意的地方在於人欲之將萌。[19]李氏並未完全繼承朱子的人欲說,當有人問他血肉之心是不是心的時候,他說「此心之室周身皆心也」又說「一切欲心都從形體上生來,如鼻欲聞好香,口要吃好味之類,凡此非即惡也。中節仍是善,惟過則惡耳。」[20]凡朱子在《章句》中提及人欲之處,李氏皆不從人欲角度來解。

　　第四節為已發未發之中和說,他繼承朱子的理氣說,並將其貫徹到性與行上,認為性「無非理也」,而行則是理和氣的相雜。他用體用來解釋中與和,把中與和理解為性之存與率性之用,認為中是道之源,和乃人所共由。他進一步將此一節與前兩節相互關聯,認為君子之所以要戒懼慎獨,正是為了存養之厚和發用之當。換言之,實現中和是戒懼慎獨的目的,而戒懼慎獨則是實現中和的功夫。第五節乃位育之說,他繼承程朱一派主敬說,將敬與謹貫穿於動靜顯微之始終,將其看作性體得以存和義理得以周流的重要前提,是達至中與和的重要方法。認為性在心的層面是貫穿始終的,道在事的層面則應物發見。中是無時不在的,和則動態地流行於天地萬物。

　　李氏認為,「性、道乃理義之源」,「性具於心,道見於事」。心與事,一者為性之載體,一者為道之載體。以敬直心,是大本所以立;以義方事,是達道所以行。二者一內一外,貫穿動靜顯微,又歸於靜與微。

---

16 學者許蘇民認為,李光地的理學思想是「以性為本」而非「以理為本」,是一個「否定之否定」的過程。

17 (清)紀昀等:《中庸章段》,《榕村四書說》,文淵閣四庫全書,臺北:臺灣商務印書館,1983年,210冊,頁11。

18 見《四庫全書‧榕村語錄》,卷二十六「理氣」,第六條。

19 有學者認為李氏對人欲進行了去惡化,或者使欲合理化。如許明珠的〈李光地對朱子學的承接與調修〉、樂勝奎的〈李光地對程朱理學的承襲與拓展〉等。

20 見《四庫全書‧榕村語錄》,卷二十五「性命」,第四十二條。

　　結合《中庸章段》和《榕村集・中庸篇》的內容可知，與朱子將首章分為本體、功夫、境界三層不同[21]，李光地從體用內外一一相對的角度，將性道、心事、動靜、顯微、都聞、隱微、內外、未發已發、中和、位育、敬義、大本達道等概念一一相對，將看似零散的概念串聯起來，納入到同一個體系之中，使之成為一個脈絡清晰的整體，並利用這些概念間的相互對應來體現《中庸》的「一以貫之」。詳細清晰地展現了朱子「《中庸》一書，枝枝相對，葉葉相當，不知怎生做的一個文字整齊！」[22]的評價。

　　其體用概念關係對應圖如下圖一：

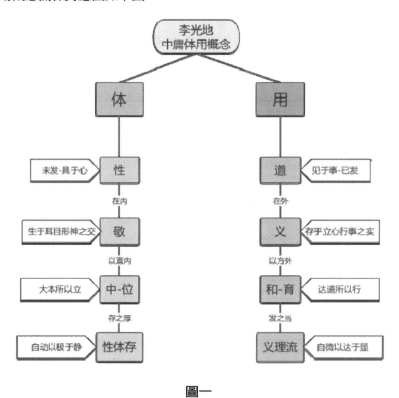

圖一

　　李光地對首章表示出了尤為的重視。他自言花了五十年來明白首章的內涵，並認為首章是理解朱子之意的關鍵。

> 首章之義，是朱子所以繼絕學、承聖統者。學者於此有以得其源流指趣，則列聖之傳可識，而於全篇之理亦思過半矣。地讀《章句》五十年，然後能明首章之說。[23]

---

21　參見許家星老師〈分章所以原作者之意——論黎立武的〈中庸分章〉研究及其思想意義〉一文。

22　（宋）黎靖德編：《朱子語類》北京：中華書局，1986年3月，卷六十二，頁1479。

23　（清）紀昀等：〈中庸章段序〉，《榕村集卷十》，文淵閣四庫全書，臺北：臺灣商務印書館，1983年，1324冊，頁674。

李光地認為，《中庸》一書的宗旨盡包含於首章之中，其後的所有內容皆為說明首章含義且與首章相互呼應。「此章為一篇體要。自第二章至末，皆所以發明推廣此章之旨也」。[24]與朱子一樣，在李光地的框架中，整篇《中庸》都是圍繞首章展開。

## （二）第二層：第二章──起作書之意

李光地第二章乃朱子第二、三章的結合，分為兩小節，每小節對應朱子之一章。他認為這兩章有著相同的作用，子思兩次引用孔子關於中庸的言論，是為了強調《中庸》之所指以及《中庸》何以名為《中庸》，故而此章是為了表明作者作此書的意圖。在朱子的《章句》中，二至十一章是一個整體，皆是闡發首章之義。此處李光地卻拆成兩個部分，將二三章單獨列出，合為一章，以突顯其「標一篇之指以起作書之意」的作用。

## （三）第三層：第三至五章──對應首章性道教

此三章分別與首章性道教一一對應。

第三章對應朱子第四至十章，共八小節。李光地將朱子第十章自「故君子和而不流」分為七、八兩個小節，其餘每一小節對應朱子之一章。認為此章總的目的在於「申明首章天命謂性之義」。

根據註解可知，在朱子，第四至十一章為一個整體，其中第四章為總論。第五章處以「承上章而舉其不行之端，以起下章之意。」囊括了三四五章，在第七章處以「承上章大知而言，又舉不明之端，以起下章也。」囊括了六七八章。即第五、七章闡釋道之不明、不行，而第六、八章舉舜與顏回的例子點出道之所以明、行，第九、十章則為「勇」之事，以第十一章索隱行怪為知行之過者，又與第四章總論相應，並認為「知仁勇三達德為入道之門」。

李光地雖將朱子二至十一章的整體分層斷開成二三章為一章，四至十章為一章，且將朱子第十一章歸入下一章中，卻繼承了朱子於此處要表達「以知仁勇三達德為入道之門」的精神，將智仁勇作為他分章的重要依據，指出將仁與智合而為一才是天命之本、聖人之事。他在此章首節第一句即點明「性之大分，知仁而已」，認為賢與不肖是對「仁」的過與不及，又安於其行而不開明，是道之不行。知者愚者是對「行」的過與不及，又安於其知而不踐履，是道之不明。指舜為「行而善其知者」而顏回為「知而善其行者」，而子路為「明行交盡而善其勇者」。因此他認為勇者是「貫乎智仁之間」的。故

---

24　（清）紀昀等：《中庸章段》，《榕村四書說》，文淵閣四庫全書，臺北：臺灣商務印書館，1983年，210冊，頁12。

而智仁勇三者的實現，都是「率性」的體現，由此則引出了下一章內容。

　　用知行問題串聯智仁勇，從而建立了每一節之間的密切聯繫，使之成為邏輯自洽的一個整體。其結構圖如下圖二：

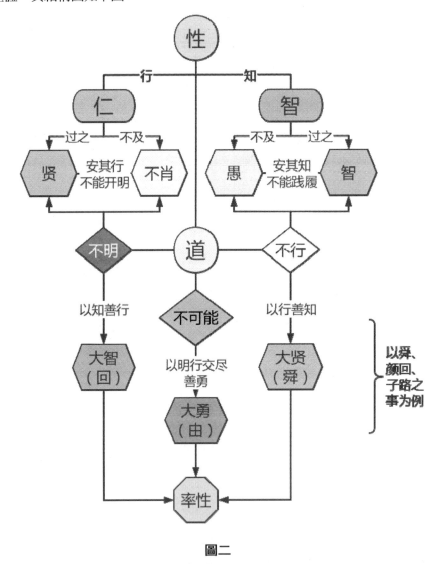

圖二

　　第四章為朱子十一至十六章，共分為七小節。將朱子第十五章從「詩曰」斷為兩節，其餘每節為《章句》一章。此章目的為「申明首章率性謂道之義」。就其內容而言，又分為兩小層。一至四節為第一小層，以第一節為總論，論證索隱行怪和半途而廢者的過與不及。第二、三、四節分別說明索隱者、行怪者、半塗者之非。第五至七節為第二小層，以第五節為總論，申明道始自夫婦終於鬼神，是一個由近及遠的過程，創建了一個鬼神之所以能察乎天地是根於人倫，夫婦之近而終可至於察天地，二者相互發明的系統。其中第五節的闡釋中提到「隱怪者騖於高遠」而「半塗者溺於卑近」，將隱怪

半途與高遠卑近建立聯繫，如此則第五節同時起到承上啟下的作用。第六、七節皆「以申卑邇高遠之意」，前者言夫婦之卑邇而後者論鬼神之高遠。將兩部分串聯起來可知，夫子對隱怪、半途者的否定，是為了說明自近而遠的道理，則前後兩層自然成為一個完整的不可分離的整體。

此章實承上章而言，繼續闡發過與不及之失。「索隱者求道於人理之外」、「行怪者出乎人情之表」，其過與不及皆為對人的認知的偏差，從而導致對性的偏離，「或求道於性之外，或不盡其性於道之中」，故此章乃「申明首章率性謂道之義」。此章強調「即人而道在」，意在貫通上下遠近，從而引出下章之「修道之謂教」。其結構圖如下圖三：

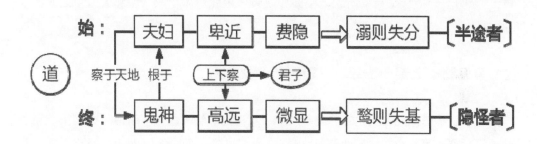

圖三

李光地第五章為朱子第十七章至十九章，共三小節，每節分別與《章句》每章對應。「此章主孝而言」，其作用為「申明首章脩道謂教之義」。由朱子《章句》對此處：「此由庸行之常，推之以極其至，見道之用廣也。而其所以然者，則為體微矣。後二章亦此意。」[25] 的說明可以看出，此處三章並為一章並未與朱子有實質出入，只是朱子章小，李氏章大而已。李光地認為孝具有「其發之最先」和「統之最全」的特點，因此可以「至於格天」，成就大德。只有聖人可以做到從子臣弟友的庸常之行達到「格天受命饗帝饗親之盛」，這正是聖人修道可以成為後世法效之處，也是「教之所由立」。如此，李光地便順利地把這三章的內容和首章「修道之謂教」對應起來。由此也可以看出李氏主張教本於孝的思想。

## （四）第四層：第六章——全篇樞紐

第六章乃朱子第二十章，即哀公問政章。此章李氏共分為十四小節，三個層次。一至五節為一層，言修身之事；六至十節為一層，言為政之事；十節以下為一層，又反之於身。其中第五節、第十節為過度節，有承上啟下的作用。可以看出，通過對此章章節

25　（宋）朱熹：《四書章句集注》，北京：中華書局，2012年2月，頁26。

的劃分與解說，李氏建立了一個修身──為政──修身的循環系統，以說明「修己治人初無二理」的道理。他認為，九經不過是對五達道的推廣，所以能行於九經者不過是三達德的落實。此章主旨，李氏循朱子「章內語誠始詳，而所謂誠者，實此篇之樞紐也」[26]的觀點，以此章為全書之樞紐根柢，認為此章乃「夫子傳心之典」。在李氏的體系中，此章的作用遠不止樞紐那麼簡單，他甚至認為曾子、子思、孟子所闡述的道理都是以此為淵源。在篇章結構上，他將此章視為全篇結構的一個節點和縮影。作為一個樞紐，此書前半部分皆是為了闡明「首章性道教之源流」，後半部分皆是為了闡明「首章致中和之功化」。作為一個全篇的縮影，「達德達道」、「三知三行」便是首章所言性道教之實，「誠明」二字又是首章所說之中與和之實。至此章，李氏《中庸》分章之脈絡便清晰可見。

## （五）第五層：七至十一章──對應首章之中和

第七章為本層總論。第八章「言誠之極至」，從「以誠盡性」而言，則與第七章之「誠」相對應。第九章「言明之極至」，從「以明盡道」而言，又與第七章之「明」相對應。第十章「聖人之道」承第九章而言，第十一章「至誠盡性」又承第八章而言。故七至十一章為一個整體可知。

第七章即朱子第二十一章。亦循朱子「承上章」之意，以此章為「總結上章夫子告君之言而約其旨」。不同之處在於：從文旨上來看，李氏認為此章為子思對夫子之言的總結與約說，而朱子則認為此章是子思根據夫子之意而「立言」。顯然，在朱子那裡，子思於此章有更多的創造性。從篇章結構來看，朱子將此章內容與以下十二章並為一個整體，認為後文不過是「反覆推明此章之意」。李光地則一反劃大章的風格，將此處單獨列為一章，且並未做出其在整篇結構中的作用或者與首章的對應說明。

李氏第八章乃朱子二十二至二十六章，共五小節。此章旨在「承上章而言誠之極至，以結首章所謂中也。」[27]第一小節為朱子第二十二章，言至誠，「承上章自誠明謂之性而言」。他從體用的角度來理解盡性與盡道，認為盡人之性、盡物之性及贊天地化育等，都是「一誠之所周貫」，即是從體的層面而言。盡道之用的層面，則體現在下章的議禮制度考文之類中。此節點明本章總旨，為本章總論，以下四節皆從本節盡性之本而言。第二小節為朱子第二十三、二十四章，此處合朱子兩章為一節，即「其次致曲」到「至誠如神」。這樣的節次劃分與他對「曲能有誠」的理解是分不開的。他認為即便

---

26　（宋）朱熹：《四書章句集注》，北京：中華書局，2012年2月，頁32。

27　（清）紀昀等：《中庸章段》，《榕村四書說》，文淵閣四庫全書，臺北：臺灣商務印書館，1983年，210冊，頁21。

是一偏之隅，擴充之，最後也可以到「至誠如神」的境界。誠明變化與吉凶之兆都是從幾微之處逐漸產生，是由誠—形—著—明—動—變—化一步步實現的，也是人可以贊化育之最微妙處，「非盡性者不能也」。第三小節為朱子第二十五章。李氏認為此一節解釋至誠可以盡性，盡性是盡道之本，先於一切。性之分本身就不遺物，所以能及物而盡人、物之性，達到合物我內外的狀態。仁和知都是對「誠」的體認與推廣，是性之德，物我內外之所以能不二，正是在於將此性之知仁之德「以時措之而皆宜」的結果。朱子則從體用的角度來闡釋知仁與盡性的關係，認為「仁者體之存，知者用之發」，二者都是本性之中所固有，沒有內外之分。只是一者為得於己之內在未發之體，一者為以時措之而皆宜的外在發用。第四小節從「故至誠無息」到「無為而成」，為朱子第二十六章的前半部分。他認為無息是「至誠之性體」，「此一節釋致曲而能有誠，以至能化之意。言能不息於誠，則有自然之驗，以至於過化存神，上下與天地同流而非自外也。」[28]將外在的發用流行，歸因於內在的至誠不息。第五小節為朱子二十六章的後半部分，即「天地之道」至「純亦不已」。李氏認為，不二正是天地之誠的體現，是天之所以為天的原因，也是至誠可以不息之所在。聖人與天地在至誠不息上具有一致性。「此一節推原聖人與天地性真之合，以終章首參贊之義而以文王實之也」[29]聖人與天地同一，其性真之合亦是從本體之「盡性」而言。綜合而言，此章用「以誠盡性則大本立」將人內在至誠的性與德與天地之德相結合，以贊天地之化育而使天地位。則可見以上每小節的共同之處為盡性言本，為李氏歸此五節為一章之根據，亦是此章之所以能與首章「中也」相對應之根據。

　　李氏第九章為朱子第二十七至三十章，共分為五小節。將《章句》第二十七章自「故君子尊德性而道問學」處斷開，分別為其第一節與第二節。第一節「承上章自明誠謂之教而言也」，認為「聖人即至誠也」是從道、教的角度來說的，又從功化之規模、禮儀之節目兩個角度來闡明這一點，並認為作者、述者都是聖人。又指「至德」乃上文所說之「盡性」，是聖人之「至道」得以「凝於身而行於世」的前提，故而此節在篇章結構上有承上啟下的作用。第二節將此節所列重要概念一一分歸於「尊德性」與「道問學」之中，並進行了詳細地辨析。又將其與誠明明誠聯繫起來以為此章本旨（見下圖四）。雖有心性事理之分，然其著眼點則與上章「盡性」相對，落在「盡道」之用上。「要皆為盡道之聖人不以時位而有所加損也」。第三節為朱子第二十八章與下章至「不信民弗從」處，認為此節內容承上文「禮儀三百，威儀三千」而言，闡釋釋「禮儀威儀待其人而後行之意」，認為武王周公和孔子都是「有至德而道凝者也」。第四節為朱子二

28　同上。

29　（清）紀昀等：《中庸章段》，《榕村四書說》，文淵閣四庫全書，臺北：臺灣商務印書館，1983年，210冊，頁22。

十九章餘下部分，李氏認為此節「釋道備於身則居上為下無所不宜之意」，認為是指孔子而言。其論證多從德行功業角度而言，蓋從下節「仲尼」推知。第五小節為朱子第三十章，「推原聖人與天地道化之同，以終章首發育峻極之義，而以仲尼實之也」。發育峻極之說乃本章首節內容，非首章之言，此處恐為筆誤。故此節實起到與首節前後呼應的作用。綜合言之，本章旨在「承上章而言明之極至，以結首章所謂和也」。將「以明盡道」而達道行與天地之功效和萬物之發用聯繫起來，又點明聖人天地之功用大業皆始於「盡道者燭理無毫末之差」。結合首節，則可知李氏將本體德性之內在方面置於功用發育之外在方面之先。

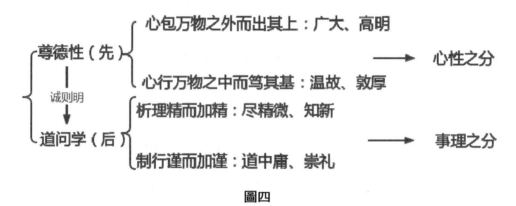

圖四

　　第十章為朱子第三十一章，共分三小節。分別於「足以有別也」和「行而民莫不悅」處斷開。此章承前章（第九章）「聖人之道」而言，每一節都分別與前章相互對應。第一節對應前章聖人而說，其闡釋有兩個特點。一是將此節所提及之德逐級劃分為表裡發藏，如言「聰明在外」、「睿知在內」，又將聰明分為「聰藏而明發」，睿知分為「睿發而知藏」。二是此節強調聖人之明並著眼於智德。由其下文可知，其所言「聰明睿智」以下之「四事」即為四德。則可知「寬裕溫柔」為仁，「發強剛毅」為義，「齊莊中正」為禮，「文理密察」為知。知對應五行之水，水又與冬季相應，「冬者萬物所以終始」，故此節首尾皆言智，只是表現出不同的功能。「聰明睿智」為開先，「文理密察」為藏用。第二節認為溥博淵泉是根據「所存者」來說的，其所以能周流普遍在於有本，自然及至表裡終始。淵泉之時出者，「即上文之四德發而皆中節者」，見、言、行對應前章動、言、行而說，莫不敬信等又與「和」相應，以此體現聖人之道之盛。第三節「聲名洋溢」即前段「有譽於天下」，與前章文武仲尼相對應。凡此三節，皆言「所發之盛」，旨在「終中節之和之義極至於血氣尊親」，如此則能「順萬物之情而能使萬物育」。第一節言表裡終始，第二節所「出」之內容為第一節之四德，而第三節語意與前文不可斷，如此則李氏順理成章地將此三節歸為一章。

　　第十一章即朱子第三十二章，共分為三小節。「肫肫其仁，淵淵其淵，浩浩其

天！」為獨自一小節，其上下各為一小節。此章承前章「至誠盡性」而言，與第八章對應。第一節「至誠」對應第八章「至誠」，「就一性之存主者」而言。第二節「肫肫淵淵浩浩，皆未發氣象也」。第三節「天德」對應第八章「文王之德之純」。凡此三節，皆言「所存之神」，旨在「終未發之中之義，極至於上達天德」，即「合天地之德而能使天地位」。

　　李氏認為，此前五章為一個整體而第七章為總論。至誠為中，至聖為和。八、九章先說至誠後說聖人，十、十一章先說至聖後說至誠，前者言「誠則明」，後者言「明則誠」。其實是一個由體及用而復歸於體，由中至和又歸於中的過程，以此發見中和相為體用且和歸於中。

> 前兩章先言至誠後言聖人，此兩章則先言至聖後言至誠。前由體以及用，此則自用而歸體也，中和之相為體用，而和歸於中者，亦猶是而已矣。[30]

　　八、九、十、十一章之關係圖如下圖五：

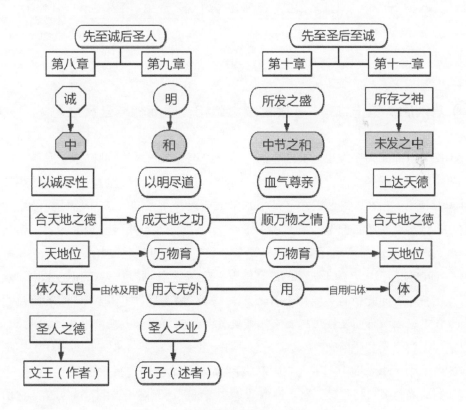

**圖五**

---

30　（清）紀昀等：《中庸章段》，《榕村四書說》，文淵閣四庫全書，臺北：臺灣商務印書館，1983年，210冊，頁26。

在大的層次的劃分上，李光地與朱子保持了一致的看法，二人都認為從朱子二十一章的「自誠明」到三十二章的「孰能知之」是一個整體，且以二十一章（李氏第七章）為總論。然而在理解上，李光地卻表現出了與朱子迥然相異的思路。朱子從天道與人道入手來理解每一章的主旨，認為第二十二至二十六章是天道與人道交互而言，對章節的內容進行了大體的概括和區分，但並沒有像李光地一樣進行具體的闡釋和聯繫。第二十七至二十九章，言人道。三十至三十二章，言天道。而李光地則從與首章中和對應的角度與體用的角度，做出了與朱子完全不同的劃分與理解。其關係圖如下圖六：

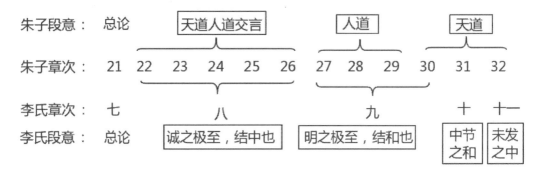

**圖六**

## （六）第六層：第十二章——與首章之義相首尾而總結全篇之意

李氏末章亦即朱子末章，共四小節。第一節至「溫而理」，此節承上啟下，因為誠明相生，所以君子於學需「其心一於誠」，則自可闇然而章，達於君子之道。第二節至「可與入德矣」，認為此「三知」乃「下學立心之始，入德之方」，需用心於「近」、「自」、「微」處。第三節至「篤恭而天下平」，此節四次引用《詩經》內容，皆為「承微而顯之意」，又與首章相互發明（具體見下表二）。第四節至文末，蓋言「天德所以為至誠」，而此節所言，乃達乎天德的最高境界。綜合而言，此章與首章相互照應，互為首尾且互相發見，而此章有「總結全篇之意」。李光地在其《中庸篇》中說的更為明確：「卒章自下學立心推而及於上達之至，蓋與首章相發，而以一誠盡中庸之道也。」[31]恰與朱子《中庸章句》中所言：「其書始言一理，中散為萬事，末復合為一理」相應。在末章的總結中，李光地申明了《中庸章段》「原於性命」—「行乎道教」—「反乎性命之真」的結構體系，將其第三層「性道教」之義理與第五層「誠明」、「明誠」之功用串聯，並最終推極於上天「無聲無臭」之載，歸復於天理人性之真，成功地將《中庸》全

---

31　（清）紀昀等：《中庸篇》，《榕村集卷六》，文淵閣四庫全書，臺北：臺灣商務印書館，1983年，1324冊，頁605。

文融入其中，形成了一個自洽的系統。

> 此理原於性命，行乎道教。惟其誠實而無妄，是以至中而至常。學道者以誠實無妄之心求之，則內無隱怪之慕，外無功利之貪，淡泊平常，無聲色臭味之可娛悅，然後可以明庶物、察人倫，而返乎性命之真矣。[32]

**表二**

| 此章 | 以成德言 | 由淺而深 | 內省 | 敬信 | 不賞怒而勸威 | 篤恭而平 |
|---|---|---|---|---|---|---|
|  |  |  | 檢察之密 | 存養之厚 | 所感之深 | 所存之神 |
| 首章 | 以功夫言 | 自體而用 | 謹獨 | 戒懼 | 和 | 中 |

## 四　小結

通過對李光地《中庸章段》的分析，我們可以看出，正如他自己所言，李光地對《中庸》的理解，主要是從朱子承繼而來，基本與他「竊取朱子平生之意」的定位是吻合的。「雖然李光地駁朱子《中庸》所作分章，但是其意在完善朱子之理學。」[33]

《中庸章段》具有他自身獨特的分章思路和思想特點，精到地體現了李光地本人對《中庸》的理解，具有其不可忽視的價值與意義。

### （一）從分章上來看，李光地分章具有強烈的整體意識

首先，李氏分章具有其鮮明的系統性。一是在全篇結構上，將全文分做總分總結構，首章為「一篇體要」的總論，中間「發明推廣」，末章又與首章呼應並起到總結作用。二是在每一章節之中，又往往通過義理闡釋對每小節在本章的作用做出清晰定位，使層次分明。如首章以「此下皆修道之事也」將此章劃分為「性道教」與「修道之事」兩個上下分明的小層。三是樞紐過渡章節明確，且邏輯連貫。如第六章中以第五、第十小節為過渡，第五小節說「以上皆言修身之事，至此將言為政，而以此起之」，第十小節說「以上皆言為政之事，至此將反之於身，而以此起之」，通過這樣的詮釋，將第六章劃分為一個邏輯連貫、層次清晰的三層結構。

其次，李光地的章節劃分細緻入微，關係對應巧妙，使《中庸》在篇章結構上呈現

---

32　（清）紀昀等：《中庸章段》，《榕村四書說》，文淵閣四庫全書，臺北：臺灣商務印書館，1983年，210冊，頁27。

33　潘斌：〈清儒對《中庸》的遵從、辨疑及應用〉，《哲學與文化》，第46卷，2019年第8期。

出環環相扣，節節勾連的態勢。從全篇來看，他將整篇層次與首章概念一一對應，第三層各章分別與首章性道教一一相應，第五層各章又與首章中和位育一一相應。從各層來看，又注重每層之內各章節之間的對應。如第五層中以第七章為總論，下面八九章又分別與第七章之「誠」「明」相對應，第十章各節與第九章內容相應，第十一章又與第八章相應，且八、九章與十、十一章呈現出內容上相應、結構上相同的特點。從各章來看，同章之內，分節與總節之間有時也呈現一一對應的關係，如第四章第一小層以第一個小節總論索隱行怪與半途者之過與不及，其下三節一一分說索隱者、行怪者與半途者之非與其相應，第二層言卑邇遠近又如是。

## （二）就其闡釋而言，《中庸章段》呈現義理與分章相發明的特點

首先，李氏從分章的角度解讀《中庸》各章的章旨與內涵，章段的劃分與義理的理解相融相成，相互發明，互為基礎。如其第三四五章之章旨分別為「申明首章天命謂性之義」、「申明首章率性謂道之義」、「申明首章修道謂教之義」，皆是以其在章層結構上與首章性道教相對應為基礎而闡發的，當然，也正是因為認為其文義上本身有相互對應的關係，李光地才會做出這樣的章段劃分。

其次，李氏對《中庸》的闡釋表現出對各概念之間關係的重視。一是注重衍生概念與基礎概念間的關係。如將賢、知、愚、不肖看做仁與知的過與不及，認為賢者為仁之過者、不肖為仁之不及者，如此則把概念之間的聯繫體現了出來。二是注重利用各概念間的關係對章節進行串聯。如用「以知善行」、「以行善知」將知仁勇串聯起來，以回答如何應對道之不行、不明，從而把章節間的聯繫體現了出來。三是各概念之間表現出「枝枝相對、葉葉相當」的對應特點。如其在首章中將性與心、道與事、敬與義、大本與達道、中與和、體與用等概念一一平行對應，融入同一個系統之中。

最後，他對《中庸》的闡釋具有典型的理學特點。一是注重全體大用而用歸於體。如他對第四層的理解便是「中和之相為體用，而和歸於中」，又如在末章中點出的中庸之道「原於性命」—「行於道教」—「反乎性命之真」的系統。二是對「敬」與「靜」的重視。如首章中說「然敬者動靜無息，而以靜而常存者為敬之純。」

李光地的《中庸章段》對朱子的思想與分章進行了系統的梳理與重塑，對《中庸》的章節結構做出了細緻深入的探討，以高度系統化、結構化的方式把《中庸》的整體性呈現在我們面前，使其學術理路更加鮮明。「皆一一別白是非，使讀者曉然不疑。於明以來諸家註釋之中可謂善本矣。」[34]他的理解與章段劃分，為《中庸》的詮釋提供了一

---

34　（清）紀昀等：《注解正蒙》，子部一，儒家類，文淵閣四庫全書，臺北：臺灣商務印書館，1983年，697冊，頁336。

種新的思路與範式，在今天依然具有不可忽視的學術價值。同時，李光地的《中庸章段》也對朱子學的發展具有不可忽視的貢獻。正如學者許蘇民所言：「李光地的理學思想，雖然標榜尊奉朱熹，但絕不是朱熹思想的簡單重複，而是在更高的基礎上向朱熹的復歸。」[35]他在尊崇朱子的同時又能對朱學不隨聲附和，對朱子學說本著「汰其榛蕪，存其精粹，以類排比」的態度來進行昇華，為我們理解朱子的《中庸章句》提供了新的角度和學術參照，也為研究朱子學提供了新的思路與方法。「金受煉而質純，玉經琢而瑕去。讀朱子之書者，奉此一編為指南，庶幾可不惑於多岐矣。」[36]

---

35 許蘇民：《李光地》，西安：陝西師範大學出版社，2017年，頁69。

36 （清）紀昀等：《御纂朱子全書》，子部一，儒家類，文淵閣四庫全書，臺北：臺灣商務印書館，1983年，720冊，頁9。

# 「聖人已死」與書寫的隱喻

## ——對《莊子》「輪扁斲輪」的一則解讀

周律含

北京師範大學哲學系

莊子及其學派的思想往往通過一種與眾不同的方式呈現，《莊子・寓言》[1]篇對這種言說方式有過專門的論述，所謂「寓言十九，重言十七，卮言日出，和以天倪」。解讀《莊子》除了識別文本的字面意思外，理應結合特定的書寫方式，對故事意象的選取等要素做更為深入的探索。以〈天道〉篇的「輪扁斲輪」為例：

> 桓公讀書於堂上，輪扁斲輪於堂下，釋椎鑿而上，問桓公曰：「敢問公之所讀者，何言邪？」公曰：「聖人之言也。」曰：「聖人在乎？」公曰：「已死矣。」曰：「然則君之所讀者，古人之糟魄已矣！」桓公曰：「寡人讀書，輪人安得議乎！有說則可，無說則死！」輪扁曰：「臣也以臣之事觀之。斲輪，徐則甘而不固，疾則苦而不入，不徐不疾，得之於手而應於心，口不能言，有數存焉於其間。臣不能以喻臣之子，臣之子亦不能受之於臣，是以行年七十而老斲輪。古之人與其不可傳也死矣，然則君之所讀者，古人之糟魄已夫！」

這則文本描述了齊桓公和輪扁圍繞「書」的對話，指出書是無用的「糟粕」。故事結構清晰，文字簡潔易懂。然而這其中仍有諸多值得探討的問題，比如，作為一則重言，桓公的歷史價值體如何體現？「言」與「書」有何區別？作者批判書籍、否認經典，又是基於何種歷史態度？歷代註家和論者多認為此寓言探討的是道言關係，沒有注意到「書」在其中所扮演的角色。事實上，「書」不僅涉及語言哲學層面的問題，更涉及文化層面的古今之辨。先秦時期最重要的「書」即孔子編定的六部經典，六經承載的是上古之道、聖王之道。如何看待「書」，在根本上體現的是如何對待前代文化遺產的問題，更是古與今的關係問題。下文便圍繞桓公、書、糟粕等故事意象展開分析，著重探討這則寓言背後的歷史意識。

---

# 一　「聖人已死」與桓公讀書

　　少有學者注意到，「輪扁斲輪」首先是一則「重言」，誠如林希逸所言，重言的目的是「借古人之名以自重」[2]，但又遠遠不只是「借古人之名」這麼簡單，更大程度是為了反思歷史，它是《莊子》回顧歷史的方式。「桓公讀書」必然不是作者任意設置的場景，而有它特定的歷史指向。而它究竟包含了怎樣的含義，還要從「桓公」本人的身份說起。桓公是誰？陸德明釋文曰「桓公，李云：齊桓公也，名小白。」這裡的「桓公」正是春秋五霸之首的齊桓公。和輪扁的身份不同，這是一個真實存在的歷史人物。《論語・憲問》中就曾記載孔子幾次提及齊桓公與其相管仲：「桓公九合諸侯，不以兵車，管仲之力也。如其仁，如其仁。」；「管仲相桓公，霸諸侯，一匡天下，民到於今受其賜。微管仲，吾其被髮左衽矣。豈若匹夫匹婦之為諒也，自經於溝瀆而莫之知也。」「一匡天下」是指周天子衰微之時，齊桓公率領諸侯以尊周室，匡正天下之禮，如朱熹所說：「尊周室，攘夷狄，皆所以正天下也。」[3]孔子對桓公霸業的肯定是從平定戰亂、統一天下的角度出發的，管仲作為桓公之相，也因此得到了「如其仁」的評價。

　　然而，《論語・八佾》中，孔子對管仲其人卻有另外一番評價：

> 子曰：「管仲之器小哉！」或曰：「管仲儉乎？」曰：「管氏有三歸，官事不攝，焉得儉？」。「然則管仲知禮乎？」曰：「邦君樹塞門，管氏亦樹塞門；邦君為兩君之好有反坫，管氏亦有反坫。管氏而知禮，孰不知禮？」

孔子又為何在這裡說管仲「器小」？孔子稱讚管仲是從結束戰亂、天下統一的角度出發，而批判管仲是從「禮」的角度出發。一方面，管仲為桓公提供的策略是「尊王攘夷」，然而觀管仲其人：國君在門前放置屏風，管仲也在自家門前放置屏風，君王和他國君主會面時使用放置空杯的酒臺，管仲亦在自家安裝同樣的酒臺。如此不識君臣之禮的人卻主張「尊周室」，明顯並非在內心中認同周禮，只不過是以「尊周」之名實現自己的目的。另一方面，孔子一向推崇周代的文德政治，認為「周監於二代。鬱鬱乎文哉，吾從周」（《論語・八佾》）、「周之德，其可謂至德也已夫」（《論語・泰伯》）。從這一政治理想來看，管仲之舉必被視為「器小」，因為在他輔佐下的桓公一生成就僅限於使齊國稱霸，並未實現王道，所推行的僅僅只是霸道政治。所以《史記・管晏列傳》說：「管仲世所謂賢臣，然孔子小之。豈以為周道衰微，桓公既賢，而不勉之至王，乃稱霸哉？」

　　孟子甚至直言「五霸」是歷史的罪人，而且「五霸」正以「桓公為盛」。《孟子・告

---

2　（宋）林希逸著，周啟成校註：《莊子鬳齋口義校注》，北京：中華書局，1997年，頁431。

3　（宋）朱熹：《四書章句集注》，北京：中華書局，1983年，頁153。

子》有「五霸者，三王之罪人也。五霸，桓公為盛。」即便在葵丘之盟中，桓公為諸侯制定了五條禁令以求恢復政治秩序，然而「五命」本身為達至這些目的所使用的手段卻是「摟諸侯以伐諸侯」，這種以力假仁的行為本身就是對三王政統的破壞。因此「今之諸侯皆犯此五禁」，「五命」並未起到任何實際效用，桓公也仍舊是歷史的罪人。《荀子‧仲尼》也有記載：「桓公兼此數節者而盡有之，夫又何可亡也？其霸也宜哉！非幸也，數也。然而仲尼之門人，五尺之豎子言羞稱乎五伯，是何也？曰：然。彼非本政教也，非致隆高也，非綦文理也，非服人之心也。鄉方略，審勞佚，畜積修門而能顛倒其敵者也。詐心以勝矣。彼以讓飾爭，依乎仁而蹈利者也，小人之傑也。彼固曷足稱乎大君子之門哉！」孔門之人全都羞於談論春秋五霸，這正是因為這五位霸主的成就是通過「詐心以勝」、「以讓飾爭」、「依乎仁而蹈利」取得，最負盛名的桓公也不過是小人之中的佼佼者。對於桓公的「尊王攘夷」，早就有學者指出：「東方的新權力體制建立過程中，尊周不具有根本意義……攘夷與尊王絕非一回事」[4]、「齊桓公權威身份的合法性來源是中原各氏族的文化融合以及它對周姬王族權威的侵蝕。……春秋諸多霸政模式間存在差異，齊桓公權威身份的合法性建構不以『尊王』為前提，反以侵蝕周姬王族權威，進而承接其政治文化身份為目標。」[5]這些都是在說，「尊王」不過只是桓公獲取政治合法性地位的一種比旁人略高明的策略，而他真實的目的始終是竊取周室的統治權。荀子在這裡所說的「以讓飾爭」、「依乎仁而蹈利」，正是〈胠篋〉所描述「竊國者諸侯」、「諸侯之門而仁義存焉」的歷史亂象，桓公假借仁義之名竊取周室天下，正是盜竊仁義之大盜所為。桓公將「尊王」作為一種口號利用的機心在《莊子》看來正是社會亂象的根源，作者反而讓桓公親口說出「聖人已死」的現狀，難道不是刻意設置的反諷嗎？

那麼，作者為何又選取「書」這一意象？「書」最初的功能就是記載，《釋名‧釋書契》所說「書，庶也。紀庶物也。亦言著也。著之簡紙，永不滅也。」「書」承載了中國早期人們對「不易」的追求。《說文解字》中有「典，五帝之書也。從冊，在丌上。尊閣之也」，據「典」被釋為「五帝之書」來看，隨著歷史的發展，用來記載先王言行的這一部分「書」率先被稱作「典」，而與其他書寫文字區別開來。《尚書》的開篇即〈堯典〉，用來記載堯舜時期的歷史，三皇五帝的言行與功業。《尚書‧多士》有「惟殷先人，有典有冊，殷革夏命」，王對典籍視若天命。周武王伐紂之前發布〈商誓〉：「今紂棄成湯之典，肆上帝命我小國曰：『革商國！』」商紂王因不守成湯之舊典，才被周國革命，由此可見，「典」在實際的使用中，已經不再僅僅作為文字檔案，而逐漸成為「天命」的象徵。夏商時期的「典」十分重要，象徵統治，失去「典」等於失去統治者的合法地位，歷朝歷代沿用的「典章制度」也正出於此。

4　顏世安：〈齊桓公霸政基礎之探討〉，載《江海學刊》，2001年第1期，頁114–116。

5　熊永：〈齊桓公霸政形成新論——以齊桓公權威身份的合法性構建為中心〉，載《中南大學學報》（社會科學版），2019年第4期，頁174-181。

　　隨著典籍散落、社會政治變動，流通意義上的「書」在春秋時期大批湧現，孔子正是最重要的推動者。他首次作為非史官的士人身份對典籍文獻進行了大規模整理，篩選修訂出了一批文獻用來在民間辦學，向儒者傳授先王之道。《荀子・勸學》記載「學惡乎始，惡乎終？曰：其數則始乎誦經。……《禮》之敬文也，《樂》之中和也，《詩》、《書》之博也，《春秋》之微也，在天地之間者備矣。」《詩》、《書》、《禮》、《樂》、《春秋》之後又加入《易》，最終形成了〈天運〉篇中所出現的六部典籍，也正是《史記・孔子世家》所謂的「六藝」。孔子通過刪改將自己的政治理想注入到六經當中，這六部經典成為了「先王之道」的象徵，《禮記・中庸》言「仲尼祖述堯舜，憲章文武。」比起自我表達，孔子的書寫更多地是為了彰顯堯舜之道，因此才有「述而不作」之論。

　　正是在這個時期，「書」不再像過去的「典」一樣，是統治者必須牢牢握在手中之器物，現在它更多的是堯舜之道的象徵。然而，這些「書」脫離了統治階層管轄的同時，也激起了更大的社會爭端，〈天道〉作者批判的「貴書」行為正是指諸侯對於話語權的爭奪，對「書」的解釋權同時也意味著政治權力，「書」也成為了新時代的「典」。書寫的歷史背後是三代以來的政治史，「書」從前是一種統治術，現在依然和權力有著難以割捨的關聯，許多社會爭端都肇始於此。桓公當年面臨周室衰敗、諸侯四起的困境，他選擇用「尊周」的方式重建秩序，但他遵奉的周禮並非真正的周禮，是他對周禮進行的重新闡釋，他最終推行的並非王道而是霸道，與〈天下〉篇所說的「內聖外王」之道相去甚遠。這是桓公對歷史的重新書寫。《莊子》的「重言」式書寫迫使我們回到桓公所在的歷史中，思考「書」在其中扮演的角色，反思書寫背後的權力之爭。桓公稱霸，也恰恰證明了聖王不再，歷史只餘齊桓公這樣的霸者之流，這正是「聖人已死」的隱喻，是聖王時代結束的隱喻。此刻我們再回到「輪扁斫輪」的文本中去看待「桓公讀書」這一場景會發現，「書」是堯舜之道的象徵，「桓公讀書」是桓公推崇先王之道的隱喻，這一隱喻對應的正是齊桓公在稱霸過程中假意「尊周」的歷史事件。

## 二　作為「糟粕」的書寫之跡

　　「輪扁斫輪」的故事最後，輪扁以自身製作車輪的經驗為由指出，「古之人與其不可傳也死矣，然則君之所讀者，古人之糟魄已夫。」將「書」視作古人之「糟魄」，這一對「書」的激底否定，無論在諸子百家還是整個中國思想史中都是極其罕見的。那麼「糟魄」究竟有何含義呢？《說文》曰「糟，酒滓也。」所謂「糟魄」，就是指制酒所餘之米渣，酒釀成後，它自然淪為無用之物。以「糟魄」喻「書」，不難讓人聯想到《莊子》「得意忘言」的語言觀。然而，我們僅僅對比〈外物〉論述「得意忘言」時所用之喻便能發現，「筌」與「蹄」，即便捕到魚與兔之後也同樣被人遺忘，但這種遺忘卻不同於「糟魄」的被遺忘，它們在下一次捕魚或狩獵時依然會重新被人撿起。即便暫時

被遺忘，筌還是筌，蹄還是蹄，它們作為工具的價值始終存在。而糟魄之所以成為糟魄，不僅僅是被遺忘，更是一種澈底的遺棄，是淪為垃圾，是對它身為米的原始身份的澈底否定。再回到這些比喻本身，「蹄」與「筌」用來比喻口頭語言，「糟魄」則用來比喻書面語言，二者的區別一望而知。「輪扁斫輪」對「道言關係」的論述，之所以是全書論「言」最為激進之處，就在於「糟魄」此喻。

我們單單來看喻體。「糟魄」是「酒」存在的遺跡，它的存在本身已經沒有價值，是應當被捨棄之物。然而從制酒的過程視角來看，沒有它卻也就沒有「酒」的誕生，它反而是「米」成為「酒」這一進程的重要見證。這正是〈外物〉中講述的「無用之用」。天地廣闊，人之腳所能踩踏的不過腳下的一方之地，那麼，將其餘的土地全部挖至黃泉，腳下的立足之地還會有用嗎？自然無用。然而這才是「無用」之功用。以「糟魄」喻「書」，正是取〈外物〉篇中語言的「無用之用」。然而，儘管這可能是〈天道〉篇作者設置此喻的深意，或是有意為之的反諷，卻無論如何都不是輪扁的本意。這一位故事主角費盡口舌、冒著生命危險所要表達的，並非語言無用，而是即便「聖人之言」曾經有用，如今都已經淪為糟魄、不值一讀。要理解輪扁之言的深意，重點應當在於「糟魄」如何成為「糟魄」的歷史進程，而不是停滯於故事之外爭論輪扁之論的對錯。巧合的是，〈天運〉中恰有一處文本能作為解讀輪扁之言的註腳：

> 孔子謂老聃曰：「丘治《詩》、《書》、《禮》、《樂》、《易》、《春秋》六經，自以為久矣，孰知其故矣，以奸者七十二君，論先王之道而明周、召之跡，一君無所鉤用。甚矣！夫人之難說也？道之難明邪？」老子曰：「幸矣，子之不遇治世之君也！夫六經，先王之陳跡也，豈其所以跡哉！今子之所言，猶跡也。夫跡，履之所出，而跡豈履哉！」

此篇直接將孔子所治的「六經」比作先王腳下的足跡，且已然淪為「陳跡」。如林希逸所言「夫有履則有跡，得其跡而不得其履，亦猶糟粕之喻。」[6]〈天運〉此喻無疑與輪扁的「糟魄」之論有驚人的相似之處，二者能夠互相發明。從對象上看，流傳至今的「聖人之言」的確是經孔子修訂後才得以留存下來，〈天運〉篇中孔子所治之「經」，和〈天道〉篇中的齊桓公所讀的「聖人之言」，正可以說是一類文本。從喻體而言，「陳跡」是比「糟魄」更為婉轉的隱喻，從「糟魄」本身即是釀酒之「跡」的角度來說，「跡」甚至才是「糟魄」的本意。〈天運〉篇此節的關鍵字就在於「跡」。

那麼，什麼是「跡」？「痕跡」的概念我們並不陌生，所謂「痕跡」，它同語言、文字根本不是同一個性質的東西，它是不可讀的，人們只能從它的象徵意味裡獲取一定的資訊，而不能像解讀文本一樣去理解它真正的內容。柏拉圖在《泰阿泰德》中就曾將

---

6　方勇：《莊子纂要》北京：學苑出版社，卷三，頁574。

人的心靈比作蠟版，而感知或「回憶」就是印在蠟版上的痕跡，人對世界的認識正是來源於世界在人心之中留下的印記。然而，柏拉圖的「痕跡」指代的是包括圖像、物體等一切符號所喚起的感知，這一意味就同「文本」大有不同。一切經歷了時間流逝之物都必然留下「跡」，甚至成為「跡」。小到雨水滴落的滴答聲、車輪碾過的泥土痕，大到前人住過的磚瓦房、地下被掏空的古墓穴，都是「跡」。而這些物象之所以成為痕跡、遺跡，是因為它承載著人的目光，這是一種帶有時間距離的審視目光。它是時間之中的物象，面對的是不斷消逝的歷史。這種圍繞「跡」的思索，與諸子百家談論「言」的視角都迥然不同，它蘊含了滿滿的時間意識，蘊含著《莊子》對於歷史的反思。對《莊子》來說，痕跡比文本更重要，因為它比文本更真實，它是歷史中僅剩的殘存物，它提醒我們歷史中所丟失的東西。

「跡」的存在，是為了展現「道」。《莊子》十分偏愛關於「痕跡」的隱喻：〈至樂〉中的骷髏，是人死之後留在時間之中的殘跡。〈齊物論〉中的景，即影子，是日光留下的痕跡。然而日光消失痕跡也消失，影子是另一種不留痕跡的痕跡，而罔兩，甚至是影子的影子，痕跡留下的痕跡。〈知北遊〉中說道在螻蟻、在稊稗、在瓦甓、在屎溺，這一切都是道的存在之跡。一方面，道必須依賴跡才能顯現，這是由道「恍兮惚兮，其中有象」根本性質決定。另一方面，跡如果不是為了表現道，它的存在也不具備任何意義。例如景與罔兩，它們本是人類出現之前就存在之物，有陽光照射的地方就有光影，然而「罔兩」與「景」的稱謂卻只能伴隨著中華文明的誕生而出現，即便是作為自然物，如今它們也成為「道」的組成部分。這是道與跡的關係。因此，在《莊子》這兩則故事中，六經本來就是作為聖王之道的顯現之「跡」才具備意義，所以說「跡非履」，「履」指代的正是六經之「所以跡」。跡與其所以跡在莊子時代的分裂，正體現在〈天運〉篇這一個「陳」字上，一旦成為「陳跡」，就不再具備彰顯道的價值。

「跡」發生於「事」的層面，是事件發生的現象留存，是今人所謂的「事蹟」。而文本則是人將對現象的反思訴諸於語言的產物，發生於孔子所謂「文」的層面。〈天運〉篇直接將六經喻為「陳跡」，同輪扁將書視作糟粕一樣，這正是將六經的性質從「文」的層面轉移到了「事」的層面，一方面消解了六經作為文本的可讀價值，另一方面突顯了它作為標本的紀念意義和觀賞價值。

〈天道〉篇輪扁一喻，與〈天運〉篇中的老子一語，之所以能夠互相發明，除了上述「陳跡」與「糟粕」的互通之外，更在於「書」與「六經」背後相同的歷史記憶。在輪扁斫輪的故事中，「書」絕非泛稱，它指向的正是那些被後世稱為「經」的典籍文獻，這其中最重要的正是「六經」。這六部典籍之所以被人推崇，一方面在於它們是上古聖王政教傳統的真實記錄和存在證明，另一方面，也是更加重要的一面是：六經所記錄的是已然消逝的歷史，禮樂之道、詩教傳統如今都不復存在。正是今古之間巨大的歷史落差和距離感，才促成了「經」的誕生，使得這六部經典在眾多書卷中脫穎而出，被

尊奉為經典。聖王之道不再，後人才不得已在文本之中尋求已然消逝的時代證據，這個意義上的文本，已經不再是道的鮮活體現，更像是死去後才被高高供奉的「楚之神龜」、「郊祭之犧牛」。日益發達的政治文明不僅異化了個體生命，同樣異化了文本。

由此，我們便能更好地理解〈天道〉篇所言「世之所貴道者，書也。」此語出現在「輪扁斵輪」的寓言之前，也可說是對寓言主旨的點明。它是在說「書」之所以被人看重，是因為時人「貴道」，以為先王之道能夠以「書」的形式留存下來，所以將這些「書」奉為經典。這就是說，輪扁在後文中否定的並非典籍本身，而是其「經典」式之地位，甚至正是世人對「書」之「貴」使得書籍淪為「糟魄」。「書」在《莊子》這幾處文本中，早已不再以「語言」的面貌出現，而成為了一種象徵，是「道」停滯不前的象徵，是「聖人已死」和「聖王時代」消逝的證據。「書」成為了歷史的隱喻，輪扁批判的早已不是「書」，而是君王在「書」中尋求「聖王之道」的綺麗夢幻。輪扁之言不為辯論，更不為說服，而是要用一把鋒利的言語之劍擊破君王沉睡的夢境，迫使他從歷史的幻象中醒來。從這個角度來看，「輪扁斵輪」所探討的遠遠不只是道技關係、道言關係，它既不是合格的工匠寓言，亦不涉及理論層面的言意之辨，反而是一則意味深長的歷史政治寓言。

## 三　「古之道術」與書寫的隱喻

莊子在這則寓言中所回應的是「聖人已死」的時代困境，是孔子作六經之後，歷史該向何處去的問題。如何看待「書」，在根本上體現的是如何對待前代的文化遺產、如何處理古與今的關係問題。古今差異在莊子這裡絕不只是時間上的先後分別，而是「道術為天下裂」的歷史發端與走向的本質區別。要說清這個問題，還應當回到〈天下〉篇。

六經之「所以跡」到底是什麼？〈天下〉篇稱之為「古之道術」：「古之人其備乎！配神明，醇天地，育萬物，和天下，澤及百姓，明於本數，系於末度，六通四辟，小大精粗，其運無乎不在。」正是「古之道術」催生了六家之學，「道術」從前渾全一體，而今裂為六家，每一家之言都僅僅繼承古之道術的某一個側面：「古之道術有在於是者，某某聞其風而說之」。然而，細細體味就能發現，此一句的含義並不像我們表面上所見，「古之道術」存在這一方面的內容，現由某某學者「繼承」並「發揚」。事實上，〈天下〉篇的主旨句即「道術將為天下裂」，全篇的主題詞是「裂」。也就是說，《莊子》是在整全與分裂的意義上才提到「古之道術」。然而，道一經分割便不再是道。所以〈齊物論〉說「是非之彰也，道之所以虧」、「其分也，成也；其成也，毀也。凡物無成與毀，復通為一」。人類文明尤其是語言體系的誕生使得天地萬物得以被人認識，但是這種成就恰恰是對作為總體的「道」的毀損。自「一」分為「二」起，「天下始分」，「天下始疑」（〈馬蹄〉），是與非對立、善與惡對立，君子與小人對立，人們開始鼓吹仁

義道德，催生了種種巧詐偽飾之行為。所謂「齊物論」，「齊」的正是伴隨語言產生的種種「物論」。所以《莊子》將「言」的出現視作由「古」到「今」的轉變標誌。「古之人」是不言之人，因而「古之道術」才是真正的道術，因為不曾記錄，也不可能為後人所知曉。一旦成文成書，便已經從「天」的高度下降為「人」：「知道易，勿言難。知而不言，所以之天也。知而言之，所以之人也。古之人，天而不人。」(《列禦寇》)這正是《莊子》心中「古」與「今」的最大差異。「彼其真是也，以其不知也。」(〈知北遊〉)深諳《莊子》此意，才能看清〈天下〉篇中這一「裂」不僅不是一種版圖劃分式的「割裂」，更不會是一種綿延接續式的「分有」，與此相反，每一家學說都是對「古之道術」的反叛與離散，是對那一個真正意義上之傳統的活生生的切割。今人理應傳承「古之道術」，卻是以遺忘的方式繼承。換句話說，「傳統」一詞在莊子這裡並不擁有延綿不絕、相繼相承之含義，反倒是在不斷的顛覆和捨棄之中生成的。沒有割裂，便無需繼承，也無所繼承。遺忘與捨棄才是我們成之為我們的優良傳統。

從這個角度來說，「古之道術」其實是後人建構的產物。莊子「古之道術」一語，僅僅是就其「未曾分化」這一形態而言，並不是針對這一道術的具體內容而言。因為一旦有了內容，就一定在標榜某物，一旦有了標榜便是有了分裂，此一道術與六家之方術也便無從區別。真正的古之道術存在也只可能存在於「古之道術」一詞產生之前。正如同「經」，在它真正發揮價值的年代卻無人稱之為「經」，周室沒落禮樂崩壞之後，人們才將前朝的遺物高高供奉。「古之道術」也只是一個追溯性的概念產物，它並不能也無法擁有一種實質性內容。六經，作為《莊子》追溯古之道術時不可繞過的環節，它的存在是「古之道術」曾真實存在的證據，然而與「古之道術」同理，經典一旦被視為「經典」，也正是它作為「經」的真正意義消失之時。〈天道〉和〈天運〉篇所駁斥的正是這一「經典化」，而並非經書內容本身。

在真實的歷史中，「書」就成為了語言之固著性的標誌，「古之道術」先是被書寫於「舊法、世傳之史」：「《詩》以道志，《書》以道事，《禮》以道行，《樂》以道和，《易》以道陰陽，《春秋》以道名分」，隨後人們將這六部書籍視作真理，奉為經典，而後的百家之學又對這六部經典進行百樣闡釋，都將自家的闡釋視作不可反駁的真理，是非爭論從未中斷。從事「是非之辯」的熱情已經勝過了在實際生活中踐行道義的衝動，從此「天下大亂，賢聖不明，道德不一」、「內聖外王之道，闇而不明，鬱而不發，天下之人各為其所欲焉以自為方」這就是所謂的「道術為天下裂」。可以說，春秋戰國時期「書」興起的盛況背面，也正是「道術為天下裂」的晦暗歷史。因此〈天道〉篇還特意描繪了「孔子西藏書於周室」卻被老子拒絕的事件。孔子想要藏書，因為經書中記載了「兼愛無私」的仁義之情，而老子則反駁說，「無私」的觀念本身正是人之私心的體現，孔子欲「藏書」以存「仁義」的行為就如同敲著鼓去尋找逃亡的人，鼓聲越來越大，逃亡的人只會越逃越遠。

　　「道術」的時代終結，歷史進入了「方術」的時代。從〈天下〉篇描述的「道術為天下裂」的歷史圖景來看，莊子明確意識到：「古之道術」的「古」，不僅是歷史意義上的「古代」，更是哲學意義上的「發端」或「起源」。這個意義上的「古今之異」，就不是一條時間繩索上的先後之異，而是那個拿繩索的人與繩索的存在本身之異。「古之道術」的消亡正如同〈應帝王〉中被鑿開七竅的渾沌，不再是整全意義上的道，而分化為一段段不同的歷史，記載於一部部不同的經書當中。道術與方術的關係，是文明的開端與延續的關係，並非簡單的時代更替問題。

　　上古時代是「事」的時代，文本的記述不過是一種輔助，是事件本身的自然延展；然而到了孔子時期，不再有彰顯「道」的真實事件發生，與此同時，文本——六經的訂立只好被迫成為這個時代的重大事件。「道」隱匿於文本之中，中國歷史從此進入了書寫的時代。這是莊子探討「書」的問題背後最真切的歷史意識。《孟子・離婁下》曾說「王者之跡熄而詩亡，詩亡然後《春秋》作。晉之乘、楚之檮杌、魯之春秋，一也。其事則齊桓、晉文；其文則史；孔子曰：其義則丘竊取之矣。」他描述的正是在禮樂崩壞之後，「道」從「王者之跡」隱匿於「文本之跡」的過程。「跡」指向的一定是「所以跡」。六經的「所以跡」是一套完整的上古政教體系，是西周的禮樂文明，「詩亡」所指的也一定是上古詩教之亡，並非《詩經》文本之亡。如清人顧鎮所說：「蓋王者之政，莫大於巡守述職，巡守則天子采風，述職則諸侯貢俗，太史陳之以考其得失，而慶讓行焉，所謂跡也。……洎乎東遷，而天子不省方，諸侯不入覲，慶讓不行，而陳詩之典廢。所謂『跡熄而詩亡』也。」[7]三代時期，大道彰顯於「王者之跡」，以「事蹟」的形式展現，孔子之後，道隱匿於「六經之跡」，不得已以文本的方式存留。「王者之跡」消逝之後，「文本之跡」才得以興起。

　　「書寫」的正當性和緊迫性正來源於此。六經之後，歷史進入了「書寫的時代」。這才是莊子關注語言、反思道言關係的最緊迫的問題意識。〈天道〉篇作者借桓公之口說出的「聖人已死」，正是「古之道術」這部宏大作品崩塌、「道術為天下裂」的隱喻，是「道術」終結、「方術」盛行的標誌。春秋戰國這一書寫氾濫的時代反而是真正的作品匱乏的時代。正因為「聖人已死」，聖人建構的仁禮之道已經崩塌，此後不應當存在任何一部大寫的作品供人為「述」。方術的時代有作為方術的新書寫。筌與蹄，在捕捉魚與兔之後，依然是筌與蹄，本身並未發生任何質的改變，這是口頭言說的過程；米本身是米，在特定的加工過程中產生出酒這一新事物，米因此不再是米，而淪為糟魄，這是書面語言的轉化過程。從另一方面來看，口頭言說只是通過「言」去捕捉一些東西，而書面文字則通過「書寫」創造了與眾不同的新事物。孔子通過書寫「六經」，創造出一個全新的政治理想，這就是書寫的力量。在「書寫」的過程中，新事物誕生，「書」

7　焦循：《孟子正義》，北京：中華書局，1987年，頁574。

的形式才淪為舊事物。〈天運〉篇說「時不可止，道不可壅」，正因為「時不可止」，「道」的彰顯一定需要新的承托，需要新的可能性，因此更加需要不斷地書寫，永遠不困於任何一部已寫出之物。《莊子》繼承孔子的春秋筆法，另作重言、寓言、巵言這「三言」，嘗試對「古之道術」進行重新書寫。〈天下〉篇將自身之學視作「古之道術」的一「方」，且花費了大量篇幅描述莊子的語言風格和敘述策略[8]，根源正在於此。

「書」成為過去的隱喻時，「書寫」亦隨之成為未來的隱喻。要從歷史的困境中走出，首先就需要「去跡」。文本書籍需要經歷從「跡」到「糟粕」的轉變。「去跡」，不是否認過去，而是去掉歷史中不合時宜的部分，重新思索未來的可能性。這也正是《莊子》反覆書寫孔子「削跡於衛」的深意所在。〈天運〉、〈山木〉、〈讓王〉、〈盜跖〉、〈漁父〉五篇之中反覆出現「削跡」二字。所謂「削」，「划也。夫子嘗遊於衛，衛人疾之，故划削其跡，不見用也」[9]。這一「跡」，不只是六經文本的隱喻，是周朝禮制的隱喻，也是孔子之困境的隱喻。「削跡」的背後是天命的不得時，是德不配位的災難，是時與遇的辯證法。「書」是「陳跡」，是需要擯棄的「糟粕」，然而真正的「去跡」絕非停止書寫、燒毀書籍那麼簡單。「不言」只是下下策，所以〈人間世〉云「絕跡易，無行地難」，上策永遠是首先找到新的「行地」。在孔子作六經後，「道」隱匿於文本之中，歷史只能在書寫之中尋找出路，於是書寫方式的變革就意味著歷史變革的可能性。諸子才紛紛著書立說，春秋戰國一面是真正作品缺失的時代，一面又成為書寫氾濫的時代。

莊子及其學派的新書寫嘗試正是「三言」。〈寓言〉篇說「寓言十九，重言十七，巵言日出，和以天倪」，〈天下〉篇稱之為「謬悠之說，荒唐之言，無端崖之辭」。「三言」正是對俗言的反抗，是對傳統書寫規則的變革。「三言」打開的新書寫空間正如同諄芒將遊的「大壑」，抑或庖丁刀下的「大郤」，它不斷為新的文本留出空間、為新的書寫方式留出空間、為一切新的可能性留出空間。它不僅是一種特殊的書寫方式，同時也正是莊子學派面向未來的生存方式本身。《莊子》在「道術」與「方術」之間打開了一個全新的詮釋空間，從而為「天下裂」的困境保留了轉化的可能性。「道」無法通過常言表達，但是能夠通過一種新書寫來實現。道流變不居，無法停留在固定的名上，也永遠不可能成為書的傀儡，但書寫與書不同，道正是在不斷的書寫之中生成。在道面前，人只能不斷地書寫，而每一次書寫都是一種重新書寫。「書」的演變背後伴隨的是「道術為天下裂」的歷史進程，是禮樂崩壞、政治思想文化全面失序的歷史困境。《莊子》選擇通過「書寫」來回應「書」的時代問題，在書寫之中重建與「道」的連結。

---

8　〈天下〉篇作者總論六家之學，然而唯獨在論及莊子之學時，花費了一大半筆墨來描寫其所使用的言說方式或敘述策略，足以說明語言問題對莊學研究的重要性。近當代的莊學研究中，受西方思潮傳入的影響，語言問題更是一度成為「顯學」。

9　（清）郭慶藩著，王孝魚點校：《莊子集釋》北京：中華書局，2006年，頁457。

# 四　結論

在莊子時代，如何看待「古」與「今」是一大問題，它內在地直接牽涉到如何處理「書」與「道」之間的關係，它為時下重新解讀莊學提供了一個可思的門徑。傳統莊學的研究通常用「輪扁斲輪」這則寓言來探討道言關係，在邏輯的層面進行解讀，卻往往忽略了它本身的「重言」身份。所謂重言，不只是借助古人之名以表達自己的言說策略，更是《莊子》介入歷史、反思歷史的書寫方式。作者選齊桓公作為主角，選取「桓公讀書」作為故事場景，有明確的歷史指向。全篇的關鍵字正在於桓公所說的「聖人已死」，它背後是「道術為天下裂」的歷史進程。記載「聖人之言」的「書」，指向正是後人瞭解「古之道術」無法繞過的六經。作者對「書」的批判背後隱含的正是六經成立的歷史大問題，回應的是孔子之後諸子不得不面對的時代困境。聖人死後，歷史進入方術的書寫時代，大道隱匿於文本之中。然而，沒有永恆的文本，只有不斷更替的書寫行為。任何具體的文本都有可能經歷「書—跡—糟粕／陳跡」的轉化過程，成為「糟粕」之後也許才能為新的書寫打開空間。這是書寫的辯證法，也是研讀《莊子》所給予的另一個意義世界。以此為基，我們也可以進一步反思「言」與「道」、文本與意義、「經典」與「去經典化」之間所存在的複雜關係，以及它向多維度意義空間生成的隱性邏輯關係，釐清這些可為當下闡釋學研究作借鏡。

# 何者非禮

## ——《論語‧顏淵》首章「四勿」義辨

羅唯嘉

北京師範大學文學院

　　《論語》是儒家最重要的經典之一，千百年來為中國人所傳誦，歷代對該書的註解也不計其數。《論語》一書雖最初成書早至春秋戰國之際，但是語言文字相對淺近，一般認為《論語》的閱讀難度並不在基本的字詞理解之上，更重要的是領悟《論語》作為經典所蘊含的對於人生、社會甚至天道的深刻智慧。但是實際上，《論語》文字的淺易，使得閱讀者以為《論語》文字相對透明，有意無意地對《論語》字詞產生了誤解。如目前對《論語‧顏淵》首章「四勿」中「非禮」的解釋，都傾向於認為是指向視、聽、言、動行為的內容，如看到的事件、聽到的話等，這種理解造成了「四勿」原本同一語法結構卻需按照不同語義結構進行理解，並且使得孔子提供的為仁四條目在實踐上產生困難，同時對「非禮」的解釋會和通常對禮的理解產生矛盾。

　　以下通過分析前人註疏並結合傳世文獻《禮記‧曲禮》、出土文獻〈君子為禮〉，認為「非禮」所指向的應該是視、聽、言、動這些行為本身。通行解釋是受到朱熹《論語集注》的影響，而朱熹之所以將「非禮」解釋為指向視、聽、言、動行為的內容，與他以天理、私欲等理學概念解釋《論語》有關。

## 一　通行解釋的二重矛盾：踐行的困難及與禮的衝突

　　《論語‧顏淵》首章是顏淵向孔子請教為仁之方[1]，孔子答以「克己復禮」，並詳細列出為仁的具體條目，即有名的「四勿」，向來膾炙人口，現列出全文如下：

> 顏淵問仁。子曰：「克己復禮為仁。一日克己復禮，天下歸仁焉。為仁由己，而由人乎哉？」顏淵曰：「請問其目。」子曰：「非禮勿視，非禮勿聽，非禮勿言，非禮勿動。」顏淵曰：「回雖不敏，請事斯語矣。」

---

[1] 翟灝《四書考異》指出「顏淵問仁」在《孟子‧萬章上篇》章句引《論語》作「問為仁」，按照下文也做「為仁」，此處應該是「為仁」，故說是顏淵問為仁之方。見黃懷信主撰，周海生、孔德立參撰：《論語彙校集釋》上海：上海古籍出版社，2008年，頁1060。

這一章一般較有爭論的是「克己復禮」和「歸仁」的解釋，對於其他部分大家在閱讀中並沒有太多的疑問，覺得意思較為顯豁。但是就是這種表面上的通俗易懂使得讀者對於「四勿」部分的閱讀往往一帶而過，造成最終理解上的偏差。我們先來看看目前較為通行的今人對「四勿」部分的白話翻譯[2]：

錢　穆《論語新解》：顏淵說：「請問了詳細的節目。」先生說：「凡屬非禮的便不看，凡屬非禮的便不聽，凡屬非禮的便不說，凡屬非禮的便不行。」[3]

楊伯峻《論語譯注》：顏淵道：「請問行動的綱領。」孔子道：「不合禮的事不看，不合禮的話不聽，不合禮的話不說，不合禮的事不做。」[4]

李澤厚《論語今讀》：顏回說，「請問具體的途徑。」孔子說，「不符合禮制的事不看，不符合禮制的事不聽，不符合禮制的事不說，不符合禮制的事不做。」[5]

孫欽善《論語本解》：顏淵說：「請問修養仁德的具體條目。」孔子說：「不符合禮的事不看，不符合禮的話不聽，不符合禮的話不說，不符合於禮的事不做。」[6]

楊逢彬《論語新注新譯》：顏淵說：「請問具體的條目。」孔子說：「不符合禮的，不看；不符合禮的，不聽；不符合禮的，不說；不符合禮的，不做。」[7]

如果比較諸家翻譯，並沒有根本不同，對於「非禮勿視」，都是翻譯為不合禮／不符合禮制／不符合禮，錢穆直接就用原文「非禮」，後面或翻譯出「事」或不翻譯出，以「……的」的定語結構省略中心詞，其實並無區別。諸家的翻譯符合我們一般對於「四勿」的理解。但是，細細研究「四勿」，就會發現以上對文本的理解會產生潛在的矛盾。

　　首先，一般情況下，前後並列遵循同一語法句式的話語，其語義邏輯結構應該一致。但是如果按照通行的註解，則「四勿」就分成兩部分，「非禮勿視」、「非禮勿聽」一組，「非禮勿言」、「非禮勿動」一組，前者不符合禮制的事／話都是由別人從外部發

---

2　我們在用一種文字對另一種文字進行翻譯時，通常會比簡單地閱讀對原文語句進行更深入地理解，比如翻譯作品需要對原文每一個字詞進行準確解釋。同樣，在用白話文對文言文進行翻譯時，也需要對原文逐字逐句瞭解基礎上才能進行。因此白話譯文可以較為準確反映解釋者對原文的看法，而白話譯文中對原文含義理解的偏差，往往不能從無心之失的角度來看，而是真實體現了譯者對原文的理解。

3　錢穆：《論語新解》北京：生活・讀書・新知三聯書店，2002年，頁325。

4　楊伯峻：《論語譯注》北京：中華書局，1980年，頁123。

5　李澤厚：《論語今讀》合肥：安徽文藝出版社，1998年，頁274。

6　孫欽善：《論語本解》北京：生活・讀書・新知三聯書店，2013年，頁159。

7　楊逢彬：《論語新注新譯》北京：北京大學出版社，2016年，頁225。

出，而後者不符合禮制的話／事由自己內部發出，同一句式前後「非禮」所指代的事物行動主體明顯不同。當然，在古漢語中也存在許多句式錯綜複雜，並不嚴格遵循同一語法規則的現象，而同一語法句式是否必定導致語義邏輯的一致也存在探討空間[8]。因此通行解釋使得「四勿」前後的語義邏輯不統一尚並不能完全說明通行解釋的不確。

再看，如果按照上述翻譯，從實際操作層面來看，孔子提供的為仁條目存在實踐上的障礙。「非禮勿言」、「非禮勿動」，因為「非禮」的言／事行動主體是我，和「勿言」、「勿動」的行動主體一致，是可以由「我」來控制的。但是「非禮勿視」、「非禮勿聽」中「非禮」的事物／言語發出的主體是他人，而「勿視」、「勿聽」的主體是「我」，從邏輯上說我只能先看、先聽之後，發現這些事、這些話是非禮的，然後再做出「勿視」、「勿聽」的舉動。而此時的「勿視」、「勿聽」不是「不看」、「不聽」，而是「不再看」、「不再聽」。[9]

如果要真的做到「非禮勿視」、「非禮勿聽」，那麼只有三種途徑：一是提前知道別人要做事、要說的話是否合禮，然後對於非禮的進行回避，這要求我們擁有一種逆知前見的能力，對於非「生而知之」的絕大多數普通人來說，這是不可能的；二是採取一種「看是不看」、「聽是不聽」、「應物而不滯於物」的態度，我們也可以說這是酒肉穿腸過、佛祖心中留的方式，這一思路實際是脫胎於佛教對現實世界「真空假有」的認識；三是為了避免聽到、看到非禮的聲音和事件，乾脆閉上雙眼、捂上耳朵，不僅非禮的言事不聽、不視，一切的言事都不聽、不視，把自己塑造為一木石偶人，以希求達到「兩耳不聞窗外事，一心唯讀聖賢書」的境界。這種絕對的隔絕和否定自然也是不可取的。[10]

而通行的解釋有一個最大的問題，還在於對「非禮」的理解和「禮」的概念有一難以調和的衝突。如前所說，對於「非禮勿聽」、「非禮勿視」中的「非禮」，均指向「不

---

8 俞樾、章太炎等都曾指出古人語法結構不甚嚴整處，參見（清）俞樾：《古書疑義舉例》中所舉「倒句例」、「倒序例」、「錯綜成文例」、「古人行文不嫌疏略例」等條目，北京：中華書局，2005年，頁4、6、7、23。章太炎《國故論衡・明解詁上》「發詞例者，謂儷語則詞性同，其可以去詁詘不調者矣。汰甚則以高文典冊，下擬唐宋文牒之流。」，劉夢溪主編：《中國現代學術經典・章太炎卷》石家莊：河北教育出版社，1996年。

9 朱熹對於「四勿」並沒有如今人的白話翻譯，但是《朱子語類》中有這麼一條：「賀孫問：『視聽之間，或明知其不當視，而自接乎目；明知其不當聽，而自接乎耳，這將如何？』曰：『視與看見不同，聽與聞不同。如非禮之色，若過目便過了，只自家不可有要視之心，非禮之聲，若入耳也過了，只自家不可有要聽之心。然這般所在也難。古人於這處，亦有以禦之。如云：「奸聲亂色，不留聰明，淫樂慝禮，不接心術。」』」見（宋）黎靖德編：《朱子語類》北京：中華書局，1986年，頁1063。可以看出朱熹對於「非禮勿視」諸句理解與今天大致相同，但是他同時也意識到這裡「非禮勿視」、「非禮勿聽」在現實層面上的困難，於是採取「應物不滯於物」的態度來回應此一實踐困難。

10 上海博物館藏戰國楚簡《君子為禮》中記載與此章大抵相同的內容，最後「顏淵退，數日不出」，也可看做是將自己關到屋子裡面，不與外界接觸了。馬承源主編：《上海博物館藏戰國楚竹書（五）》上海：上海古籍出版社，2005年，頁255。

合禮的事」、「不合禮的話」，因此是否合禮是針對的事件、言語而論的。但是，「禮」本身指的是具體的行為，亦即在合適的時間地點，根據當時的情況和自己的身份，做合適的事情。換言之，孤零零地將事件、言語判斷為非禮，是不符合禮的定義的，判斷是否符合禮應該是情境主義的，孤零零的事件、言語本身不存在永遠合禮或非禮，這是一個本質主義的判斷[11]，必須將事件與其發生的具體場景聯繫起來，才可以得出是否合禮。「非禮勿視」、「非禮勿聽」這兩句話中，所看的事件，聽的話，對於發出者——即他人來說，因為是發出者在具體的情境中的行為，當然可以確定其是否合禮，但是當聯繫到接收者——即視聽的主體「己」來說，判斷看這些事和聽這些話是否合禮的情境就發生轉變了，有可能對於做這件事的人來說是合禮的，但我看則不合禮了，有可能對於說這些話的人來說是非禮的，但我聽則合禮了。從這裡我們可以看出，將「非禮」看作是對所看的事，所聽的話的修飾，則會陷入一種方枘圓鑿的地步。這提示我們需要提出異於通行解釋的看法。

## 二　「非禮」的本質：指向行為本身

實際上另一種解釋呼之欲出，通過上面的討論，「非禮」指向的不是所看的事件、所聽的語言，「非禮」必須和接收者「己」相聯繫，那麼從「非禮勿視」、「非禮勿聽」、「非禮勿言」、「非禮勿動」這些語句結構來看，「非禮」所指向的就是視、聽、言、動這些行為了。其實，這個解釋也並非什麼新解釋，古人早就提出了。我們先看（北宋）邢昺言：

> 子曰：「非禮勿視，非禮勿聽，非禮勿言，非禮勿動」者，此四者，克己復禮之目也。《曲禮》曰「視瞻勿回」、「立視五巂」、「式視馬尾」之類，是禮也，非此則勿視。《曲禮》云「毋側聽」，側聽則非禮也。言無非禮，則口無擇言也。動無非禮，則身無擇行也。四者皆所以為仁。[12]

這裡引用了《禮記·曲禮》中的對視和聽的要求——「視瞻勿回」、「立視五巂」、「式視馬尾」和「毋側聽」，非常明確地指出這裡的「非禮」是對「視」、「聽」這兩個行動的限定，而不是對「視」和「聽」的內容所作的限定。十分值得注意的是，孔子談了「四勿」，但是邢昺僅僅對「視」、「聽」舉出了《曲禮》中的例子進行說明，這很有可能是因為「視」、「聽」都是接收的別人的行為和語言，容易誤以為「非禮」是指別人非禮的

---

11 如果舉一極端例子，即以殺人為例，《二十四孝》中「郭巨埋兒」，我們今天當然可以說其違背人性，可是亦無法否認在傳統觀念中的該行為的合禮性。

12 （魏）何晏註，（宋）邢昺疏：《論語注疏》北京：北京大學出版社，頁186。

行為和言語，所以在這裡特別加以說明。其實在《曲禮》中對於「言」的相關表述有很多[13]，也有助於增進我們對孔子「四勿」含義的準確理解。如「從於先生，不越路而與人言」[14]，這明顯不是從言的內容角度來考慮合禮與非禮，而是從言這個行為討論是否合禮，再看「夫為人子者……恆言不稱老」[15]，初看起來似乎是因為所說的內容「老」不合禮，實際上「老」孤立地看是一個中性詞，表示年齡的狀態[16]，只是在說話物件為說話者的父母時候，「老」變成一個禁忌。更明顯的例子是「父前子名，君前臣名」，孫希旦說「統以父則皆子，統以君則皆臣，故對父，雖弟亦名其兄；對君，雖子亦名其父。」[17]本來兒子直呼父親名字乃大不敬的違禮現象，而當換為父子面對君主的情境時，父子都是君主的臣下，所以兒子「可以」準確地說是「應該」直呼父親的名諱，否則反而違禮了。這充分說明，在不同情況下某些行為是否符合禮儀要求端看當時當地的情境，因此對「禮」的解釋應該遵循情境主義。再看一個例子，中國人對於床笫之私向來是非常忌諱的，公開場合是不能討論此事的，《曲禮》中說「外言不入於梱，內言不出於梱」，孫希旦說「愚謂此以嚴外內之限也。」[18]一方面，內言在內並不違禮，而在某些情況下甚至可以公開，如《詩經・鄘風・牆有茨》篇，按照《毛序》的解釋，該詩為「衛人刺其上也。公子頑通乎君母，國人疾之而不可道也」[19]，這詩反映的是亂倫此一極端違禮的事件[20]，雖然詩中反覆說「不可道也」、「不可詳也」、「不可讀也」，但是同樣也反覆指出「言之醜也」、「言之長也」、「言之辱也」[21]，實際上雖然沒有提具體內容，效果也相當於公開談論此事了，更有意味的是《詩經》中收入此詩後，經漢儒解釋，愈發呈現出此詩歌中反映內容之惡劣，但是詩歌本身的公開言說行為卻沒有任何人認為是違禮的。[22]最後，我們再舉一個《曲禮》中同時涉及「聽」和「視」的例子：「將上堂，聲必揚。戶外有二屨，言聞則入，言不聞則不入。」[23]當你進入一個相對私

---

13 因為「非禮勿動」的動實際上可以包含「視」、「聽」、「言」在內的一切行為，此處不再單獨舉例說明。

14 （清）孫希旦：《禮記集解》北京：中華書局，1989年，頁24。

15 （清）孫希旦：《禮記集解》，頁19。

16 其實在古代「老」有的時候有正面含義，如蘇軾說「老夫聊發少年狂」，古人喜自稱「老」並非帶著貶義，「老」在近代以來組成老舊、老土、老朽、老套的詞彙，其語義色彩漸漸發生變化，個中緣故值得探討。

17 （清）孫希旦：《禮記集解》，頁49。

18 （清）孫希旦：《禮記集解》，頁44。

19 （漢）毛亨傳，（漢）鄭玄箋，（唐）孔穎達疏，（唐）陸德明音釋：《毛詩注疏》上海：上海古籍出版社，2013年，頁250。

20 這裡不是簡單地烝母現象，此處的母是「君母」，進一步加深了事件的嚴重程度。

21 （漢）毛亨傳，（漢）鄭玄箋，（唐）孔穎達疏，（唐）陸德明音釋：《毛詩注疏》，頁251-252。

22 考慮到《詩經》在內的經典是傳統中國讀書人從幼年就要閱讀的讀物，而閱讀中不單單閱讀正文也包括經典註疏，則小孩子在很小的時候會接觸到講述極端違禮內容的經典，這種一方面是禁忌一方面又公開談論的張力非常有意味。

23 （清）孫希旦：《禮記集解》，頁26。

密的空間時，原先處於該空間的人，並不一定有可能往往不是在做違禮之事，說違禮之話，但是他們所做的事、所說的話卻不適合讓你看到、聽到，這個時候古人要求後來者必須以某種方式提醒對方自己的到來。這個其實很好理解，比如兩位大臣在商量軍國大事，事涉機密，所以兩人合理且合禮地在屋內商討，第三者未經許可地進入而聽到、看到的行為就是違禮的。通過對《曲禮》相關內容的分析，我們看到孔子此處的「非禮」所指應該是對視、聽、言、動等行為。

有意思的是，出土文獻佐證了這一看法。上海博物館藏戰國楚竹書中有一篇〈君子為禮〉開頭部分內容與這一節非常接近：

> 顏淵侍於夫子。夫子曰：「回，君子為禮，以依於仁。」顏回作而答曰：「回不敏，弗能少居也。」夫子曰：「坐，吾語汝。言之而不義，口勿言也；視之而不義，目勿視也；聽之而不義，耳勿聽也；動而不義，身勿動焉。」顏淵退，數日不出，問之曰：「吾子何其惰也？」曰：「然，吾親聞言於夫子，欲行之不能，欲去之而不可，吾是以惰也。」[24]

與《論語・顏淵》首章對比後，我們可以大致判定兩篇內容基本一致，值得注意的有兩點：一是《論語》中「非禮勿視」、「非禮勿聽」的結構，在這裡變為了兩句話「視之而不義，目勿視也」、「聽之而不義，耳勿聽也」，從竹書的語言結構我們很容易判斷「不義」修飾的是「視之」、「聽之」這兩個行為；二是《論語》中的「非禮」，竹書表示為「不義」，關鍵在於「禮」被替換為了「義」。義在先秦文獻中經常被解釋為「宜」，即適宜之意。如《詩經・大雅・蕩》中「不義從式」，《毛傳》解釋為「義，宜也」[25]，《左傳・隱公三年》中「命以義夫」，孔穎達疏「義者，宜也。」[26] 再看《論語》中的例子，〈為政篇〉中「見義不為」，何晏引孔安國曰「義所宜為而不能為，是無勇。」[27] 這都說明，在竹書中孔子很明確地是說不合適的言、視、聽、動就不要去做了。這與我們將「非禮」釋為對視聽言動的要求是一致的。

將「非禮」指向的物件從聽到的語言、看到的事物、所說的話轉移到視、聽、言、動行為本身上之後，我們會發現之前所說的現在通行解釋所產生的矛盾已經不復存在。因為「非禮」都是指向自身的行動，因此「非禮勿視」、「非禮勿聽」、「非禮勿言」、「非禮勿動」的語言結構就完全一致了，都是對行動者本人的限制。而正因為是對行動者本

---

24 釋文採用張光裕隸定文字，諸家釋文大體相同，僅有將「坐，吾語汝」中的「坐」釋為「跪」者，不影響整篇文字含義。見馬承源主編：《上海博物館藏戰國楚竹書（五）》，頁254-256。

25 （漢）毛亨傳，（漢）鄭玄箋，（唐）孔穎達疏，（唐）陸德明音釋：《毛詩注疏》，頁1690。

26 （春秋）左丘明傳，（晉）杜預註，（唐）孔穎達正義：《春秋左傳正義》北京：北京大學出版社，1999年，頁77。

27 （魏）何晏註，（宋）邢昺疏：《論語注疏》，頁26。

人的禮儀規範，因此不需要去逆知別人的說話內容，關鍵是判斷當時當地自己所處的形勢，根據自己和他人的關係，來選取合適的行動方式，別人的行為方式、說話內容對其本人是否合禮與自己是否去聽、去看無關，換句話說行動的主動權仍舊掌握在自己手中，前提是自己對於當時當地的形勢、相關的禮儀規矩有相當熟悉的瞭解，因此也無需「躲進小樓成一統」，恰恰是必須在與他人、與環境的互動中才能完成「禮」，這也就是孔子一開始說的「克己復禮」，讓自己的行為符合禮的要求。孔子入太廟，每事都要問，有人質疑他不懂禮，他卻說這就是禮，注意這裡說孔子的問，實際是在問在太廟中的行為規範，這個行為規範是確定他在當時當地應該如何做，而不是在問別人的行為合禮嗎、別人的話合禮嗎。[28]至此，我們可以說「非禮勿視」等句子的解釋應該以邢昺的說法為准，目前通行諸家的解釋存在偏頗。

## 三　有心或無意：理學二分的闡釋模式

最後，我們要問通行諸家的解釋是一個無心的失誤嗎？正如前面我們講到楚竹書〈君子為禮〉的語義結構比較明確地將「不義」指向視聽言動這些行為，而「非禮勿視」、「非禮勿聽」從語序上來看，就容易將「非禮」指向所看到的事物、所聽見的言語、所說的話。但是，如前所舉邢昺疏以《曲禮》為證，對此章的解釋應該說文從字順，卻意外的是之後諸家在解釋時有意無意都對邢昺的解釋理路有所忽略，並逐漸將「非禮」的重點轉移到所看到的事物、所聽的言語、所說的話上來。下面，就擬對此一轉變現象作一簡單考察，並嘗試解釋造成此一轉變的原因。

現在能看到從邢昺情景主義角度解釋「禮」轉變到將「禮」本質化的關鍵點即在朱熹的《論語集注》。要瞭解朱熹的解釋，得從他對此章開頭的「克己復禮為仁」闡發說起。通行解釋「克己復禮」，克己即約束己身，復禮則是（使自己）反於禮[29]，隋代劉炫有進一步發揮，即「克訓勝也，己謂身也。身有嗜欲，當以禮義齊之。嗜欲與禮義戰，使禮義勝其嗜欲，身得歸復於禮，如是乃為仁也。」[30]劉炫特別指出雖然己是身，但是克的關鍵物件是人身所有的嗜欲，這一點對於朱熹有很大啟發，朱熹在此基礎上做了進一步發揮：

> 仁者，本心之全德；克，勝也；己，謂之身之私欲也；復，反也；禮者，天理之節

---

28 「子入太廟，每事問。或曰：『孰謂鄹人之子知禮乎？入太廟，每事問。』子聞之，曰：『是禮也。』」語出《論語・八佾》。

29 （漢）馬融曰：「克己，約身」，（唐）孔安國曰：「復，反也。身能反禮則為仁矣。」，見（魏）何晏註，（宋）邢昺疏：《論語注疏》，頁157。

30 同上註。

文也。為仁者，所以全其心之也。蓋心之全德，莫非天理，而亦不能不壞於人欲，故為仁者，必有以勝私欲而復於禮，則事皆天理，而本心之德，復全於我矣。[31]

這裡值得注意的是，劉炫認為己是身，不過進一步指出因為身有嗜欲，所以需要禮義對其進行規範，朱熹這裡直接將己解釋為身之私欲，相較而言，嗜欲為一中性詞，而私欲卻帶有強烈的負面色彩。朱熹還將禮與天理相聯繫，使得這裡出現了天理和私欲一組對立的概念。朱熹在這裡的解釋帶有明顯的理學色彩，這在其對《詩經》等經典的解釋中也能看到，這種解釋無疑帶有創造性，對相關概念做了辨析、推衍，但是就是否符合經典原意來說，就值得推敲了。程樹德對此做了明確批駁：

解經與作文不同，作文須有主意，方能以我御題；解經則否，不可先有成見。《集注》之失，即在先有成見。如此章孔子明言復禮，並未言理。止言克己，並未言私欲。今硬將天理人欲四字塞入其內，便失聖人立言之旨。或曰：即將克己復禮解為克私欲復天理，有何害處（方東樹之言）？餘曰不然。解經須按古人時代立言，孔子一生言禮不言理，全部《論語》並無一個理字。且同一「己」字，前後解釋不同，其非經旨甚明。[32]

程氏批駁簡明有理，但是朱熹這一解釋卻為後面解釋「四勿」做了前期準備。首先強調「私欲」，欲望即是僅僅憑藉自身所不能滿足，因此欲必然指向身外之物，而私欲所帶有與天理強烈的對立色彩，使得欲求之物必然與天理衝突，而順理成章可以說「非禮」（按照朱熹此處將禮解釋為天理之節文，則可以說即「非理」）指的即身外欲求之物。同時我們注意，天理人欲為一對立概念，欲與所欲之物潛在的構成內與外的一組相對概念，這種成對出現的概念分析是理學家頗為擅長的概念辨析手段，如理與氣、道與器、知與行等，這種二元架構成為理學家不自覺的思維模式。

下面再看朱熹對「四勿」部分的解釋：

非禮者，己之私也；勿者，禁止之辭，是人心之所以為主，而勝私復禮之機也。私勝，則動容周旋無不中禮，而日用之間，莫非天理之流行矣。[33]

如果單看這裡的解釋，難以明確朱熹「非禮」到底所指何物，甚至從「私勝，則動容周旋無不中禮」來看，會以為朱熹是從行為角度看待「非禮」的，那麼其實他就和邢昺是

31　（宋）朱熹：《論語集注》，《四書五經》北京：北京古籍出版社，1995年，上冊，頁87。

32　（清）程樹德：《論語集釋》北京：中華書局，2014年，頁1057。

33　（宋）朱熹：《論語集注》，《四書五經》，上冊，頁87。

一致的。不過後面朱熹又引用了程頤[34]的話：

> 程子曰……四者身之用也，由乎中而應乎外，制於外所以養其中也……其視箴
> 曰……蔽交於前，其中則遷，制之於外，以安其內……其聽箴曰……知誘物化，
> 遂亡其正……[35]

這裡我們可以看到，朱熹引程頤話來說明「四勿」實際是「制於外所以養其中」的手段，即修身養性的方法，這裡出現了中／外或者內／外的對立概念組，而「蔽交於前」、「知誘物化」都表示了外物對天理的遮蔽，使得原本自足的人性墮落、腐化，因此在朱熹看來「非禮勿視」、「非禮勿聽」指向的一定是所看的事物和所聽的聲音，而不是視、聽的行為。朱熹在《四書或問》裡對整個的「四勿」有更加系統清晰的一段論述：

> 四者之間，由粗而精，由小而大，所當為者，皆禮也，所不當為者，皆非禮也。
> 禮即天之理也，非禮則己之私也。於是四者，謹而察之，知其非禮則勿以止焉，
> 則是克己之私而復於禮矣。且非禮而勿視聽者，防其自外入而動於內者也，非禮
> 而勿言動者，謹其自內出而接於外者也。內外交進，為仁之功，不遺餘力矣。[36]

朱熹在此明確將「四勿」分為兩組，「非禮勿聽」、「非禮勿視」為一組，涉及外在事物對自身的影響，「非禮勿言」、「非禮勿動」為一組，涉及內在修為對自己的影響。內外兼修，以使個人道德趨於圓滿，以進入仁德的境界，「防其自外入而動於內者」也提示我們這裡所指「非禮」即外在不好的言語、事物，大致即淫辭豔語、聲色犬馬之類。而通過防外謹內的方式，使得最後「天下歸仁」，朱熹解釋為「則天下之人，皆與其仁也」[37]，但是通常的解釋為「言人君若能一日行克己復禮，則天下皆歸此仁德之君也。」[38]也就是說朱熹這種解釋將本來人君通過遵守禮儀行為以期收到政治效果的這句話，轉變為純粹的個人道德修養的意涵。大致可以看出朱熹這一解釋實際是從政治社會層面轉入了道德心性層面，此也是理學興起對經典闡釋之轉變。

　　朱熹這一解釋，影響頗大，一方面是由於《四書章句集注》的影響和朱子本人的地位，另一方面也是朱熹整個論證架構的完整性[39]，從天理─人欲出發，自然引出「存天

---

34 《論語集注》中只是稱為「程子」，經查相關語句見於《河南程式粹言‧心性篇》，並根據張栻序，
　　判斷此處程子應指程頤。（宋）程顥、程頤：《二程集》北京：中華書局，2004年，頁1167、1253、
　　1254。

35 （宋）朱熹：《論語集注》，《四書五經》，上冊，頁87。

36 （宋）朱熹：《四書或問‧論語或問》，卷第十二，文淵閣四庫全書本。

37 （宋）朱熹：《論語集注》，《四書五經》，上冊，頁87。

38 （魏）何晏註，（宋）邢昺疏：《論語注疏》，頁157。

39 論證架構的完整性，並不代表其論證的嚴謹性，本文前兩部分即論證提出何以「非禮」不能是如朱
　　熹所說指向的是「視」、「聽」的內容，而應該是指向「視」、「聽」行為。這裡還可以說僅僅說「非

理、滅人欲」的要求，而人欲自然指向外物，影響人欲以害天理的外物自然而然是「非禮」（非理）的。同時，我們還要看到，朱熹這一解釋符合人們的經驗感受，老子說「五色令人目盲，五音令人耳聾，五味令人口爽」[40]，孔子說「放鄭聲，遠佞人」[41]，我們都經歷過外在事物尤其是不好的事物對我們的影響，這種經驗上的確證其實對於經典解釋的具體選擇會有很大影響。因此，後來諸家註釋大多遵循朱熹的說法，而邢昺之說就逐漸被人忽視，如王夫之《四書訓義》中說「審諸禮而非所宜，必其熒吾心而蔽天下之形者也」、「審諸禮而非所宜聽，必其蕩吾心而蔽天下之情者也」[42]，再如顏元《四書正誤》中說「『服周之冕』，非禮勿視也。『放鄭聲』，非禮勿聽也。」[43]錢穆先生在《論語新解》中已經指出朱熹「克己復禮」的解釋並不符合此章原意：「然克己之己，實不指私欲，復禮之禮，亦與天理義蘊不盡洽。宋儒之說，未嘗不可以通《論語》，而多有非《論語》之本義，此章即其一例，亦學者所當細辨。」[44]但是，在對「四勿」進行解釋時，錢先生仍然將「非禮」指向所看的事物、所說的言語，可見朱熹這一思路頗具影響。平心而論，朱熹之解釋自有其理路和價值，闡釋某種程度上也是創造，但是就解釋經典原意的角度來說，仍應以前面所引程樹德之話為標準。

　　最後，由於目前常見諸家對於「四勿」的解釋並不符合《論語》原意，本文也試提供一新譯，以就正於方家：

　　不合禮地看，就不要看；不合禮地聽，就不要聽；不合禮地說，就不要說；不合禮地做，就不要做。

---

禮」是指的「視」、「聽」內容，如「鄭聲淫」，卻不能夠解釋一些內容上並不違禮的事物，為何在某些場景下仍然不能「視」、「聽」，反過來說將「非禮」指向「視」、「聽」行為時候，一樣可以涵蓋對於「鄭聲」是不應該聽的要求，因為聽這種聲的行為是非禮的。

40　陳鼓應：《老子注譯及評介》北京：中華書局，1984年，頁106。

41　（魏）何晏註，（宋）邢昺疏：《論語注疏》，頁157。

42　（清）王夫之：《四書訓義》長沙：嶽麓書社，2011年，頁682-683。

43　（清）顏元：《顏元集》北京：中華書局，1987年，頁210。

44　錢穆：《論語新解》，頁323-324。

# 早期儒家的「心術」思想
## ──基於郭店楚簡《性自命出》及孟荀心性論的考察

周淳鈞

北京大學

## 一　引言

　　出土文獻本身的價值在於能助證有關傳統文獻的思想義理及流布、戰國學術發展及當代學術前緣研究。自郭店楚簡出土,《五行》為孟子提供其性善說之依據,也解釋了何以《荀子‧非十二子》批評思孟學派「聞見雜博,案往舊造說,謂之五行」之意。個人認為《性自命出》也能具有助證有關傳統文獻的思想義理的價值。《性自命出》的特點在於尚情與尚樂,一方面反映崇尚情感真摯之內容,有別於傳統先秦文獻對「情」的理解;一方面表現出樂之地位不遜於禮,強調音之牽動性情,樂之化育為教。至於前人學者多以忽略研究《性自命出》的「心術」思想內容,是以本論文試從《性自命出》析論早期儒家的「心術」思想,以孟子心學及荀子的心術思想作為比較參考,闡述有別於《管子》四篇道家「心術」思想的儒家「心術」發展方向,從而推論荀子「心術」思想的淵源關係,以《性自命出》為材料論證有別於孟子心學思路的先秦儒家心術發展脈絡。

　　自《性自命出》的出土,簡文以心志導情,以禮樂之教養性,人心崇尚情感之真摯的心術內容與荀子「治氣養心」、「虛壹而靜」心術思想類近,讓人注意到這是有別於〈中庸〉孟子「盡心」「知性」「知天」心學路線的儒家內部另一條發展路線。子游、公孫尼子諸等先秦儒家學派文獻俱佚,無從定論荀子的思想源流,今以戰國出土文獻掌握戰國學術發展及文獻流布的功效,選取《性自命出》討論先秦儒家心術思想,從而析論有別於孟子心學的淵源發展脈絡。要研究心術思想,必先了解戰國時間心術觀的發展,也就是說需取材於屬黃老學派的《管子》四篇,更可與同時期的孟子心學作比較。前人學者研究有關先秦心術思想各有說法,其中近人匡釗、張學智提出可以分辨儒道兩家心術之看法:

> 戰國中葉發生「心」與「氣」在人體孰重的爭辯,主心者繼承殷周以下的傳統,主氣者則為春秋(尤其是晚期)的新論……稷下黃老學派要講「心中之心」(《管子‧內業》),要把「心」掃除淨潔讓「神」來取代傳統「心」的地位,原來掌管人的性識、意志、感情諸活動的心被黜退。此所謂「主心者」,指的是儒家;「主

氣者」便是指道家。這種內在的轉向隨著新的氣的宇宙論的出現而進步，也可以被理解為繼續為人心尋求理論支持的努力，道家的思考由個體心靈轉而訴諸更為高級、根本的普遍精神（精氣）。[1]

陳鼓應先生在授課時間也曾說心術概念是儒家竊取道家概念套用於自身學說上。其《管子四篇詮釋》也曾提出相關看法。筆者認為上述說法是可以有討論的空間。[2]在參考各本文獻及近人論文等資料後，我們不能否認的是儒道二家的心術均是講心和氣，不過二者具體關係可能較為複雜，需要具體分殊，由是本論文欲以出土文獻為選材，剖析先秦儒家在言心的發展上，從《性自命出》至荀子的路線與孟子的分別。

## 二　先秦儒道二家治心修養的功夫與「心術」一詞的關係

「心術」一詞先以文字學理解，由「心」與「術」合併而來。如同其他許多哲學概念一樣，「心」本指人心，《說文》：「人心，土藏，在身之中。象形。」意指心臟。其引申義把心賦予思維或思想意義（mind），具有哲學層面意味，諸如孟心的「四端心」、莊子的「心齋」、「游心」。《說文》：「術，邑中道也。」「心術」二字合併而言可理解為心之中道義，也就是「心之道」或「人之道」。《禮記‧樂記》言心術「應感起物而動，然後心術形焉。」[3]顏師古注《漢書‧禮樂志》：「術，道徑也；心術，心之所由也。」孔穎達疏：「然後心術形焉者，術謂所由道路也，形見也，以其感物所動，故然後心之所由道路而形見焉。」由是心術成一詞組，所謂「心之所由」或「心之道」，是心體現道的方法與途徑，來源於人的血氣心知之性與外物交感。至於有關「心術」的闡釋，可先參考陳鼓應先生說法，認為「心術」一詞是稷下黃老專有名詞，《管子》四篇都以「心」命名（《心術》上下、〈白心〉、〈內業〉），而「心術」概念尤為突出，它和精氣一樣，代表稷下道家在哲學上最為稱著的兩個哲學概念。[4]

然不論「心術」的用語或「心術」的概念意義兩方面早已散見於《管子》四篇前後的諸子學說，這是我們需要注意的，也代表著「心術」一詞本非《管子》四篇所獨有。先言用語：「孔丘所行，心術所至也。」（《墨子‧非儒下》）、「眾少而應之，此守城之大體也。其不在此中者，皆心術與人事參之。」（〈號令〉）、「此五末者（德之末、教之末、治之末、樂之末、哀之末），須精神之運，心術之動，然後從之者也。」（《莊子‧

1　匡釗、張學智：〈《管子》「四篇」中的「心論」與「心術」〉，載於《文史哲》，2012年第3期，頁83。

2　例如老子主心還是主氣，他謂「無欲」、「馳騁田獵令人心發狂」，直接說氣的不多。莊子講氣：「無聽之以耳而聽之以心，無聽之以心而聽之以氣」，但這裡的氣最後還是指向「無心」、「常心」。

3　「夫民有血氣心知之性，而無哀樂喜怒之常，應感起物而動，然後心術形焉。」

4　陳鼓應：《老莊新論》香港：中華書局，頁118。

天道》）墨子所言的心術尚不具哲學意義，〈非儒下〉心術意居心、存心，心意不正義。〈號令〉心字孫詒讓疑當作以字，與心無關。[5]所引《莊子》心術，陳鼓應先生綜合前人所論〈天道〉之心術段與莊周之旨不相侔，屬黃老派之作[6]，成玄英疏：「術，能也；心之所能，謂之心術。精神心術者，五末之本也（按五末者人道也）。言此五末，必須精神心智率性而動，然後從於五事，即非矜矯者也。」[7]由是觀之，《管子》四篇以前早有「心術」一詞，但尚未把該詞組賦予任何哲學意味，及至《管子》四篇始明確運用「心術」來指稱精神修練，陳鼓應先生更判斷在《管子》四篇以後「心術」才發展為道家用來表述個人修養的關鍵概念。

　　至於有關「心術」的概念意義，《管子》四篇以前文獻沒有直接稱述心術，但在《論語》和《老子》已呈現儒道兩家論心的基本觀點與治心修養工夫論之雛形，這個專題可參考邱楚媛學兄析論有關先秦儒道「心術」之論文[8]，綜合理解如下：

一　　《老子》：體現於「虛心」、「弱志」

二　　《孟子》：以仁義禮智塑造心：「存心」、「盡心」

三　　《莊子》：「心」的三個修養層次：「成心」→「心齋」→「游心」

四　　《管子》：心、刑（身）、精氣／神（道）交互運作

五　　《荀子》：著重教化義：「成心」→「道術」（匡正心靈）→「本心」

六　　《禮記‧樂記》：應感起物

七　　《毛詩注疏》：聖人制禮作樂使人能適度表達情感，使情之所發合乎中心之道

可見「心術」的概念早於《管子》成書以前已有，更可理解在當時戰國初至中期「心術」是普遍流行之說，不論儒道二家乃至於墨家均有觸及。

## 三　《性自命出》：「心無定志」轉化「心有定志」的「心思」特點

　　同樣地，《性自命出》言「心術」，講的是治心修養工夫論，指出心是人的內在本質（性）與外部表現（情）之間的中介，發揮著重要作用。人心最基本的起點是無特定向善向惡之傾向：「心無定志」，可以為有善，也可以為有不善，是沒有既定的方向。這是明顯地有別於《管子》四篇及《孟子》有關人心思想之概念。《管子》言心有思的能

---

5　孫詒讓：《墨子閒詁》北京：中華書局，2001，頁588。

6　參見陳鼓應：《管子四篇詮釋：稷下道家代表作》臺北：三民書局，2003，頁391-393。

7　郭慶藩：《莊子集釋》北京：中華書局，1961，頁481。

8　邱楚媛：〈先秦儒道「心術」觀析論〉，載於《全球語境下的中國哲學範式與價值國際學術研討會》論文集，2017年。

力，此乃根源於精氣，心潔淨則精氣存；心不潔則精氣失[9]；孟子言放心，均是預設了人心本存有精氣及四端之本心。《性自命出》則不然，言心本無定志，此心乃樸質義的。若簡文言人心從一開始「心有其志」的話，則根本毋須有心術之進路，這是我們需要知道的。其中簡文說人與動物之差異乃在於兩者的性與心於受外界接觸使然，再而提出人心有「心思」的能力，把心調節至具有儒家之德性義。當中值得注意的是，簡文以為心需要透過外物（禮樂）之教化而致心有其德，把這個過程稱之為心術：「四海之內，其性一也。其用心各異，教使然也。」（93.7-8）[10]四海之內人的天性皆同，牛之性猶雁之性，物剛支撐物柔卷縮，均屬自然真摯的特性，天性使然而非人為，當中乃因心之異而表現出事物之差別。

　　簡文說心被外物打動的狀態稱為「動心」：

> 哭之動心也，浸殺，其烈戀戀如也，戚然以終。樂之動心也，濬深鬱陶，其烈則流如也悲，悠然以思。
>
> （98.3-5）

樂極生悲、哭泣而悲，兩者皆是情感發揮到極至。人心受別人哭泣打動而以憂戚結束；音樂打動人心而生悲，是以指出人之性受聲音等外部的禮樂刺激而發情（悲），心是性（內）與情（外）之間的中介。在性與外物接觸後發情的過程中，心會引發各種真實的內心情感：

> 聞笑聲，則鮮如也斯喜。聞歌謠，則陶如也斯奮。聽琴瑟之聲，則悸如也斯嘆。
>
> （96.5-8）

然而這種從性而發出來的情屬人之常情，或未能符合社會禮義道德規範，故簡文提出以詩書禮樂之教化：

> 詩，有為為之也。書，有為言之也。禮、樂，有為舉之也。聖人…理其情而出入之，然後復以教。教，所以生德于中者也。
>
> （95.1-6）

使心受聲音轉變而趨向於先秦儒家的道德義。

　　心在教化的過程中，心具有調節性、情的功能。此功能見於「心無定志」在教化的

---

9　「精也者，氣之精者也。氣道乃生，生乃思，思乃知，知乃止矣。」；「思之思之，又重思之。思之而不通，鬼神將通之；非鬼神之力也，精誠之極也。」（《管子・內業》）

10　劉釗校釋：《郭店楚簡校釋》福州：福建人民出版社，2003年。括號內93為《郭店楚簡校釋》頁碼，點後7-8為經文行數，指第7至8行。分隔號／為跨頁行碼。本文所引《性自命出》簡文及注均用此本。

過程中轉向至「心有定志」。當中的關鍵在於心有思辨之能力，在簡文中稱之為「心思」。人心如何不為物所左右而保持自主性，如何同身與物保持平衡及和諧關係，當中所講的就是人心具有思的特質能力。簡文描述性與外物接觸的過程當中必須有心的存在，此心具有思辨之能力：

> 凡至樂必悲，哭亦悲，皆至其情也。哀、樂，其性相近也，是故其心不遠。哭之動心也，浸殺，其烈戀戀如也，戚然以終……凡憂，思而後悲；凡樂，思而後忻。凡思之用，心為甚。嘆，思之方也，其聲變則其心變，其心變則其聲亦然。

（98.3-9）

> 君子身以為主心。

（106.5）

哭泣、音樂都能動人之心，悲戚、歡樂的情感會引起人的心思。凡是思慮，用心都很厲害。吟哦歌詠，是思念的表現。其聲音改變，心情會從之而變；其心情改變，聲音也會隨之而變，故此心與聲音、動作行為之關係相互扣連。憂思、樂思，是在「心思」的過程中對簡文開首「無定志」的心提升至「有定志」，加深悲與歡的內涵。心能影響人的聲音和肢體行為，禮樂能使人心中生德：「所以生德於中者也」，這也說明了禮樂之教的目的，用以培養人道德意志及情感。簡文論樂「其反善復始也慎，其出入也，司其德也」這說明了禮樂應具有德之義。綜合可見，心在「心思」的過程中，「心思」有其功能之大前提是「教使然」，即受外物（禮樂）之影響，通過對禮樂而有思，致使心能有領悟之能力，感知音樂當中蘊含的道德內容，從而提升人的道德意識。

「心無定志」─「心思」─「心有定志」的過程，簡文稱之為「心術」：「凡道，心術為主。道四術，唯人道為可道也。其三術者，道之而已。」（94.8-9）按李零的說法，「道四術」是指心術、詩、書和禮樂。他以「心術」為「人道」，由此不僅「唯人道為可道」容易理解，而且「其三術者，道之而已」也容易解釋。在道之四術中，只有心術是可以用來指導，其他三術（詩、書、禮樂）的學習和運用都要通過心術的引導。這更說明，天道、地道和鬼道或者其他的道都不是《性自命出》所關心的，它關心的只是人文之道。[11]此說言之成理，也符合儒家之心術觀，傾向於先秦儒家之道，由人倫之中體現出來，與老子「道可道，非常道」截然不同，道家心術之方向為尋求虛靜之境界。至於此道又始於情（道始於情，情生於性），使道與情兩者產生了關聯，意即人道是通過心以培養合宜的情。人道以心而使性與情如一，心因而有認知及道德，達至人內心的真誠與其外在的行為舉止相一致的德性，與《禮記・樂記》及《毛詩注疏》類近：「有其為人之節節如也，不有夫簡簡之心則采。有其為人之簡簡如也，不有夫恆殆之志則

---

11 李零：《郭店楚簡校讀記》北京：北京大學出版社，2002年，頁119。

縵。」（102.1-2）為人即使循規蹈矩，很有節制，如果沒有正直簡易之心，便會徒有其表。為人即使有正直簡易之心，如果沒有憂患意識，仍會流於怠惰。當中所講的是性與情的一致，則不會徒有其表或流於怠惰。簡文後部分人「心有定志」，以禮樂二教促成身心一致，性情合一：「致容貌，所以度節也。君子美其情，貴其義，善其節，好其容，樂其道，悅其教，是以敬焉。」（95.6-11）君子端莊之容貌，合符儀節之行為，擁有心、性、情合一的道德修養：「（君子）惡之而不可非者，達於義者也。非之而不可惡者，篤於仁者也。」（104.1-2）批評君子卻不能厭惡他，是因為君子仁德厚重：

> 君子執志必有夫皇皇之心，出言必有夫簡簡之信，賓客之禮必有夫齊齊之容，祭
> 祀之禮必有夫齊齊之敬，居喪必有夫戀戀之哀。

（106.2-5）

李零把「簡簡」疑讀為「謇謇」，誠信之意。[12]君子守持志向有執著之心，言談誠實有信，行賓客之禮有敬慎莊重之容儀，行祭祀之禮恭敬莊嚴，居喪有戀戀不捨之哀痛。其品性誠敬寬宏，自然地表現於個人的行為舉止當中。

總結《性自命出》心、性、情三者的關係構圖如下：

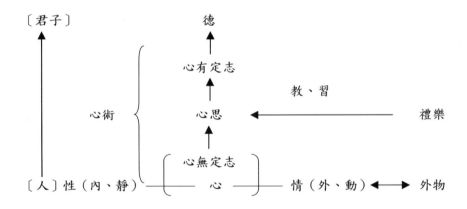

## 四　心知與解蔽：荀子「治氣養心」與「虛壹而靜」的心術觀

荀子心術觀分別為「治氣養心」（《荀子·修身》）、「虛壹而靜」（〈解蔽〉）的人心認知過程，同樣地如《性自命出》先需與性、情合併而言的人性論基調以理解，有別於孔孟而荀子提出人欲的順是，從而構成整套荀子人性傾向於惡的人性論。其中可注意的是荀子心術思想與《性自命出》有相似之處，包括在人心的轉化過程及強調師法禮樂而化

---

12　《郭店楚簡校釋》，頁102。

育的兩個特質，或能推溯有別於《中庸》孟子心學的先秦儒家心術思想的路線。現將以性、情（欲）、心的順序講解荀子的心術觀。

　　荀子的人性論有別於孔孟儒家，把「欲」提升至性情之層面來講，性、情、欲三者是人先天稟賦的不同側面：「性者，天之就也；情者，性之質也；欲者，情之應也。以所欲為可得而求之，情之所必不免也。」（〈正名〉）楊倞注「就」者「自然」、「質」者「質體」、「應」者「所應」（反應）。[13]荀子說性是在自然而然來講，情所指性中所包含的好惡喜怒等內容，也就是「質體」，其表現於外即是人欲。《性自命出》情是從性所產生出來，情源於性，與荀子相似。先要點出是《荀子》「性情」或「情性」的連用，兩者沒有嚴格區分；情與欲兩者又會混為一談，以「情欲」為連用，是以三者關係不可分，這是了解荀子心術觀必須先談之基礎。

　　荀子學說之心能知、有辨，經由五官而有徵知（楊倞注徵，召也。言心能召萬物而知之）[14]，從而獲得知識。心為神之主，身之主宰，統五官而為天君；好惡性情則屬天情，天君統（養）天情：「心居中虛以治五官」（〈天論〉）；「心者，形之君也，而神明之主也，出令而無所受令」（〈解蔽〉）這是與第三章言《管子》四篇人心統攝人體感官相同，人心具有主動性的自律、自主特點，有別於《性自命出》未有言心支配感官的看法，但三者皆強調人心的作用與轉化，這是需要知道的。

　　荀子心術之義有二，一是見於〈修身〉的「治氣養心」之術；二是見於〈解蔽〉的「虛壹而靜」心之認知過程。先言「治氣養心」的概念，當中的氣屬血氣義：萬物皆有：「水火有氣而無生，草木有生而無知，禽獸有知而無義，人有氣、有生、有知，亦且有義，故最為天下貴也」（〈王制〉）。當中所言之氣是有別於孟子養浩然正氣的精神境界義，相同於《性自命出》。雖未有把「養」與「氣」連用，但略有養氣之意，更可與〈禮論〉言「養情」相對。「治氣養心」講的是協調人性人情，血氣剛強則柔之以調和；知慮漸深，則齊正以易良；勇猛乖張則以順情會理；愚魯拘謹則以禮樂濟。[15]當中的精神修練工夫在於禮樂、師道、「一好」（專心）來建立自我之道德：「凡治氣養心之術，莫徑由禮，莫要得師，莫神一好」以禮樂、師道及專一成為個人心靈之導向，「由禮則治通，不由禮則勃亂提僈…由禮則和節，不由禮則觸陷生疾…由禮則雅，不由禮則夷固」以禮樂之化育及人心之專一修練從而成君子而有德。

　　〈解蔽〉的「虛壹而靜」心之認知過程相比於〈修身〉的「治氣養心」之術把人心

---

13　（清）王先謙：《荀子集解》北京，中華書局，2010，頁428。本文所引《荀子》正文及注均用此本。

14　《荀子集解》，頁342。

15　「治氣養心之術：血氣剛強，則柔之以調和；知慮漸深，則一之以易良；勇膽猛戾，則輔之以道順；齊給便利，則節之以動止；狹隘褊小，則廓之以廣大；卑溼重遲貪利，則抗之以高志；庸眾駑散，則劫之以師友；怠慢僄棄，則炤之以禍災；愚款端慤，則合之以禮樂，通之以思索。」

的轉化過程形容得更具體。〈解蔽〉形容人生而具有的「認知」能力的心:「凡以知,人之性也;可以知,物之理也。」人之性一般是指人先天稟賦的不學而能的自然而然的能力。人心具有認知能力,客觀事物又是「可知」,這就形成了人心認知之構圖。心知的「虛壹靜」狀態是相對於人心「藏兩動」心靈狀況闡釋(虛—藏;壹—兩;靜—動)。所謂「藏」就是人生而有記憶與知的能力,「虛」則是承人心之藏本能而講「不以所已藏害所將受」,不蔽於一隅而讓新舊知識不彼此妨礙;「壹」旨專壹,相對於「兩」而言,人心有知而有差異之能力,同時兼而知之各種事物的分歧狀態,「壹」則是相對於「兩」的不以兩種事物之妨害而言,是新舊知識的統合,有判斷能力,正如〈解蔽〉後引「農精於田」、「賈精於市」、「工精於器」之例,「君子壹於道,而以贊稽物。壹於道則正,以贊稽物則察;以正志行察論,則萬物官矣」人心根據於自身見解進行取捨,「壹」於道而未「兩」;「靜」則是長期處於思維狀態,當中以心臥則夢而使心「動」,苟且則放縱,是不斷的活動而以夢劇亂知,相反人「靜」不亂,心能自主而動。心能「虛壹靜」而後能至「大清明」,可分辨推理而解蔽,通神明而參天地。「大清明」屬心靈修練之境界,是能對萬物達到最高程度把握的境界,是能對宇宙真理完整體現的境界:「萬物莫形而不見,莫見而不論,莫論而失位。坐於室而見四海,處於今而論久遠。疏觀萬物而知其情,參稽治亂而通其度,經緯天地而材官萬物,制割大理而宇宙裡矣。恢恢廣廣,孰知其極?睪睪廣廣,孰知其德?涫涫紛紛,孰知其形?明參日月,大滿八極,夫是之謂大人。夫惡有蔽矣哉」(《荀子·解蔽》)同樣地與〈修身〉相同的是,「虛壹靜」的精神修練過程是以為禮樂之化育以致「心知道,然後可道」當中的道應理解為「人道」,與《性自命出》是相通的,也就是兩者心術觀相同之處。

　　總結荀子「虛壹而靜」心、性、情三者的關係構圖如下:

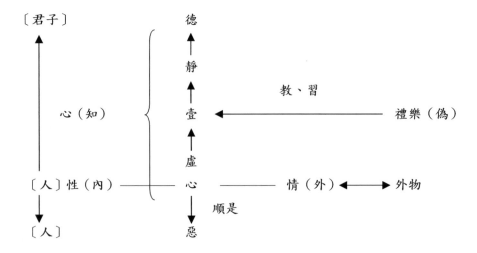

## 五　與孟子心學相異之處

荀子學說是沒有先驗的意義，與孟子心學不同，兩者論人之所以為人的構成因素也有相異之根本：

孟子：動物人＋仁　人〔先天的四端心〕　＝人
荀子：動物人＋文化人〔後天的積習禮樂〕＝人

荀子的人性論也是承接於《荀子・天論》所旨人定勝天的自然天天道觀而提出的，強調的是後天的積習，積習於禮樂而分辨人禽：「辨莫大於分，分莫大於禮，禮莫大於聖王。」（〈非相〉）諸如父子有親，男女有別社會倫理的禮之辨，與《性自命出》相近：

其性……人者而學或使之也……其用心各異，教使然也。

（93.3-6）

出性者，勢也；養性者，習也；長性者，道也。

（94.3-4）

值得注意的是，《性自命出》也表現了人禽之別的地方，與禽獸「生而長，生而伸」的自然之性相比，人性的最大特點在於其有積習能力，與荀子論人性之說相符合，禽獸只是順乎自然的被動地去適應外物；人則能主動地適應外物（物、悅、故、義、勢、習、道），有教習判斷的過程。由是觀之《性自命出》與荀子之人性論基調是相同的，兩者心術亦由人之性無本善或無本惡而起，若果好像孟子言四端早存於心[16]，《性自命出》則不能「心無定志」，而是改為心志本存於心，以「心有定志」作為基本，改為像孟子「反本求心（志）」為心術之過程，旨在求放心志，則與簡文義理相悖。孟子是通過「盡心」而擴展自己的「良知」「良能」或固有的四端心性來完成，把客觀化的聖王創造禮樂和人道化解到人心之中，以為道之學講「求放心」，以學問之道防止「本心」之失，保持心中原有的「良知」，也使人心發揮及實現性善處：「推恩足以保四海」。《性自命出》與荀子所說的心並非孟子具有德性的「良知」和「良能」，人心有善有不善，且具有質樸義及有認知能力，兩者皆強調有待「治理」與「培養」的存在，荀子把這個心術過程稱之為「治氣養心」、「虛壹而靜」；《性自命出》講的是「心思」。這說明了荀子與《性自命出》心的道德主導性和自主性，不是天生的，而是後天的以認知和積習的結果，是透過心術的禮樂化育而發展和建立起來。前人學者把《性自命出》分別為上下兩

---

16　「惻隱之心，人皆有之；羞惡之心，人皆有之；恭敬之心，人皆有之；是非之心，人皆有之。惻隱之心，仁也；羞惡之心，義也；恭敬之心，禮也；是非之心，智也。仁義禮智，非由外鑠我也，我固有之也，弗思耳矣。」（《孟子・告子上》）

篇以看[17]，筆者個人以為上下兩部分之不同在於心術之過程前後之別，以謂君子積習生發德性而轉引至後文講的君子具德性之情性：

> 致容貌，所以度節也。君子美其情，貴其義，善其節，好其容，樂其道，悅其教，是以敬焉」
>
> （95.6-11）
>
> 君子執志必有夫皇皇之心，出言必有夫簡簡之信，賓客之禮必有夫齊齊之容，祭祀之禮必有夫齊齊之敬，居喪必有夫戀戀之哀。」
>
> （106.2-5）

以禮樂二教促成身心之一致，性情之合一，以心術之人道形成容貌端莊，行止合符儀節之君子。

## 六　積習聖人之法以為「人道」

孔孟之「道」，是「人道」承接於「天道」的人文精神，講返本還原反求諸己，同樣承接於西周文化具德性義之天。「子在川上，曰：逝者如斯夫。不舍晝夜。」（《論語・子罕》）承認天有主宰的同時，孔子較著重人的生命價值。天雖具權威性，但天道運行法則順於自然，人生而死，水向下流，萬物自然背後總有其命與理，此謂「天道」，人非能掌握之。孔子沒有將天人格化，但卻相信「天」是萬物的主導者。他所提倡的是人生的價值，其理論正是從自己一生實踐出來，人應先盡人事而後安天命。孟子心學言人四端心承於天爵[18]而本有，由是《論語》、《孟子》所講的「人道」是與「天道」相貫通，修道之工夫皆主張經過聖人制定詩、書、禮、樂以為「人道」教於民，使民生發德性。《性自命出》以情釋性[19]，荀子講「天人相分」，不言「天道」只講「人道」，尊師法而學聖人之道：「聖人知心術之患，見蔽塞之禍，故無欲、無惡、無始、無

---

17 例如近人梁濤從上下篇之分出發，認為上篇所說之性是一種自然之性，下篇是道德之性；與此相應，上篇之情是自然之情，下篇之情是道德之情，並認為荀子的性情論接近於上篇，孟子的人性論接近於下篇。梁濤：〈竹簡《性自命出》與早期儒家心性論〉，載於《古墓新知》臺北：臺灣古籍出版有限公司，2002年。

18 「有天爵者，有人爵者。仁義忠信，樂善不倦，此天爵也；公卿大夫，此人爵也。古之人修其天爵，而人爵從之。今之人修其天爵，以要人爵；既得人爵，而棄其天爵，則惑之甚者也，終亦必亡而已矣。」（《孟子・告子上》）

19 參見許抗生：〈《性自命出》、《中庸》、《孟子》思想的比較研究〉，言《孟子》、《中庸》主張以道德心釋性，提出了天賦道德觀念的人性善思想。《性自命出》的以生理心理情感欲望釋性：「喜怒哀樂之氣，性也」與「天命之謂性」、「喜怒哀樂之未發，謂之中」不同。載於《孔子研究》，第1期，2002年。

終、無近、無遠、無博、無淺、無古、無今，兼陳萬物而中縣衡焉。是故眾異不得相蔽以亂其倫也」、「何謂衡？曰：道。故心不可以不知道；心不知道，則不可道，而可非道……以其不可道之心取人，則必合於不道人，而不合於道人。以其不可道之心與不道人論道人，亂之本也」、「學者以聖王為師，案以聖王之制為法，法其法以求其統類，以務象效其人。」（〈解蔽〉）聖人知心術之患，受蒙蔽之禍，相互蒙蔽而亂人倫，是以聖人起人道，也稱之為「衡」，人心需以「虛壹靜」之狀態以習之，是為〈解蔽〉之所旨。再引《荀子》諸篇以論證，「禮者、所以正身也，師者、所以正禮也。無禮何以正身？無師吾安知禮之為是也？禮然而然，則是情安禮也；師云而云，則是知若師也。情安禮，知若師，則是聖人也。故非禮，是無法也；非師，是無師也」（〈修身〉）、「道者，古今之正權也；離道而內自擇，則不知禍福之所託」、「衡不正，則重縣於仰，而人以為輕……權不正，則禍託於欲，而人以為福……此亦人所以惑於禍福也。」（〈正名〉）聖人以人道為認知之標準，離失該聖人之道（禮樂之法），而由人自己任意選擇，則會迷惑於禍福之關係。「禮義者，聖人之所生也，人之所學而能，所事而成者也」、「聖人積思慮，習偽故，以生禮義而起法度，然則禮義法度者，是生於聖人之偽，非故生於人之性也」、「聖人化性而起偽，偽起而生禮義，禮義生而制法度；然則禮義法度者，是聖人之所生也。」（〈性惡〉）〈性惡〉講聖人化性起偽而起禮義，後人積習之，即所謂荀子之人道也。當中孟子的道內在於心性，人禽之辨在於人有四端心，發揮性善處在於人之選擇，「求放心」以盡其本心，正是荀子所批評的「離道而內自擇」，也就是孟子心學思路概念有別於荀子之處。

《性自命出》亦然，簡文言：

> 凡道，心術為主。道四術，唯人道為可道也。其三術者，道之而已。」
>
> （94.8-9）

前引李零說法，「道四術」是指心術、詩、書和禮樂，以為道之四術中只有心術是可以用來指導，其他三術（詩、書、禮樂）的學習和運用都要通過心術的引導。

> 《詩》、《書》、《禮》、《樂》，其始出，皆生於人。《詩》，有為為之也；《書》，有為言之也；《禮》、《樂》，有為舉之也。聖人比其類而論會之，觀其先後而逆訓之，體其義而節文之，理其情而出入之，然後復以教。」
>
> （95.1-5）

《詩》、《書》、《禮》、《樂》是「有為」有目的地教習，聖人比合其類而編排以體人道之義，與荀子「人道」相符合。需要指出的是，這種禮樂教習之概念與孟子心學路線有別，孟子的禮為辭讓之心，禮樂本於心性，心性源於天所賦予。《性自命出》與荀子則把禮脫離心性，純視為外在之文，透過外文而化育人之內情，從而推論《性自命出》與

荀子是有別於孟子路線之先秦儒家淵源脈絡。舉〈禮論〉論證，〈禮論〉主旨禮作於情，禮之起源因人之性情而有外禮：「禮者養（情欲）也」、「孰知夫禮義文理之所以養情也」，（〈修身〉有「禮然而然，則是情安禮也；師云而云，則是知若師也。情安禮，知若師，則是聖人也。」句，義同。）遵循禮義文理的節制而使情感正名分的抒發。具體的來說，〈禮論〉舉喪禮飾其哀、祭禮飾其威、三年之喪而飾其痛之例[20]，得出禮具有文飾喜、怒、哀、歡的宗旨，是把純外在的文飾而化育人內之情感，透過禮的形式把情感表現出來，從而使情感的抒發得到調和，所謂「孰知夫禮義文理之所以養情也」，縱情作樂則衰滅（「苟情悅之為樂，若者必滅」）。《性自命出》明確指出禮的制作始於人情，禮要以合宜（正名）為準，有變化則要根據事物的形勢權宜處之，最為理想的禮節是文質彬彬：

> 禮作於情，或興之也，當事因方而制之。其先後之序則宜道也。或序為之節則文也。致容貌，所以文即節也。君子美其情，貴其義，善其節，好其容，樂其道，悅其教，是以敬焉。

（95.6-11）

簡文舉例君子美其情性，善其禮節，悅其教化，是為尚情而合禮表裡如一的例子，該種合禮而尚情的義理與荀子思想相符合，兩者皆不是學德性義之「天道」，而是「人道」，具體的說是聖人所制作的禮樂之道。《性自命出》與荀子的心術分別以「心思」與「心知」積習禮樂，學聖人之道而使自己有德為君子。這種把禮先純視為外在之文而化育人情作基調，沒有視禮樂本於心性，由是推論兩者相異於孟子心論的發展脈絡。

## 七　結語

　　本論文旨在以《性自命出》與孟荀思想闡述先秦儒家心術的演變，正如《五行》解釋到荀子對思孟學派的批評、《魯穆公問子思》引證了戰國時間君臣關係的轉變，《性自命出》亦然。本論文以為《性自命出》與《荀子》的心術思想有相同之處而推溯一條有別於〈中庸〉孟子心學的先秦儒家發展脈絡。兩者皆以心、性、情以論人性，再又透過外在於人的禮樂教化以轉化、調節人性：《性自命出》言心有思辨之能力（心思），受禮樂教育之轉變而從「心無定志」轉化為「心有定志」而生發德性；荀子講性、情、欲強

---

20　「凡禮，事生，飾歡也；送死，飾哀也；祭祀，飾敬也；師旅，飾威也……故喪禮者，無他焉，明死生之義，送以哀敬，而終周藏也。故葬埋，敬藏其形也；祭祀，敬事其神也；其銘誄繫世，敬傳其名也」、「三年之喪，稱情而立文，所以為至痛極也。齊衰、苴杖、居廬、食粥、席薪、枕塊，所以為至痛飾也。三年之喪，二十五月而畢，哀痛未盡，思慕未忘，然而禮以是斷之者，豈不以送死有已，復生有節也哉。」

調人具有性惡的傾向，由是提出「治氣養心」、「虛壹而靜」的心術轉化過程，強調師法與習禮樂之特質以為君子，以禮樂二教促成身心之一致，性情之合一，當中兩者亦把禮樂脫離心性，純視為外在之文而化育人之內情，這與孟子心學路線有別，孟子的禮為辭讓之心，禮樂本於心性，為道之學講「求放心」，保持心中原有的「良知」，由是以《性自命出》為材料論證有別於孟子心學思路的先秦儒家心術發展脈絡。

# 口頭走向書面

## ——從左丘明的瞽史身份論《國語》成書

方馨怡

浙江　湖州師範學院文學院

　　關於《國語》的作者，學術界歷來莫衷一是，最初的說法見司馬遷《史記》中「左丘失明，厥有《國語》」[1]，然而書中與左丘明相提並論的其他文人志士及其事蹟備受爭議。如「韓非囚秦，〈說難〉、〈孤憤〉」[2]「不韋遷蜀，世傳《呂覽》」[3]，兩樁事件的先後順序皆被顛倒。究其緣由，司馬遷或許是為了宣揚人們在困境中發憤圖強、迎難而上的精神品質，因而，在時間上刻意將苦難和挫折置於作品與成就之前，營造一種更加近乎艱難的效果，從而產生強烈的對比和感染。除此之外，就作者和作品之間的真實聯繫，《史記》中的內容還是可供參考的。

　　至於「左丘」與「左丘明」的對應關係，《史記》中共提及除左丘之外的六人：文王、仲尼、屈原、孫子、不韋和韓非。將其姓名進行分類得出，第一類是尊稱，以文王和孫子為例，這一類可直接排除左丘；第二類是單字或名，以仲尼和不韋為例，若將其置於此類，基於左丘明應為「左丘」氏、「左」氏或「丘」氏三種可能，則司馬遷必定是以「丘明」或「明」來表示，因此這類也可排除左丘；第三類是「氏＋名」或「氏＋字」的形式，以屈原和韓非為例，排除以上兩類，《國語》的作者應是一個氏左名丘抑或氏左字丘的人。這就涉及左丘明的姓氏，《左傳精舍志》卷五〈譜系志〉載：「（邱明世為魯左史官）因以左為姓氏，其後裔去左襲邱，隱居陶陽，復以邱為姓氏。」[4]再結合卷四〈藝文志〉所收，「宋祥符二年平陰令范諷重修左傳精舍記」碑記亦謂「乃避新莽之亂，去左襲邱。」[5]這些資料顯示左丘明當有左、邱兩姓後裔，婁嘉之前姓「丘」，婁嘉至丘起間二十六世姓「左」，丘起之後重新以「丘」為姓，左丘明處於二十六世之中，故應當姓「左」[6]。同時，左丘明所處時代，命名受禮制約束，不可隨意。《左傳·

---

1　（漢）司馬遷：《史記》北京：中華書局，1998年，頁3300。

2　（漢）司馬遷：《史記》北京：中華書局，1998年，頁3300。

3　（漢）司馬遷：《史記》北京：中華書局，1998年，頁3300。

4　（明）王惟精：《胡恆增輯·左傳精舍志》山東：肥城史志辦，2000年，頁67-78。

5　（明）王惟精：《胡恆增輯·左傳精舍志》山東：肥城史志辦，2000年，頁67-78。

6　謝祥皓：《再談左丘明里籍與姓氏》，〈http://www.feicheng.gov.cn/shiqing/contents/4162/58074.html〉，瀏覽日期：2014年。

桓公六年》載:「名有五,有信,有義……不以山川,不以隱疾,不以畜牲……」[7]可見,春秋時期,人們不可以山川之名為自己命名,而當時魯國境內有一座名為尼丘的山,由此我們可以確定,「丘」斷然不可為其名,以上,我們可以得出左丘明氏「左」字「丘」名「明」的結論。即在〈報任安書〉中,作者採用的是「氏＋字」的形式,然並未採用「氏＋名」的形式,或許是基於與「失明」會造成語音上重疊的冗餘,因而避免使用這一結構。所以綜上:《國語》的作者是左丘,而左丘直接指向了左丘明。

在確定作者與作品的關係後,產生的疑問是,左丘明到底是不是盲人;盲人如何進行史書創作;《國語》又是否由左丘明獨立完成。

司馬遷為了強調人在苦難中的精神意志,有時刻意將先後順序顛倒,但這不涉及臆造史實的行為;且有明確資料記載,早期社會已有盲史官(亦稱「瞽矇」),負責講唱和諷誦歷代史事,左丘明即瞽矇群體的成員,這些史料經瞽矇口耳相傳,使得後期能以文字的形式被記錄下來。

那麼,作為雙目失明的人,左丘明如何進行編撰創作;七萬數千字的著作是否出自一人之口,而這又是怎樣被記錄下來的呢?我們認為作者進入口頭創作直至書面文本的形成主要有以下幾個階段:瞽史增飾與傳誦;程式和主題的積累與熟悉;口頭講唱;史官記錄。

作為瞽史的左丘明,在每一次聆聽和講誦的情境中,在瞽矇群體中收集和熟悉了諸多史料。《今本竹書紀年疏證》中可見,瞽人「拊鞞鼓,擊鼓磬」[8]的掌樂史實在帝嚳時代就已經出現,由於這些人大都先天失明,因此具有超人的聽覺,對聲音極其敏感,有強大的樂感和記事能力,正如《故事的歌手》中,盲歌手阿夫多表示,他們擁有超乎尋常的記憶力,能夠輕鬆地誦唱上萬行詩,瞽矇因這些特長,於宮廷擔任一定職務。他們雖眼盲卻耳聰,便以歌詩的形式,附上抑揚頓挫的音調並伴上奏樂講唱史事,〈大雅・靈臺〉和《詩經・周頌・有瞽》都記載了瞽矇在盛典上以鼓奏樂的事實,同南斯拉夫的盲歌手借助古斯萊的伴唱復述其他歌手誦唱的上萬行詩一樣,通過配樂來協助故事記憶。《周禮・大師》「大祭祀,帥瞽登歌,令奏擊拊」鄭註:「擊拊瞽乃歌也」賈公彥疏:「拊所以導引歌者,故先擊拊,瞽乃歌也。」[9]可見瞽矇在誦唱時需要擊鼓伴奏的事實早有記載。除了運用伴奏幫助記憶,從《國語》的語言特點中,我們發現其中多韻散結合的句子,在〈越語〉記范蠡之言時,多次用到韻文,出現大段四言韻語,或韻散結合的方式,這是瞽史誦唱的痕跡。當時民間流行以口頭的形式來講述故事,帶有韻語的句子恰好滿足了敘述語言生動且方便記憶的要求,這樣的形式便於傳唱,也易於感染聽眾,所以,它們能夠世代流傳,使大量史實得以保存。

7　(唐)孔穎達:《春秋左傳正義》北京:中華書局,1980年。

8　(清)王國維:《今本竹書紀年疏證》瀋陽:遼寧教育出版社,1997年,頁42。

9　(漢)鄭玄注,(唐)賈公彥疏:《周禮注疏》北京:中華書局,1980年,頁817。

　　據《周禮・春官序》:「瞽矇,上瞽四十人,中瞽百人,下瞽百又六十人」[10]可見瞽矇群體在當時相當龐大。《周禮・春官・瞽矇》:「瞽矇:掌播鼗,柷,敔,塤,簫,管,弦,歌。諷誦詩,世奠系,鼓琴瑟。掌《九德》、《六詩》之歌,以役大師。」[11]可以說,瞽矇群體間分工明確,各司其職,在先秦時期,瞽矇承擔著諷誦進諫的職能,這是一條獲取史料的捷徑。《周禮・春官》載:「大師,執同律以聽軍聲而詔吉凶。大喪,帥瞽而廞作謚。凡國之瞽蒙正焉。」鄭玄註:「廞,興也。興言王之行,謂諷誦其治功之詩。」鄭司農云:「淫,陳也。陳其生時之行跡為作謚。」[12]《呂氏春秋》:「瞽叟乃拌五弦之瑟,……以祭上帝。」[13]可見過去帝王駕崩後,太師率領瞽矇回顧先王生平,以歌謠的形式諷誦先王行跡,供制謚參考,也是依賴瞽矇過人的記憶和講唱史事的本領,這是瞽矇一項重責大任,因此他們十分注重收集和記誦先王的史實,尤其關於成敗得失的方面。在這一過程中他們積累了大量的歷史資料,悟得許多歷史教訓和治國之道,從而構成《國語》的主旨。《國語》中瞽史諷誦進諫的行為也有記載,如〈魯語〉:「故工史書世,宗視書昭穆,猶恐其途也。」;〈晉語〉:「吾聞古之王者,政德既成,又聽於民,於是工誦諫於朝。在列者獻史使勿兜……」(「工」:瞽矇)。《呂氏春秋》中也有:「周公對曰:『臣聞,天子無戲言。天子言,則史書之,工誦之,士稱之。』」[14]

　　除了諷誦進諫,瞽矇另兼職教育。《禮記・明堂位》:「殷人設右學為大學,左學為小學,而作樂於瞽宗。」[15]這裡的「右學」和「瞽宗」指的都是大學。當時大學以樂教為主,在書寫條件還相當困難的先秦時期,要想保存歷史事件的具體過程,進行資訊的傳播和交流,惟有利用瞽矇記憶的特長,令其講唱,從而達到口耳相傳的目的,可見瞽矇的教育職能加快並擴大了史事傳播的速度及範圍。這也要求瞽矇教師多次複述知識給學子,使得他們對史料爛熟於心;同時,學校也成了瞽矇聚集從而進行史料交互和補充的特殊場所,這為後來瞽史的口頭創作奠定了基礎。

　　洛德認為荷馬史詩的形成是「他」將口口相傳的詩重新編創為一部「書面」的詩歌,這和《國語》的成書過程極其相似。正如清代趙翼所說:「《國語》本列國史書原文,左氏特料簡而存之,非手撰也。」[16]雖然《國語》是左丘明收集的語料匯總,但在他口中已並非所謂列國的「史書原文」,現在看到的書面文本也並非出自左丘明之手。這裡牽涉「多重作者」的概念,類似《詩經》的形成:由采詩之官每年深入民間收集歌

---

10　(漢)鄭玄著,(唐)賈公彥疏:《周禮注疏》北京:中華書局,1980年,頁754。
11　(漢)鄭玄著,(唐)賈公彥疏:《周禮注疏》北京:中華書局,1980年,頁754。
12　(漢)鄭玄著,(唐)賈公彥疏:《周禮注疏》北京:中華書局,1980年,頁796。
13　(秦)呂不韋:《呂氏春秋》上海:上海古籍出版社,1989年,頁44。
14　(秦)呂不韋:《呂氏春秋》上海:上海古籍出版社,1989年,頁44。
15　(漢)鄭玄著,(唐)賈公彥疏:《禮記正義》北京:中華書局,1980年,頁1491。
16　(清)趙翼:《陔餘叢考》上海:商務印書館,1957年,頁48。

謠，將其統一整理後誦唱給周天子聽，它們的作者來源於民間諸多佚名的歌手。「多重作者」的理論也可以放在《國語》的講唱中進行研究，即《國語》「作者」的一端是左丘明，另一端是瞽矇群體。

這一理論可分為兩類：一、《國語》是由短篇史料彙集而成的，由左丘明通過收集最終將它們做成一個合輯；二、左丘明不是一個編輯者，而是最後的最偉大的一位講唱者，這就表示左丘明參與了其中的講唱，不單純是一個收集者，《國語》中也許有很大一部分是左丘明誦唱的。結合這兩點，《國語》的完成應該是由一系列瞽矇諷誦的短篇語料出現，後來出於將它們整合在一起以起到警示、勸誡的要求而成，這其中，左丘明扮演著不可或缺的重要角色，成為了這些片段的誦唱者之一，同時又是他將這些散亂的片段彙集而成。

有學者用割裂文本的方式來研究《國語》各個部分的特點，以驗證多重作者的猜想，發現：《周語》渾厚樸實；〈魯語〉文風接近《論語》，重在禮義德信的記載；《周語》、〈魯語〉與《左傳》風格相似，頗重文辭，較為儒雅；〈晉語〉風趣幽默，多記謀略，敘事性強；《楚語》重在修飾，氣勢十足；〈吳語〉、〈越語〉欣賞智謀，戰爭場面描寫精彩，生動形象。[17]且《國語》各篇水準也參差不齊，主要由於講史者之多，群體之龐大，傳誦者林總，史官也只是將各國語料匯總，保留其原始樣貌，並未進行系統地修繕和更改，這些我們可以從《國語》中不少存在前後矛盾的記載中見得，如，〈越語上〉載勾踐曰：「昔天以越予吳，而吳不受命，今天以吳予越，越可以無聽天之命，而聽君之令乎！」〈越語下〉亦載此語，但說話人卻變成了范蠡，這顯然是由於《國語》出自不同人之口，經由不同人記錄所造成的不一致性。

「作者」的概念在口頭創作中其實是毫無意義的，它不同於後來的書面文本，我們不能把最後一個講唱者認為是「作者」，因為最後一位講唱者與之前所有的講唱者之間具有特殊的聯繫，他們是互相影響的，從這一點看，一部口頭作品並沒有確切的「作者」，只有多重的作者，每一個史料片段的講唱都有其自身的一位「作者」。嚴格來看，《國語》並不存在真正意義上唯一的「作者」，正如章學誠所說：「古人之言，所以為公也，未嘗矜其文辭，而據為己有也。」[18]可見古人並不講究著作權的歸屬，他們更多關注文化的傳承。若一定要指出作者，那麼應是瞽矇群體和史官構成的「多重作者」團體，而後來我們把《國語》的作者稱作是左丘明，是基於《國語》中大部分的語料片段最初是由他整理和匯總起來的，從而得以流傳，他是最後一位完成碎片整合的口頭形式《國語》的作者，即使在後來的流傳過程中《國語》的內容又有了增飾，左丘明仍是起到最大作用的人。

---

17 張鶴：《《國語》研究》北京語言大學博士學位論文，2009年。
18 （清）章學誠：《文史通義》北京：中華書局，1985年，頁169。

一

　　在《國語》的研究中，我們發現其中頻繁出現的一些「重複」和「慣用的詞語」等，書面文體中「程式」的存在表明這種文體起源於口述文體，這些是口頭文本作為「口頭」模式的表現，即「程式」[19]程式的內容是口述文體的基石，主要有主角、行為、時間和地點，這些是傳統敘事文本構成故事情節的四要素。我們在即使是記言文體的《國語》中，也能找出與之對應的四個要素。就《國語》的內容而言，作品中較少涉及時、地的描述，更多的是人物言論和人物行為及其後果的記敘，且幾乎都位於整篇文章或段落的開頭與結尾。就以「諫」為主題的文章內容而言，首先是人物行為的出現，這種行為多數出自君王（上級），且行為導向為「負面的」、「衝動莽撞的」或將「造成不良影響的」，然後，主角（下級）出現，對這一行為進行勸諫、評述或言說，緊接著，是人物對主角的言論所持的態度，或視其為「耳旁風」、「不屑」、「蔑視」；或「虛心接受」、「納諫」、「支持」，最後，相互對立的兩種態度造成兩種同樣對立的行為結果，「失」與「得」，這是一種明顯包括規諫緣起，規諫過程及規諫結果的「三段式」結構[20]。就以「論」為標題的文章內容而言，首先是人物（上級）行為、言論或事件、事物的出現，然後，主角（下級）出現，並對這一行為、言論或事物進行「論」即評價、論述或解釋，最後給以自己的態度立場或判斷。上述兩個結構是整部著作中頻繁出現的故事模式。

　　此外，我們也對文本結尾內容進行研究，以《周語》為例，將其中重複出現的內容列出：

| | |
|---|---|
| 王不聽，遂征之 | 〈祭公諫穆王征犬戎〉 |
| 王不聽，於是國莫敢出言 | 〈邵公諫厲王弭謗〉 |
| 王不聽 | 〈虢文公諫宣王不籍千畝〉 |
| 王不聽 | 〈富辰諫襄王以狄伐鄭及以狄女為後〉 |
| 王弗聽，卒鑄大錢 | 〈單穆公諫景王鑄大錢〉 |
| 王弗聽，問之伶州鳩 | 〈單穆公諫景王鑄大鐘〉 |
| 王不聽，卒鑄大鐘 | 〈單穆公諫景王鑄大鐘〉 |
| 王弗應 | 〈賓孟見雄雞自斷其尾〉 |

---

19　（美）阿爾伯特·貝茨·洛德：《故事的歌手》北京：中華書局，2004年，頁30。
20　夏德靠：〈《國語·周語》結構、語言藝術略論〉，《黔西南民族師範高等專科學校學報》，2007年第1輯。

我們可以發現，僅在《周語》的三十三篇中，就出現了八個「王不（弗）聽」這樣的可以被稱為「程式」的例子。當然，在《左傳》中也能找到相似的內容：

（石厚）弗聽　　　　　　　　　　《隱公・隱公三年》

（昭公）弗從　　　　　　　　　　《桓公・桓公十一年》

周公弗從，故及　　　　　　　　　《桓公・桓公十八年》

（鄧祁侯）弗從　　　　　　　　　《莊公・莊公六年》

（宋襄公）弗聽　　　　　　　　　《僖公・僖公二十二年》

（子玉）弗聽　　　　　　　　　　《僖公・僖公二十八年》

可見在同一作者的其他作品中也存在著相當數量的程式。

　　錢鍾書先生指出，《左傳・莊公十年》曹劌與莊公三問三答；《國語・吳語》越王勾踐與申包胥五問五答；〈越語下〉勾踐與范蠡六問六答；《韓非子・外儲說》晉文公與狐偃七問七答。在這幾次問答中，屢次出現「未可以戰也」、「未可也」、「不足」。[21]這些極度相似的語言和相仿的記事，恰好可以用瞽史講誦時留下的程式化痕跡來解釋。瞽矇誦唱過程中出現了程式這一基本結構模式，而且作者很容易習慣性地將其沿用到自己的下一部作品中。

　　再就《國語》結尾形式進行比較得出，對於主角提出的諫言和勸誡，人物採取接受或拒絕將引出兩個截然不同的結局，且我們幾乎可以通過大量例子斷定，接受對應的結果為「得」，而拒絕面對的最終結局，無論中途是否有過「得」，最後還是以「失」告終。我們取其中幾個為例：

拒絕：

　　　康公不獻。一年，王滅密。

　　　王不聽，於是國莫敢出言，三年，乃流王於彘。

　　　王不聽。三十九年，戰於千畝，王師敗績於姜氏之戎。

　　　王不聽，卒鑄大鐘。二十四年，鐘成，伶人告和。

　　　弗聽。自是五年，乃有晉陽之難。段規反，首難，而殺智伯於師，遂滅智氏。

接受：

　　　王從之，使於晉者道相逮也。及惠後之難，王出在鄭，晉侯納之。

　　　太子遂行，克霍而反，讒言彌興。

---

21　錢鍾書：《管錐篇》北京：中華書局，1986年，頁165-178。

公說。於是敗楚師於鄢陵，欒書是以怨郤至。

公說，故使魏絳撫諸戎，於是乎遂伯。

公說，乃東寄帑與賄，虢、鄶受之，十邑皆有寄地。

可見作者慣用的格式為：「弗（不）聽—（）年—不盡人意的結局」，其中也存在省去「（）年」而直接敘述「結果」的情況；也有簡單的「弗（不）聽」再在後續篇章追述其結果的。與之形成對照的另一種格式則是：「從（行、說）—盡人意的結局」。由此我們可以說作者對此描述幾乎只採用一種程式，根據情節需要不斷變化，採用諸如添加、刪減、更換詞語的方式來迎合不同的結果。這是一種「儉約原則」，這些程式反覆出現，它們對作者記憶和復述大量史實來說是十分有用且有效的。

上述就是作者在創作中，收集和誦唱之後首先沿用或構築的屬於自己的程式，它們就像是敘述故事時候搭建的框架，以便作者在後期對其進行粉飾和加工，同時，這也是作者保持超人記憶力可以輔助的工具，它幫助瞽矇在誦唱過程中回憶和快速思考。

# 二

現在，作者已經掌握並熟練程式的運用後，就可將程式多樣化地表現出來，以傳達不同的或相近的主題，使故事內容完整化。

儘管《國語》囊括並非一時、一地、一人的故事，但我們只要通讀一遍就不難發現，相同的主要事件和描繪比比皆是，這就是主題。在《國語》中占據很大一部分的主題就是臣下規勸君上的諫辭，剩下的部分我們可以大致歸納為各國的政治、軍事和外交活動。作者在一篇故事中，除了貫穿全文的主題外，還有一些小的部分隸屬於這個大的主題。這些較小的主題起著豐富故事情節的作用，同時也幫助作者回憶和講唱。接下來，主要就《國語》中出現的幾個較為明顯的主題進行研究。

我們將《桓公霸諸侯》中的主題做如下排列：從第一個主題：齊桓公聽聞魯國有亂，派高子出使魯國，再到第二個主題：桓公在夷儀和楚丘為百姓修築城堡使其得以避難，贈送良馬使其繁殖恢復，這兩個主題是並列的關係，它們共同引出了第三個主題，即諸侯都歸附於齊桓公。於是就有了第四個諸侯攜禮朝見，桓公重禮回贈的主題；這引出了第五個諸侯依附，桓公施展忠信的主題；其中包括第六個滅譚、遂，分土地給諸侯的主題；第七個取消車夷一代魚鹽禁令的主題；第八個修築要塞防戎人狄人、築關隘（武治）；和第九個封存武器、重用人才（文治）的主題，這些小的主題最終引向建立霸業的第十個主題。這個結構可以總結這樣一個框架：a1（保魯國），a2（修城堡、贈良馬），b（諸侯歸附），c（諸侯贈禮、重禮回贈），d（諸侯依附、施展忠信），e1（分封土地），e2（取消魚鹽禁令），e3（武治），e4（文治），f（建立霸業）。在左丘明講唱

的過程中，他腦海裡已經清晰構建了這些主題，他知道這些較小主題之間的並列、包含和導引關係，即由 a 到 f 的故事進程，每個主題之間都是相互關聯的。瞽矇在每一篇作品中都會有參加其中的一系列人物，他們經常在同一個故事中反覆出現，但順序不一定相同。我們可以發現在《左傳》與《國語》內容重疊的篇目中，經常會有相同故事中相同人物的出場，而往往起決定性作用的人物排列在前，一些輔助人物可能被作者省略，可見人物的固定性也幫助作者記憶，使他能夠隨時想起和組織關於這個人物的主題，構建屬於他（們）的程式。

口頭作家很善於連續描述一位人物和人物的行為，這些行為可引發一系列事件，我們以在〈晉語〉中連續出現的人物驪姬為例，她牽引著一連串事件的發生與發展。首先，在晉獻公討伐驪戎這一場戰役中，驪姬被俘獲並得寵，這引發了史蘇和大夫們的爭議，暗示驪姬將挑起內亂，當時她的圖謀並未得逞，晉國卻因她經歷了長期的內亂。後來驪姬的一系列行為，諸如生奚齊、請求獻公派太子申生去曲沃以逼他速死、另派公子重耳去蒲城、公子夷吾去屈、而把奚齊留在國都絳等，都進一步埋下了禍亂的種子，致使史蘇更加肯定地預言了晉國即將遭受的災難。之後，驪姬說服晉獻公派申生討伐東山的狄人，讓他穿偏衣，握金玦，此時申生已遭到詛咒，他將來必定被讒言。驪姬借申生打敗狄人一事，告知獻公申生要謀害他，聯合優施對付里克，這不可避免的引發了里克的一系列思考和行為；逼殺太子申生，誣陷其餘兩位公子，立奚齊做太子，這時已接近大亂。最後驪姬因政變而被殺。這一系列事件，都圍繞驪姬的行為而發生，這是作者敘述文本時可以依據的一條故事線，圍繞這一主幹而生出旁枝，根據主要人物作者可以清晰的知道自己接下來該往哪里走，因為這些行為之間都是環環相扣的。

在主題群之中，有一些涉及順序和平衡的因素。例如，對於問答這一主題的描繪，遵循著一種一問一答的順序，即行為的發生─朝見─提出問題─回答問題─解決問題，這種一步步有規律地向前推進的方式幫助了瞽史，給他提供了某種敘事可遵循的方式。在建立霸業的主題中，也可以看到一種相同的規劃，從幫助鄰國百姓，到修建城堡、贈送良馬使諸侯歸附，再到法治、文治、武治一步步使霸業得以建立，瞽矇被故事線所牽引，正如放風箏的原理，這其中收放的跨度也意味著這種文體是允許其他人進行適當刪減或鋪陳的。

## 三

一位口頭作家講唱一個史事，在流傳的過程中，就必然有人去修飾，口頭敘述的特性是不一致性，《國語》中很多篇章都留有瞽矇增飾的痕跡，以〈晉語〉中「驪姬讒害太子申生」的故事為例，有兩個方面可以證明其中的增飾：首先，驪姬之密謀，非他人所能知曉；其次，床笫枕邊之語，即使史官也不能與聞。錢鍾書先生將這稱為「代言

法」(「擬言法」)，曰：「吾國史籍工於記言者，莫先乎《左傳》，公言私語，蓋無不有。」[22]錢先生認為，雖然自古有左史記言，右史記事的事實，也有所謂的「大事書策，小事書簡」，然而，這些都只局限在記錄君廷公府的言說，從來沒有在家中設置左、右史，於茶餘飯後時，執筆在旁，聽聞並記錄談話內容的說法。上古既沒有錄音工具，又缺乏速記的方法，一些相對較私密親切的話語，史官是如何聽說並記錄下來的呢？那些涉及軍事機密的談話，或是人物的潛臺詞，這些隱秘的話語，作者又是據何得出？比如鉏麑觸槐自盡前的歎言；介之推同母親密謀逃亡隱居時的私下對話，都無可取證。因此我們猜測，這些交談內容，都是左丘明及瞽矇群體設身處地，站在他人角度，依據不同人物的性格和身分特點，代其口舌而講述的，也有一些在後來流傳的過程中，人們按照自己的想法添加到人物身上的話語，是為了豐富故事和人物形象而作的增飾。

其次，秦漢文獻對此事件細節描述不盡相同。例如，「驪姬投毒於肉中」一段，《左傳》中記載：

> 已祠，致福於君。君田而不在。麗姬以鴆為酒，藥脯以毒。獻公田來，麗姬曰：「世子已祠，故致福於君。」君將食，麗姬跪曰：「食自外來者，不可不試也。」覆酒於地而地賁。以脯與犬，犬死。[23]

而〈晉語〉的記載較《左傳》更為詳細、生動和傳神：

> 驪姬以君命命申生曰，「今夕君夢齊姜，必速祠而歸福。」申生許諾，乃祭於曲沃，歸福於絳。公田，驪姬受福，乃置鴆於酒，置菫於肉。公至，召申生獻，公祭之地，地墳。申生恐而出。驪姬與犬肉，犬斃；飲小臣酒，亦斃。公命殺杜原款。申生奔新城。

兩文對比，揆情度理，應是瞽矇們在講誦故事時，各自靠想像或依據不同的傳聞而有所增飾。[24]總之，《國語》所記與《左傳》重疊處超六十，究其細節，有八處與《左傳》所記大相逕庭，大多可用瞽史的增飾和口傳過程的不穩定性來解釋。

增飾來自語料的內部張力，這種力量使它們能夠被擴充或刪減，它保留了主題的核心或內在框架；還有一些增飾來自史料中人物出場順序的變化，史料的核心仍保持原貌，這些增飾並不是對史料的歪曲和破壞，而是起到了完善作用。如《周語》「襄王使邵公過及內史過賜晉惠公命」一段的敘述中，《左傳》記錄模糊，漏掉了「呂甥、郤芮相晉侯不敬」及「晉侯執玉卑，拜不稽首」的具體人物行為動作和故事情節，而《國

22 錢鍾書：《管錐篇》北京：中華書局，1986年，頁165-178。

23 （唐）孔穎達：《春秋左傳正義》北京：中華書局，1980年。

24 饒恆久：〈先秦時期歷史檔案的口述者——瞽矇職守與《國語》、《左傳》的講誦增飾〉，《社會科學戰線》，2006年第6輯。

語》所記勝過《左傳》，更為完整和充分；再如《左傳・莊公十九年》和《周語・鄭厲公與虢叔殺子頹納惠王》中對歌舞不息、「作亂」這一細節的描述，《左傳》是遠不及《國語》之詳細的，這樣的增飾方便了後世理解史料，提供了更生動形象的畫面。

　　總的來說，增飾主要有以下幾種類型：一、使用長短不一的句子講述同一史實；二、修飾的鋪張和擴充，細節的描述，人物語言冗長化；三、事件發展或人物出場順序不同；四、添加來源不同的材料；五、增加某些史實。從各方面來說，一部口創文學不是單獨存在的，它不可能與其他許許多多的語料割裂開來，也就是說，在《國語》的創作研究中，我們必須要考慮源自他人之口的其他史料對它帶來的影響，瞽史增飾是《國語》創作的必要途徑。

# 四

　　當考慮完口述作者個人以及環境的種種因素之後，將進入《國語》真正的文本化形成階段，也就是史官的文字記錄過程。作為一部先秦古籍，《國語》不可避免地帶有集體創作的色彩，《國語》體分八國，大部分史料來源於各國。那麼，這樣一部作品的記錄過程首先需要充當多重作者中重要部分的左丘明，在收集與講唱的過程中，熟悉史實的脈絡，熟悉人物的行為和語言。當他對誦唱的主題有了把握，前期的資料準備和史料的記憶已經深入腦海，後期他通過瞽矇之間在一定時期、一定場合聚集進行的口頭傳述，將各國史料片段收集拼湊而成，把從諸多瞽矇口中聽聞的口口相傳的史事統一集合起來，再加以記憶，便能成就一部口頭形式的《國語》，供時人共習之。當然，這些口頭作品在傳唱和轉述過程中必然受到各方影響，因其源出各國，人文地理有異，歷史文化背景不一，講唱者性格特點不同[25]，經由列國瞽矇的加工、潤色和增飾，出現上述提及的文風、筆法上的差異；最後，在一次次的轉述後，史官用散句的形式將語言和事件的歷史背景連貫起來記錄，按國別分類整理，最終保存並流傳下來，在我們眼前呈現為一部書面形式的《國語》。正符合楊寬所說，「瞽矇世代相傳，反覆傳誦，將史實內容發展成了生動的文學作品。」[26]我們也可以根據張志嶽之說，「《國語》所記詳略不均、文質不一」[27]更加肯定這是由於史料經眾人之口造成的疏漏和不連貫性，且將口頭語料加以文本化的史官，很可能僅記錄口述內容而沒有在最後進行統一的加工處理和潤色修繕，可以說，口頭形式的《國語》是一部未曾加工整理的原始語料彙編，而我們接觸的《國語》也保留著這樣的特點。

---

25　熊憲光：〈《國語》風格，南北異趣〉，《史學史研究》，1994年第3輯。

26　楊寬：《戰國史》上海：上海人民出版社，1998年，頁664。

27　張志嶽：《先秦文學簡史》哈爾濱：黑龍江人民出版社，1986年，頁37。

　　關於史官的記錄方式，大體有兩種可能。第一是速記，這就要求傳誦者在背誦過程中頻繁的停頓，以便史官通過文字的方式記錄下來，當然，對於已經把握相當程式並熟悉主題的作者來說，適當的停頓並不會阻礙他的回憶。另一種方式是讓一組史官（2至4人）隔行記錄，這樣的記錄方式能夠保證作者不間斷的自由講唱，使得背誦過程相較速記來說更加流暢。然而，口頭作家並不能保證一字不差的精確重複自己的甚至是從他人口中聽到的講誦，背誦的文本也不可能與當場唱誦的文本完全重疊，因此，這也是造成《國語》前後內容矛盾的重要原因。

　　口創文學的創作和流傳方式，無疑在文本中留下了痕跡，這些痕跡體現在程式和主題中。《國語》的創作是口述和史官文本記錄的結合過程，通過以下三個方面得出論證：程式技巧、主題結構、增飾痕跡。程式技巧的相關內容在「程式」這一部分已經詳細的舉例並加以說明。主題的分析，前提是找到同一情境至少重複出現一次的例證，《國語》中具有代表性的主題，即勸諫。在《國語》的前兩語中我們可以發現十三個以勸諫為主題的篇章，其中周語第一篇就是一個典型的例子，其他主題都跟它存在強烈的相似性。瞽矇於講唱中的增飾在以上進行了詳細的論述，增飾在由口頭走向書面的過程中始終存在著，並發揮明顯的作用。

　　綜上，足以見得最初的《國語》為多重作者口述而成的口頭作品，足夠清晰把握《國語》的成書過程。

# 文本與圖像
## ——《天問》「呵壁說」再檢討

### 王志翔

北京師範大學文學院

　　《天問》是戰國時期楚國屈原創作的一首長詩。自《天問》誕生以來，學者們便圍繞此詩的作者、作時、作地、創作緣由等諸多問題爭相討論。王逸說「何不言問天？天尊不可問，故曰天問也。」[1]以釋《天問》之名。謝無量認為包括《天問》在內的楚辭作品，是秦始皇三十六年（西元前 211 年）命諸博士創作的仙真人詩。漢人惡秦，遂將楚辭之作假託給屈原。以論《天問》作者。[2]胡適稱「《天問》文理不通，見解卑陋，全無文學價值。我們可以斷定此篇是後人雜湊起來的。」[3]以說《天問》作時及真偽。蘇雪林《天問正簡》一書，考察《天問》文本之次序。[4]又如馮沅君曰「《天問》一篇，已足為古代神話之大淵藪。」[5]述及《天問》之神話價值。針對以上問題的考證，儘管學者們說法不一，爭執不息，但他們依然繼往開來，推陳出新。

　　上個世紀至今，關於《天問》的研究成果顯著，還出現了一批具有代表性的學者及研究成果。如聞一多先生《天問釋天》、孫作雲先生《天問研究》、林庚先生《天問論箋》等，對《天問》研究都多有創見。再如姜亮夫、湯炳正、趙逵夫等先生，亦對前人的疑誤進行過詳盡論證和闡釋。但今日來看，學界就《天問》文本與圖像之間是否相關以及在此基礎上對《天問》創作「呵壁說」的探討依然較少。通過分析《天問》文本顯示的結構，再與出土楚漢時期的圖像進行對比，便能夠發現漢代墓葬圖像有對楚國祠廟圖像繼承的因素。這也有助於我們進一步認識並判斷《天問》「呵壁說」，並更好地理解早期中國文本與圖像之間的關係。故本文擬結合文本與圖像，以此為研究「呵壁說」的角度，嘗試對該問題再做探索。

---

1　（宋）洪興祖：《楚辭補註》北京：中華書局，1983年，頁85。

2　謝無量：《謝無量文集（第七卷）》北京：中國人民大學出版社，2011年，頁363-364。

3　胡適：《胡適古典文學研究論集（上）》上海：上海古籍出版社，1988年，頁347。

4　蘇雪林：《天問正簡》武漢：武漢大學出版社，2007年。

5　馮沅君：〈楚辭之祖禰與後裔〉，《北京大學研究所國學門月刊》，第1卷第2期，1926年。

# 一　《天問》「呵壁說」考述

　　作為楚辭中的重要篇章，《天問》創作的問題向來也為學者所關注。儘管在二十世紀如胡適等學者認為《天問》或非屈原所作，或為後人雜湊而來，但他們的觀點在今日來看顯然是不可靠的。郭沫若、孫作雲、蘇雪林等學者認為《天問》有錯簡，[6] 湯炳正先生則指出《天問》有其自身順序，內容繁複且段落秩序不紊。[7] 針對錯簡說及正簡的行為，楊義先生認為儘管：

> 《天問》難免存在「錯簡」，但不能在沒有可靠證據的情況下一味地「正簡」，而應去深入探究《天問》本來的、也是詩歌史上獨特的美學機制，從而為上古詩學史補上屬於屈原《天問》的思維方式和詩學機制的一頁。[8]

同理，我們認為除了不能一味地「正簡」之外，還須深入探究《天問》文本結構，並通過分析與《天問》文本時代相近的圖像，為《天問》是否會呈現出文本錯簡現象以及早期圖像的作用和性質對文本形成的影響做出探究。

　　關於《天問》文本的來源，東漢王逸在〈天問章句序〉中曾談到「呵壁之說」，對《天問》一詩是如何創作出來的提出了自己的觀點。王逸說：

> 屈原放逐，憂心愁悴。彷徨山澤，經歷陵陸。嗟號昊旻，仰天歎息。見楚有先王之廟及公卿祠堂，圖畫天地山川神靈，琦瑋僪佹，及古賢聖怪物行事。週流罷倦，休息其下，仰見圖畫，因書其壁，呵而問之，以洩憤懣，舒瀉愁思。楚人哀惜屈原，因共論述，故其文義不次序云爾。[9]

王逸認為「呵壁說」是屈原在被放逐之後參牆壁之圖而作。在被放逐之後，屈原行至楚國宗廟祠堂，看到牆壁上繪有天地山川、神靈鳥獸、聖君賢王等圖像，於是見景生情，緣圖創作《天問》，「以寫憤懣，舒瀉愁思」。這是今日可知關於《天問》呵壁之說的來源。但是，就王逸稱《天問》是「呵壁」之作的說法，學界之人或信或疑。懷疑者認為若參照壁畫而作，則《天問》的一百七十二問會受限於壁畫篇幅，不易以圖像方式展示呈現。贊同者則通過各種方式進行考證，以證「呵壁」之說可信。

　　具體來看，繼王逸之後，古代中國的贊同者主要有唐代柳宗元、宋人洪興祖、清代蔣驥等人。柳宗元在《天對》中說「有萍九岐，厥圖以詭」[10]、「胡日日化七十，工獲

---

6　參郭沫若：《屈原賦今譯》北京：人民文學出版社，1953年，頁84。孫作雲：《楚辭研究》開封：河南大學出版社，2003年，頁542-575。蘇雪林：《天問正簡》，頁5。

7　湯炳正：《楚辭類稿》成都：巴蜀書社，1988年，頁279。

8　楊義：〈《天問》：走出神話和反思歷史的千古奇文〉，《中國社會科學》，1998年第1期。

9　（宋）洪興祖：《楚辭補註》，頁80。

10　（唐）柳宗元：《柳河東集》上海：上海古籍出版社，2008年，頁239。

詭之」[11]柳宗元說創作圖像的畫工以及相關圖像可能是不真實的，但以此來看，逸序所言屈原「呵壁」創作是有依據的。蔣驥在分析王逸序之後說「其言是矣」[12]，贊同「呵壁」說。近人如張碩城和楊義等學者同樣贊同「呵壁說」。一九八四年，張碩城在〈《天問》是否呵壁之作〉中說：「由『畫』感觸生情，想到平日種種不可解之事，一發而不可收，寫下《天問》，實是順理成章。豈不見《天問》題目，便是以『天』起興嗎？私意以為，呵壁一說可以成立。」[13]楊義在討論《天問》的詩學機制和結構形態時指出《天問》最重要的特徵：「在於它汲取了楚國祠廟壁畫表現形式的養分，創造了一種有序與無序之間的雙構性詩學結構形態。」[14]明確指出《天問》是對楚國祠廟壁畫的汲取。此外，一九九二年，趙梅〈呵壁之作？問天之作？──讀《天問》王逸序〉一文，討論呵壁之作，也說王逸之說未必盡然是向壁虛構。[15]

　　「呵壁」說的否認者有王夫之與郭沫若等人。王夫之說：「逸謂書壁而問，非其實矣。」[16]對「呵壁」作《天問》的說法提出質疑。郭沫若認為：「這篇相傳是屈原放逐之後看到神廟的壁畫而題在壁上的。這完全是揣測之詞。任何偉大的神廟，我不相信會有這麼多的壁畫，而且畫出了天地開闢以前的形象。」[17]不僅說屈原呵壁是「揣測之詞」，且認為神廟中不會有這麼多的壁畫。根據考古材料可知，郭的觀點是不正確的。此外，徐英也稱《天問》據壁而作不可靠，是妄人之言。[18]諸如以上學者是不贊同王逸「呵壁」說的。

　　兩者之外，另還有協調二者的中間派。如姚小鷗和孟祥笑在他們的文章〈《天問》文體與屈原「呵壁」說再檢討〉中，承認王逸之言有合理之處，但王逸的說法又是與《天問》的創作過程並不完全契合的。[19]

　　在我們看來，否定屈原「呵壁」的原因主要有以下兩點，一即屈原在流放過程中是否到了楚國先王之廟與公卿祠堂？二是受限於宮室祠堂的面積，牆壁是否存有足夠的空間去呈現畫像。儘管王逸為漢時人，其說關乎戰國末屈原之事，但我們認為王逸的說法是不可輕易否定的。就第一個疑問看，儘管清代學者胡文英曾提出質疑「屈子既已經斥遠，安得復至先王廟中。」[20]之後如胡濬源、陸侃如等皆有此觀點。[21]但經過孫作雲、

11　（唐）柳宗元：《柳河東集》，頁249。

12　蔣驥：《山帶閣註楚辭》上海：上海古籍出版社，2019年，頁46。

13　張碩城：〈《天問》是否呵壁之作〉，《學術論壇》，1984年第1期。

14　楊義：〈《天問》：走出神話和反思歷史的千古奇文〉，《中國社會科學》，1998年第1期。

15　趙梅：〈呵壁之作？問天之作？──讀《天問》王逸序〉，《鎮江師專學報》，1992年第1期。

16　（清）王夫之：《楚辭通釋》上海：上海古籍出版社，2018年，頁75。

17　郭沫若：《屈原賦今譯》北京：人民文學出版社，1953年，頁85。

18　徐英：《楚辭札記》南京：鐘山書局，1935年，頁83。

19　姚小鷗，孟祥笑：〈《天問》文體與屈原「呵壁」說再檢討〉，《學術界》，2015年第5期。

20　胡文英：《屈騷指掌》北京：北京古籍出版社，1979年，頁79。

林庚、路百占、陳子展、徐英等學者考證，屈原在流放過程中到過先王之廟及公卿祠堂當無疑義。[22]且出土文獻清華簡中有〈楚居〉篇，言及楚國都城稱作「郢」的，先後有十餘處。[23]這既說明傳世文獻有記載不全面的地方，也說明前人否定屈原行至公廟祠堂的觀點存有漏洞。因此，我們須要關注對第二個疑問的討論，即探索宮廟祠堂牆壁是否有圖畫且是否在一定程度上符合《天問》寫作的結構。當然，這也是前人爭論的焦點。

　　總觀以上所述，前人關於「呵壁」說的討論主要是針對屈原呵壁是否可信，通過證實或證偽的研究方法開展研究。但是，他們在討論中所依據的材料，除了《楚辭章句》文本外卻鮮有創見。換言之，「呵壁」之說之所以見仁見智，很大的影響因素在於未發現或未使用除逸序以外的其他證據，這無疑是極大限制。如若結合早期文獻記載和楚漢時期的考古圖像，可用以證明「呵壁」之說自有淵源。早期中國的文本與圖像皆可作為討論此問題的參考材料，以證《天問》呵壁之說具有可信性。以下具體論之。

## 二　早期中國宮祠圖像與屈原「呵壁」之可能

　　前文已談及要說明《天問》「呵壁說」可信與否，須要解決兩個問題，在屈原所處的戰國時期是否可能有宮祠壁畫的存在便是其中之一。搜集整合文獻，我們發現不僅是屈原所處的戰國時期有關於圖像及宮廟祠堂壁畫的文獻記載，且在早於屈原之前的三代時期，此類圖繪技術就已經成熟。這就足以證明屈原《天問》「呵壁」而作是具有可能性的。以此來看，張碩城所言《天問》「文義不次序」的情況，亦當與「呵壁」相關。

　　今人溫肇桐通過分析「白蜺嬰茀，胡為此堂」、「女媧有體，孰製匠之」等《天問》中的文獻，認為：「王逸〈《天問》序〉說屈原『仰見圖畫』，是可以相信的。」[24]溫肇桐引用《天問》中的文本來推證屈原呵壁之說，對此問題的討論是有積極意義的。當然，通過對早期文獻記載的整理和排查，即可知不僅是戰國時期，整個先秦之時圖像都具有一定的記載和敘事功能，這也是《天問》呵壁說具備真實性的文獻證據。

　　第一，夏初建國時的禹鑄九鼎之說廣為後人所知，且在文獻中多有記載。《左傳》

---

21　胡濬元說：「觀圖而作或是情理，但云『見楚先王廟及公卿祠堂壁畫，呵而問之』，則廟與祠堂當在郢都，何云『放逐，彷徨山澤』，豈廟、祠盡立於山澤間乎？」參胡濬元：《楚辭新註求確》南京：南京大學出版社，2017年，頁112。陸侃如說王逸所言呵壁作《天問》的觀點是「漢代學究相傳的謬說罷了，絕不能作證。」參陸侃如：《陸侃如古典文學論文集》上海：上海古籍出版社，1987年，頁273。

22　可參孫作雲：《天問研究》北京：中華書局，1989年，頁52。林庚：《〈天問〉論箋》北京：人民文學出版社，1983年，頁1。路百占：〈《天問》發微〉，《許昌師專學報》，1989年第2期。陳子展：〈《天問》解題〉，《復旦學報》，1980年第5期。徐英：《楚辭札記》南京：鐘山書局，1935年，頁85-87。

23　李學勤主編：《清華大學藏戰國竹簡（壹）》上海：中西書局，2010年，頁180-181。

24　溫肇桐：〈屈原《天問》與楚國壁畫〉，《江漢論壇》，1980年第6期。

宣公三年稱「昔夏之方有德也，遠方圖物，貢金九牧。鑄鼎象物，百物而為之備，使民知神奸。」[25]夏代伊始，統治者便鑄鼎象物，將遠方圖物繪製於青銅鼎上。這就說明夏時期即已經可以通過圖像傳遞信息，即通過圖像敘事。有學者認為《左傳》之言是說：「早在遙遠的夏代，統治階級便將圖像刻鑄於青銅器之上，用來對臣民進行勸誡教化。」[26]表現出這一時期的圖像還有勸誡教化的功能。夏初「鑄鼎象物」的傳說流傳甚廣，畢沅在〈山海經新校正序〉中說《山海經》「〈海外經〉四篇、〈海內經〉四篇，周秦所述也。禹鑄鼎象物，使民知神奸。案其文有國名，有山川，有神靈奇怪之所際，是鼎所圖也。」[27]清人阮元亦稱「禹鼎不可見，今《山海經》或其遺象歟？」[28]鼎亡於秦，故先秦時人尤能說其圖以著於冊。按《山海經》來說，這就說明先賢認為成文之《山海經》晚於成圖之《山海圖》，《山海經》文本是鼎亡圖亡之後由時人描摹鼎圖而作。以《天問》看，《山海經》亦當是呵圖類作品。儘管《山海經》是否為九鼎消失之後方才出現的著作還能夠商榷，但經過考古發現的三代青銅器上多有珍奇異物神怪圖像，而殷商甲骨卜辭中也有與《山海經》四方風文本相關的記載，可證《山海經》的確有源圖而作的可能。前人多認為禹鼎有圖像，且是《山海經》文本出現的真實參照。那麼《天問》本即有屈原呵壁之說，這一說法也就不會是空穴來風了。另據《呂氏春秋・先識》篇記載「夏桀迷惑，暴亂愈甚，太史令終古乃出如商。⋯⋯殷內史向摯見紂之愈亂迷惑也，於是載其圖法，出亡之周。」[29]亦可知先秦時期有圖像文本的存在，這是夏時期的證據。

　　第二，文獻中亦有關於商王朝時期廟堂圖像繪畫的記載。如《墨子》稱「紂為鹿臺糟丘，酒池肉林，宮牆文畫，雕琢刻鏤。」[30]寫到殷紂王時期眾所周知的鹿臺糟丘、酒池肉林，也言及宮牆圖畫。宮牆圖畫就說明商代宮室、宮祠上繪有圖畫。另外，《呂氏春秋・諭大》篇引《商書》曰：「五世之廟，可以觀怪。」[31]也是說商代用以祭祀的祠廟中繪畫有神怪之物。這一現象的存在，說明不僅是屈原所在的楚國、屈原所處的戰國時期於先王之廟與公卿祠堂中可能有牆壁之畫，且早在屈原之前一千多年的商代，祠廟繪圖之俗也已經形成。湯炳正先生即曾指出「據此說，似繪怪物於廟壁，其來久遠。」[32]先生之說可信，因為根據考古發現，至少在商時期，便明確可見這一現象。據一九七五年安陽殷墟發掘報告可知，在解放前發掘過的殷商宮殿基址C區南邊緣相距五十米處，

---

25　（清）阮元校刻：《十三經註疏》上海：上海古籍出版社，1997年，頁1868。

26　何繼恆：〈論《天問》文學與圖像的關係〉，《雲夢學刊》，2018年第2期。

27　畢沅：〈山海經新校正序〉，《山海經集釋》成都：巴蜀書社，2019年，頁567。

28　（唐）阮元：《山海經箋疏》北京：中國致公出版社，2016年，頁6。

29　許維遹：《呂氏春秋集釋》北京：中華書局，1990年，頁395-396。

30　孫詒讓：《墨子間詁》附《墨子佚文》上海：世界書局，1935年，頁9。

31　許維遹：《呂氏春秋集釋》，頁304。

32　湯炳正：《楚辭類稿》，頁272。

考古出土有壁畫殘塊。報告稱「在一塊殘長二十二釐米、寬十三釐米、厚七釐米塗有白灰面的牆皮上發現繪有紅色花紋和黑圓點。殘片上的紋飾似由對稱圖案組成，線條較粗，轉角圓鈍，應是主題中的輔助花紋。」[33]儘管該壁畫圖像早已不完整，殘存為殷商建築物的輔助花紋部分，但它存在的裝飾作用及宗教功能，既是對這一時期人類掌握繪畫形式的說明，也無疑是對文獻的印證。且據最新考古發現，在距今四千三百年至四千年間的山西陶寺遺址中就已經發現有宮室壁畫，也可證楚國宮室祠廟有壁畫的文獻記載自有來源。

第三，周代宮室祠堂繪有圖像的有關記載，在文獻中也能夠查詢。如《淮南子・主術》篇曰：「文王周觀得失，遍覽是非，堯、舜所以昌，桀、紂所以亡者，皆著於明堂。」高誘註說：「著，猶圖也。」[34]是說周初文王之時（距今三千一百年左右），周人明堂中就圖畫有前朝君王成敗之圖像。言「觀」言「覽」，亦可證明堂之上繪有圖像。而明堂中之堯舜桀紂事，則說明此時明堂中的圖像內容即有與《天問》中描述相同的敘事圖畫。這是文獻對周文王時期宮室圖像的記載。

此外，《論語・八佾》曰「子入太廟，每事問。」[35]子入太廟，所問何事？劉寶楠《正義》說：「事謂犧牲服器，及禮儀諸事也。」[36]伏俊璉先生認為孔子所問當不止這些，他說：「周公廟中應當有諸多壁畫，這也是孔子問的範圍。」[37]我們認為根據三代時期的宮室圖像作為證據的話，這一說法是可以參考的。此外，《孔子家語・觀周》中也載「孔子觀乎明堂，睹四門墉有堯舜之容，桀紂之象，而各有善惡之狀，興廢之誡焉。又有周公相成王，抱之負斧扆南面以朝諸侯之圖焉。孔子徘徊而望之，謂從者曰『此周之盛也』。」[38]記載了孔子生活的春秋時期，周室明堂中也有關於歷史人物的容貌及畫像。儘管在過去一段時間中《孔子家語》曾被疑為偽書，但據一九七三年河北定縣八角廊漢墓和一九七七年安徽阜陽漢墓出土文獻，有與《孔子家語》內容形式相關的書，李學勤先生認為出土文獻為《家語》的祖本。[39]伏俊璉先生說：「可知《孔子家語》最晚到西漢前期已經流行，因而今傳《家語》所記史事大都可信。」[40]說明無論是周初文王周公之時，或春秋孔子之時，於宮室明堂及祠廟繪畫歷史人物以述前朝興亡之事，已經是很普遍的現象。《周禮・考工記》中記載有明堂的規制。[41]在早期中國，無

33 中國科學院考古研究所安陽發掘隊：〈1975年安陽殷墟的新發現〉，《考古》，1976年第4期。

34 劉文典：《淮南鴻烈集解》北京：中華書局，2017年，頁375。

35 （清）阮元校刻：《十三經註疏》，頁2467。

36 （漢）鄭玄註，劉寶楠註：《論語正義》上海：上海書店，1986年，頁57。

37 伏俊璉：《敦煌文學文獻論叢》北京：中華書局，2011年，頁24。

38 王德明主編：《孔子家語譯註》南寧：廣西師範大學出版社，1998年，頁127。

39 李學勤：《簡帛輯佚與學術史》臺北：時報文化出版企業有限公司，1994年，頁9。

40 伏俊璉：《敦煌文學文獻論叢》，頁24。

41 （清）阮元校刻：《十三經註疏》，頁928。

論是寢廟之製還是其他成文之製都是不能輕易變換的。由此亦可推知，既然古代寢廟明堂皆有殿堂壁畫，那麼屈原所在的楚國宗廟祠堂自然不能例外。

且據諸子文獻，也可知周時圖畫之技藝已然成熟。《莊子·田子方》記錄了一個畫史「解衣磅礴」之事，其文曰：「宋元君將畫圖，眾史皆至，受揖而立；舐筆和墨，在外者半。有一史後至者，儃儃然不趨，受揖不立，因之舍。公使人視之，則解衣般礴臝。君曰『可矣，是真畫者也。』」[42]這是對當時藝術家畫技熟練的書寫，但將畫師稱作「史」，也說明早期中國作圖的畫工在一定意義上也具有史官的職能。又如《韓非子·外儲說左上》寫有齊王和客就畫犬馬與畫鬼魅難易問題的對話。[43]《新序·雜事》則記載了葉公好龍，「鉤以寫龍，鑿以寫龍，屋室雕龍以寫龍」[44]，皆可證這一時期創作壁畫的技藝已然成熟。當時之技術，亦可旁證楚國廟堂能夠存在壁畫。

周代出土文獻中的記載亦可作為旁證。郭沫若說周初銅器《矢殷》上有銘文，記錄著周初圖畫之事。銘文說：「隹四月辰在丁未，□□武王、成王伐商圖，遂省東國圖。」郭沫若指出「兩圖字當即圖繪之圖。古代廟堂之每有壁畫，此所畫內容為武王、成王二代伐商並巡省東國時事。」[45]另外，周代屬宣時期的善夫山鼎，銘文曰：「隹（唯）卅又（有）七年正月初吉庚戌，王才（在）周，各（格）圖室。」宣王時無專鼎銘文稱「隹九月既望甲戌，王各於周廟，述（遂）圖室。」皆言及西周時期的「圖室」。曲英傑就認為金文常見的「大室」，因中有先王先公圖像，故又稱「圖室」。[46]可見在傳世文獻與出土文獻的記載中，自周初文王、武王、周公、成王等時期，甚至是到了春秋戰國時期，宮室祠堂繪圖以及圖像講述朝代歷史，先王興衰之事是一種類似於制度化的存在。

第四，秦祚短暫，但漢時之宮祠圖像卻見於文獻。漢代王延壽《魯靈光殿賦》稱「圖畫天地，品類群生，雜物奇怪，山神海靈，寫載其狀，托之丹青。千變萬化，事各繆形。隨色象類，曲得其情。」[47]通篇自天地而下，涉及對珍奇異獸、三皇五帝、忠臣孝子、烈士貞女的描述，也與楚辭《天問》所對之宮祠壁畫場面相當。儘管王延壽為東漢時人，但〈魯靈光殿賦〉是描繪漢景帝時魯恭王宮殿圖像，作圖時為西漢。漢初統治階層多為楚國出身，距楚國覆滅及楚漢戰爭為時不遠，因此漢初宮祠製作圖像，也當是對歷史傳統的繼承。另外，《後漢書·西南夷傳》稱「是時郡尉府舍皆有雕飾，畫山神海靈奇禽異獸，以眩耀之。」[48]於此亦可見當時官府牆壁繪畫之一斑。由漢代壁畫之壯

---

42 （清）郭慶藩：《莊子集釋》北京：中華書局，1961年，頁719。

43 王先慎：《韓非子集解》北京：中華書局，1998年，頁270-271。

44 馬世年譯註：《新序》北京：中華書局，2014年，頁249。

45 郭沫若：《文史論集》北京：人民出版社，1961年，頁308-309。

46 曲英傑：《西周史論文集》西安：陝西人民教育出版社，1993年。

47 趙逵夫主編：《歷代賦評註（漢代卷）》成都：巴蜀書社，2002年，頁809。

48 （南朝宋）范曄撰：《後漢書》北京：中華書局，1965年，頁2857。

觀壯觀，亦可推知先秦宮室祠廟壁畫之大概。

要之，無論是文獻中對《天問》為屈原「呵壁」的記載，亦或文獻中關於夏商周三代宮室祠廟的圖像記錄，皆表明戰國之時宮祠牆壁可以畫圖，且有足夠的空間展示圖像內容。因此，屈原「呵壁」之說具有歷史的真實性。蕭雲從在〈畫《天問圖》總序〉中說：「畫家之工於堵壁，其楚先王之廟之遺乎？古者尸居監觀，以為天道人事之正，象物而動，神禹鑄鼎，文周勒鐘，其來遠矣。」[49]指出《天問》的創作與楚先王廟堂壁畫圖像間是有關聯的，且楚廟壁畫還影響了後世之畫工。無論如何，宮室祠廟的神怪圖像以及壁畫，自夏至周綿延不絕，這些在文獻及考古材料中皆是有據可循的，是對文獻中屈原作《天問》記載的極佳證據。

# 三　楚漢畫像模式與《天問》文本結構

作為一首長詩，《天問》通篇提問，談及宇宙天地、神話傳說、歷史故事等前後共一百七十二個問題。一問到底，成為楚辭名篇。因《天問》文本在流傳過程中或有散佚錯簡之嫌，故增加了後人理解《天問》的難度。前文已證三代宮室祠廟中皆有圖像，且文獻敘述中牆壁圖像內容與《天問》相似，這就提供給我們理解《天問》的材料。如若從考古出土早期圖像的構圖模式入手，結合《天問》文本結構，我們就能夠對屈原《天問》與楚公廟祠堂圖像之間的關聯再做證明。

## （一）簡析楚漢墓葬及祠堂中的圖像模式

春秋戰國之後，秦統一六國。但由於秦祚極短，且之後代秦而起的漢代統治階層以楚人為主，這就使得在全國風靡一時的漢畫像磚、石在一定意義上可以說繼承了楚國的圖像模式。因此，可用參考漢畫研究《天問》圖像。清人丁晏於《楚辭天問箋》中說：

> 壁之有畫，漢世猶然。漢魯殿石壁及《文翁禮殿圖》，皆有先賢畫像。武梁祠堂有伏戲、祝誦、夏桀諸人之像。《漢書‧成帝紀》甲觀畫堂畫九子母，〈霍光傳〉有《周公負成王圖》，〈敘傳〉有《紂醉踞妲己圖》。《後漢書‧宋宏傳》有屏風畫《列女圖》，〈王景傳〉有《山海經》、《禹貢圖》。古畫皆征諸實事。[50]

指出漢代依然有壁畫，無論是宮室還是祠堂。另據魏時曹植〈畫讚序〉說：「觀畫者，見三皇五帝，莫不養戴。見三季暴主，莫不悲惋。見篡臣賊嗣，莫不切齒。見高節

---

49 吳平、回達強主編：《楚辭文獻集成》揚州：廣陵書社，2008年，29冊頁20623。

50 丁晏：《楚辭天問箋》上海：上海古籍出版社，2018年，頁1。

妙士，莫不忘食」[51]等記載，可知魏晉時期同樣繼承了相應的圖畫模式。就漢代圖像舉例來看，武梁祠無疑是最具代表性的。以武梁祠畫像反映的圖像結構為例，我們既可一窺《天問》圖像之大概。

武梁祠位於山東省嘉祥縣紙坊鎮，是東漢晚期的家族祠堂遺跡，建立於西元一五一年。武梁祠牆壁及屋頂皆裝飾有大量精美畫像，包括神靈精怪、人物祥瑞之類，成為學界研究漢畫像的重要參考資料，具有極高的藝術價值和畫像意義。宋代金石學家將武梁祠畫像錄入圖籍，但未做深入研究。一七八六年，清代學者黃易建立一座保管室安置出土的武梁祠畫像石。這次行動也被稱為「中國歷史上第一次有計畫的考古發掘。」[52]一九三六年，容庚出版黃易所拓《漢武梁祠畫像錄》，為後人研究武梁祠提供了便利。到了一九八九年，巫鴻《武梁祠》一書被費慰梅視作武梁祠「新的『保管室』。」[53]尤其是巫鴻對武梁祠圖像的全方位討論，有助於今日之研究。具體來看，巫鴻在前人黃易、馮雲鵬、關野貞、費慰梅等學者研究武梁祠原貌的基礎之上，揭示出此地有武梁祠、左石室、前石室以及第四石室。在復原的基礎上，巫鴻對武梁祠畫像石做了系統的分析，他認為武梁祠宇宙之圖像可分為三個部分，即屋頂的上天徵兆、山牆的神仙世界、牆壁的人類歷史。如屋頂的上天徵兆，儘管受到一定程度的損壞，但尚能確認出二十四個祥瑞圖像，包含麒麟、黃龍、白虎、六足獸、比翼鳥、比目魚等。山牆的神仙世界則以刻於西壁的西王母及東壁的東王公為核心。牆壁的人物歷史的上部包括自伏羲女媧起的十一位古帝王、七位烈女、十七個孝子故事。下部為對刺客、忠臣等事跡的描刻。

整體來講，武梁祠圖像是對漢代史學觀的展示，是通過圖像展示漢代的宇宙觀：屋頂、山牆、牆壁分別代表天界、仙界、人間。尤其是對歷史人物的圖像表達，在巫鴻來看，這與司馬遷《史記》中設置〈本紀〉、〈世家〉、〈列傳〉的歸類標準極為相似，表現出這種模式是被時人共同認可的。此外，武梁祠三部分圖像劃分不僅以實物的形式表現出對〈魯靈光殿賦〉「圖畫天地」敘述的印證，這種思想觀念、風俗習慣也有助於我們推測屈原所見楚先王公卿祠堂的圖像結構。

再取西漢帛畫看漢代墓葬及宮祠圖像結構。一九七二至一九七四年，湖南長沙馬王堆漢墓出土了五幅帛畫，製作於西漢時期（西元前二世紀）。尤其是一號墓出土的帛畫，被稱作「非衣」，整體結構也可分為三層，即天界、死者及侍從和祭祀死者、陰間。天界以人首蛇身神和日月圖像為主，中部死者則是對人間社會的寫照，陰間則以鴟龜等神怪動物為主。另外，山東臨沂金雀山還出土有一件西元二世紀早期的帛畫，亦有金烏蟾蜍表現的日月作為天界、舞蹈悼念和勞作表現的人間、神怪表現的陰間。這些圖像具有類似的模式，皆展示著時人的思想觀念。

51　（魏）曹植著，趙幼文校註：《曹植集校註》北京：中華書局，2018年，頁83。

52　巫鴻：《武梁祠》北京：生活・讀書・新知三聯書店，2006年，頁12。

53　同上，頁3。

更往前溯則是屈原所處時地的楚國畫像。或由於過於久遠，或因楚地祠堂的製作材料與漢祠有別，或是由於後人的破壞等因素，目前尚未出土楚國宗祠壁畫。儘管尚未發現，但也不能因此否定有文獻記載以及兩漢實物為證的祠堂壁畫於楚地不存在。俞劍華在《中國壁畫》中說：「戰國楚國的先王廟裡和公卿祠堂裡，也畫有天地山川神靈琦瑋僑佹以及古賢聖怪物行事的壁畫。這雖然是王逸的推想，楚先王廟裡，有沒有這些壁畫，並無確實根據。但是楚國繪畫很發達，在長沙最近發現的楚國墓裡的漆器和一張繪畫史上最古帛畫，皆可以證明，先王廟裡有壁畫是很可能的。」[54]楚國墓葬中出土的圖像，以《鳳夔人物帛畫》和《御龍人物帛畫》（戰國中晚期）最為著名。二圖被創作的時間地點皆與屈原的生活時代相一致，故可藉此一窺屈原時代楚地的圖繪技藝與模式。兩幅帛畫是引導死者「靈魂升天」的銘旌，性質與西漢馬王堆非衣相似。就圖像基本的構成元素看，也包括龍鳳、人物等，造型生動簡潔，畫面和諧。由此可知屈原時代楚地圖繪技藝是相當成熟的。儘管圖像的表現模式較為簡單，但依然可以視作漢代畫像模式的源頭之一。郭寶鈞說：「今觀長沙楚墓發掘，信陽楚墓發掘，所出的漆器之絢美，絹帛之綺旎，如果用它把住室裝飾起來，應真個是富麗堂皇，令人心驚目眩。楚人有此工巧及珍貴的物質材料，他們豈能只為填充幽宮，而不用以裝潢住室，丹漆楹楣麼？」[55]值得討論《天問》「呵壁說」的學者深思。

以此可見，無論屈原所見楚國先王公卿祠堂以畫像石為主要材質，亦或以圖畫牆壁為主要方式，通過考古發現皆可證明楚人不僅有裝飾房屋祠堂之技藝，且有裝飾之習慣。因此，楚漢墓葬祠堂及圖像模式除了可以為屈原「呵壁說」再添證據外，亦有助於我們進一步認識《天問》文本。

## （二）《天問》的文本結構

關於《天問》文本的劃分，楚辭研究者的看法不一。統計來看，至少有二分法、三分法、四分法、五分法等多種。二分法如梁啟超，他從神話角度分《天問》為宇宙開闢神話和歷史神話兩部分。[56]劉桂榮將《天問》分為自然現象、人類歷史、楚國現實這三個部分。[57]四分法如陳子展，將《天問》分為宇宙起源、自然現象、古史神話、楚國之事，以「曜靈安藏」、「烏焉解羽」、「薄暮雷電」劃分。[58]五分法如蘇雪林，將《天問》

54 俞劍華：《中國壁畫》北京：中國古典藝術出版社，1958年。

55 郭寶鈞：《中國青銅器時代》北京：三聯書店，1963年，頁140。

56 梁啟超：《飲冰室合集》北京：中華書局，1988年，頁49-69。

57 劉桂榮：〈「伯強何處」與「伯林雉經」辨析：依據結構解讀《天問》〉，《山西師大學報》，2010年第1期。

58 陳子展：《楚辭直解》南京：江蘇古籍出版社，1988年，頁122-156。

分為「天文、地理、神話各四十四句，夏、商、周三代歷史各七十二句，亂辭二十四句」，也就是天文、地理、神話、歷史和亂辭。[59]溫肇桐將《天問》分為自然界、夏禹治水、夏末與商朝的興亡、西周史、春秋戰國之事五部分。[60]劉兆偉則將《天問》分成談天、探地、談神怪、談人事歷史、談楚事五個部分。[61]可以看出，無論是二分法、三分法、四分法、五分法，學界對《天問》結構的劃分是基於對《天問》文本內容的解讀基礎上開展的研究。統觀前人劃分可知，分成自然和人事兩部分是沒有問題的，進一步分成天地人或夏商周楚，是對自然與人事的進一步劃分。

　　儘管各家對《天問》劃分不一，但總體認識實際是一致的，即認為《天問》文本具有一定的結構性。若參考楚漢出土圖像按照宇宙天體、神話傳說和歷史興亡進行書寫的模式，我們認為《天問》的文本結構大體也可以歸入這三類，表現著屈原所見楚國宮廟祠堂的圖像模式。具體來看，第一部分即對開闢之初以及自然界的描繪。如《天問》開篇的「遂古之初，誰傳道之？上下未形，何由考之」、「冥昭瞢闇，誰能極之？馮翼惟像，何以識之」、「圜則九重，孰營度之」、「日月安屬，列星安陳」、「白蜺嬰茀，胡為此堂」等，皆可視作是楚祠堂對自然界（即天界）現象的描繪。而這一部分文本所反映的內容，可能展示在祠堂頂部。第二部分即神怪世界。《天問》文本中如「昆侖懸圃，其尻安在？增城九重，其高幾里？」、「日安不到、燭龍何照？羲和之未揚，若華何光？」、「雄虺九首，儵忽焉在？」等。這一部分文本表現的圖像可能在祠堂山牆或牆壁圖像的某一欄中。第三部分為神話歷史故事。如「登立為帝，孰道尚之？女媧有體，孰製匠之？」、「堯不姚告，二女何親？」、「舜閔在家，父何以鱞？」、「鴟龜曳銜，鯀何聽焉？順欲成功，帝何刑焉？永遏在羽山，夫何三年不施？伯禹腹鯀，夫何以變化？纂就前緒，遂成考功。」、「啟代益作后，卒然離蠥。」、「啟棘賓商，九辯九歌。何勤子屠母，而死分竟地？」、「羿焉彃日？烏焉解羽？」、「桀伐蒙山，何所得焉？妹嬉何肆，湯何殛焉？」、「簡狄在臺，嚳何宜？玄鳥致貽，女何喜？」、「湯謀易旅，何以厚之？」、「稷維元子，帝何竺之？」等。這些是屈原就壁畫歷史人物所發之問，圖像或見於祠堂牆壁，為牆壁主體圖像。

　　綜上可知，《天問》據王逸記載，是由屈原「呵壁」而來，《天問》文本及早期圖像中皆有對自然現象及天地生成的發問，亦有對神怪世界和仙界的描繪，也有對人間神話和歷史故事的表達。由此可見，無論是早期文本對三代圖像及宮室祠堂壁畫的記載，還是早期墓葬帛畫與祠堂圖像的存在，都證明屈原生活的戰國末期楚王室亦會於宮室祠堂進行繪畫。楚漢時期的祠堂墓葬圖像與《天問》文本結構間具有一定的相似性，《天問》文本能夠與楚漢祠堂墓葬壁畫結構相對應。因此，我們至少可以得出結論：戰國時

59　蘇雪林：《天問正簡》，頁294。

60　溫肇桐：〈屈原《天問》與楚國壁畫〉，《江漢論壇》，1980年第6期。

61　劉兆偉：〈《天問》的結構與析義〉，《錦州師院學報》，1983年第1期。

期楚國的宮廟祠堂牆壁上有足夠的空間以「圖畫天地」，屈原「呵壁」之說不能輕易否定。關於楚國祠堂的形製及圖像模式，我們也能夠有所認識，即屋頂為自然界圖像、山牆為神怪仙界圖像、牆壁或分層為人類神話和歷史故事的描繪。當然，本文也只是通過結合早期文本與出土早期圖像對《天問》結構進行分析，並初步得出的結論，相信今後的考古發現會對該結論是否正確進行驗證。

# 論讖緯的形態與繁興的歷史機緣[*]

## 田勝利

### 北京師範大學文學院

讖，「驗也」，指可預言吉凶的隱語、符號、圖像等；緯，「織衡絲也」，段玉裁註：「引申為凡交會之稱。漢人左右六經之書，謂之秘緯。」[1] 讖緯是一個合成詞，拆分開來看有同有異，《四庫全書總目提要》：「儒者多稱讖緯，其實讖自讖，緯自緯，非一類也。讖者詭為隱語，預決吉凶；緯者經之支流，衍及旁義。」[2] 讖緯相較來看，讖出現略早，緯出現略晚，關於讖緯生成的具體時間，學界有這樣的認知，顧炎武《日知錄‧圖讖》指出「讖記之興，實始於秦人而盛於西京之末」；周予同說：「緯書發源於古代的陰陽家，起於嬴政，出於西漢哀、平，而大興於東漢」，當讖緯合而為一，作為特定名詞時，它所指稱的文獻甚廣。對於讖緯這一神秘文化思潮出現的歷史機緣，可以從多方面來考察，本文選取兩個維度申述之。

## 一　讖應觀念與早期讖緯文獻形態

上古時期的甲骨卜辭、《山海經》、《周易》等文獻都昭示著厚重的神秘文化。人類在蒙昧之初，對於認知世界和理解世界的方式方法是有局限性的，往往脫離理性的韁繩而走向神秘的深淵。讖緯就是其中的典型代表，讖緯和上古神秘文化密不可分，讖驗觀念在早期的文獻記載中已經生成[3]。《左傳》莊公二十二年記載：

> 初，懿氏卜妻敬仲。其妻占之曰：吉，是謂「鳳凰于飛，和鳴鏘鏘。有媯之後，將育於姜。五世其昌，並於正卿。八世之後，莫之與京。」[4]

陳國大夫懿氏準備嫁女於敬仲，其妻占得吉利之象，預測性的言辭採用的是四言詩體，

---

[*]　本文係國家社科基金重大項目「上古知識、觀念與文獻體系的生成與發展研究」（11&ZD103）階段性成果。

[1]　（清）段玉裁：《說文解字注》上海：上海古籍出版社，1988年，頁644。

[2]　（清）紀昀等：《四庫全書總目》北京：中華書局，1965年，頁47。

[3]　關於讖驗觀念術語及相關的深入論述，可參見張峰屹先生《兩漢經學與文學思想》之〈兩漢讖、緯分合演變考〉北京：生活‧讀書‧新知三聯書社，2014年。

[4]　（唐）孔穎達：《春秋左傳正義》（十三經註疏標點本）北京：北京大學出版社，1999年，頁268-269。

楊伯峻先生註：「疑『鳳皇于飛，和鳴鏘鏘』，兩句是卜書之辭，有媯之後以下數句，則為占者之辭，然相互葉韻。鏘、姜、卿、京古音皆在陽唐部。此是占卜之辭，今已無書可以稽考。」[5]《左傳》記載的這則卜筮，後來果真應驗，敬仲之後，至成子常陳恆纂奪齊國成功，依據《史記・田敬仲完世家》記載的史實，註家指出經稺孟夷、湣孟莊、文子須無、桓子無宇、釐子乞、成子常、成子常纂齊在位屬一世，正好八世。

　　與「懿氏卜妻敬仲」相似的案例還有閔西元年的「畢萬筮仕於晉」、昭公三十二年的「季友之母始妊娠而卜」，針對此類案例，朱熹云：「陳敬仲、畢萬、季友占筮，皆如後世符命之類。」張峰屹先生認同此觀點，並引張尚瑗的觀點指出「此傳與史墨論陳亡，皆田氏代齊之符命也；畢萬筮仕於晉，魏氏分晉之符命也；季友有文在手，季氏專魯之符命也。《左氏書》成於戰國之初，故於齊、晉、魯三國謀纂之臣，皆詳其讖緯，……（這）與其他占驗故事沒有什麼區別，都可以劃入讖的範疇。」[6]張先生的判斷甚是。莊公二十二年的這則占筮即是讖言「田氏代齊」的來源之一，三則占筮內容指向分別是田氏代齊，魏氏分晉，季氏專魯，均是關係國運走向的歷史事件，無一例外都借助占術而先行預知，這與後來「漢氏三七之厄」的讖言殊無二致。

　　占筮的內容指向未來，和讖的功能無別，取寬泛的態度來看，部分占筮文獻的確可以歸入到讖緯文獻系統裡，《易緯乾坤鑿度》文本就記載了一則關於孔子的占筮案例：

> 仲尼，魯人。生不知《易》本，偶筮其命，得〈旅〉，請益於商瞿氏，曰：「子有聖知，而無位。」孔子泣而曰：「天也，命也，鳳鳥不來，河無圖至，嗚呼，天命之也。」歎訖而後，息志停讀禮。[7]

商瞿氏，字子木，是孔子弟子，《史記・仲尼弟子列傳》曰「孔子傳《易》於瞿」，在這則故事裡，孔子筮命，占得〈旅〉卦，商瞿指出孔子擁有聖智，卻無對應的官位。〈旅〉卦上離下艮，李鼎祚《周易集解》引侯果曰：「火在山上，勢非長久，旅之象也。」〈旅〉指行旅，難於稽留，周旅不定，故稱「無位」。孔子自筮得〈旅〉的事例不見於其他文獻，如果把它的生成斷定在漢代，依託象數易來看，商瞿的推論也大抵可以成立，西漢末年生成的焦氏林辭，據象而繫辭，相應的林辭〈旅〉之〈旅〉寫道：「羅網四張，鳥無所翔。征伐困極，饑渴不食」，繇辭取象同樣不吉利。孔子哭泣而曰的那段文字，脫胎於《論語》，鳳鳥、河圖系讖緯常用的物象。

　　《易緯・乾坤鑿度》將孔子筮占語料收錄進來，是對占筮合於讖緯的一種認可，先秦時期占筮風氣的盛行，是秦漢讖緯文獻大量形成的文化源泉之一。《易》因具有筮卜

---

5　楊伯峻：《春秋左傳注》北京：中華書局，2009年，頁222。

6　張峰屹：〈兩漢讖緯考論〉，《文史哲》，2017年第4期。

7　（日）安居香山、中村璋八輯：《緯書集成》石家莊：河北人民出版社，1994年，頁118。（註：本書所引緯書均出自此書，不複出註，因語料差異，個別引《七緯》者，單獨出註。）

功能而免遭秦火，易學與讖緯結合在一起，為漢代的神秘文化所彰本，《易緯·稽覽圖》曰：「日食之比，陰得陽，〈蒙〉之〈比〉也。」〈蒙〉之〈比〉前，排列的事像是日食之比，鄭玄註：「蒙，氣也，比非一也。邪臣謀，覆冒其君，先霧，從夜昏起或從夜半或平旦，君不覺悟，日中不解，遂成蒙，君複不覺悟，下為舞也。」〈蒙〉之〈比〉，陰冒陽，蒙，指氣，具體指霧氣之屬。《後漢書·郎顗襄楷列傳》記載：「土者地祇，陰性澄靜，宜以施化之時，敬而勿擾，竊見正月以來，陰暗連日。《易內傳》曰：久陰不雨，亂氣也。〈蒙〉之〈比〉也，〈蒙〉者，臣君上下相冒亂也。又曰：欲德不用，厥異常陰。」[8] 郎顗在上疏中提及的〈蒙〉之〈比〉，變卦前連綴的是「久陰不雨」，這和《易緯稽覽圖》中的日食之，比陰得陽是一致的事象，朱伯崑先生指出：「蒙氣，霧氣一類，指陰氣過盛，氣候反常，又稱為『亂氣』。」[9] 變卦卦象〈蒙〉之〈比〉，〈蒙〉者，臣君上下相冒亂也，標示的是卦象寓指的篡亂之義。

　　如果說，上揭的讖類文獻還背負著占筮這個外殼，存世的占筮事例因此而往往被排除於不少讖緯研究者視域之外的話，那麼，帶有預言性的童謠則無疑可直接視為讖緯文獻，《左傳》昭公二十五年記載：

> 有鸜鵒來巢，書所無也。師己曰：異哉！吾聞文、成之世，童謠有之，曰：鸜之鵒之，公出辱之。鸜鵒之羽，公在外野，往饋之馬。鸜鵒跦跦，公在乾侯，征褰與襦。鸜鵒之巢，遠哉搖搖，稠父喪勞，宋父以驕。鸜鵒鸜鵒，往歌來哭。童謠有是。今鸜鵒來巢，其將及乎！[10]

魯昭公時，有鸜鵒來巢。魯國大夫師己借助童謠而預測禍福，後來果如該謠讖所示，魯昭公攻打季氏，失敗後，出逃奔齊，史載「居外野，次乾侯。八年，死於外，歸葬魯。昭公名裯。公子宋立，是為定公。」師己提及的這則童謠以四言體寫成，富有預言性質，屬於典型的讖言，《漢書·五行志》嘗言「春秋時先有鸜鵒之謠，而後有來巢之驗」，正是指此首謠讖。《國語·鄭語》記載：

> 且宣王之時有童謠，曰：「檿弧箕服，實亡周國。」於是宣王聞之，有夫婦鬻是器者，王使執而戮之。府之小妾生女而非王子也，懼而棄之，此人也收以奔褒。天之命此久矣，其又何可為乎？訓語有之曰：夏之衰也，褒人之神化為二龍，以同於王庭，而言曰：余，褒之二君也。……褒人褒姁有獄，而以為入於王，王遂置之，而嬖是女郱，使至於為後，而生伯服。[11]

---

8　本文將〈蒙〉之〈比〉視作變卦，該例又見於（南朝宋）范曄《後漢書》北京：中華書局，2007年，頁312。

9　朱伯崑：《易學哲學史》北京：北京大學出版社，1986年，頁142。

10　（唐）孔穎達：《春秋左傳正義》（十三經註疏標點本）北京：北京大學出版社，1999年，頁1456。

11　徐元誥：《國語集解》北京：中華書局，2002年，頁473-474。

相似的記載見於《史記‧周本紀》、《漢書‧五行志》，童謠「桑弧箕服，實亡其國」，是周宣王時流傳的謠讖，文獻記載褒姒是由桑弧箕服者所收養的孩子，歷史應驗了該「隱語」所昭示的內容，過程充滿神奇。訓語，指《周書》，褒姒，周幽王寵妃，烽火戲諸侯，以博一笑，其後爆發危難，周幽王面臨犬戎攻擊時孤立無援，周室王朝衰微。

早期謠讖以童謠的形式呈現，這在兩漢時期興盛不衰，元帝時童謠曰：「井水溢，滅灶煙，灌玉堂，流金門。至成帝建始二年三月戊子，北宮中井泉稍上，溢出南流，……井水，陰也；灶煙，陽也；玉堂、金門，至尊之居，象陰盛而滅陽，竊有宮室之應也。王莽生於元帝初元四年，至成帝封侯，為三公輔政，因以篡位。」[12]北宮位於長安城中間的位置，下臨武庫，灶煙屬性陽，玉堂、金門是皇帝居所，可見井水溢流所滅、所灌、所流經的地方確實都是陽剛物象的疊加。又成帝時歌謠：「邪徑敗良田，讒口亂善人。桂樹花不實，黃爵覆其顛。故為人所羨，今為人所憐。桂，赤色，漢家象。花不實，無繼嗣也。王莽自謂黃，象黃爵巢其顛也。」[13]桂樹赤，應漢赤德，黃爵指黃雀，應王莽土德五色屬黃，兩則謠讖均指向王莽篡漢的史實。

「『燕燕尾涎涎，張公子，時相見。木門倉琅根，燕飛來，啄皇孫，皇孫死，燕啄矢。』其後帝為微行出遊，常與富平侯張放俱稱富平侯家人，過陽阿主作樂，見舞者趙飛燕而幸之，故曰『燕燕尾涎涎』，美好貌也。張公子，謂富平侯也。木門倉琅根，謂宮門銅鍰，言將尊貴也。後遂立為皇后。弟昭儀賊害後宮皇子，卒皆伏辜，所謂『燕飛來，啄皇孫，皇孫死，燕啄矢』者也。」[14]這則謠讖言說漢成帝出行，見趙飛燕而悅之，並最終立為皇后，卻也因之至死都無後。

三則謠讖，一則出自元帝時期，兩則出自成帝時期，王先謙《漢書補注》：「以上詩妖。」[15]詩妖即以詩為讖，童謠是詩，內容具有象徵性指向，故稱三則謠讖為詩妖。《後漢書‧五行志》收錄有多則童謠，有的也可視為謠讖：「諧不諧，在赤眉。得不得，在河北。」這首童謠生成於更始帝時期，雖然很難斷定其出現的具體歷史時間，但可以肯定其帶有隱語的性質，具有預測傾向，這從該謠緊隨的文字可以看出，「是時更始在長安，世祖為大司馬平定河北。更始大臣並償專權，故謠妖作也。後更始遂為赤眉所殺，是更始之不諧在赤眉也。世祖自河北興。」[16]《後漢書》著者稱其為謠妖，亦即謠讖。謠妖、詩妖、謠讖，稱謂不同，實際所指卻具有一致性。

觀測天象預知禍福是早期的一種重要形式，《史記‧齊太公世家》記載：「三十二年，彗星見。景公坐柏寢，歎曰：堂堂，誰有此乎？群臣皆泣。」彗星，古人往往認為

---

12　（漢）班固撰，（唐）顏師古註：《漢書》北京：中華書局，1962年，頁1395。

13　（漢）班固撰，（唐）顏師古註：《漢書》北京：中華書局，1962年，頁1396。

14　（漢）班固撰，（唐）顏師古註：《漢書》北京：中華書局，1962年，頁1395。

15　王先謙：《漢書補注》上海：上海古籍出版社，2008年，頁1993。

16　（南朝宋）范曄：《後漢書》北京：中華書局，2007年，頁968。

是災星，這從該則記載後來收錄於《太平御覽・妖星》條目可資印證。這次彗星出現於東北，下應齊國疆土，故景公深以為憂，儘管這一憂慮，在晏子看來不足為懼，但可以從側面看出古人對於天文星象的重視。童讖和天象相結合，是先秦讖言文獻形成的源泉之一，《左傳》僖公五年記載：

> 八月甲午，晉侯圍上陽。問於卜偃曰：吾其濟乎？對曰：克之。公曰：何時？對曰：童謠云：丙子之晨，龍尾伏辰，均服振振，取虢之旂。鶉之賁賁，天策焞焞，火中成軍，虢公其奔。其九月、十月之交乎！丙子旦，日在尾，月在策，鶉火中，必是時也。冬十二月丙子，朔，晉滅虢。虢公醜奔京師。[17]

這則記載還見於《國語・晉語二》，虢是小國，晉侯借道於虞而伐虢，晉獻公伐之時，問於卜偃曰：「吾其濟乎？」卜偃以童謠為對，童謠預測未來，內容依據天象而得，後正如童謠所言：晉師滅虢，虢公醜奔周，帶有較強的讖驗性質。童謠與政治災禍相系，發揮了預測吉凶的功能。這則童謠讖的生成和南方對應的星宿相關，隱形的童子是溝通天人之間的橋樑。「火中」，楊伯峻先生註：「即鶉火出現於南方」。《爾雅・釋天》曰：「柳宿亦名鶉火。」柳宿是和熒惑一起共同司職南方的星宿。《史記・天官書》曰：「吳、楚之疆，侯在熒惑，占於鳥衡。」張守節正義：「鳥衡，柳星也。」關於熒惑和童謠，《通志》記載了這樣一則材料：「張衡云：熒惑為執法之星，其精為風伯之師，惑童兒歌謠嬉戲。」相似的記載還見於《史記・天官書》和《文獻通考》。熒惑星是司職人間的執法官，主死喪，其精可作為風伯之師，可以蠱惑兒童，教導歌謠，預測政治的災異吉凶走向。熒惑星蠱惑兒童並與之嬉戲，這在後世文本記載中甚為詳細，《晉書・天文志》曰：「凡五星盈縮失位，其精降於地為人……熒惑降為童兒，歌謠嬉戲……吉凶之應，隨其象告。」熒惑星直接化為童子形象，和世間的兒童混跡在一起，通過這種直接方式，教導兒童歌謠，預測吉凶禍福。熒惑星化身小兒下教稚童童謠以達「天意」，為何熒惑星選擇化身稚童，並下教稚童童謠以達「天意」呢？要回答這個問題，可從二者的屬性入手，熒惑，《淮南子・天文訓》載：「南方火也，其帝炎帝，其佐未明，執衡而治夏，其神為熒惑。」熒惑隸屬於南方，其帝炎帝，時令夏天，都是陽的象徵，因而熒惑星宿也代表陽剛之性，這從古人對於南方的認知中也可以看出，先天八卦〈乾〉屬於南，〈乾〉卦是純陽之象，故南方的諸多物象都具有陽剛之性。同時，以地域空間來劃定星宿的陰陽屬性，《史記》〈天官書〉有這樣的記載：「中國於四海內則在東南，為陽，陽則日、歲星、熒惑、填星，占於街南，畢星主之。其西北則胡、貉、月氏旃裘引

---

17 （唐）孔穎達：《春秋左傳正義》（十三經註疏標點本）北京：北京大學出版社，1999年，頁344-346。

弓之民，為陰，陰則月、太白、辰星，占於街北，昴星主之。」<sup>18</sup>熒惑標示的是陽，這與它對應的下界分野相連，「吳、楚之疆，候在熒惑」，熒惑司職的地域主要是吳地和楚地，而此兩地正是南方，據此，熒惑屬陽和人們對它的方位認知是一致的。由此可見，熒惑屬陽，童子也正是陽性之物，二者在類屬上具有一致性，熒惑選擇化身兒童，教給稚童童謠，能順利地感化童子，秉持的是「同聲相應，同氣相求」的類比思維。

　　觀察天象而生成預測性判斷，在讖緯文本裡，這樣的語料甚夥，如「熒惑守南門，宰相坐之，有兵罷。熒惑逆之，守南門，山崩」；「熒惑居角陽，其國有喜，居陰，有憂」；「熒惑在畢，為主人客者有殊罰，女主亡」，熒惑星確系較為特殊的星宿，無論是守南門，還是居角陽、在畢宿等，它的出現在讖緯文獻系統裡，往往都是各種災異事象的先兆。

　　先秦時期可稱為讖緯文獻形成的孕育期和初創期，各種和讖緯相關的語料還很零散、沒有形成系統，劉向曾經「集合上古以來，曆春秋、六國至秦漢符瑞、災異之記，推跡行事，連傳禍福，著其占驗，比類相從」，這是對讖緯文獻的一次初步整理。讖驗觀念的生成甚早，它的形式有占筮（占卜）、童謠、星占，此外還有相術、夢占、符瑞、帶有巫術性質的圖畫等，語料表現形態既有此處著重關注的四言詩、童謠等詩體樣態，也有大量的散體記述樣態，後世讖緯文獻對這些形式和表現形態多有賡續。先秦占筮等神秘文化盛行，從內容和形態上，都是秦漢讖緯文獻形成的源泉，某種意義上講，秦漢時期的大量讖緯文獻是在此基礎上的提升和發展。

## 二　社會大變革與讖緯文獻的催生

　　從先秦時期零星的讖緯語料可以看出，讖緯的政治色彩濃厚，往往指向與國家或帝王相關的事象，罕及普通民眾的生活，這一特徵在秦漢社會大變革時期得到了更為鮮明的強化。秦漢時期讖緯文獻大量出現，社會的大變革對其是有推手作用的。秦漢易代時期、兩漢之際（王莽篡漢、光武中興），讖緯披著神秘的外衣，裹狹著神秘力量，對普通民眾和精英階層都具有鼓動性，在一定程度上，充當了社會大變革期間政治鬥爭的武器，也是那段特定史實的載體。社會的大變革為讖緯文獻的興盛提供了較好的契機。

　　秦帝國大廈將傾時，《易緯通卦驗》記載：「孔子表洛書摘亡辟曰：亡秦者胡也。丘以推秦白精也，其先星感，河出圖，挺白以胡誰亡。胡之名，行之名，行之萌，秦為赤驅，非命王，故帝表有七五命，七以永慶王，以火代黑，黑畏黃精之起，因感萌。」孔子在讖緯文本中神通廣大，知曉過去和未來，假託孔子之口道出的「亡秦者胡也」一

---

18　（漢）司馬遷撰，（唐）張守節正義、（唐）司馬貞索隱：《史記》上海：上海古籍出版社，1997年，頁1105-1106。

語，又見於《史記》〈秦始皇本紀〉：「三十二年，始皇之碣石，使燕人盧生求羨門、高誓……始皇巡北邊，從上郡入。燕人盧生使入海還，以鬼神事，因奏錄圖書，曰：『亡秦者胡也』。始皇乃使將軍蒙恬發兵三十萬北擊胡，略取河南地。」[19]羨門、高誓舊註古仙人，盧生充當的角色是方士，「亡秦者胡也」重見於讖緯和正史，該讖語生成後弄得人心惶惶，胡，秦始皇推測為居於秦北部地區的胡人，據此，秦始皇在政治上採取了調遣大量兵力進行軍事行動的舉措，並隨之而修築長城，做為抵禦北胡入侵的屏障。秦始皇推測胡人亡秦合乎常理，但不正確，秦後來亡於其子胡亥之手。

「三十六年，熒惑守心。有墜星下東郡，至地為石，黔首或刻其石，曰：始皇帝死而地分。」[20]記載見於《史記》〈秦始皇本記〉，熒惑守心，墜星落為石，刻有讖言是天現異象。秦始皇作為開創大一統王朝的君主，孤傲的背後是對死亡的無比忌憚，面對這則典型的人造讖言，秦始皇採取了極端的行動，先是派遣禦史詢問，問詢無果後，則將石旁的居民殺盡，並且燒毀石塊。

「有人持璧遮使者曰：為吾遺滈池君。因言曰：今年祖龍死。使者問其故，因忽不見，置其璧去。使者奉璧具以聞。始皇默然良久，曰：山鬼固不知一歲事也。退言曰：祖龍者，人之先也。使禦府視璧，乃二十八年渡江所沈璧也。」[21]記載見於《史記》〈秦始皇本記〉，借一位神秘人士（山鬼）之口拋出神秘言論，預言秦始皇將死於當年，後果如此讖。事例中山鬼說完話後，有一個置其璧的細節，司馬貞《索隱》曰：「江神以璧遺滈池之神，告始皇之將終也。且秦水德王，故其君將亡，水神先自相告也。」[22]璧對於秦始皇而言，是有一定象徵含義的，其受天命時亦有璧的故實生成，《河圖考靈曜》曰：「秦王政以白璧沈河，有黑頭公從河出，謂政曰：祖龍來。授天寶，開，中有尺二玉牘」，在讖緯文本裡，沈璧事象貫穿秦始皇人生的兩個關鍵卡點，秦水德，受命終始均和水、璧關聯，是一個自足的象徵循環體。

受命以水、璧為背景，在讖緯文本裡不是個案，《尚書中候·握河紀》：「堯即政十七年，仲月甲日，至於稷，沉璧於河，青雲起，回風搖落，龍馬銜甲，赤制綠色，自河而出，臨壇而止，吐甲迴回。甲似龜，廣九尺，文言虞夏商周秦漢之事。」堯火德，即政十七年沉璧於河，進而出現了龍馬銜甲，赤制綠色等祥瑞圖景。《尚書中候》「舜沈璧於河，榮光休至，黃龍負卷舒圖，出入壇畔」，舜沈璧於河，出現了黃龍負卷舒圖的奇

19  （漢）司馬遷撰，（唐）張守節正義、（唐）司馬貞索隱：《史記》上海：上海古籍出版社，1997年，頁171。

20  （漢）司馬遷撰，（唐）張守節正義、（唐）司馬貞索隱：《史記》上海：上海古籍出版社，1997年，頁176。

21  （漢）司馬遷撰，（唐）張守節正義、（唐）司馬貞索隱：《史記》上海：上海古籍出版社，1997年，頁176。

22  （漢）司馬遷撰，（唐）張守節正義、（唐）司馬貞索隱：《史記》上海：上海古籍出版社，1997年，頁176。

異景象。商湯，《尚書中候》記載：「天乙在亳，諸鄰國繼負歸德。東觀於洛，習禮堯壇，降三分沉璧，退立，榮光不起，黃魚雙躍，出濟於壇。黑烏以雄，隨魚以止，化作黑雲。」商湯水德，同樣有沉璧情節，和屬水的秦於沉璧事象上的受命象徵意義可以貫通。如果捨棄掉沉璧環節，受命治國與河水相聯的文化源泉則可歸之於河圖洛書傳說，《周易·繫辭》曰「河出圖，洛出書，聖人則之」，聖人指伏羲。河圖洛書隨之在讖緯裡往往作為受命的象徵物之一，象徵著最高國家權力，所授對象自伏羲開始，有堯、舜、禹、商湯等，如《禮緯含文嘉》寫道：「伏羲德合天下，天應以鳥獸文章，地應以河圖洛書，乃則之以作《易》」，讖緯文本關於此類與河圖洛書相關的記載隨著時間往後推移，情節也愈加豐富，是對先秦河圖洛書傳說的引申發揮。

秦始皇推終始五德之傳，「剛毅戾深，事皆決於法，刻削毋仁恩和義，然後合五德之數，於是急法，久者不赦」，司馬貞《索隱》「水主陰，陰刑殺，故急法刻削，以合五德之數」[23]，秦以水德受命，主刑殺，秦始皇本人恰也「樂以刑殺為威」，「惡言死」而好求仙藥，上述秦末讖言的生成是對此較好的折射。

劉邦以漢繼秦，《尚書中候》曰「卯金刀帝出，復堯之常」，卯金刀稱代漢帝，《春秋漢含孳》有明確標示：「劉季握卯金刀，在軫北，字季，天下服。卯在東方，陽所立，仁且明。金在西方，陰所立，義成功。刀居右，字成章，刀系秦。枉矢東流，水神哭祖龍。」枉矢，指流星之類的天體，《史記·天官書》記載：「枉矢，類大流星，虵行而倉黑，望之如有毛羽然。」枉矢出現多和災亂相伴，劉季指劉邦，《春秋漢含孳》採用拆字法，將劉字拆分為卯金刀三個構件，然後和方位、陰陽、仁義、秦朝相對應，完成劉邦代秦的意義組合。

漢室衰落時和秦一樣，亦有讖緯語料的催生，《漢書·眭兩夏侯京翼李傳》記載：「是時昌邑有枯社木臥復生，又上林苑中大柳樹斷枯臥地，亦自立生，有蟲食樹葉成文字，曰『公孫病已立』，孟推《春秋》之意，以為石柳皆陰類，下民之象，泰山者岱宗之嶽，王者易姓告代之處。」[24]相似的記載還見於《漢書·五行志》。眭孟，儒生，從嬴公受《春秋》，通曉經術，嬴公，王先謙《漢書補注》：「官本考證，儒林傳嬴公，東平人，受公羊春秋於董仲舒，故弘書稱先師董仲舒。」[25]眭孟依《春秋》之義言說「公孫病已立」，認為木陰類，《說卦》稱巽為木，柳樹柔順，確實可視作陰類物象，是下民之象，木葉被蟲食後成字，對應的是公孫氏從民間受命為天子之兆。讖語生成時漢昭帝劉弗陵正年富力強，霍光秉政，認為眭孟的推測論斷系屬妖言，故誅殺了眭孟。公孫病已，指皇曾孫漢宣帝劉病已，漢昭帝駕崩之後，霍光等權臣廢昌邑王，改迎生活於民間

---

23 （漢）司馬遷撰，（唐）張守節正義、（唐）司馬貞索隱：《史記》上海：上海古籍出版社，1997年，頁162。

24 （漢）班固撰，（唐）顏師古註：《漢書》北京：中華書局，1962年，頁3153。

25 王先謙：《漢書補注》上海：上海古籍出版社，2008年，頁4869。

的劉病已為帝，正應了此則讖言的內容。

《漢書・哀帝紀》：

> 待詔夏賀良等言赤精子之讖，漢家曆運中衰，當再受命，宜改元易號。
> 詔曰：漢興二百載，歷數開元。皇天降非材之佑，漢國再獲受命之符，朕之不德，曷敢不通！夫基事之元命，必與天下自新，其大赦天下。以建平二年為太初元將元年。號曰陳聖劉太平皇帝。漏刻以百二十為度。[26]

漢高祖感赤龍而生，是赤精子，王先謙《漢書補注》引齊召南曰：「讖字始見於此。高祖以斬白蛇，旗幟上赤，然張蒼謂漢本水德，公孫臣非之，至武帝時，猶謂以土德王，未有言火德者也。赤精子之說亦起於此。張平子謂讖起哀、平之間，信哉！」[27]相似的記載還見於《漢書・李尋傳》，基事之元命，指更受天之大命，對於夏賀良等再次奏請「更受命」時，哀帝予以了認可，更元易號，有了一個奇怪的稱謂「陳聖劉太平皇帝」。「太平」是一種治世理想的表達，「陳聖劉太平皇帝」，李斐曰：「言得神聖者劉也」。如淳曰：「陳，舜後。王莽，陳之後。謬語以明莽當篡立而不知。」哀帝的這次更受命稱謂是否有寓含王莽的篡立之義，還需進一步稽考，但西漢末年衰敗，導致的政治大變革確實催發了各式各樣讖緯的生成，王莽一步步篡權，利用的正是讖緯的力量，如稱「是月，前輝光謝囂奏武功長孟通浚井得白石，上圓下方，有丹書著石，文曰：告安漢公莽為皇帝。符命之起，自此始矣。」丹書著石，很容易讓人想起秦末陳涉、吳廣丹書「陳勝王」的事蹟，告安漢公莽為皇帝可謂是赤裸裸的政治宣言。又如梓潼人哀章揣摩到王莽的意圖，故而特意製作出一面銅匱，一曰天帝行璽金匱圖，一曰赤帝行璽某傳予黃帝金策書，營造出一種君權神授的「假像」。王莽對此大加利用，在隨後詔書中明確標示「皇天上帝隆顯大佑，成命統序，符契圖文，金匱策書，神明詔告，屬予以天下兆民。」某種意義上講，大量符命類讖緯的生成迎合了王莽篡漢的需求。

《漢書・王莽傳》：

> 秋，遣五威將王奇等十二人班《符命》四十二篇於天下。德祥五事，符命二十五，福應十二，凡四十二篇。其德祥言文、宣之世黃龍見於成紀、新都，高祖考王伯墓門梓柱生枝葉之屬。符命言井石、金匱之屬。……皇帝謙讓，以攝居之，未當天意，故其秋七月，天重以三能文馬。皇帝複謙讓，未即位，故三以鐵契，四以石龜，五以虞符，六以文圭，七以玄印，八以茂陵石書，九以玄龍石，十以神井，十一以大神石，十二以銅符帛圖。申命之瑞，寖以顯著，至於十二，以昭

---

26　（漢）班固撰，（唐）顏師古註：《漢書》北京：中華書局，1962年，頁340。

27　王先謙：《漢書補注》上海：上海古籍出版社，2008年，頁466。

告新皇帝。[28]

王莽利用各種符命，先後涉及金匱圖策、鐵契、石龜、虞符、文圭、玄印、茂陵石書、玄龍石、神井、神石、銅符帛圖等，以一種天命可畏而不能違的態勢，去除攝號，並選取具有象徵意義的丁卯日受命，丁，「火，漢氏之德也」，卯，「劉姓所以為字也，明漢劉火德盡，而傳於新室也」。《漢書》的記載淋漓盡致地展示了王莽利用讖緯纂漢的各種舉動。

《後漢書・光武紀》：

> 行至鄗，光武先在長安時同舍生彊華自關中奉《赤伏符》，曰：劉秀發兵捕不道，四夷雲集龍鬥野，四七之際火為主。群臣因複奏曰：受命之符，人應為大，萬里合信，不議同情，周之白魚，曷足比焉？今上無天子，海內淆亂，符瑞之應，昭然著聞，宜答天神，以塞群望。光武於是命有司設壇場於鄗南千秋亭五成陌。[29]

這是光武中興對讖緯語料催發的典型事例，此《赤伏符》又收錄於《河圖赤伏符》，張衡〈東都賦〉對此也有著錄「聖皇乃握乾符，闡坤珍，披皇圖，稽帝文」，乾符即《赤伏符》。四七之際，指「自高祖至光武初起合二百二十八年，即四七之際也」，火為主，是漢為火德當興之稱。光武中興漢室，類此的讖緯語料有多則，如《春秋演孔圖》：「卯金刀，名為劉。中國東南出荊州，赤帝後次代周」，讖緯語料和正史可以相互發明。

從上揭特定時期典型讖緯語料來看，秦漢是社會大變革時期，讖緯往往和各種政治大事件緊密相連，帝王、方士、儒生、諸侯、官吏等和讖緯糾纏於一體，製造、傳播讖緯，諸多讖緯文獻也生成於此一時期。受此流風影響，習讖緯者不乏其人，《後漢書・張衡傳》記載「初，光武善讖，及顯宗、肅宗因祖述焉。自中興之後，儒者爭學圖緯」，讖緯於光武之後，隨著統治者的宣導，迎來了它的繁盛期，如章帝「在位十三年，郡國所上符瑞，合於圖書者數百千所」，彰顯的是政治對讖緯神秘文化的歷史選擇。

## 三　政治文化中的話語權力與讖緯文獻之繁盛

讖緯的生成和陰陽災異學說盛行關聯緊密，梁啟超曰：「仲舒自以此術治《春秋》，京房、焦贛之徒以此術治《易》，夏侯勝、李尋之徒以此術治《書》，翼奉、睢孟之徒以此術治《詩》，王氏之徒以此術治《禮》，於是莊嚴純潔之六經，被鄒衍餘毒所蹂躪，無

---

28　（漢）班固撰，（唐）顏師古註：《漢書》北京：中華書局，1962年，頁4112-4113。

29　（南朝宋）范曄：《後漢書》北京：中華書局，2007年，頁6。

複完膚矣。」[30]此術指陰陽災異術，夏侯勝、李尋、奉翼、睢孟等是西漢政治神秘文化的主力軍，他們也擁有一定的話語權力。

翦伯贊《中國史綱要》曰：「劉秀把讖緯作為一種重要的統治工具，甚至發詔班命，施政用人，也要引用讖緯，讖緯實際上超過了經書的地位。」[31]光武帝宣布「圖讖天下」，讖緯隨之而躍升成了上層文化意識。「自中興之後，儒者爭學圖緯」，明帝和章帝時期，讖緯在政治文化中的話語權力達到鼎盛。

《後漢書·張曹鄭列傳》：

> 顯宗即位，充上言：「漢再受命，仍有封禪之事，而禮樂崩闕，不可為後嗣法。五帝不相沿樂，三王不相襲禮，大漢當自製禮，以示百世。」帝問：「制禮樂雲何？」充對曰：「《河圖括地象》曰：『有漢世禮樂文雅出。』《尚書璇機鈐》曰：『有帝漢出，德洽作樂，名予。』」帝善之，下詔曰：「今且改太樂官曰太予樂，歌詩曲操，以俟君子。」拜充侍中。作章句辯難，於是遂有慶氏學。[32]

此記載又見於《東觀漢記》，顯宗即漢明帝，充指曹充。漢明帝時社會繁榮昌盛，曹充上言建議宜制定禮樂，在和明帝的問答中，曹充以緯書《河圖括地象》、《尚書璇機鈐》為據，指出緯書有漢世禮樂文雅，德洽作樂名予的記載，對此，明帝持認可態度，並下詔改太樂官曰太予樂，這是讖緯語料在禮樂制度上的應用。

《後漢書·張曹鄭列傳》：

> 征拜博士。會肅宗欲制定禮樂，元和二年下詔曰：「《河圖》稱『赤九會昌，十世以光，十一以興』。《尚書璇機鈐》曰：『述堯理世，平制禮樂，放唐之文。』予末小子，托於數終，曷以纘興，崇弘祖宗，仁濟元元？《帝命驗》曰：『順堯考德，題期立象。』且三五步驟，優劣殊軌，況予頑陋，無以克堪，雖欲從之，末由也已。每見圖書，中心恧焉。」[33]

肅宗即漢章帝，欲制定禮樂所下的詔書，行文脈絡基本上系對讖緯語料的編排而得，《河圖》是國家權力的象徵，《河圖》稱赤九會昌，指漢光武帝中興漢室，十世對應漢明帝，十一世對應的正是肅宗朝，十一世興故而欲制定禮樂。《尚書璇機鈐》、《帝命驗》都出自《尚書緯》，「述堯理世」等句，王先謙《後漢書集解》云：「使帝王受命，用吾道，述堯理代，平制禮，放唐之文，化洽作樂，名斯在。」[34]漢按命數遠承唐堯，

30 梁啟超：〈陰陽五行說之來歷〉，《古史辨》上海：上海古籍出版社，1982年，五冊，頁360。

31 翦伯贊：《中國史綱要》北京：北京大學出版社，2006年，頁144。

32 （漢）范曄：《後漢書》北京：中華書局，2007年，頁356-357。

33 （漢）范曄：《後漢書》北京：中華書局，2007年，頁357。

34 王先謙：《後漢書集解》，上海：上海古籍出版社，1983年，頁423。

仿唐的文治，理宜制禮作樂。《帝命驗》兩句，宋均註：「堯巡狩於河洛，得龜龍之圖書。舜受禪後，習堯禮得之，演以為考河命，題五德之期，立將起之象。」[35] 指當象舜一樣，順堯德而立將起之象。詔書末讓章帝每見而心生慚愧的圖書即讖緯文本。詔是在最高政府機構裡生成的文書，一則詔書頻繁引讖，不難看出，章帝對於讖緯是持認可態度的。

《後漢書》〈章帝紀〉曰：「於是下太常，將、大夫、博士、議郎、郎官及諸生、諸儒會白虎觀，講議五經同異，使五官中郎將魏應承制問，侍中淳於恭奏，帝親稱制臨決，如孝宣甘露石渠故事，作《白虎議奏》。」[36] 皇帝親自參與，講議五經異同。《白虎通》採納讖緯之言，莊述祖曰：「六藝並錄，傳以讖記，援緯證經。」這是對讖緯於政治功能層面的認可，「標誌著讖緯成了官方的最高標準」[37]。

《白虎通》援緯證經，闡釋諸多事象，侯外廬先生指出：「(《白虎通》) 百分之九十的內容出自讖緯」，《白虎通》援緯可分為明引和暗引，明引指直接標示出緯書篇目，《白虎通》明引緯篇目有：〈爵〉、〈鄉射〉、〈三綱六紀〉、〈辟雍〉、〈諫諍〉、〈災變〉、〈日月〉、〈號〉、〈五行〉、〈性情〉、〈三教〉、〈姓名〉、〈誅伐〉、〈天地〉、〈崩薨〉，《白虎通》共計十五個篇目有引緯案例，這些語料分別出自：《含文嘉》、《援神契》、《中侯》、《鉤命決》、《元命包》、《樂稽耀嘉》、《刑德放》、《春秋讖》、《論語讖》、《春秋潛潭巴》、《樂動聲儀》、《乾鑿度》、《感精符》、《禮稽命徵》。從內容上看，引緯的內容很少涉及《易緯》、《河圖》、《洛書》，而主要集中在《春秋緯》、《禮緯》，內容涉及爵制、鄉射、封樹、人倫綱常、歲再祭、諫諍、災異譴告等，對此，學者指出「(《白虎通》) 涉及讖緯也多引其本於禮制、義理釋經義的相關部分。」[38] 這一結論是可信的，《白虎通》引讖緯禮制確實是較為突出的部分，其例如條目「天子射熊。諸侯射麋，大夫射虎、豹，士射鹿、豕。天子所以射熊何？示服猛，遠巧佞也。熊為獸猛。巧者，非但當服猛也。示當服天下巧佞之臣也」，這段文字位於《白虎通》〈鄉射〉「射侯」片段的段首，隨之逐句說解，以讖緯語料領起全篇是對讖緯的推重。又如關於「天子」的稱謂，《白虎通》寫道：

> 天子者，爵稱也。爵所以稱天子何？王者父天母地，為天之子也。故《援神契》
> 曰：天覆地載，謂之天子，上法鬥極。《鉤命訣》曰：天子，爵稱也。[39]

《白虎通》接連引用讖緯，用來解釋爵稱天子的緣由，天子是爵稱，讖緯確有多處明

---

35 （日）安居香山、中村璋八輯：《緯書集成》石家莊：河北人民出版社，1994年，頁368。

36 （南朝宋）范曄：《後漢書》北京：中華書局，2007年，頁37。

37 徐興無：〈讖緯與經學〉，《中國社會科學》，1992年第2期。

38 秦際明：〈白虎通義與讖緯關係新證〉，《孔子研究》，2016年第6期。

39 （清）陳立撰：《白虎通疏證》北京：中華書局，1994年，頁1-2。

示,《易緯乾坤鑿度》記載:「孔子曰:易,有君人五號也:帝者,天稱也。王者,美行也。天子者,爵號也。大君者,與上行異也。」又《易緯》曰:「天子者繼天治物,改政一統,各得其宜,父天母地,以養聖人,至尊之號也。大君者,君人之盛也。」天子是天之子,能奉天,也能治下,讖緯文獻多次明示君王的爵號稱謂是天子,側重和天地人溝通,故在兩漢帝王祭祀活動中,往往使用「天子」這一稱謂,對此,張樹國先生引《漢官舊儀》指出「皇帝六璽,其中事天地鬼神專用『天子信璽』,即在祭祀天地時採用之,」[40]天子奉天治下,祭祀的對象主要是天神、地祇、人神,天子稱謂的意義指向能和祭祀建立起某種內在的聯繫。

讖緯服務於現實政治,《孝經援神契》曰:

> 孔子製作《春秋》、《孝經》既成,使七十二弟子向北辰星而罄折,……天乃虹鬱起,白霧摩地,赤虹自上下化為黃玉,長三尺,上有刻文。孔子跪受而讀之曰:寶文出,劉季握,卯金刀,在軫北,字禾子,天下服。[41]

對此,許結先生寫道:

> (這是)將孔子訂《春秋》、《孝經》本事轉換成為劉姓天下尋求神旨的政治工具。[42]

讖緯文獻的存世,有助於瞭解讖緯在相關政治活動中的話語權力[43],試以封禪為例:

封禪,是告祭天地的典禮。《孝經鉤命訣》曰:「封於泰山,考績燔燎。禪於梁父,刻石紀號。」這是緯書對於封禪的記載,我們來看《史記》〈孝武本紀〉的記載:

> 四月,還至奉高。上念諸儒及方士言封禪人人殊,不經,難施行。天子至梁父,禮祠地主。乙卯,令侍中儒者皮弁薦紳,射牛行事。封泰山下東方,如郊祠太一之禮。封廣丈二尺,高九尺,其下則有玉牒書,書祕。禮畢,天子獨與侍中奉車子侯上泰山,亦有封。其事皆禁。明日,下陰道。丙辰,禪泰山下阯東北肅然山,如祭後土禮。天子皆親拜見,衣上黃而盡用樂焉。江淮間一茅三脊為神藉。五色土益雜封。縱遠方奇獸蜚禽及白雉諸物,頗以加祠。兕旄牛犀象之屬不用。皆至泰山祭後土。封禪祠,其夜若有光,晝有白雲起封中。[44]

---

40 張樹國:〈讖緯神話與東漢國家祭祀體系的建構〉,《廣州大學學報》,2009年第4期。

41 《緯書集成》、《七緯》等文本無《春秋》二字,據《宋書·符瑞志》補。

42 許結:《漢代文學思想史》北京:人民文學出版社,2010年,頁248。

43 讖緯和兩漢政治的語料,可參見姜忠奎:《緯史論微》上海:上海書店出版社,2005年,卷五、卷六。

44 (漢)司馬遷撰,(唐)張守節正義、(唐)司馬貞索隱:《史記》上海:上海古籍出版社,1997年,頁329。

封禪泰山，漢武帝選取了封於泰山以告天，禪於梁父以祭地的安排，這與讖緯語料一致。選擇的儀式是衣黃衣，整個過程用樂，「以江淮間一茅三脊為神藉，以五色土益雜封，縱遠方奇獸蜚禽及白雉諸物，頗以加祠」，一茅三脊，孟康註：「靈茅也」，以產於江淮間的這種靈茅用於封禪，《孝經緯‧鉤命訣》有這樣的記載：「管子又云：封禪者，須北里禾、鄗上黍、江淮之間三脊茅，以為藉，乃得封禪。」緯書提及的語料見於《管子‧輕重丁》篇，茅在封禪中用濾酒。白雉，《孝經援神契》稱：「周成王時，越裳獻白雉，去京師三萬里。王者祭祀不相踰，宴食衣服有節，則至。」此條目下，《緯書集成》又列曰「一雲白雉，岱宗之精。」[45]面對言封禪人人殊的情形，漢武帝實施的是「以江淮間一茅三脊為神藉」、「縱遠方奇獸蜚禽及白雉諸物」等封禪儀式，這和讖緯等文獻的記載是相合的。

　　光武帝封禪，今存《河圖會昌符》有這樣的文字：「帝劉之九，會命岱宗」；「漢大興之，道在九世之王。封於泰山，刻石著紀，禪於梁父，退省考五」；「赤漢德興，九世會昌，巡岱皆當」，「九葉封禪」。針對光武帝封禪的史實，《後漢書‧光武帝紀》記載：「丁卯，東巡狩。二月己卯，幸魯，進幸太山。北海王興、齊王石朝於東嶽。辛卯，柴望岱宗，登封太山；甲午，禪於梁父。」[46]《後漢書》寫光武帝封禪很簡略，相似的詳細記載還見於《續漢書‧祭祀志》：「三十二年正月，上齋，夜讀《河圖會昌符》，曰：赤劉之九，會命岱宗。不慎克用，何益於承。誠善用之，姧偽不萌。感此文，乃詔松等複案《河》、《洛》讖文言九世封禪事者。松等列奏，乃許焉。」[47]《續漢書》的記載明晰了光武帝此次封禪泰山和讖緯的密切關聯，夜讀《河圖會昌符》，進而依讖緯言說封禪之禮，九世之王，即指高祖九世孫光武帝劉秀。登封太山，禪於梁父，太山是告天，梁父是告地。

　　讖緯從先秦的孕育，到秦漢、兩漢之際的催生，經光武帝圖讖天下再到章帝的白虎觀議，逐漸進入到了政治文化的核心層面。得益於統治者的宣導，東漢形成了一股強勁的讖緯流風，如受詔校定圖讖的博士薛漢，《後漢書‧儒林列傳》記載：「薛漢字公子，淮陽人也。世習《韓詩》，父子以章句著名。漢少傳父業，尤善說災異讖緯，教授常數百人。」[48]當讖緯和統治者、利祿捆綁在一起的時候，它在政治文化中的話語權力是引人注目的，讖緯文獻的生成和繁榮與統治者的提倡也是密不可分的。

45 （日）安居香山、中村璋八輯：《緯書集成》石家莊：河北人民出版社，1994年，頁982。
46 （南朝宋）范曄：《後漢書》北京：中華書局，2007年，頁23
47 相關文字見（南朝宋）范曄撰：《後漢書》北京：中華書局，2007年，頁938。
48 （南朝宋）范曄：《後漢書》北京：中華書局，2007年，頁755。

# 四　餘論

　　讖緯文獻的形成和早期神秘文化思潮密不可分，讖緯文本的生成和政治權利的攫取相捆綁，大量內容有著積極入世的取向，幾種典型的形態在先秦已經形成。讖緯文獻的大量生成具有歷史機緣，推動了歷史的發展，但它的知識缺陷也清晰明瞭。讖緯是非理性的、它神秘而虛妄，遭致了不少有識之士的反對。對此，劉勰《文心雕龍·正緯》篇有較好的總結：「桓譚疾其虛偽，尹敏戲其深瑕，張衡發其僻謬，荀悅明其詭誕，四賢博練，論之精矣。」[49]劉氏在文中列舉的幾位先賢是反讖的典型代表，通過反讖批評，能使人更清晰的認知讖緯的特徵。總起來看，在歷史長河中，讖緯的繁盛僅曇花一現，至東漢達到頂峰，隨之而式微[50]，沒能亙古長青。

---

49 （南朝宋）劉勰撰，詹瑛義證：《文心雕龍義證》上海：上海古籍出版社，1989年，頁120。
50 讖緯的式微，既指讖緯文獻生成的減少，也指知識觀念體系的瓦解。

# 美學視域下的禮樂一體性之重構[*]

## 易冬冬

北京　清華大學人文學院歷史系

　　禮樂，是傳統文化的核心，滲透到古代中國的典章制度、社會倫理和個體心性修養諸層面。禮樂隨著時代的變遷，其內容雖不盡相同，但中心意涵和核心區域卻始終保持穩定。禮樂，分而言之，禮是國家層面諸典禮，而樂則是配合這些典禮的音樂，包括傳統雅樂類型和非雅樂類型。[1]傳統儒家士人，常視禮樂為一個文化整體，且常以西周的「禮宜樂和」為理想的文化形態而反覆論說追述，宣導復歸「三代」尤其是西周時期的禮樂之制。近代以來，當制度化的儒家解體後，學人以西方學科制度和觀念接引傳統禮樂文化，建構中國現代學術知識體系時，傳統禮學逐漸分屬於政治學、倫理學、法學、社會學等學科領域，而傳統樂學則分屬於美學和藝術學等學科領域。傳統儒學中禮樂的一體論述，由於現代學術制度和觀念的影響，而日益分化。在現代學術觀念中，禮更多被視為宗教、政治、法律和倫理，樂則被視為審美藝術。這種現代性分化，導致我們對於傳統禮樂的認識產生了嚴重偏頗。

　　傳統禮樂的一體性論述如何在現代學術中獲得符合儒家精神的轉化？近現代許多學人，多從美學和藝術出發，在現代學術中重構禮樂的一體性論述。這種重構並非一蹴而就，而經過了一代代學人努力，最終獲得了一個比較成熟的形態。筆者綜合近現代學人的論述，認為這種重構可以總括為以下三個維度：首先，界定中國傳統禮儀同樣也是美

---

* 本文係國家社會科學基金藝術學重大項目「傳統禮樂文明與當代文化建設研究」（17ZD03）的階段性成果；中國博士後基金第六十七批面上資助項目「中國近現代禮樂觀變遷研究」（2020M670372）之階段性成果。

1 當代音樂學人項陽界定禮樂時，是將禮樂作為一個偏正結構來看，側重與禮樂中的樂。他這樣定義禮樂：「所謂禮樂，是與國家禮制／民間禮俗儀式相須固化為用的樂舞形態，最高禮制儀式用樂具有歌舞樂三位一體之特性。禮制儀式具有多類型性和多層次性，禮制類型謂吉嘉軍賓凶之『五禮』，與之對應的禮樂亦具多類型和多層次性。禮樂有雅樂類型與非雅樂類型。雅樂類型是禮樂的核心所在，但非禮樂之全部……非雅樂類型從宮廷到各級官府中應用普遍，既有用於道路、警嚴、威儀的鹵簿和『本品鼓吹』，更有在嘉軍賓凶四類禮制儀式中為用的多種禮樂形態。雅樂之外的禮樂不以歌舞樂三位一體為主要特徵，樂隊組合亦與雅樂有著明顯區分。」他還指出，「中國傳統音樂文化實際上有禮樂（儀式為用）和俗樂（日常為用）兩條主導脈絡構成，禮樂，代表國家在場，與儀式相須為用顯現群體性莊重、敬畏等多種情感。俗樂對應世俗日常，重個人情感抒發以及愉悅眾生。」（引文參見項陽：〈對中國禮樂認知的幾個誤區〉，《中國音樂學》季刊，2014年第1期。）

和藝術，是美學和藝術研究的對象；其次，在共同作為美和藝術對象時，傳統禮樂的相互滲透與涵攝，在美學和藝術視域下表現為藝術與道德，審美與政治的水乳交融；再次，在同樣帶來美感的同時，從禮到樂是一個美感層次遞升的過程，或者說從禮教到樂教是一個人文化成的境界上升的過程。

## 一

　　禮樂之「結盟」，肇端於夏商，而大成於西周的禮樂制度，其一體性之論述則在春秋戰國的儒家那裡獲得定型，奠定了此後中國禮樂文化的基本風貌和精神。按西周禮制，禮和樂（詩歌樂舞）在典禮活動中達到高度的相互配合，行禮的過程要「典樂」，使得禮儀節奏化。如在國家射禮中，《周禮・春官》記載：「凡射，王以騶虞為節，諸侯以狸首為節，大夫以采蘋為節，士以采繁為節」，這裡的節不僅有節制的意思，即不同位分的人配以不同的樂，還可以有節奏的意思，即行禮的儀節與樂的節奏相合拍，在此，禮儀澈底音樂化了，而音樂也澈底禮儀化了。禮樂的配合還表現在，演樂本身常常構成了典禮的一個環節，這在《禮記》、《儀禮》中關於鄉飲酒禮有詳細記載。[2] 所謂「以樂節禮」，在此就可以理解為樂使得禮儀節奏化，同時構成禮典的一個環節。而不同的禮儀場合、不同的行禮主體，又需要不同的樂來配合，這便是「以禮節樂」。西周時期這種高度儀式化的生活，這種作為國家制度的禮樂配備，奠定了後世儒家禮樂一體性論述的文化制度基礎。

　　至春秋，孔子提出所謂「郁郁乎文哉，吾從周」（《論語・八佾》），「人而不仁，如禮何？人而不仁，如樂何？」（《論語・八佾》），「文」和「仁」構成了禮樂一體性內外兩方面的根據。戰國時期，禮樂的一體性更是在哲學高度上充分展開。《禮記・樂記》中所謂「禮樂皆得，謂之有德」、「揖讓而治理天下者，禮樂之謂也」、「禮樂之說，管乎人情」，分別從德性、文治和人情上，統合禮樂。又有《禮記・孔子閒居》所謂「達於禮而不達於樂謂之素，達於樂而不達於禮謂之偏」、「禮之所至，樂亦至焉」，「樂者，通倫理也」，強調禮樂相須為用，且強調禮義對樂的滲透，即更抽象層面的以禮節樂。當然，戰國時代，儒者也認識到禮樂之間的差異，從天地、陰陽、內外、敬愛、情理、序

---

2　如《禮記・鄉飲酒義》中記載：「主人酬介，工入，升歌三終，主人獻之；笙入三終，主人獻之；間歌三終，合樂三終，工告樂備，遂出。一人揚觶，乃立司正焉，知其能和樂而不流也。」又如《儀禮・鄉飲酒》中記載：「設席於堂廉，東上。工四人，二瑟，瑟先。相者二人，皆左何瑟，後首，挎越，內弦，右手相。樂正先升，立於西階東。工入，升自西階，北面坐。相者東面坐，遂授瑟，乃降。工歌〈鹿鳴〉、〈四牡〉、〈皇皇者華〉。卒歌，主人獻工。工左瑟，一人拜，不興，受爵。主人阼階上拜送爵。薦脯醢。使人相祭。工飲，不拜既爵，授主人爵。眾工則不拜，受爵，祭，飲辯有脯醢，不祭。大師則為之洗。賓、介降，主人辭降。工不辭洗。」在這裡面，仿佛是在行禮的間隙，開始演樂，這裡，演樂就構成了整個禮儀過程的一個環節。

和等相對範疇論說禮樂，《禮記・樂記》所謂「樂由天作，禮以地制」、「樂由陽來，禮由陰作」、「樂由中出，禮自外作」、「禮者殊事合敬者也，樂者異文合愛者也」、「樂也者，情之不可變者也；禮也者，理之不可易者也」、「樂者天地之和也，禮者天地之序也」等。但這並非是強調禮樂的對立和差異，而是在一體性的基礎上又認識到它們的差別，這是一體之中的差異。正是認識到禮樂的差異，《荀子》獨標〈禮論〉、〈樂論〉二篇，將禮樂「一體二分」，開後世禮樂分論之先河。後世《史記》、《後漢書》、《晉書》、《宋書》、《南齊書》、《魏書》、《隋書》、《舊唐書》、《舊五代史》、《宋史》、《遼史》、《金史》、《明史》中，禮和樂分篇而論[3]，只有《漢書》、《新唐書》、《元史》中禮樂合篇而書。分篇而論是主流，足以彰顯禮樂之差異。但是，在傳統儒家經史子集或「六經」、「六藝」的人文知識體系中，禮樂在理論上的一體性遠大於其差異性。更由於歷朝歷代在國家層面的演禮典樂之實踐，更加深了這種禮樂論述的一體性。故而，傳統禮樂，在國家制度層面有其一體之實踐，在文化思想層有其一體之論述。

　　自二十世紀以來，西學傳入中國，近現代學人以西方的學科觀念和方法重新闡釋中國傳統禮樂文化時，禮與樂逐漸分離。樂因為符合現代藝術和美學觀念而被納入到美學和藝術研究領域。當然，這裡的樂主要是配合禮的樂，那些不用於儀式的樂，則是俗樂或者士人音樂，則自然而然被納入美學和藝術研究。而禮樂中的禮，則因為其內涵過於豐富，外延過於廣泛，且在新文化運動時期被一部分啟蒙思想者指認為「吃人」的禮教，與現代美學所定位的自由價值相違背，而被美和藝術排除在外。如蔡元培先生一九〇一年將「六經」分解為現代不同的學科：「是故《書》為歷史學，《春秋》為政治學，《禮》為倫理學，《樂》為美術學，《詩》亦美術學。而興觀群怨，事父事君，以至於多識別鳥獸草木之名，則賅心理、倫理即理學，皆道學專科也。《易》如今之純正哲學，則通科也。」[4]這一觀念影響至大，到後來蔡元培做中華民國教育部長和北京大學校長時，逐漸使之體現在現代教育的學科體制中。自此以後，近現代學人對傳統禮樂的研究，或者將之等同於單純的音樂研究，又特別強調其形式上的審美價值；或者只是將禮分解為宗教、政治、倫理、和法律範疇，儒家禮樂的一體性論述被徹底切割。近代音樂學人青主說：「你們承認音樂是一種獨立的藝術，那麼，你們便不能夠把它當作是禮的附庸……你們要把音樂的獨立生命奪回來，自然要把『樂是禮的附庸』之說打破，即是要把『音樂是道的一種工具』之說打破，必要把這一類的學說打破，然後音樂的獨立生命才有著落。」[5]在這種現代西方美學和藝術觀的主導下，一些學人抨擊傳統禮樂中樂

---

3　《史記》中有〈禮書〉、〈樂書〉、〈律書〉，《漢書》中有〈律曆志〉和〈禮樂志〉，而《後漢書》中沒有以「樂」命名的篇章，在「志」部分，只有〈律曆〉、〈禮儀〉和〈祭祀〉篇。如果律也可以歸入廣泛意義上的「樂」，那麼也可以說在正史的主流中，禮和樂都是分篇而言。

4　蔡元培：《學堂教科論》，《蔡元培全集》北京：中華書局，1984年，第一卷，頁145。

5　黎青主：《音樂通論》上海：商務印書館，1933年，頁3-4。

的非自律性，試圖要從禮中把樂拯救出來，致使禮樂各失其本來面目，在不同學科和學術觀念下延續自己的生命。

## 二

中國傳統的樂其實包含現代所謂的詩歌樂舞，在現代學術視野中被看作審美和藝術的對象，已被「理所當然」地納入美學和藝術的研究範圍。而對於禮，自近代以來，從美學和藝術視野去接引卻沒有那麼順暢。但近現代一些具有西方學術眼光和觀念自覺的學人，卻從這方面做了巨大的努力，這幾乎可以構成一個學人譜系，如王國維、馮友蘭、梁漱溟、錢穆、李澤厚、張法、葉舒憲、聶振斌、劉成紀等。這些學人，雖然都是從美學和藝術角度來看中國傳統的禮，但有不同的側重，大致可以分成兩種類型。一種是側重於禮儀與主體的情感關係，即禮作為情感的表現和對情感的教育；一種側重於藝術客體，側重於禮作為一種「有意味的形式」，或者「理念的感性顯現」，作為精神觀念的象徵符號。當然二者之間又總是交合在一起的，因為情感和理念總是交合的，很多學人在兩個方面是兼而有之。

先看第一種類型，以王國維、馮友蘭、梁漱溟和錢穆為代表。王國維深研德國美學，對傳統文化的闡釋深具現代視野。他初步從美學中的本質（內容）與形式的關係看待禮，認為傳統之禮有其情的本質（內容），更有其外在動容周旋的形式，而這種形式是情感的表現，不能割裂二者。[6]又如馮友蘭所言：「儒家所宣揚之喪禮祭禮，是詩與藝術而非宗教，儒家對待死者之態度，是詩的，藝術的，而非宗教的。」[7]這是更進一步，直接從西方人文學術觀念來看中國傳統之禮，認為其本身就是藝術和詩。而馮友蘭之所以認為喪禮祭禮是藝術的和詩的，主要還是因為喪祭禮裡面充溢著中國古人想像和情感的因素。進一步從藝術對情感的陶冶和培育的角度來看待中國傳統之禮的是梁漱溟先生。他從禮樂作為情感的表達和陶冶的角度，認為禮儀節文是用以鄭重地表達人的情感，並妥帖的安放人的情感。他說：「大約祀天祭祖以至祀百神這些禮文，（中略）或則引發崇高之情，或則綿永篤舊之情，使人自盡其心而涵厚其德，務鄭重其情而妥安其志。」[8]錢穆則純粹從一種無利害的情感的角度看傳統禮儀。[9]他視禮儀完全為一種「無

---

6　他認為：「禮之本質為情，形式為文，此本質與形式相合而為禮。恭敬辭遜之心志所動者，情也；動容周旋之現於外形者，文也。」（參見〔清〕王國維：《孔子之學說》：《王國維文集》北京：中國文史出版社，1997年，第三卷，頁132）

7　馮友蘭：〈儒家對於婚喪祭禮之理論〉，《三松堂學術文集》北京：北京大學出版社，1984年，頁132-145。

8　梁漱溟：《孔家思想史》，《梁漱溟全集》，第七卷，濟南：山東人民出版社，1992年，頁168。

9　如其言：「儒家不提倡宗教信仰，亦不主張死後有靈魂之存在，然極重喪祭禮，因此乃生死之間一種純真情之表現……對死者能盡我之真情，在死者似無實利可得，在生者亦無酬報可期，其事超於

利害」的情感的表現，人在禮儀之中關鍵在於抒發這種純粹的真情。在現代學術視野下，這一類學人將禮看作表現情感的美感形式，並起到對心靈的美育作用，是為了不以宗教的視角接引傳統禮樂，尤其是傳統的禮。在他們看來，禮不是一個現代學術視野下的宗教問題，卻在中國文化中起到了宗教那樣的作用。仔細深究，他們將之視為一種情感或美感形式，且已經明確表示禮就是藝術，一如他們以這樣的方式看待禮樂中的樂。情感、美感、形式、教（美）育，是這一類將傳統的禮也作為美學和藝術的研究對象，進而在現代學術框架下，重構傳統禮樂一體性論述的幾個關鍵字。

再看第二種類型，以李澤厚、葉舒憲、張法、劉成紀為代表。李澤厚先生在其《美的歷程》和《華夏美學》中以現代學術觀念對傳統禮樂文化有獨到的闡發，既有從美感形式和審美心理（感知、想像、情感、理解）的角度，也有從藝術客體（形式、象徵、理念）的角度。從第二種角度來說，他將禮視為一種傳達儒家價值觀念的美和藝術。[10]當代學者葉舒憲將傳統禮樂都看作一種來自史前社會宗教儀式的象徵性的符號行為，樂配合著禮，只是所用媒介不同，禮的媒介是身體的程式化動作。[11]而當代美學史家張法先生則從現代美學的視角對傳統禮儀完成了一次順暢的接引。他認為：

> 禮包括三個方面：禮器、禮儀、禮意。禮器是禮的實物性體現，從城邑宗廟陵寢、旌旗車馬、服飾衣冠、鼎簋籩豆、鐘鼓舞樂中具體地體現出來。禮儀是在禮的活動中通過禮器的展示呈現人物和禮器的風采。禮意就是通過禮器的展示和人物活動而體現社會人倫的的倫理秩序、家國天下的政治秩序、天地運行的天道秩序。禮器、禮儀、禮意識是統一的。在三者之中，禮亦是宗教、政治、倫理內容，即善；禮器和禮儀則是禮意的感性呈現，即美。善和美都統一在「禮」字之中。[12]

在這裡面，禮文（禮儀和禮器），作為「飾」，作為美感的形式，就傳達了倫理政治、宗教形上之義理。而當代學人劉成紀則從感性、審美和象徵三個角度論述禮的藝術性。[13]

功利計較之外，乃更見其情意之真。」（引文參見錢穆：《論語新解》北京：生活・讀書・新知三聯書店，2002年，頁13-14。）

10 如其所言：「『禮』、『樂』都與美學相關連……這種『禮』到殷周，最主要的內容和目的便在於維護已有了尊卑長幼等級制的統治秩序，即孔子所謂的『君君臣臣父父子子』每個個體以其遵循的行為、動作、儀式來標誌和履行其特定的社會地位、職能、權利、義務……『禮』既然是在行為活動中的一整套的秩序規範，也就存在著儀容、動作、程式等感性形式方面。這方面與「美」有關。」（參見李澤厚：《華夏美學》天津：天津社會科學出版社，2002年，頁19-21。）

11 葉舒憲：《中國神話學》北京：中國社會科學出版社，1992年，頁3-4。

12 張法：〈禮：中國美學起源時期的核心〉，《美育學刊》，2014年第2期。

13 如其所言：「禮，我們說它對於個體是一種立於肉身的行為藝術；對於群體而言是一種建構公共儀式的典禮藝術，原因也無非在於它具備了作為藝術的基本特性，即感性呈現（行為與器具的視覺特

這種從藝術的客觀性角度看待中國傳統之禮，是對藝術作為「理念的感性顯現」或作為一種「有意味的形式」的化用。感性（形式）、審美、象徵、理念構成了這一類型將禮視為美和藝術的關鍵字。

但同時，也有許多近現代學者雖然不是從美學和藝術視野看待傳統之禮，但其基於傳統經學和史學的研究論斷，也可以直接而順利地被接引到美學和藝術領域。如近代古文經學大家黃侃將禮分為「禮之意、禮之具和禮之文」[14]。時值西學東漸，他雖然沒有從現代學術觀念研究中國傳統之禮，但其分「禮之意」、「禮之具」、「禮之文」，而且強調三者不可分隔，既是對中國傳統之禮的特質的總結，更為後世學者從美學角度觀待傳統之禮奠定經學基礎。張法先生正是從現代學術觀念出發，在沿襲經學家對禮的傳統論斷時，將禮之意分解為現代人文學術中宗教、政治和倫理內容，即廣義的善，將禮器（禮之具）和禮儀（禮之文）看作美感形式，即美，如此，中國傳統之禮就是傳達善的理念的美感形式。由此可見，從傳統禮經學向現代美學和藝術過渡，有著非常順暢的通道，儒家禮樂的一體性論述在其中獲得了延續。與黃侃同時代的吳承仕先生對「三禮」之學有精深的研究，他從更細緻的角度總結禮的內涵，在禮意、禮節（文）、禮器的基礎上又增添了一個禮制[15]。禮制是禮當中更具抽象性的一面，但禮制總是更具體地表現為禮典，即王國維所謂的「由是制度，乃生典禮，則經禮三百，曲禮三千是也」[16]。禮制以禮儀活動中的諸環節（禮典）開始其合法性運作，並由此顯示某種意義，示範某種

---

性）、審美化（行為和器具所構建環境的雅化）以及對精神意義的包蘊（禮意）。也就是說，感性、審美、意義共同構成了禮的藝術性，而物的呈現在其中具有奠基性。」（參見劉成紀：《中國藝術批評通史‧先秦兩漢卷》合肥：安徽教育出版社，2015年，頁86）

14 如其所言：「有禮之意，有禮之具，有禮之文……何謂禮具？《周禮》一經數言辨其名物，凡吉凶禮樂自非物曲固不足以行之，是故祭有祭器。喪有喪器，射有射器，賓有賓器。及其辨等威，成節文，則宮室車旗衣服飲食皆禮之所寓，雖玉帛鐘鼓非禮樂之至精，舍之則禮樂亦無所因而見。故曰德儉而有度，登降有數，文物以紀之，聲明以發之。知此義也，則《三禮》名物必當精究，辨是非而考異同，然後禮意可得而明也……何謂禮文？節文度數之詳是也……則喪雖主哀，祭雖主敬，苟無禮物威儀以將之，哀敬之情亦無所顯示矣。夫七介以相見，不然則已愨。三辭三讓而至，不然則已愨。禮有擯詔，樂有相步，皆為溫籍重禮也。禮之失則或專重儀文而忘其本意，故傳以為識……動作禮義威儀之則所以定命，傳以失儀而致誚者不可悉數。是則人而無儀亦不可以行禮矣。」（黃侃：〈禮學略說〉，陳其泰，郭偉川，周少川編：《二十世紀中國禮學研究論文集》北京：學苑出版社，1998年，頁16-20。）

15 吳承仕對禮如是認識：「曰禮意，曰禮制，曰禮器，曰禮節，言不虛生，事不空作，制度有廢興，器數有隆殺，必有其廢興隆殺之故，此禮意也。六官之守，五禮之條，自立官、封國、授田、制錄、學校、選舉、郊廟、歲祭、朝聘、燕饗以至冠婚、喪紀，皆禮制也。大而宗廟、宮室、瑞玉、宗彝、車服、旗章，細而幾席、枕簟燕褻之器，凡禮數所施，朝燕之所禦，皆禮器也。登降俯仰之儀，酬酢往復之節，擗踴哭泣之數，皆禮節也。」（參見吳承仕：〈三禮名物略例〉，《國學論衡》，1933年第2期。）

16 王國維：《殷周制度論》，《王國維文集》北京：中國文史出版社，1997年，第四卷，頁54。

價值。[17]禮意、禮制、禮文、禮器基本上囊括了禮的所有向度，且它們都是禮當中不可或缺的環節。這為當代學人從美學視域接引傳統之禮，同樣提供了一個順暢的通道。從禮器、禮儀到禮意，中間要有一個禮制的環節，雖然制度常常並非是美學直接研究的對象，但加上這個環節，則足以體現中國傳統美學不僅僅關乎人生與自由，更有其作為制度文明建構的一面。當代學者劉成紀就是在把禮看作一種藝術時，注重這種藝術作為一種制度，在國家制度和政治文明建構中的重大作用，從而為傳統之禮向現代美學話語的轉化提供了心性美學之外的制度美學之維。[18]

　　禮容、禮數、禮節、禮文、禮儀，這是禮最基本含義，從美學觀之，這是一套感性的符號體系，即在周旋揖讓、俯仰進退中所呈現的優美的言動，一種「燦爛的感性」，這就是美。它是情感的表現，更能對情感進行藝術化的陶冶。禮還有禮義、禮秩、禮制的含義，即作為義理、作為制度、作為秩序的更具抽象一面的含義，這個含義的禮，從美學的角度看就是所謂的抽象的理念和秩序，這就是善。這雖然不是美學直接研究的對象，但卻是美學研究不可脫離的對象。因為這個層面的含義與第一層含義是不可脫離的。從傳統來看，一切優美的禮節、禮數、禮文、禮儀都示範著一定的禮義，都是某種禮制獲得合法性的感性基礎，是秩序的直接體現。那麼，從美學來看，中國傳統之禮，就像樂一樣，可被視為一種傳達理念的美感形式，一種表現情感的藝術，這是禮樂在現代學術視野中獲得一體性的基礎。

## 三

　　中國古人講「知樂則幾於禮矣」[19]，恰恰是看到禮樂本性的重疊性。禮樂作為一個整體在傳統中國之所以能相須為用，一個重要原因即在於，在周旋揖讓的禮節中，就蘊含著音樂的韻律。禮是一種音樂化的舉止行動，在一些典禮中常常需要配樂；而在樂的演繹中，除了它在相對於禮的外在性上要配合著禮的踐履之外，在樂之內在性中，有著禮的理性精神的滲透與節制，「使親疏貴賤、長幼男女之理，皆形見於樂」（《禮記·樂記》）。在傳統禮樂觀念中，禮樂相互滲透、相互涵攝被儒家士人精細地論述，其一體性是一目了然的。禮作為一種美感形式，乃至藝術，像樂那樣，被納入到美學領域，這只

---

17　誠如當代歷史學家朱鴻林所說：「國家制定的禮，透過儀式的進行，讓制度開始它的合法性運作，讓它所擬追求的意義或價值得以涵寓，從而期待對群體以及個人發揮約束行為和鼓勵行為的政治作用。」（參見朱鴻林：〈國家與禮儀：元明二代祀孔典禮的儀節變化〉，《中山大學學報》，1999年第5期。）

18　參見劉成紀：《先秦兩漢藝術觀念史》北京：人民出版社，2017年。另可參見劉成紀：〈中國美學與傳統國家政治〉，《文學遺產》，2016年第9期。

19　（清）孫希旦：《禮記集解》北京：中華書局，1989年，頁982。

是作為禮樂一體性的現代重構的基礎。而在現代學術視野下論述禮與樂的相互滲透與涵攝，則是重構禮樂一體化論述的關鍵。

一些學者立足於現代哲學和美學，論述禮樂的這種相互滲透與涵攝。如賀麟先生講：

> 動容周旋中規矩，本質上固有指行為之合理性矩度言，但實際上仍指合於適宜的空間標準而言。蓋當執禮之時，進退周旋出入立坐，均有一定的空間的矩度，一如跳舞的步伐之有節奏，且須與音樂合拍。故行動之失禮，與跳舞之失節奏，均可以在美感上引起不良印象，在情緒上引起不諧和不舒暢之感。[20]

在這裡，賀麟先生用舞蹈的步伐之有節奏類比於中國傳統禮儀的矩度，正是因為看到動容周旋的禮節中的音樂精神，這種動容周旋本身就是要與音樂合拍的。所以禮儀展演的失當，同樣導致美感的喪失。對賀麟美學思想頗有研究的劉彥順先生說道：「因此，尤其是在『樂』的配合之下，『禮教』就與『樂教』完全融化為一體或者一個行為。」[21] 中國傳統的典禮，如鄉飲酒禮、鄉射禮、冠禮、祭禮等都是要配合樂的節奏的，要與之合拍。儘管中國傳統的禮儀踐履有些並不配樂，尤其是在日常相見的曲禮中，但其過程的轉換之機也仍然有著極強的節奏，充溢著音樂精神。合拍或者有節奏的禮儀踐履，非常有類於現代所謂的舞蹈。演禮的過程是一個時間化的過程，更是一種有節奏的時間化的過程。當代學者羅藝峰先生認為：

> 古代之禮，揖讓恭謹，進退上下，莫不具音樂節奏，優美韻律，是音樂化的規範行為；古代之樂，純如繹如，中正平和，又莫不具禮之精神，是禮制（禮教）化的藝術情感和倫理美感。[22]

禮是「音樂化的規範行為」，樂則是「禮制化（禮教化）的藝術情感和倫理美感」，這就在現代美學和藝術視野下充分闡釋了二者的相互滲透涵攝的關係，即對禮樂之一體性進行了現代重構。這種現代闡釋並不是完全割裂傳統，而恰恰繼承了傳統禮樂相互滲透涵攝的一體性本質。

中國傳統的禮莫不具一種音樂的節奏，演禮配合著演樂；而樂則莫不具一種禮的精神，演樂配合著演禮。禮中有樂，樂中有禮。離樂而言禮，禮失其靈活酣暢，成為空洞而僵化的形式，束縛人性；離禮而言樂，樂失其嚴肅崇高，淪為短暫的消遣品，放逸人心。

---

20　賀麟：《近代唯心論簡釋》北京：商務印書館，2011年，頁37。
21　劉彥順：〈時間化的禮樂教化活動及中華美學精神的復興——論賀麟的美學思想〉，《中國社會科學院研究生院學報》，2016年第4期。
22　羅藝峰：〈禮樂精神發凡並及禮樂的現代化重建問題〉，《中央音樂學院學報》，1997年2期。

道德律與時間的準則合一而產生『禮』的行為，即是道德行為音樂化、藝術化之別一種說法。蓋禮與樂、禮與藝術實根本不能分開。離樂而言禮，則禮失其活潑酣暢性，而成為束縛行為桎梏性情的枷鎖。離禮而言樂，則樂失其莊嚴肅穆之神聖性，而成為淫蕩人心的誘惑品。[23]

賀麟正是看到了禮的音樂性的一面，看到樂的禮儀性一面，發現中國古人試圖在美與善、道德與藝術之間取得了一個完美的交融。一切道德的追求都音樂化了，藝術化了，而一切藝術常常內蘊倫理道德的追求，蘊含著崇高的理性。在從美與善，藝術和道德的關係著眼去探究傳統禮樂時，很多學人常常把禮視為單純的倫理規範，與藝術無涉，在學科歸屬上歸為倫理學、政治學；將傳統的樂視為單純的審美藝術，單純高揚其審美特性，而忽略其內蘊的倫理道德的理念，忽略傳統的樂在審美之外的象徵之維，即向倫理、政治和宗教的敞開之維度。由此，傳統禮樂向現代的轉化，就不是一種「無縫的對接」，不是一種順暢的接引，而有著深深的斷裂。傳統禮樂的內在一體性被割裂開來，而成為兩個幾乎不相關的領域，這就遮蔽了中國傳統禮樂文化的歷史本然。

　　而從美學的視角，將禮和樂都看作是既善且美的，且禮音樂化、藝術化了，而樂則禮儀化、道德化了。換句話說，傳統禮樂的內在的一體性，在現代美學看來，就是藝術和審美的政治道德化，政治道德的審美和藝術化。這種藝術與道德，審美與政治的相互滲透與涵攝，即內在的一體性，如鹽在水，難分彼此。誠如羅藝峰所言：

古人將天文（如日、月、星辰軌跡）、地理（山川林谷風氣）、人道（君臣、夫婦、父子關係）全息性地表現在一部樂舞之中，否則就沒有禮，也沒有禮樂。是故，樂之禮，是精緻的政治、善化的行為、審美的情懷。禮之樂，是規範的文藝、倫理的宗教、神話的道德。[24]

「天文」、「地理」、「人道」，就是禮，是宗教、政治和道德，同時呈現在樂舞，即藝術中。從現代美學的角度，闡釋禮樂中藝術和道德，審美和政治的深刻的關係，是對傳統禮樂的內在一體性進行現代重構的核心所在。在這裡，傳統禮樂都是美善一體的，都是即藝術且道德的，是一種崇高的審美形態。但是就禮樂之間的相互滲透涵攝而言，禮更多是政治道德的審美和藝術化，樂更多是藝術和審美的政治道德化。

## 四

　　將傳統的禮，如傳統的樂那樣，也論述為美和藝術，將傳統禮樂的相互滲透涵攝的

---

23 賀麟：《近代唯心論簡釋》北京：商務印書館，2011年，頁38。

24 羅藝峰：〈禮樂精神發凡並及禮樂的現代化重建問題〉，《中央音樂學院學報》，1997年2期。

一體性，理解成藝術與道德，審美與政治的彼此互滲和相互涵攝，都是從美學的視域重建了其在現代的一體性論述。但是禮和樂畢竟是有一定的差異的。中國現代學術將禮樂割裂對待，不僅僅是現代學術本身重視學科分類的緣故，其根本也的確在於禮樂的差異。但是現代學人過分地放大了這種一體之中的差異，而沒有認識到，這種差異不僅不應該造成一體禮樂的割裂，恰恰為能從美學視域重建禮樂的一體性論述提供更深刻的精神支撐。在這一部分，關鍵的問題是如何理解孔子所謂的「興於詩，立於禮，成於樂」。

　　一九〇三年，王國維在〈論教育之宗旨〉時將「興於詩」、「成於樂」納入現代美育範疇，而對「立於禮」忽略。[25] 在一九〇四年的〈孔子之美育主義〉中，他認為孔子的「興於詩」，「成於樂」的教育是一種「始於美育，終於美育」的教育，對「立於禮」的美育論述還不見。[26] 但在一九〇七年的〈孔子之學說〉一文中，他肯認了禮的審美性，認為孔子所要行的是「周之華美的禮制」[27]；肯認了樂的政治道德性，「孔子禮樂治天下，是一種德教政治」[28]。所以，在他的視野裡，基本上可以推斷出中國的禮樂之教是一體的，且既屬美育，又屬德育，只是沒有明確言說禮教就是美育，但認為禮教蘊含美育的因素。他又說：

> 詩，動美感的；禮，知的又意志的；樂，則所以融合此二者。苟今若無禮以為節制，一任情之放縱，則縱有美感，亦往往動搖，逸於法度之外。然若惟泥於禮，則失之嚴重而不適於用。故調和此二者，則在於樂。[29]

綜合其言論，王國維從現代美學和藝術出發，大致揭示出禮樂之教都既是德育，又是美育。禮教偏重德育而不失美育的因數，而樂教則是對詩教和禮教在其單方面發展造成的劣勢的調和，以此重構了其一體性的現代論述。但是，這裡面有許多未能明言的地方，對樂教何以是一種調和亦未能深入。要而言之，他未能系統地對「興於詩，立於禮，成於樂」的關係作出闡釋，也就沒能在更深層次上重構其一體性的論述。

　　真正對這句話作出更系統的美學闡釋的是日本美學家今道友信。他對「立於禮」從藝術的角度進行了深刻的闡述，並認為「禮教」有著重大的藝術教育的意義，更進一步，他從美感的超越層次或精神在詩禮樂中的遞升境界重構了禮樂的一體性論述。他首先從藝術作為的理念顯現這一方面，將禮視為一種舉止文雅崇高的藝術。如其所言：

> 所謂禮，是典禮的精神，是個人或人與人之間的基本的精神狀態，不是內在的道德心或外在的形式。這正是形態世界中的美和道德心世界中的善的統一的理念，

25　王國維：《論教育之宗旨》，《王國維文集》北京：中國文史出版社，1997年，第三卷，頁58。
26　王國維：《孔子之美育主義》，《王國維文集》北京：中國文史出版社，1997年，第三卷，頁157。
27　王國維：《孔子之學說》，《王國維文集》第北京：中國文史出版社，1997年，三卷，頁149。
28　王國維：《孔子之學說》，《王國維文集》北京：中國文史出版社，1997年，第三卷，頁153。
29　王國維：《孔子之學說》，《王國維文集》北京：中國文史出版社，1997年，第三卷，頁147。

> 這就使禮在行為的領域中成為崇高的理念，成為美和善的統一體，成為實踐活動
> 中的行為和行動的準則了。正是由於這個原因，我給禮下的定義是，禮是舉止文
> 雅崇高的藝術，以典禮為頂點。[30]

這一對禮的藝術界定，基本上與上文所言的中國學人從藝術客體的角度論述禮作為一種藝術沒有根本的差別。「文雅」言其形態世界的美，「崇高」言道德心世界的善，禮是兩者的水乳交融。詩、禮、樂首先都是藝術，那麼它們的關係是怎樣的？接著，他進一步從這三種藝術對主體所帶來的美感的層層超越的角度談論從詩、禮、樂更加緊密的有機整體性。

　　他認為禮所帶來的審美體驗是對詩所帶來的只停留在意識內部和此岸世界的美感的超越。[31]

> 我們通過典禮的藝術可以超越詩藝術中的內在性，因為典禮在本質上是人演神的
> 劇，人在劇中必須把自己的意識投入到那種行動中，這就使意識中內在的東西進
> 入了世界現實並且表現出來。典禮是以詩的思想劇的形式把神即最根本的存在表
> 現出來的最高的形態，因為只有這種形態才能表達象徵的意義。禮的藝術即以典
> 禮為頂點的舉止優美、嚴肅的藝術，可以使精神克服詩的內在性，它不但能刺激
> 精神上升，還能使精神在現實中垂直地上升，不停地上升。[32]

典禮藝術帶來的超越使得精神垂直地上升，是把「神即最根本的存在表現出來的最高形態」，但是人仍舊沒有從祭神的事務中澈底解放出來。這時的精神雖然從此岸的意識世界中已經溢出來，開始邁向彼岸世界，但是尚漂浮於此岸與彼岸之間。這時候，樂的作用則是「百尺竿頭，更進一步」，實現最澈底的解放。

> 在禮的藝術中，由於精神和肉體一起打破了內在的意識進入了行動的世界，所以
> 超越了意識的限界，同時由於從祭神的事務性工作中把自己解放了出來，又使精

---

30　（日）今道友信著，蔣寅、李心峰、六海東、梁吉貴譯、林平煥校：《東方的美學》，北京：生活・讀書・新知三聯書店，1991年，頁99-100。

31　在談到詩所帶來的美感的超越性時，他認為：「我們的精神會因學習詩的藝術而垂直地上升，能瞭解隱藏在文字後面的所象徵的意義，這時精神將會到達一個較日常世界更高的領域，這是確實的。但這時精神仍然是停留在這個世界上，因為精神是停留在詩作品的內在解釋裡，而詩作品本身是這個世界的作品和屬於這個世界的。同時，精神雖能因詩的語言而瞭解暗示的意義，但這種瞭解常停留在意識內部，即使意識確較限定了的概念廣闊，但人的意識也是有限度的而且是內在的。因此我們不能不這樣說，在因詩藝術而上升了的精神和彼岸的存在之間，在這個世界和那個世界之間，在內在和超越之間，是有其難以逾越的距離的。」參見（日）今道友信著，蔣寅、李心峰、六海東、梁吉貴譯、林平煥校：《東方的美學》，北京：生活・讀書・新知三聯書店，1991年，頁101。

32　（日）今道友信著，蔣寅、李心峰、六海東、梁吉貴譯、林平煥校：《東方的美學》，北京：生活・讀書・新知三聯書店，1991年，頁100。

神漂浮在彼岸性和此岸性之間的領域裡。受到了音樂藝術的感染，精神就基本上獲得了自由，實現了純粹的超越，完成了從大地的解放。這種精神上的自由——沉醉，才是孔子關於藝術的目的。[33]

　　樂所帶來的超越是最終極的超越，是最純粹的自由。禮教是對詩教的超越，樂教是對禮教的超越，這是儒家所規劃的一條精神超越的審美遞進之路。詩、禮、樂是一個精神逐漸解放和升騰所表徵的藝術的連續體。由此，禮教與樂教的差異，就不是大部分學人所講的單純的德育和美育的差異，而是在心靈教育領地，美感和精神的超越所對應的不同的層次。可以說，它們都是藝術和審美教育，處在一個本性相同的遞進的連續體中。由此看來，禮和樂在現代美學和藝術視野中的更深層次的一體性論述，可以通由它們所帶來的精神和美感超越的遞進性顯示出來。

　　禮和樂都是藝術，且各自都是情感或美感的形式，是美善的合一體，以美儲善，以善化美。禮樂，在其外在性上相互配合，即在典禮儀式中，禮樂總是相須為用。禮樂，在其內在性上相互滲透，即禮儀節文內具音樂的節奏和精神，這是政治道德的審美和藝術化，樂舞則內具禮義的理性精神，這是審美和藝術的政治道德化。由禮教到樂教所帶來是一種從世界中解放的節節攀升，禮帶來的超越是對樂所帶來的沉醉的準備，這是一條從大地上獲得逐層精神解放的階梯。這就是在美學視域下，現代學人重構傳統禮樂一體性論述的三個重要維度。

---

33　（日）今道友信著，蔣寅、李心峰、六海東、梁吉貴譯、林平煥校：《東方的美學》，北京：生活・讀書・新知三聯書店，1991年，頁105-106。

# 考「大行」之言，明史公之意
## —— 司馬遷著史理據及義法之一例

魏梓昂

新加坡國立大學中文系

## 一　前言

太史公司馬遷著《史記》[1]百三十篇，凡五十二萬餘字，《隋書・經籍志》將之列為「正史」之首，學者至今則之。班固評之曰：「自劉向、揚雄博極群書，皆稱遷有良史之材，服其善序事理，辨而不華，質而不俚；其文直，其事核，不虛美，不隱惡，故謂之實錄。」[2]班氏所言，乃謂史公以「良史」之材，著「實錄」之書。然千載以降，學者覽其書者，或稱之、或疑之，或「議其是非、攻其牴牾，而能知意者蓋尠」。[3]錢穆先生在《中國史學名著》中特別提到：「我們要根據《史記》來了解司馬遷一個活的人，若我們只讀《史記》，而不問司馬遷其人，即是忽略了《史記》精神之某一方面，或許是很重要的一方面。」[4]可見讀《史記》，必須兼顧司馬遷其人其意，前賢早有定說。

筆者讀〈太史公自序〉，見史公自謂其「拾遺補藝，成一家之言，厥協六經異傳，整齊百家雜語，藏之名山，副在京師，俟後世聖人君子」。[5]一者知其已明言此書為「一家之言」，並無《漢書》以後官家史書之立場；[6]二者知其論著之時，實已遍蒐文本，網羅舊聞，因而言有所據，書有所本；三者史公蓋以其書頗多深意，難為俗人道也，故而特別寄語後世「聖人君子」，留心其意。今小子雖不敏，讀太史公書若有所得，姑妄言之，試窺史公之意。

1　由〈太史公自序〉可知，《史記》一書實為司馬談、司馬遷父子二人合著。在後世流傳之中，又有褚少孫等人為之補作。但由於作者問題並非本文討論重點（學界於此亦未有定論），且從廣泛意義上說，以司馬遷為《史記》最終成書之實際作者實無可厚非，因而本文討論的《史記》文本，均以司馬遷為作者。特此說明。

2　（漢）班固：《漢書》北京：中華書局，1992年，卷六十二，〈司馬遷傳第三十二〉，頁2738。

3　（清）孫德謙著、吳天宇點校：〈太史公書義法序〉北京：中國社會科學出版社，2020年，頁1。

4　錢穆：《中國史學名著》北京：生活・讀書・新知三聯書店，2013年，頁115。

5　（日）瀧川資言著、楊海崢整理：《史記會注考證》上海：上海古籍出版社，2015年，卷八，〈太史公自序第七十〉，頁4350。按：本文所引《史記》之文，皆依此本，下從略。

6　班固奉旨著史，以「頌漢功德」為《漢書》著書之立場。參見呂世浩：《從《史記》到《漢書》——轉折過程與歷史意義》臺北：國立臺灣大學出版中心，2009年，頁224-237。

在《史記》〈項羽本紀〉、〈李斯列傳〉、〈酈生陸賈列傳〉中，有三句十分相似的人物對白：

> 沛公已出，項王使都尉陳平召沛公。沛公曰：「今者出，未辭也，為之奈何？」樊噲曰：「**大行不顧細謹，大禮不辭小讓**。如今人方為刀俎，我為魚肉，何辭為。」於是遂去。[7]
>
> ——〈項羽本紀第七〉

> 胡亥曰：「廢兄而立弟，是不義也；不奉父詔而畏死，是不孝也；能薄而材譾，彊因人之功，是不能也。三者逆德，天下不服，身殆傾危，社稷不血食。」高曰：「臣聞湯、武殺其主，天下稱義焉，不為不忠。衛君殺其父，而衛國載其德，孔子著之，不為不孝。夫大行不小謹，**盛德不辭讓**，鄉曲各有宜，而百官不同功。故顧小而忘大，後必有害；狐疑猶豫，後必有悔。斷而敢行，鬼神避之，後有成功。願子遂之！」[8]
>
> ——〈李斯列傳第二十七〉

> 淮陰侯聞酈生伏軾下齊七十餘城，迺夜度兵平原襲齊。齊王田廣聞漢兵至，以為酈生賣己，迺曰：「汝能止漢軍，我活汝；不然，我將亨汝！」酈生曰：「**舉大事不細謹，盛德不辭讓**。而公不為若更言！」齊王遂亨酈生，引兵東走。[9]
>
> ——〈酈生陸賈列傳第三十七〉

瀧川資言先生作《史記會注考證》時，已經注意到了這三處相似之語，但並未深究。他只是在每處註文中標出其他兩處[10]，而在〈李斯列傳〉處的註文中推測為「蓋當時有此語」。[11]

筆者認為，這三句話[12]文意近似而應用情境不同，各有義理上的側重。而史公之所以寫下這三句話，一者用以刻畫人物，二來用以明成敗之理。進而論之，可見史公著此之義法，在於捕捉時代風氣，以及彰顯孔孟思想中「以義為本」的一面。下文試依次論之。

---

7　（日）瀧川資言：《史記會注考證》，卷一，頁436。

8　（日）瀧川資言：《史記會注考證》，卷六，頁3312。

9　（日）瀧川資言：《史記會注考證》，卷七，頁3503。

10　筆者按：〈酈生陸賈列傳〉處註文，言「趙高謂李斯曰」，蓋瀧川先生一時疏忽，記錯了對話人物，應為「趙高謂胡亥曰」。

11　（日）瀧川資言：《史記會注考證》，卷六，頁3313。

12　指「大行不顧細謹，大禮不辭小讓。（〈項羽本紀〉）」，「大行不小謹，盛德不辭讓。（〈李斯列傳〉）」，「舉大事不細謹，盛德不辭讓（〈酈生陸賈列傳〉）」。下文所言「三句」、「三句話」等，皆是指此三句，不再說明。

## 二　文義與義理

　　此三句話相似度頗高，但用詞、句法並不完全相同，使用的情境也有區別，且細讀之下，仍有滯澀之處。因而需考其文義，辨其義理，分別考察，綜而觀之。

　　試將此三句從文本中抽離出來，單看其詞句，疏通其句意。三句話各由前後兩個分句構成，筆者認為，後半句的「讓」字乃是理解整體句意之關鍵。一者，前半句「大行／大事」、「小謹／細謹」，文意相通，幾無歧義。「謹」可訓為「謹慎」，句意可通為：有大行事者，不必在細小處謹慎。而文義的難點主要在後半句。二者，將三句話中的後半句分別觀之，「盛德」與「大禮」是指人還是指事，似乎存在歧義：「盛德」可以是形容人的德行，也可以指盛大盛美之事[13]，史公筆下於此二義皆有用處[14]。「大禮」雖不可直接形容人，但亦可以指人「知大禮」[15]，句意上也講得通。但是，若「盛德」訓為「盛大之事」，則與前句的「大事／大禮」語意重複。因此，如果後面的「小讓」與「小謹」語意有明顯差別的話，以常理推之，「盛德」當不作「大事」之解，而指「大德」，即指人之盛德高義。[16]三者，還有「辭」字。此字應當訓為「不受」，與「不」連起來表示「不拒絕」之意[17]，還是與「讓」字合起來作「推託」之意[18]？其關鍵亦在於「讓」字。「讓」字亦有「責讓」、「謙讓」、「竊奪」三種解釋[19]，句意似乎也都說得通。[20]若

---

13　形容人則如《易・繫辭上》：「日新之謂盛德。」指事則如《左傳・僖公七年》：「夫諸侯之會，其德刑禮義，無國不記，記姦之位，君盟替矣，作而不記，非盛德也」參考：《漢語大詞典》上海：上海辭書出版社，2008年，頁1480。

14　「盛德」指事，如〈吳泰伯世家第一〉載季札觀樂：「……歌頌。曰：「至矣哉，直而不倨，曲而不詘，近而不偪，遠而不攜……施而不費，取而不貪，處而不底，行而不流。五聲和，八風平，節有度，守有序，盛德之所同也。」(《史記會注考證》，卷四，頁1717)；「盛德」指人，如〈秦始皇本紀第六〉載二世刻石：「……到碣石，並海，南至會稽，而盡刻始皇所立刻石，石旁著大臣從者名，以章先帝成功盛德焉」(日) 瀧川資言：《史記會注考證》，卷一，頁373。

15　〈梁孝王世家第二十八〉載：「於是遣田叔、呂季主往治之。此二人皆通經術，知大禮。」(日) 瀧川資言：《史記會注考證》，卷五，頁2680。

16　筆者按：「盛德」猶「大德」，指人之盛德高義，其義理或源自《論語》：「子夏曰：「大德不踰閑，小德出入可也。」」(程樹德撰，程俊英等點校：《論語集釋》(下) 北京：中華書局，2013年，頁1508)，是謂也。「大德」在《史記》中的用法，可見〈齊太公世家第二〉：「九年景公使晏嬰之晉，與叔向私語曰：『齊政卒歸田氏。田氏雖無大德，以公權私，有德於民，民愛之。』」(〔日〕瀧川資言：《史記會注考證》，卷四，頁1791)。

17　如「受命不辭」，見〈樂毅列傳第二十〉，(日) 瀧川資言：《史記會注考證》，卷六，頁3162。

18　如「燕王以客禮待之。樂毅辭讓。」同上註，頁3157。

19　按：讀ràng，有「以辭相責」「謙讓」「以己所有者與人」三義，概括為「責讓」、「謙讓」二意；讀rǎng，意為「竊奪」，通「攘」。來源：《辭源》，第三版 (網路版)，商務印書館，2015年，〈http://ciyuan.cp.com.cn/etymology/word/fuzzySearch.jspx?title=%E8%AE%93〉，瀏覽日期：2020年11月15日。

20　如可通為「盛德／大禮不必講小的謙讓」、「盛德／大禮不拒絕小的責讓」、「盛德／大禮不計較小的竊奪」等。

「讓」為「責讓」義，則「不辭讓」即是「不拒絕責讓」；若「讓」為「謙讓」義，則「不辭讓」便是「不講小的謙讓」之意；若「讓」為「竊奪」義，則「不辭讓」便是「不計較小的竊奪」之意。至此可明，解決了「讓」的含義，則整句之大義亦可疏通而之。

接下來，再將此三句話置於前後文中來考察，則「讓」字當理解為「責讓」，庶幾明矣。先看〈項羽本紀〉：劉邦認為不辭而別不太合適，而樊噲以為事態危急，不必告辭，故有是語。這與「謙讓、竊奪」等意思顯然無關，因而此處「讓」只能訓為「責讓」。〈李斯列傳〉中，前後文是趙高勸胡亥矯詔自立的對白。此處之「讓」無關「謙讓」，因為胡亥本就不是第一順位繼承者，讓國讓位無從談起。若「讓」為「竊奪」，則此處當理解為趙高勸胡亥「盛德之人不計較對天下的竊奪」，句意上似乎說得通，但實則與前文相牴牾，難以構成趙高對胡亥之答語。前文胡亥認為這是「不義」、「不孝」、「不能」的大逆不道之舉，擔心會有「天下不服，身殆傾危，社稷不血食」的後果。這分明是顧及天下對他的責讓。所以趙高拉出湯、武、衛君、孔子等人事，言其高義，意在打消胡亥顧慮。其言「不為不忠」、「不為不孝」，正是對胡亥所顧慮的天下非議的回應。因而此處之「讓」，訓為「責讓」最為恰當。再看〈酈生陸賈列傳〉，兵臨城下之際，齊王要酈生去說服韓信退兵，不然就要受烹。而酈生的回答是：老子不再為你去當說客了！似乎酈生是「英勇就義」了，因而「盛德不辭讓」也可以表示「做大事（為漢赴死）不推托」，但前文已有「（齊王）以為酈生賣己」一句，則「讓」為「責讓」，亦明矣。至此，則可說三句話的大意為：「做大事不必在細小處謹慎，有大德不必拒絕小的責讓」。

文義既明，再說義理。此三句頗似現代人常說的格言或座右銘，義理較為寬泛，在具體語境中可以有不同的側重。下面還是從三處語境來考察，說明使用者著重要表達的義理。〈項羽本紀〉中，樊噲與劉邦討論的重點在於「是否應該不告而別」。顯然，在任人宰割的危機時刻，與性命存亡的「大行」相比，當面辭別的行為實在是「小謹」了。此番鴻門赴宴，劉邦對項羽的一番解釋和賠罪才是「大禮」，即便此刻不辭而別，也頂多受些「小讓」罷了。因此，樊噲實際上是用這句話來勸劉邦認清形勢，保全性命。此處義理在於：性命為大，禮節為小，危急時刻要分清輕重緩急。〈李斯列傳〉中，趙高與胡亥就矯詔自立一事展開了激烈的辯論。胡亥覺得這是大逆不道的行為，不義、不孝、不能的罵名會導致天下不服，自己遭殃。而趙高則舉出以前的「盛德」之人：湯、武以臣弒君不為不忠，衛君以子弒父不為不孝。這些古人何嘗不知自己的行為是不忠不孝？只是大義在前，「斷而敢行」罷了。因此，趙高的用意，是以古代盛德之人的義舉，勸胡亥以取天下、安天下為盛德，暫且拋卻忠孝禮義，果斷行事。此處義理在於：天下為大，忠孝禮義為小，為天下計者不必在乎非議。〈酈生陸賈列傳〉中，不同於前兩處都是以言勸人，酈生是以言自況，庶幾算是遺言了。他本已「伏軾下齊七十餘城」，

卻因韓信兵臨城下，自己不願為齊王勸退漢兵，最終被齊王所烹。表面上看，似乎是韓信爭功，而酈生只得被迫將計就計，慷慨赴死，筆者以為不然。酈生對此事是否有準備、有預謀，無疑會影響此處義理的解讀，必須先弄清楚。筆者對讀〈高祖本紀〉[21]、〈淮陰侯列傳〉[22]及本傳中與此相關的記載，大膽推測：酈生往說齊王使齊解除守備，再由韓信舉兵攻打，一舉平定齊國，這一系列的動作，本就是酈生自己的謀劃。一者，〈淮陰侯列傳〉中明言高祖並未下詔令韓信退兵[23]。軍國大事，環環相扣，牽一髮而動全身。若既定戰略是納降，則勢必要暫緩進軍甚至退軍，否者與齊國二十萬軍隊一戰，傷亡又在幾何？因此，這並非是高祖方面無意之疏忽，而應是有意之謀劃。二者，齊國此前在楚、漢兩方之間反覆搖擺。酈生謂之「人多變詐」[24]；韓信定齊後，亦言齊「偽詐多變，反覆之國也」[25]，這雖是他希望做齊王的託辭，但亦是對齊國較為清晰的認識。因此，齊雖願降，心必不誠。一舉攻而克之，方是一勞永逸之策。酈生想必也是看到了這一層，因而不願為齊王說退漢兵。三者，遊說在前，卸敵防備；擁兵在後，伺機攻打的事已有先例[26]，此番儼然「昨日重現」。將此視為漢當時的一種作戰策略亦不為過。此番酈生說齊，韓信進兵，正是故技重施爾。只不過齊王狠毒，直接以烹殺相逼，酈生不得已而死之。綜上，酈生對於局勢有相當清醒的認識，說齊而後進兵的行為，很可能就是他所參與的謀劃。有鑒於此，對於齊王「以為酈生賣己」的指控，酈生自然是承認了。所以言及「舉大事不細謹，盛德不辭讓」：定齊乃為「大事」，個人的生死是「細謹」，而此番犧牲自己成全漢軍定齊大業，亦可謂「盛德」，也就不必在乎齊王「賣己」的責讓了。一般而言，古人不會自詡盛德。不過須知酈生乃是「狂生」[27]，死前有此語，亦符合其性格與行事。此處義理在於：戰略大局為大，個人生命與名聲為小，苟

---

21　「淮陰已受命東，未渡平原。漢王使酈生往說齊王田廣，廣叛楚與漢和，共擊項羽。韓信用蒯通計，遂襲破齊。齊王烹酈生，東走高密。」（日）瀧川資言：《史記會注考證》，卷一，頁521。

22　「信引兵東，未渡平原，聞漢王使酈食其已說下齊，韓信欲止。范陽辯士蒯通說信曰：『將軍受詔擊齊，而漢獨發閒使下齊，寧有詔止將軍乎？何以得毋行也？且酈生一士，伏軾掉三寸之舌，下齊七十餘城，將軍將數萬眾，歲餘乃下趙五十餘，為將數歲，反不如一豎儒之功乎？』於是信然之，從其計，遂渡河。齊已聽酈生，即留縱酒，罷備漢守禦。信因襲齊歷下軍，遂至臨菑。齊王田廣以酈生賣己，乃亨之。」（日）瀧川資言：《史記會注考證》，卷七，頁3404。

23　見上註：「寧有詔止將軍乎？」

24　（日）瀧川資言：《史記會注考證》，卷七，頁3499。

25　同上註，頁3406。

26　「沛公欲以兵二萬人擊秦嶢下軍，良說曰：『秦兵尚彊，未可輕。臣聞其將屠者子，賈豎易動以利。願沛公且留壁，使人先行，為五萬人具食，益為張旗幟諸山上，為疑兵，令酈食其持重寶啗秦將。』秦將果畔，欲連和俱西襲咸陽，沛公欲聽之。良曰：『此獨其將欲叛耳，恐士卒不從。不從必危，不如因其解擊之。』沛公乃引兵擊秦軍，大破之。遂北至藍田，再戰，秦兵竟敗。遂至咸陽，秦王子嬰降沛公。」（日）瀧川資言：《史記會注考證》，卷五，頁2605-2606。

27　「酈生食其者，陳留高陽人也。好讀書，家貧落魄，無以為衣食業，為里監門吏。然縣中賢豪不敢役，縣中皆謂之狂生。」（日）瀧川資言：《史記會注考證》，卷七，頁3495-3496。

能平定一方，就烹身死、背負罵名又有何妨？三處義理既明，綜而觀之，或可概括為一種認清形勢，權衡利弊，從大處、長遠處著眼的行事觀念。

## 三　史公之作意

值得注意的是，《史記》全書百三十篇，從黃帝書至漢武，凡五十二萬餘字，類似的句子只出現在這三處，且時間上集中在秦末至楚漢相爭這短短數年間。若只以歷史的眼光來看待，則這三處對白即便刪去也並不影響對歷史進程的記載[28]。因此，史公為何詳述這三處對白，寫下這三個相似的句子，是值得深思的。

首先，最基本的推斷是：史公認為這三句話符合當時的時代、當時的場景、當時的人物性格和身份，因而如此寫下是合理的。無論這三句話是材料中已有，史公如實紀錄；還是史公考其行事，自為補寫，都不影響這一推斷。何者？若是材料之中固有，則以史公取材之嚴謹，態度之持平[29]，必先經過一番考證與刪減，最終仍然留下，則顯然是史公有意為之。若是史公自為補寫，則更說明他本就認為彼時之場景與人物，應有如此之言語。具體而言，筆者推斷史公著此之理據有二：

一者，此三句話，有助於刻畫人物，使我們了解相關人物的行事與為人。史公筆下，皆是歷史上真實存在的人物，並非創作下的文學人物。歷史上活生生的人都是複雜的，自有其性格、行為、善惡，而且會有改變。著史者要在或多或少的材料中，提煉、謀篇，如實刻畫和表現這些已經存在過的歷史人物，難度可想而知[30]。史公想必亦是要通過這三句話，使我們看到樊噲、趙高、酈生如何行事為人：樊噲本以「屠狗為事」，行事常不拘小節。所以他可以擁盾直接撞入「鴻門宴」中，也可以在高祖病不見人時「排闥直入」，責讓高祖只見宦官不見大臣。[31]「大行不小謹」，雖是樊噲勸劉邦之語，

---

28　事實上，班固的《漢書》就是這樣處理的。如〈酈陸朱劉叔孫傳〉，在前文幾乎照搬《史記》的情況下，將此處記為：「韓信聞食其馮軾下齊七十餘城，乃夜度兵平原襲齊。齊王田廣聞漢兵至，以為食其賣己，乃亨食其，引兵走。」樊噲勸劉邦之語，諸傳亦不見載。（按：趙高、胡亥為秦末之時，《漢書》不涉）。

29　此論先見於徐復觀先生〈論史記〉一文：「《仲尼弟子列傳》贊：「太史公曰，學者多稱七十子之徒，譽者或過其實，毀者或損其真，鈞之未睹厥容貌，則論言弟子籍，出孔氏古文近是。余以弟子名姓文字悉取論語弟子問并次為篇，疑者闕焉。」在上面的文字中，一面可以看出他取材的謹慎，同時也可看到他態度的持平。」徐復觀：〈論史記〉，氏著：《兩漢思想史》北京：九州出版社，2014年，卷三，頁390。

30　如徐復觀先生所言：「所謂歷史中具體的人物，其性格行為，都受到現實生活中的限制，具備了人的優點，也具備了人的弱點；善惡的比重各不相同，但總是善中有惡，也可能惡中有善……史學家最大的任務，應當在材料許可範圍之內，把人的各方面表達出來，這才是符合於歷史具體人物生活的實態。但這關係於史學家的德量，及藝術性的感受能力。」同上註，頁389-390。

31　以上樊噲諸事，俱在〈樊酈滕灌列傳〉中，（日）瀧川資言：《史記會注考證》，卷七，頁3445-3454。

但不也正是樊噲自己的寫照嗎？趙高一手策劃胡亥奪位，足見其行事果決，不顧禮義。攬權後更是指鹿為馬[32]，不正是「不辭讓」之人嗎？酈生死前自言「盛德不辭讓」，又對齊王直以「而公」[33]自謂，足見其「狂生」之稱不虛矣。值得一提的是，同一列傳中，還載有劉邦痛罵陸賈之語，也是以「迺（乃）公」自稱[34]，可見其粗鄙。由此可見，史公對人物語言的用詞頗為著意。此三句話，正有史公說明說話人物之行事為人之意也。

　　二者，史公對這三句話的記載，亦因其關乎成敗之理。除了〈太史公自序〉之外，史公亦在〈報任少卿書〉中明言其「網羅天下放失舊聞，考之行事，關乎成敗興壞之理，凡百三十篇，亦欲以究天人之際，通古今之變，成一家之言。」[35]說明史公著史，常常以「關乎成敗興壞之理」為考量。從秦二世繼位之後，到高祖平定天下之前，此一歷史時期，堪稱戰國之後又一亂世。秦失其政，群雄逐鹿；楚漢相爭，攻伐不斷。以後人眼光觀之，三句話所處的歷史場景，乃是關乎天下大勢走向的關鍵節點，史公時代所距不遠，自然看得更為真切。趙高勸胡亥矯詔篡位，其後殺扶蘇、囚蒙恬，正是秦朝禍亂之始。若胡亥不依趙高「大行」之言，則扶蘇為君，蒙恬為將，則趙高不得亂政，秦朝不至速亡；沛公劉邦在鴻門宴上僥倖脫逃，才有其後之漢高祖劉邦。若不聽樊噲「大行」之言，則天下之歸屬實未可知，遑論漢朝四百年國祚；酈生說齊，韓信進兵，以最小的損耗一舉定齊，從而對楚形成夾擊，因而亦是劉邦奪得天下之關鍵一役[36]。若酈生講仁義、守禮節，則齊難以迅速平定，天下形勢或又變矣。由此觀之，「大行不細謹，盛德不辭讓」，此誠關乎成敗興壞之語也。故史公於此三處皆著錄之，以饗後世。

## 四　史公之深意

　　上節所論，乃史公寫下這三句話之理據。理據之外，尚有義法[37]。若明其義法，則

---

32 事見〈李斯列傳〉，（日）瀧川資言：《史記會注考證》，卷六，頁3331。

33 日本學者岡白駒註曰：「而公，自稱之倨辭，猶乃公也。」（日）瀧川資言：《史記會注考證》，卷七，頁3503。

34 陸生時時前說稱詩書。高帝罵之曰：「迺公居馬上而得之，安事詩書！」（日）瀧川資言：《史記會注考證》，卷七，頁3507。

35 此文亦謂班固錄在《漢書‧司馬遷傳》，卷六十二，〈司馬遷傳第三十二〉中。（漢）班固：《漢書》北京：中華書局，1992年，頁2735。

36 酈生說齊之前，曾為劉邦分析局勢：「方今燕、趙已定，唯齊未下。今田廣據千里之齊，田閒將二十萬之眾，軍於歷城，諸田宗彊，負海阻河、濟，南近楚，人多變詐，足下雖遣數十萬師，未可以歲月破也。」誠如是言，若非酈生卸其守禦，漢齊一戰，即使戰而勝之，亦必元氣大傷，則天下所歸亦未可知矣。原文見於（日）瀧川資言：《史記會注考證》，卷七，頁3499。

37 「義法」一說，取自孫德謙所著《太史公書義法》。其書〈引旨〉篇自述其意為：「及孔子作春秋，孟子論之云：其事則齊桓、晉文，其文則史，而孔子自言則謂其義竊取之。可知春秋一經，孔子所

距史公之意，當不遠矣。

　　筆者以為，史公著錄此三句話之義法之一，在於捕捉時代之風氣，概括行事為人之準則。「在歷史發展中，常有一種特別風氣，代表了某一時代的特性或時代精神，為作史者所必不可忽略。」[38]這是徐復觀先生解釋史公立傳之選擇時，特別提到的。筆者認為，「大行不顧細謹，大禮不辭小讓」等三句話，亦可謂彼時時代精神之一面，而為史公所捕捉。非惟三處對話相關之人，略考《史記》中秦漢之際紀事，則不拘小節，不辭小讓之人、事多矣。略舉幾例：如張耳陳餘相為刎頸之交。張耳被困巨鹿，陳餘雖有數萬兵，自度兵少不敵而不敢相救，張耳因大怒，遣使痛罵陳餘[39]。張耳所言「始吾與公為刎頸交‧……苟必信，胡不赴秦軍俱死」，乃是要陳餘以信義為重，甚至於捨生取義。而在陳餘看來，與其白白送死，不如暫留性命將來報仇。其曰：「吾死顧以為無益。必如公言。」[40]可見其並非不仁不義之人，而是有所權衡，因此不辭張耳之責讓。這不正是「大行不小謹，盛德不辭讓」之舉嗎？又如叔孫通，「秦時以文學徵，待詔博士」。秦二世問天下反事，諸生皆直言，引二世怒；唯有叔孫通為了「脫虎口」扯謊搪塞，言「何足憂」，得以全身而退。投漢之後，又因漢王憎惡其儒服，而改服短衣。[41]

以筆削者，要有大義存乎其中，非第事求詳備，文取謹嚴而已也。故太史公十二諸侯年表述春秋家言，則直稱之曰「以制義法」。所為「義法」者，杜預註左傳序：「仲尼因魯史策書成文，考其真偽，而志其典禮，上以遵周公之遺制，下以明將來之法。其教之所存，文之所害，則刊而正之，以示勸戒」是也。夫太史公非紹春秋之學者哉？彼既知孔子之作春秋有義法，為所創制，則其所為書，究天地之際，通古今之變，自成一家之言，亦豈無義法之昭著哉？」見於（清）孫德謙著、吳天宇點校：《太史公書義法》北京：中國社會科學出版社，2020年，頁154。

38 徐復觀：〈論史記〉，氏著《兩漢思想史》，卷三，北京：九州出版社，2014年，頁365。

39 「張耳與趙王歇走入鉅鹿城，王離圍之。陳餘北收常山兵，得數萬人，軍鉅鹿北。……鉅鹿城中食盡兵少，張耳數使人召前陳餘，陳餘自度兵少，不敵秦，不敢前。數月，張耳大怒，怨陳餘，使張黶、陳澤往讓陳餘曰：「始吾與公為刎頸交，今王與耳旦暮且死，而公擁兵數萬，不肯相救，安在其相為死！苟必信，胡不赴秦軍俱死？且有十一二相全。」陳餘曰：「吾度前終不能救趙，徒盡亡軍。且餘所以不俱死，欲為趙王、張君報秦。今必俱死，如以肉委餓虎，何益？」張黶、陳澤曰：「事已急，要以俱死立信，安知後慮！」陳餘曰：「吾死顧以為無益。必如公言。」乃使五千人令張黶、陳澤先嘗秦軍，至皆沒。」（日）瀧川資言：《史記會注考證》，卷七，頁3352-3353。

40 同上註。

41 叔孫通者，薛人也。秦時以文學徵，待詔博士。數歲，陳勝起山東，使者以聞，二世召博士諸儒生問曰：「楚戍卒攻蘄入陳，於公如何？」博士諸生三十餘人前曰：「人臣無將，將即反，罪死無赦。願陛下急發兵擊之。」二世怒，作色。叔孫通前曰：「諸生言皆非也。夫天下合為一家，毀郡縣城，鑠其兵，示天下不復用。且明主在其上，法令具於下，使人人奉職，四方輻輳，安敢有反者！此特群盜鼠竊狗盜耳，何足置之齒牙間。郡守尉今捕論，何足憂。」二世曰：「善。」盡問諸生，諸生或言反，或言盜。於是二世令御史案諸生言反者下吏，非所宜言。諸言盜者皆罷之。乃賜叔孫通帛二十匹，衣一襲，拜為博士。叔孫通已出宮，反舍，諸生曰：「先生何言之諛也？」通曰：「公不知也，我幾不脫於虎口！」乃亡去。」「叔孫通儒服，漢王憎之；乃變其服，服短衣，楚製，漢王喜。」（日）瀧川資言：《史記會注考證》，卷七，〈劉敬叔孫通列傳〉，頁3533-3534。

其為儒生，而置忠信禮義於不顧，於亂世之中投君主之所好，以保全自身。至漢興，天下稍安，乃為高祖修訂禮儀[42]，亦為後世稱焉。故有「太史公曰：希世度務，制禮進退，與時變化，卒為漢家儒宗。大直若詘，道固委蛇」，蓋謂是乎？」叔孫通不也正是一位「大行不小謹，盛德不辭讓」之人嗎？略觀前文所論諸人身份[43]，樊噲為屠夫[44]／武將，趙高為宦官，酈生為說客[45]，張耳、陳餘為名士[46]／將相[47]，叔孫通為儒生。可見在秦漢之際[48]，非但是屠夫、宦官等文化程度較低的人物有此行事，名士、儒生也不例外。由此觀之，「大行不細謹，盛德不辭讓」實為當時的一種時代風氣，一種行事為人的通則。太史公大概正是敏銳捕捉到了這一風氣，因而特別寫下三個句子，以饗後世覽者矣。

　　史公義法之二，在於考之行事，而要之以義為本[49]。此「義」者，實由孔孟思想而來。此處先論思想其源出孔孟，則「以義為本」之意亦可隨之而明。此下引用孔孟之文，不以考據為要，而重在說明其義理。如《論語‧衛靈公》載：「君子貞而不諒」。皇侃《論語義疏》註為：「貞，正也；諒，信也」[50]。朱熹《四書集注》註為：「貞，正而固也；諒則不擇是非而必於信」[51]。同一個「諒」字，《論語‧憲問》亦有言及，正可為此「貞而不諒」作出生動的說明：

> 子貢曰：「管仲非仁者與？桓公殺公子糾，不能死，又相之。」子曰：「管仲相桓公，霸諸侯，一匡天下，民到于今受其賜。微管仲，吾其被髮左衽矣。豈若匹夫匹婦之為諒也，自經於溝瀆而莫之知也？」[52]

此處所言「匹夫匹婦之為諒」，正說明「諒」字當是小信，與大德／大仁相對。所以孔子從「一匡天下，民到於今受其賜」的「大」處著意，向子貢說明管仲可謂「仁者」。由此既明孔子之意，則亦知「貞而不諒」之義理，在於：君子行正道，則不必言小信。這不正是「大行不小謹，盛德不辭讓」的道理嗎？又如《論語‧子張》載「子夏曰：大

---

42 叔孫通修禮儀之事，亦見於〈劉敬叔孫通列傳〉，同上註，頁3535-3540。

43 筆者按：這些人物身份往往不止一個，此處主要關注其出身，以及與本文所引事蹟相關的主要身份。

44 「舞陽侯樊噲者，沛人也。以屠狗為事……」《史記會注考證》，卷七，頁3445。

45 「酈生常為說客，馳使諸侯。」同上註，頁3499。

46 「秦滅魏數歲，已聞此兩人魏之名士也……」同上註，頁3344。

47 「武臣乃聽之，遂立為趙王，以陳餘為大將軍，張耳為右丞相……」同上註，頁3349。

48 筆者按：這些人物都生活在秦漢之際。

49 史公著〈漢興以來諸侯王年表〉云：「臣遷謹記高祖以來至太初諸侯，譜其下益損之時，令時世得覽。形勢雖彊，要之以仁義為本。」可見史公對於「仁義」之留意。本文所論「大行」之言，重在義而不在仁，故言之「以義為本」。

50 引自程樹德撰，程俊英等點校：《論語集釋》（下）北京：中華書局，2013年，頁1289。

51 同上註。

52 同上註，頁1136-1145。

德不逾閑，小德出入可也。」[53]朱子註曰：「大德小德，猶言大節小節。閑，闌也，所以止物之出入。言人能先立乎其大者，則小節雖或未盡合理，亦無害也。」[54]所言亦是此理。再有《孟子‧離婁下》載「孟子曰：大人者，言不必信，行不必果，唯義所在。」[55]與孔子所言「君子貞而不諒」的道理，是一脈相承的。孔子的「諒」是「小信」，孟子闡發為「言不必信，行不必果」，有了更具體的行動方面的說明；又將「貞」闡發為「唯義所在」，點明了「義」這一標準。又見《論語‧里仁》所載「子曰：君子之於天下也，無適也，無莫也，義之與比。」[56]可見孟子是真正理解孔子之意的。孔子言「義之與比」，孟子言「唯義所在」，不正是「以義為本」嗎？太史公讀孔孟之書，對儒家思想可謂推重[57]，所書「大行不顧細謹，大禮不辭小讓」等言，其思想自可上溯至「貞而不諒」、「言不必信，行不必果」了。孔孟所言背後，實有一「義」字，自然也不會被史公所忽略。細考於三處史情，亦可明史公「以義為本」之意。前文已知，此三處史情皆是關乎成敗興壞的節點，因而史公所在意的「義」，當是天下之大義。趙高以「大行不小謹，盛德不辭讓」之辭勸胡亥自立，而後胡亥昏庸、趙高專權，秦乃速亡，二人亦為天下唾罵。其諸多惡行，史公無不直書以為勸戒[58]。而若胡亥即位後，效法湯、武等聖明君主，修仁行義[59]，去除暴政，使天下百姓感戴其德，則其矯詔自立之行，不也就是「唯義所在」了嗎？樊噲勸劉邦「大行不顧細謹，大禮不辭小讓」，助劉邦脫離虎口；酈生以「舉大事不細謹，盛德不辭讓」之語自勉，而助漢定齊、平天下，以是有劉漢之一統，百姓免於戰亂苛政。司馬談臨終之際，曾執遷手而泣：「……今漢興，海內一統，明主賢君忠臣死義之士，余為太史而弗論載，廢天下之史文，余甚懼焉，汝其念哉！」[60]樊噲與酈生，考其行事，正是司馬談口中的「忠臣死義」之臣？再

---

53 同上註，頁1508。

54 同上註。

55 引自（清）焦循撰，沈文倬點校：《孟子正義》北京：中華書局，1987年，頁555。

56 引自程樹德撰，程俊英等點校：《論語集釋》（下）北京：中華書局，2013年，頁286。

57 按：筆者讀孔孟之傳，可見太史公盡讀其書。〈孔子世家〉太史公曰：「詩有之：『高山仰止，景行行止。』雖不能至，然心鄉往之。余讀孔氏書，想見其為人。」（〔日〕瀧川資言：《史記會注考證》，卷五，頁2486。）《孟子‧荀卿列傳》太史公曰：「余讀孟子書，至梁惠王問『何以利吾國』，未嘗不廢書而嘆也……而孟軻乃述唐、虞、三代之德，是以所如者不合。退而與萬章之徒序詩書，述仲尼之意，作孟子七篇。」（〔日〕瀧川資言：《史記會注考證》，卷六，頁3035-3036。）太史公推重儒家思想說，見於孫德謙：《太史公書義法》〈序〉、〈衷聖〉、〈尊儒〉等章。（（清）孫德謙著、吳天宇點校：《太史公書義法》北京：中國社會科學出版社，2020年，頁1-6。）

58 即杜預所謂「其教之所存，文之所害，則刊而正之，以示勸戒」的春秋義法。（詳見註30）

59 「昔虞、夏之興，積善累功數十年，德洽百姓，攝行政事，考之于天，然後在位。湯、武之王，乃由契、后稷脩仁行義十餘世……」見於（日）瀧川資言：《史記會注考證》，卷二，〈秦楚之際月表第四〉，頁915。

60 （日）瀧川資言：《史記會注考證》，卷八，頁4314。

有史公對父親的承諾是：「小子不敏，請悉論先人所次舊聞，弗敢闕。」[61]是以其論及漢興諸人，亦必「以義為本」。綜上，筆者窺史公之意，其義法之二，在於「以義為本」。

# 五　餘論

上文藉由《史記》中「胡亥繼位」、「鴻門宴」、「酈生說齊」三處記載，由其中牽涉到的類似的「大行／小謹」之言出發，探討秦漢之際的一種時代風氣和行事通則，以及史公「以義為本」之深意。披覽《史記》全書，古人有此相似之言行者，不唯上文所舉秦漢之際之數例。其言或未涉「大行細謹」，其行則有相通之處，而史公「以義為本」之深意亦可得見。

比如〈晉世家第九〉載：

> 重耳至秦，繆公以宗女五人妻重耳，故子圉妻與往。重耳不欲受，司空季子曰：「其國且伐，況其故妻乎！且受以結秦親而求入，子乃拘小禮忘大醜乎！」遂受。繆公大歡，與重耳飲……秦繆公乃發兵與重耳歸晉。[62]

據同傳所記，子圉是晉惠公夷吾之子，而夷吾是重耳的兄弟。換言之，秦繆公是要重耳迎娶自己的侄媳。這本是違禮且受辱之事，故重耳初不欲受。但司空季子勸他以大局為重，不可「拘小禮忘大醜」。畢竟是人在屋簷下，重耳要想返回晉國奪回王位，必須借助秦的力量。因而在以大局為重的考慮下，重耳還是選擇不顧細謹、不辭小讓，接受了這門婚事，最終得以借助秦國兵力歸晉。又如〈魏公子列傳第十七〉，記載了魏公子無忌禮賢下士的諸多事蹟。其中有一位門客名曰朱亥，本是一位屠夫，魏公子曾多次禮請他，朱亥皆不曾依禮答謝。至公子有急，朱亥不辭與之共赴險境，曰：

> 臣乃市井鼓刀屠者，而公子親數存之，所以不報謝者，以為小禮無所用。今公子有急，此乃臣效命之秋也。[63]

朱亥言「小禮無所用」，蓋以臨危授命、不避刀斧為大義，以依禮報謝為小節也。

《史記》全書中，類似的事例還有不少，本文限於篇幅，不再一一列舉討論。相信將全書類似之事羅列而綜觀之，可使我們對古人「大行／細謹」之觀念及史公以義為本之著意有更深刻的體認。

---

61　同上註。

62　（日）瀧川資言：《史記會注考證》，卷四，頁2032-2033。

63　魏公子事蹟及朱亥語，見（日）瀧川資言：《史記會注考證》，卷六，頁3088-3092。

　　本文通過文本細讀，考察了《史記》中三處相似的語句：「大行不小謹，盛德不辭讓」／「大行不顧細謹，大禮不辭小讓」／「舉大事不細謹，盛德不辭讓」。從義理層面概括而言，這三句話代表了一種認清形勢，權衡利弊，從大處、長遠處著眼的行事觀念。除此之外，史公特別記下這三句話，一來用以刻畫人物，點明人物行事為人的風格；二來因其關乎成敗之理，可作為一種歷史經驗的總結。而從義法的角度進行更深一層的討論，則可看到太史公捕捉時代精神、概括人物行事、祖述孔孟、以義為本的深意。

　　史公嘗於〈五帝本紀〉篇末慨曰：「非好學深思，心知其意，固難為淺見寡聞道也。」[64]竊以為，「好學深思，心知其意」八個字，既是史公對讀者提出的要求，亦是其為讀者指出的門徑。非好學深思者，不足以知其意，故欲「俟後世聖人君子」；亦惟好學深思，方能於「文直事核」之外，知其用意也。小子雖不敏，請事斯語矣。

---

64　（日）瀧川資言：《史記會注考證》，卷一，頁61-62。

# 《漢書・藝文志》「小說」觀念再解讀

## 李軼婷

北京師範大學文學院

　　「小說」有作為目錄學的小說和作為文體的小說之分，[1]所謂「小說之名雖同，而古今之別，則相去天淵」。[2]然而，由於我們對作為文體類型之一的「小說」的熟知，不免會采用同樣的思維模式對目錄學中出現的「小說」觀念進行推斷與闡釋，由此模糊乃至遮蔽其應有的價值。所以，拋開後世研討「小說」慣有思維的幹擾，重新抉發目錄學中的「小說」觀念就顯得十分必要，而其源頭在於《漢書・藝文志・諸子略》小說家，我們從其序文和著錄作品兩方面予以探討。

## 一

　　《漢書・藝文志・諸子略》小說家序云：

> 小說家者流，蓋出於稗官。街談巷語，道聽途說者之所造也。孔子曰：「雖小道，必有可觀者焉，致遠恐泥，是以君子弗為也。」然亦弗滅也。閭里小知者之所及，亦使綴而不忘。如或一言可采，此亦芻蕘狂夫之議也。[3]

雖說文字簡短，但幾個關鍵詞句還是透漏了重要信息，以下試做分析。

## （一）稗官

　　按照「諸子出於王官說」的提法，與〈諸子略〉其它九家一樣，班固認為「小說家」係出於「稗官」。何謂「稗官」？這是研究《漢書・藝文志》小說觀念必定繞不開

---

1. 學界基本認同此觀點，如有學者認為小說可以分為傳統目錄學的「小說」與作為散文體敘事文學的小說。參見石昌渝：《中國小說源流論》北京：生活・讀書・新知三聯書店，1994年，頁7；亦有學者認為：「中國古代有兩種小說觀念：史家小說觀念，重道崇實，崇實疾虛；文家小說觀念，愛奇用虛，虛實互立。」參見王汝梅、張羽：《中國小說理論史》杭州：浙江古籍出版社，2001年，頁1。

2. （清）劉廷璣撰：《在園雜志》北京：中華書局，2005年，頁82-83。

3. （漢）班固撰，（唐）顏師古註：《漢書》北京：中華書局，1962年，頁1745。

的問題，為此諸家也紛紛提出了自己的看法。[4]特別是，近年來在秦漢簡牘中就發現有「稗官」二字，為研究的推進提供了新材料，如「官嗇夫免，效其官而有不備者，令與其稗官分，如其事」，[5]「取傳書鄉部稗官」。[6]足見，「稗官」之名「遠有所本……秦時已有之」，[7]不是班固的杜撰，是真實存在的官職名稱。[8]

此外，有學者研究認為「稗官」即為官嗇夫的冗吏，包括地位在令史之下的佐、史、士吏等職官。[9]再如其它出土文獻，「□□□□□吏□□□□告官及歸任行縣道官者，若稗官有印者，聽。券書上其廷，移居縣道，居縣道皆封臧（藏）」，「□都官之稗官及馬苑有乘車者，秩各百六十石，有秩毋乘車者，各百廿石」。[10]由「都官之稗官」[11]中「之」字可以推測，稗官的職階很大程度上在都官之下，而且是對秩級在一百六十石的小官的通稱。[12]然而，上述秦漢簡牘所論「稗官」不見任何與小說相關處，並且稗官「其名不見於先秦古書」，[13]如若秦漢之前尚無稗官一職，那麼小說家出自稗官之說也便無從談起，可能出自漢人的附會。[14]而且，從小說家的著錄作品來看，也很難與稗官聯繫起來。此外，《漢書‧藝文志》中對諸子來源的推斷，多以副詞「蓋」開端而表推

---

4　具體參見余嘉錫：〈小說家出於稗官說〉，《余嘉錫論學雜著》北京：中華書局，1963年，頁265-266；周榜伽：〈稗官考〉，《古典文學論叢》（第3輯）濟南：齊魯書社，1982年，頁257-266；（漢）班固編撰，顧實講疏：《漢書藝文志講疏》上海：上海古籍出版社，1987年，頁166；羅寧：〈小說與稗官〉，《四川大學學報（哲學社會科學版）》，1999年第6期；潘建國：〈「稗官」說〉，《文學遺產》，1999年第2期；陳洪：〈「稗官」說考辨〉，《中華文學史料》（第2輯）北京：學苑出版社，2007年，頁79-94；陳廣宏：〈小說家出於稗官說新考〉（修訂稿），《中國典籍與文化論叢》（第12輯）南京：鳳凰出版社，2010年，頁247-248。

5　睡虎地秦墓竹簡整理小組編：《睡虎地秦墓竹簡》北京：文物出版社，1978年，頁62。

6　中國文物研究所，湖北省文物考古研究所編：《龍崗秦簡》北京：文物出版社，2001年，頁74。

7　饒宗頤：〈秦簡中「稗官」及如淳稱魏時謂「偶語為稗」說──論小說與稗官〉，《饒宗頤二十世紀學術文集》臺北：新文豐出版股份有限公司，2003年，5冊，頁60。

8　也有學者對「稗官」之職提出質疑，或認為沒有正式爵秩，抑或認為不是實際存在的官職名稱。參見袁行霈：〈《漢書‧藝文志》小說家考辨〉，《文史》，第7輯，北京：中華書局，1979年；潘建國：〈「稗官」說〉，《文學評論》，1999年第2期。

9　具體參見裘錫圭：〈嗇夫初探〉，《雲夢秦簡研究》北京：中華書局，1981年；趙岩、張世超：〈論秦漢簡牘中的「稗官」〉，《古籍整理研究學刊》，2010年第3期。

10　張家山漢墓竹簡整理小組：《張家山漢墓竹簡（二四七號墓）釋文》（修訂本）北京：文物出版社，2006年，頁66、80。

11　可與「《漢名臣奏》唐林請省置吏，公卿大夫至都官稗官各減什三」中「都官稗官」相參證。參見（漢）班固撰，（唐）顏師古註：《漢書》，頁1745。

12　曹旅寧：〈張家山漢律職官的幾個問題〉，《張家山漢律研究》北京：中華書局，2005年，頁195。

13　余嘉錫：〈小說家出於稗官考〉，《余嘉錫論學雜著》北京：中華書局，1963年，上冊，頁245。

14　有學者認為「稗官」就是小說家或是小說家的人員構成，由此值得商榷。參見潘建國：〈「稗官」說〉，《文學評論》，1999年第2期；羅寧：〈小說與稗官〉，《四川大學學報（哲學社會科學版）》，1999年第6期；葉崗：〈中國小說發生期現象的理論總結──《漢書‧藝文志》中的小說標準與小說家〉，《文藝研究》，2005年第10期。

測，可見多數難以落實。然而，綜合上述材料及研究成果，顏師古註「稗官，小官」[15]還是可信的，從而與「小說」之「小」有了聯繫，這可能是「稗官」與「小說」唯一的連接處。

## （二）道聽途說者、閭里小知者、芻蕘狂夫

如果說「稗官」的提出是由諸子略序文固定的撰寫格式所決定，而與小說家並無多大關係；那麼，真正與小說家有密切關聯的可能就是序中提到的這三種人：「道聽途說者」、「閭里小知者」和「芻蕘狂夫」。

先看「道聽途說者」，其中「道聽途說」語出《論語‧陽貨》：「子曰：道聽而途說，德之棄也。」邢昺疏曰：「此章疾時人不習而傳之也。途亦道也。言聞之於道路，則於道路傳而說之，必多謬妄，為有德者所棄也。」[16]「道聽途說者」，即所聽所說之言多為「謬妄」且沒有事實依據，由此被有德之人所摒棄的人，而其所造的「街談巷語」是「道聽途說者」聽到的百姓日常傳言或傳聞。[17]其實並不局限於此，漢末如淳曰：「街談巷說，其細碎之言也。王者欲知閭巷風俗，故立稗官使稱說之。」[18]王者從稗官稱說中還可以知道「閭巷風俗」，以致「知得失」、「自考正」、「知薄厚」。所以，「街談巷語」除包括傳聞傳言，這些「謬妄」之言外，還包括百姓日常生活中對時政的談論和見解。如《晉語》引述范文子之言曰：「吾聞古之王者，政德既成，又聽於民……風聽臚言於市……問謗譽於路，有邪而正之，盡戒之術也。」韋昭註曰：「風，采也。臚，傳也。」[19]所謂「謗」，謂「言其過失，使在上聞之而自改，亦是諫之類也」。[20]即文子所言「有邪而正之，盡戒之術」。所以，采傳言於市而問謗譽於路，真所謂街談巷語道聽途說。[21]

次看「閭里小知者」，其中「閭里」本指鄉間里巷，後借指平民；「小知」即小智、小智慧，多指小聰明，與「大知」、大智慧相對。

再看「芻蕘狂夫」，出自《詩經‧大雅‧板》「我言維服，勿以為笑。先民有言，詢

---

15　（漢）班固撰，（唐）顏師古註：《漢書》，1962年，頁1745。

16　（魏）何晏註，（宋）邢昺疏：《論語注疏》北京：北京大學出版社，1999年，頁239。

17　或稱「叢殘小語」「短書」，或稱「叢殘小論」。參見（漢）桓譚撰，朱謙之校輯：《新輯本桓譚新論》北京：中華書局，2009年，頁1、41；亦可參見孫少華：〈諸子「短書」與漢代「小說」觀念的形成〉，《吉林大學社會科學學報》，2013年第3期。

18　（漢）班固撰，（唐）顏師古註：《漢書》，1962年，頁1745。

19　（春秋）左丘明撰，（三國吳）韋昭註：《國語》上海：上海古籍出版社，2015年，頁410。

20　（春秋）左丘明撰，（晉）杜預註，（唐）孔穎達正義：《春秋左傳正義》北京：北京大學出版社，1999年，頁1065。

21　余嘉錫：〈小說家出於稗官考〉，《余嘉錫論學雜著》，上冊，頁267。

於芻蕘」，毛亨傳曰：「芻蕘，薪采者。」鄭玄箋曰：「服，事也。我所言乃今之急事，女無笑之。古之賢者有言，有疑事當與薪采者謀之。匹夫匹婦或知及之，況於我乎！」[22]其割草為芻，打柴叫蕘，「芻蕘」即指割草打柴的人，所謂草野之人。由古之賢者有疑事便詢問芻蕘，可知他們采薪的同時也采集民間見聞，通過他們可以了解更多的民情、民俗和民風，以便對聖賢治國理民有所幫助。「狂夫」，語出《詩經・齊風・東方未明》「折柳樊圃，狂夫瞿瞿」。「狂夫」，孔穎達正義曰：「狂愚之夫，故言『瞿瞿，無守之貌』，為精神不立，志無所守，故不任居官也。」[23]《史記・淮陰侯傳》載：「廣武君曰：『臣聞智者千慮，必有一失；愚者千慮，必有一得。』故曰『狂夫之言，聖人擇焉』。」[24]顯然，這裡的「狂夫」與「愚者」互為表裡。《左傳》閔公二年載先丹木曰：「是服也，狂夫阻之。」孔穎達正義曰：「服虔云：『阻，止也。方相之士蒙玄衣朱裳，主索室中毆疫，號之為狂夫……韋昭云：『狂夫，方相氏之士也。』」[25]可知，「芻蕘狂夫」包括兩類人，草野者和狂愚者或方士，即統稱為「庶人」，如《尚書・洪範》云：「汝則有大疑，謀及乃心，謀及卿士，謀及庶人，謀及卜筮。」[26]足見，詢疑於庶人，是古代政治思想的一種表現。又如《論語・季氏》云：「天下有道，則庶人不議。」邢昺疏曰：「言天下有道，則上酌民言以為政教，所行皆是，則庶人無有非毀謗議也。」[27]由此推知，庶人「非毀謗議」時，就是天下無道之時，即對衰歇世道的批判和駁斥。所以，無論是「芻蕘狂夫」所議之言，還是閭里小知者綴輯的街談巷語，都應包括此內容，這也與我們對「街談巷語」的分析相印證。

　　綜上，小說家群體包括：一是生活在民間的普通百姓；二是鄉間里巷具有小智慧的人；三是以「薪采」為職的草野之人及狂愚之人或方士。而他們之間的關係是：普通百姓采集從市井中所聽到的傳言，並將這些零星分布的言語集中在一起，擴大其傳播力；而在閭里具有小聰明的人，則是把這些議論之言連接、縫合以致編撰在一起，以免隨著時間的流逝，使這些讓他們曾津津樂道的不定型的口傳之事隨之散佚。可見，這些今後有可能成為「小說」材料的言語言論，在由口語狀態轉為文字狀態的過程中，小知者做出了積極的貢獻；而草野之人或方士，則是在這魚龍混雜的言語中，只選取那些有現實價值和意義的言語進行議論，從而形成一定的話題。

---

22 （漢）毛亨撰，（漢）鄭玄箋，（唐）孔穎達疏：《毛詩正義》北京：北京大學出版社，1999年，頁1347。

23 （漢）毛亨撰，（漢）鄭玄箋，（唐）孔穎達疏：《毛詩正義》，頁395-396。

24 （漢）司馬遷撰，（宋）裴駰集解，（唐）司馬貞索隱，（唐）張守節正義：《史記》，頁2618。

25 （春秋）左丘明撰，（晉）杜預註，（唐）孔穎達正義：《春秋左傳正義》，頁361。

26 （漢）孔安國撰，（唐）孔穎達疏：《尚書正義》北京：北京大學出版社，1999年，頁314。

27 （魏）何晏註，（宋）邢昺疏：《論語注疏》，頁224。

## （三）小道，必有可觀

　　《漢書・藝文志・諸子略》有關小說家引述《論語・子張》云：「孔子曰：『雖小道，必有可觀者焉，致遠恐泥，是以君子弗為也。』」何晏註云：「小道，謂異端。」邢昺疏云：「此章勉人學為大道正典也。小道謂異端之說，百家語也。雖曰小道，亦必有小理可觀覽者焉，然致遠經久，則恐泥難不通，是以君子不學也。」[28]小道，蓋指異端之說，百家所言雜語，但其中亦有可取之處，不過只是適用於目前的、眼前的小事情而已，如果對於那些遠大的、長久的事業而言，恐怕是行不通的，勢必會對發展構成障礙，由此君子不從其學。

　　《漢書・藝文志》將「小說」歸為「小道」，故「雖小道，必有可觀者」就可以理解為「小說必有可觀者」。這與孔子言「詩可以觀」類似，而「必」字的出現，表明對「可觀」的判斷更為肯定。可見，班固不僅沒有輕視小說，反而有意識的突顯其意義和提升其地位。而且，這裡的「觀」，不是一般的「看」或「視」，所「觀」之物之事，必有其獨特之處，這才能體現出「觀」的價值，觀小說亦如此。那麼，從小說中我們又可以「觀」出哪些不同尋常處？引述孔子之言的班固並沒有提及此問題。然而，與劉歆有密切交往，稍早於班固的桓譚，在談到小說家時則言：「治身治家，有可觀之辭。」[29]所謂「身修而後家齊，家齊而後國治，國治而後天下平」。[30]「修身」、「齊家」相對於「治國」、「平天下」的大功業、大道來說，當屬於小功業、小道，但是，後者卻是前者的基石。桓譚的此番解釋，亦可作為對班固所「觀」內容的補充或參考。之後，接續孔子所言而說「然亦弗滅也」，就是對「致遠恐泥，是以君子弗為也」的委婉否定，意在表明即便有這樣的情況存在，但是小說的可觀性還是不能忽視的。但是，為何又在〈諸子略〉序中言「諸子十家，其可觀者九家而已」，將小說家排除在外？因為班固認為，這裡的九家「皆起於王道既微，諸侯力政，時君世主，好惡殊方」[31]的背景之下，其與國之政權密切相關，是「致遠」之事、君子有為之事，當然不能將小說家包括其中。所以，「雖小道，必有可觀」看似引述孔子所言，但其實正也是班固之意。

　　在總結何為「小說家」之前，我們先對「小說」做一說明，即指小的學說。原因在於：一是如〈諸子略〉序言：「諸子十家……皆起於王道既微……是以九家之說蠭出並作，各引一端，崇其所善，以此馳說，取合諸侯。」[32]顯然，「九家之說」之「說」即指學說，如景祐本、武英殿本《漢書・藝文志》「說」作「術」亦可對此佐證；二是

---

28　（魏）何晏註，（宋）邢昺疏：《論語注疏》，頁256。

29　（漢）桓譚撰，朱謙之校輯：《新輯本桓譚新論》北京：中華書局，2009年，頁1。

30　（宋）朱熹撰：《四書章句集注》北京：中華書局，1983年，頁4。

31　（漢）班固撰，（唐）顏師古註：《漢書》，頁1746。

32　（漢）班固撰，（唐）顏師古註：《漢書》，頁1746。

「小說」被歸入「小道」之列，說明「說」亦屬於「道」，由此「說」具有「學說」之意無疑。如〈諸子略〉儒家序言「於道最為高」，即認為儒家之道是至高的道。那麼，承載儒家至高之道的儒家學說，也應該是至高的。又如道家序言「曆記成敗存亡禍福古今之道」，[33]可見，相比儒家，對「道」內容有了比較具體的說明，從抽象到具有了現實意義。而儒家和道家依次載於〈諸子略〉前兩家，如若再考慮到小說，其「道」的價值逐漸降次是顯而易見的，可以說也是當時學術等級的反映。[34]此外，從序中也難看出，「小說家」之「學說」像其餘九家一樣有很明確的思想，所知道的只是對諸多街談巷語的泛稱而沒有具體指向。「小說家」之「家」，則通過考察〈諸子略〉九家序文，可知從宏觀角度而言，蓋指學派；從微觀角度而言，蓋指學說的創作者或參與者，抑或是著錄作品的作者。由此，儒家、道家、陰陽家、法家、名家等「家」當屬於前者，而在小說家的成員構成中，形成學派的可能性很小，故理應屬於後者。

所以，《漢書‧藝文志》中的「小說家」，就是談論小的學說的人，或是其作品能承載小道的人。他屬於諸子中的一員，成員有民間普通百姓、具有小智慧的人和草野之人及狂愚之人或方士，其活動地點多在街巷閭里。同時，「諸子十家，其可觀者九家而已」亦表明其地位遠不及諸子中的其餘九家，使其「家」的價值含義有所減弱。

## 二

《漢書‧藝文志》臚列「小說十五家，千三百八十篇」，即《伊尹說》二十七篇、《鬻子說》十九篇、《周考》七十六篇、《青史子》五十七篇、《師曠》六篇、《務成子》十一篇、《宋子》十八篇、《天乙》三篇、《黃帝說》四十篇、《封禪方說》十八篇、《待詔臣饒心術》二十五篇、《待詔臣安成未央術》一篇、《臣壽周紀》七篇、《虞初周說》九百四十三篇、《百家》百三十九卷，然而，這些作品均已散佚。我們只能通過所錄書目名稱和班固的註釋，並結合相關傳世文獻來探究。

## （一）十五家著錄作品考論

《伊尹說》，道家亦有《伊尹》。有推測認為《伊尹說》佚文留存在《呂氏春秋‧本味篇》伊尹「以至味說湯」[35]之中。盡管用極大的篇幅寫美味與美食，只是在結尾處出

---

33 （漢）班固撰，（唐）顏師古註：《漢書》，頁1732。

34 尹海江：〈論《漢書‧藝文志》的編次〉，《華中科技大學學報（社會科學版）》，2006年第3期，頁103-107。

35 最早推測《呂氏春秋‧本味篇》與《伊尹說》有關的是王應麟《漢藝文志考證》，針對「《伊尹說》二十七篇」云：「《呂氏春秋》伊尹說湯以至味」。參見二十五史刊行委員會編：《二十五史補編》北京：中華書局，1955年，二冊，頁1419。魯迅、嚴可均、余嘉錫亦贊同此說。

現一兩句明確點明「道」的言論，可謂曲終而奏雅，並沒有深入闡釋，故魯迅評云「文豐贍而意淺薄」。[36] 然而，將「道」與治國相聯繫的思想傾向，還是說明了《伊尹說》與黃老道家學派相關。

《鬻子說》，道家亦有《鬻子》。《漢書・藝文志》著錄了《鬻子》二十二篇，至《隋書・經籍志》道家類裡只有一篇，而唐代卻又出現了逢行珪作註的為宣揚儒家學說的十四篇《鬻子》政論文。又《文心雕龍・諸子篇》云：「鬻熊知道，而文王咨詢。」[37] 說明鬻子講「道」，又由於劉勰早於逢行珪，見過《鬻子》的可能性極大，其言的真實性比逢行珪更可靠。[38] 此外，《列子》中又三次引《鬻子》，〈天瑞〉云「物損於此者盈於彼，成於此者虧於彼」；〈黃帝〉云「欲剛，必以柔守之；欲強，必以弱保之。積於弱必剛，積於弱必強。觀其所積，以知禍福之鄉」；〈力命〉云「自長非所增，自短非所損算之所亡若何」。[39] 可見，諸論恰與「清虛以自守，卑弱以自持」[40] 的道家之旨相合。由此，《鬻子》屬道家無疑，而小說家《鬻子說》思想上也應屬於道家者流。

《青史子》中青史子為何人，史不可考。[41] 現存佚文三則，載於《大戴禮記・保傅篇》、《新書・胎教十事》和《風俗通義》，主要講胎教方、車禮方和雞祀方等古代禮儀。古有「左史記言，右史記事」之說，從現存佚文來看，與言語無關，且明確有「胎教十事」的說明，由此班固註云：「古史官記事也。」是可信的。就記事而言，這裡還涉及到一個問題，如章太炎先生所云：「史之所記，大者為《春秋》，細者為小說。故《青史子》五十七篇，本古史官記事。」[42] 《青史子》雖然是史官所記之事，但由於細碎繁雜而與《春秋》著錄史事的標準不同，將其列入小說。由此說明，小說與史關係密切。《漢書・藝文志》沒有專門設立「史略」，學界多認為《六藝略》「春秋」即是為「史」代言，《漢書・藝文志》的「史」觀念蘊藏其中。史官除「君舉必書」，對歷史大事的記載外，將與其相關的瑣碎史事則歸入小說家。

《師曠》，班固註曰：「見《春秋》，其言淺薄，本與此同，似因托之。」[43] 其中，「見《春秋》」，學界有《師曠》見於《春秋》或師曠見於《春秋》的不同見解，筆者傾

---

36 魯迅：《中國小說史略》，《魯迅全集》（第九卷）北京：人民文學出版社，2005年，頁29。

37 （梁）劉勰著，范文瀾註：《文心雕龍注》北京：人民文學出版社，1958年，頁308。

38 姚際恒：《古今偽書考》中也指出逢行矽作註的《鬻子》為後人偽撰，並非《漢志》所著錄本。

39 楊伯峻撰：《列子集釋》北京：中華書局，1979年，頁22、26、205。

40 （漢）班固撰，（唐）顏師古註：《漢書》，頁1732。

41 據《通志・氏族略》引賈執《姓氏英賢錄》，青史子相傳為晉太史董狐之子。參見（宋）鄭樵撰，王樹民點校：《通志二十略》北京：中華書局，1995年，頁148。然遍查先秦典籍，並無相關記載。參見王齊洲：〈《漢書・藝文志》著錄之小說家《青史子》、《師曠》考辨〉，《稗官與才人——中國古代小說考論》長沙：嶽麓書社，2010年，頁16。

42 章太炎撰：《國故論衡》，上海：上海古籍出版社，2003年，頁66。

43 （漢）班固撰，（唐）顏師古註：《漢書》，頁1744。

向於前者,《師曠》見於《晉春秋》。何為「淺薄」?劉向《說苑敘錄》云:「淺薄不中義理,別集以為《百家》。」[44]魯迅也認為《百家》:「殆為故事之無當於治道者矣」。[45]由此可知,「淺薄」不是說《師曠》內容浮淺易懂,而是與「義理」和「治道」相對的價值判斷,它不符合甚至無關「大道」或歷史現實,乃至與其背離。另外,《伊尹說》亦有班固註「其語淺薄」與此同。

《務成子》之「務成子」即務成昭,為堯或舜之師。《尸子》曰:「務成昭之教舜曰:避天下之逆,從天下之順,天下不足取也;避天下之順,從天下之逆,天下不足失也。」[46]可以說,與《老子》「反者,道之動」、「弱之勝強,柔之勝剛」[47]的觀念接近,由此務成子近於道家,其無為無不為的思想近於黃老之學。班固註云:「稱堯問,非古語。」[48]透露出兩個信息,一是「稱堯問」表明《務成子》的文本形式很有可能是對話體;二是這裡的「古語」就是古代流傳下來的重要的治世治道的言語,如《漢書·韓安國傳》云:「是以古之人君謀事必就祖,發政占古語,重作事也。」[49]「非古語」,說明《務成子》不是對傳統「大道」的記載,類似於班固註「其語淺薄」或「其言淺薄」,由此可知,帝堯所問亦非關乎「大道」之事。此外,即使務成子有「避逆從順」的道家之言,但亦有陰陽五行和方技數術之教雜糅其間,如《數術略》五行有《務成子災異應》、《方技略》房中有《務成子陰道》即可證之。

《宋子》之「宋子」即宋牼(《孟子·告子下》)、或謂宋鈃(《莊子·天下》、《荀子·非十二子》)、或謂宋榮子(《莊子·逍遙遊》、《韓非子·顯學》),其學說屬於墨家、名家、還是道家說法不一,[50]但是班固註云:「孫卿道宋子,其言黃老意。」[51]顯然認為宋子之說靠近黃老學派。

《天乙》班固註云:「天乙謂湯,其言非殷時,皆依托也。」[52]就目前所見材料而言,不見任何關於它的記載。但是,通過對《漢書·藝文志》有關書目及班固註釋的分析,還是找到了重要線索。如〈諸子略〉道家之〈力牧〉班固註云:「六國時所作,托之力牧。力牧,黃帝相。」[53]而前四篇為《黃帝四經》、《黃帝銘》、《黃帝君臣》、《雜黃

44 (漢)劉向、劉歆撰,(清)姚振宗輯錄,鄧駿捷校補:《七略別錄佚文 七略佚文》上海:上海古籍出版社,2008年,頁47。

45 魯迅:《中國小說史略》,《魯迅全集》,第九卷,頁31。

46 (戰國)尸佼著,李守奎、李軼譯註:《尸子譯注》哈爾濱:黑龍江人民出版社,2003年,頁75。

47 (魏)王弼註:《老子道德經注校釋》北京:中華書局,2008年,頁110、187。

48 (漢)班固撰,(唐)顏師古註:《漢書》,頁1744。

49 (漢)班固撰,(唐)顏師古註:《漢書》,頁2401。

50 王齊洲:〈《漢書·藝文志》著錄之小說家《務成子》等四家考辨〉,《南京師範大學文學院學報》,2008年第1期,頁3。

51 (漢)班固撰,(唐)顏師古註:《漢書》,頁1744。

52 (漢)班固撰,(唐)顏師古註:《漢書》,頁1731。

53 (漢)班固撰,(唐)顏師古註:《漢書》,頁1744。

帝〉；又如〈兵書略〉兵陰陽之〈封胡〉、〈風後〉、〈力牧〉、〈鬼容區〉等，班固都註云：「黃帝臣，依托也。」[54]而〈封胡〉的前一篇是〈黃帝〉。可見，黃帝與其相、臣主張的理論相同或相近，至少可以歸為同類學說。由此受到啟示，《呂氏春秋‧本味篇》載湯和伊尹如此志趣相合，《伊尹說》和《天乙》又都同時在小說家出現，二者在學術主張上屬於同一家，即黃老道家亦有其合理性。

《黃帝說》中「黃帝」和老子，在黃老道家之說盛行的漢代常一同出現，如「陳丞相平少時，本好黃帝、老子之術」，「竇太後好黃帝、老子言，帝及太子諸竇不得不讀《黃帝》、《老子》，尊其術」。[55]〈諸子略〉道家、陰陽家，〈兵書略〉兵陰陽，《數術略》天文、曆普，《方技略》四類中都有關於「黃帝」書目的著錄，並且篇目數量相當之多。由此可知，「黃帝」與方術關係密切。

《封禪方說》班固註「武帝時」，又依據《史記‧封禪書》記載，這裡的「封禪」大體內容是武帝召集眾方士和儒生討論封禪之事。余嘉錫認為「方」謂方術之義，《封禪方說》皆方士之言，所謂「封禪致怪物與神通」，因而稱為《方說》。並補充說：「若諸儒所采詩書古文之說，當不在十八篇中矣。」[56]所以，《封禪方說》為方士所作的可能性極大，是對封禪之事向武帝見言見策的集中表現。

《待詔臣饒心術》與《待詔臣安成未央術》，確切的說應更名為《心術》和《未央術》，[57]作者分別是饒和安成。《漢書‧藝文志》增添「待詔臣」在於，「待詔」，《漢書‧哀帝紀》顏師古引應劭語云：「諸以材技徵召，未有正官，故曰待詔。」[58]可見，待詔的性質就是被朝廷徵召而未被正式任命的官員，所以，其稱謂是概稱而非專稱。特別是，在武、宣帝和成帝時，極為推崇方術，由此這些方術待詔就成為帝王的重要顧問，其中的寵臣還常伴駕巡遊，有的甚至成為君王的心腹親信。所以，這裡強調「待詔臣」，其實是對方術的看重，是對漢代文化傳統的順應與彰顯。〈心術〉，亦見諸於《管子‧心術》上下篇，《心術》是宋鈃的著述或他的遺教，[59]又班固對《宋子》註曰：「孫卿道宋子，其言黃老意。」而「未央」，有長樂無極之意，[60]《未央術》即言養生之道，[61]由此

---

54 （漢）班固撰，（唐）顏師古註：《漢書》，頁1759-1760。
55 （漢）司馬遷撰，（宋）裴駰集解，（唐）司馬貞索隱，（唐）張守節正義：《史記》，頁2062、1975。
56 余嘉錫：〈小說家出於稗官考〉，《余嘉錫論學雜著》，上冊，頁276。
57 顏師古註引劉向《別錄》云：「饒齊人也，不知其姓，武帝時待詔，作書名曰《心術》也。」參見（漢）班固撰，（唐）顏師古註：《漢書》，頁1745。由此可推斷，《待詔臣安成未央術》應為《未央術》。
58 （漢）班固撰，（唐）顏師古註：《漢書》，頁340。
59 具體參見郭沫若著作編輯出版委員會：〈宋鈃尹文遺著考〉，《郭沫若全集‧歷史篇》北京：人民文學出版社，1982年，第一卷，頁551。
60 （戰國）尸佼著，李守奎、李軼譯註：《尸子譯注》，頁200。
61 應劭云：「道家也，好養生事，為未央之術。」引自（漢）班固撰，（唐）顏師古註：《漢書》，頁1745。

《心術》與《未央術》無疑與方術有關。

　　《虞初周說》之「虞初」，班固註云：「河南人，武帝時以方士侍郎號黃車使者。」[62]《史記・封禪書》、《史記・孝武本紀》、《漢書・郊祀志》等都有類似的記載，充分肯定了虞初的方士身份。《文選・西京賦》李善註引《漢書》云：「初，河南人，武帝時以方士侍郎，乘馬，衣黃衣，號黃車使者。」[63]可以說是對班固所言的印證，同時「乘馬」和「衣黃衣」材料的補充，不僅說明虞初具有一定的身份地位，更重要的是深受帝王的恩寵。[64]關於「周說」之「周」，班固這裡沒有明確說明究竟何指，但卻在《周考》中註「考周事」，蓋「周」指周代，應劭也認為：「其說以《周書》為本。」而張舜徽在《周考》、《臣壽周紀》中卻言「周」是「周遍、周普無所不包之意」，理由是「《漢志》禮家之《周官》，儒家之《周政》、《周法》，道家之《周訓》，皆當以此解之」，由此得出結論「著錄於《漢志》之書凡以周名者」，多為此意。[65]張先生的說法或許也是論據之一，但因為脫離了「小說家」、「諸子略」的範圍，故所論有待商榷。虞初是武帝時人，按照古書篇目編撰的通例，多以時代先後為序的原則，[66]《虞初周說》應該與「武帝時」的書目靠近，如《封禪方說》和《待詔臣饒心術》，或至少應著錄在「宣帝時」的《臣壽周紀》之前而不是之後。班固就此排序，或許透露出一個重要資訊，即《虞初周說》與《百家》關係密切。所謂「百家」，並不是指某一具體著述，而是指不能名家或不便確指的「百家」學說。[67]又依據《漢志》「說經之總義，諸子之節鈔，各附載本類之末」[68]的著錄特點，《百家》即「學者撮抄精言警句之編」[69]的雜著。由此推測，《虞初周說》很有可能是集眾多小說而成的彙編之書，是「雜事叢談之紀錄」，[70]周事之紀或許只是其中的一部分。《周考》和《臣壽周紀》因材料闕如，故不妄加揣測。

## （二）十五家著錄作品總結

　　以上，分別對小說十五家做了分析，之後縱覽各家對其進行總結。主要從兩方面考察：

---

62　（漢）班固撰，（唐）顏師古註：《漢書》，頁1745。

63　（梁）蕭統編，（唐）李善註：《文選》北京：中華書局，1977年，頁45。

64　具體參見王齊洲：〈《漢書・藝文志》著錄之《虞初周說》探佚〉，《南開學報（社會科學版）》，2005年第3期；孔德明：〈《虞初周說》文體性質考辨〉，張三夕主編：《華中學術》（第7輯）武漢：華中師範大學出版社，2013年，頁62-72。

65　張舜徽：《漢書藝文志通釋》武漢：湖北教育出版社，1990年，頁196、144。

66　張舜徽：《廣校讎略》武漢：華中師範大學出版社，2003年，頁120。

67　《史記》之《五帝本紀》、《秦始皇本紀》、《平津侯主父傳》等均有記載。

68　張舜徽：《廣校讎略》，頁120。

69　張舜徽：《漢書藝文志通釋》，頁201。

70　張舜徽：《漢書藝文志通釋》，頁200。

　　第一，內容。首先以僅存三篇的《青史子》為例，[71]分別講王後胎教之法、古人坐車之規以及用雞祭祀東方之由均關乎禮教。而且，禮儀之繁瑣細碎，如「為王太子懸弧之禮義」，東南中西北各個方位都有所不同，以及「卜王太子名」，更是有諸多避諱；又如上車、下車、行、趨、步環、折還、進、退等等都要有規有矩，使之「鸞鳴而和應」、「玉鏘鳴」。可見，均是對枝枝節節生活習俗或常識的記錄，並且通俗易懂且有一定的實操性。特別要注意的是，這裡不僅有對下層百姓的生活寫照，也有對上層人物平常生活的關注。[72]又如《待詔臣安成未央術》是言養生之道，以實現健康長壽，或許其中講到一些如何愉悅身心，如何保養身體，如何延年益壽的方式方法及實例；《待詔臣饒心術》亦如此，「心術」二字又見於《漢書・禮樂志》「夫民有血氣心知之性，而無哀樂喜怒之常，應感而動，然後心術形焉。」顏師古註云：「術，道徑也；心術，心知所由也。」[73]可見，與血氣心性的調養有關，如《管子・心術》講到的別宥、寡欲、超越榮辱、見悔不辱等等。又由於《心術》和《未央術》都是「待詔」而作，所以很有可能是應帝王及上層人物之需，對於保養身心健康而言，無疑是兩劑良方，而《封禪方說》則事關武帝泰山封禪之事。綜上，可見小說內容對上層和下層社會均有涉及。除此之外，如《伊尹說》、《鬻子說》、《務成子》、《宋子》、《天乙》、《黃帝說》、《虞初周說》等，我們沒有辦法推斷出具體內容，然而，由前所述知道它們都涉及到黃老道家或方術的相關內容。即使這些作品都是方士之言，[74]但黃老之學仍是其理論依據和思想支撐，或繼承和闡發黃老的某些思想，或在黃老學說的基礎上編撰出一套新學說，而始終沒有跳出黃老之學的藩籬。所以，無論是純粹屬於黃老學派，還是其中摻雜其他思想，它們都與黃老聯繫緊密，可以說黃老之學是這些作品共同的理論旨歸。[75]

　　第二，形式。其一，作品名稱的構成方式。通觀十五家，與「小說」之「說」密切相關的有五家，分別是《伊尹說》、《鬻子說》、《黃帝說》、《虞初周說》、《封禪方說》，從書目名稱的構成方式來看，前四家是「人名＋說」形式，最後一家是「事名＋說」的形式共占總篇數的四分之三，數目相當可觀。其中，《伊尹說》、《鬻子說》、《黃帝說》，在「道家」亦有《伊尹》、《鬻子》、《黃帝四經》，由此，不免令人生疑：兩家所錄書目是否相同？如果同為一書，為何有「說」的一字之別？如果「必非一書」，[76]相互間是否存在一定的聯繫？余嘉錫在全面總結古書體例、編次的基礎上，指出：「凡以內外分

71 具體參見魯迅：《中國小說史略》，《魯迅全集》（第9卷）北京：人民文學出版社，2005年，頁30。

72 有學者將其統稱為是對民間風俗和習俗的記載則不夠準確，具體參見葉崗〈中國小說發生期現象的理論總結──《漢書・藝文志》中的小說標準與小說家〉，《文藝研究》，2005年第10期。

73 （漢）班固撰，（唐）顏師古註：《漢書》，頁1037。

74 王瑤：〈小說與方術〉，《中古文學史論集》北京：北京大學出版社，1986年，頁102。

75 盧世華，楚永橋：〈黃老之學與《漢書》小說家〉，《湖北大學學報（哲學社會科學版）》，1999年第2期，頁56-60。

76 顧實：《漢書藝文志講疏》上海：上海古籍出版社，1987年，頁161。

為二書者，必其同為一家之學，而體例不同者也。」並舉例說如「《漢書・藝文志》《詩》家有《韓內傳》四卷，《韓外傳》六卷，《春秋》家《公羊》、《穀梁》皆有《外傳》。」[77]但是，《伊尹》和《伊尹說》卻不屬於此類情況，沒有分內外篇並分著於不同的兩家，是「一人而有兩書」，所以「學非一家」。[78]這是由於道家看重伊尹「強力忍訽」（《莊子・讓王》），強調忍辱負重，忍尤攘訽的治國之道。就《呂氏春秋・本味篇》載伊尹「說湯以至味」而言，雖然主要言美食美味，但最終目的還是要借此闡釋「審進所以知遠也，成己所以成人也」[79]的聖人之道。《伊尹說》則「所言水火之齊，魚肉菜飯之美，真閭里小知者之街談巷語也」[80]「所記皆割烹要湯一類傳說故事，及其他雜說異聞」。[81]張舜徽也贊同此說並做了詳細論述，《六藝略・詩》「《魯說》二十八卷」註云：「說亦漢人註述之一體。《漢書河間獻王傳》云：『獻王所得，皆《經》、《傳》、《說》、《記》七十子之徒所論。』是傳、說、記三者，固與經相輔而行甚早。說之為書，蓋以稱說大義為歸，與夫註家徒循經文立解、專詳訓詁名物者，固有不同。為《魯詩》者，依經撰說，故亦二十八卷，蓋傳申公之學者所述也。」[82]可見，《說》與《傳》、《記》一樣，《說》是用來輔助《經》的，是對《經》的註述，但是又不同於傳統的循經立解、訓詁名物那樣刻板、餖飣的解經方式，而是在依托經文的同時，加入了作者的編撰，並以稱說「大義」為旨歸，才是《魯說》之「說」的本義。所以，《魯說》是對《魯詩》的解釋。由此，不難理解《伊尹說》、《鬻子說》、《黃帝說》實是對《伊尹》、《鬻子》、《黃帝四經》隸屬於道家的三經的闡釋，類似的情況在《漢書・藝文志》中比比皆是，均可采用張先生的此番理論做解。對於《虞初周說》和《封禪方說》，雖然「說」不具有解經的性質，但還是具有解釋、解說的特性，這是第一種構成方式。

再看第二種構成方式，只用「人名」為題目，如《青史子》、《師曠》、《務成子》、《宋子》、《天乙》，其中，有古帝王：如天乙；有古帝王之師：如務成子；有古王官：如青史子、師曠等，即使宋子，也是深受孟子敬重。[83]所謂「世俗之人，多尊古而賤今，故為道者，必記之於神農、黃帝，而後能入說。亂世暗主，高遠其所從來。因而貴之」[84]著述內容如此，書名當然更要有所標榜；最後看第三種構成方式，「官職+作者+作品」或「作者+作品」的形式，如《待詔臣饒心術》、《待詔臣安成未央術》、《臣壽周紀》。「待詔」是統稱的官名，准確地說，只是一個預備官職，但還是出現在書目名稱

77 余嘉錫：〈古書之分內外篇〉，《目錄學發微・古書通例》上海：上海古籍出版社，2013年，頁217。
78 余嘉錫：〈古書之分內外篇〉，《目錄學發微・古書通例》，頁218。
79 （漢）高誘註，（清）畢阮校，徐小蠻標點：《呂氏春秋》上海：上海古籍出版社，2014年，頁276。
80 余嘉錫：《余嘉錫文史論集》長沙：嶽麓書社，1980年，頁252。
81 張舜徽：《漢書藝文志通釋》，頁195。
82 張舜徽：《漢書藝文志通釋》，頁35。
83 錢穆：《先秦諸子繫年》北京：商務印書館，2001年，頁436。
84 何寧撰：《淮南子集釋》北京：中華書局，1998年，頁1355。

中，而且還增加了作者。一方面，表現了對官職和作者的認可；另一方面，似有借此提高和強化小說地位之意。其餘兩家比較特殊，《周考》是對周事的考索，《百家》是百家之言的匯編，難歸入上述諸類。

其二，作品的創作方式：虛構性和真實性。對於虛構性，主要表現在五部小說中，《伊尹說》、《鬻子說》、《師曠》、《天乙》、《黃帝說》，班固對其分別註云「似依托也」、「後世所加」、「似因托之」、「皆依托也」、「迂誕依托」等，明確指出了文本的虛擬特性，所占總書目的三分之一。就班固註而言，又分為兩種情況：第一種註如「似依托也」、「後世所加」、「迂誕依托」，是班固沒有做任何分析而直接得出的結論；第二種註如「見《春秋》。其言淺薄，本與此同，似因托之」、「天乙謂湯，其言非殷時，皆依托也」，是班固稍做推闡之後得出的結論。對於第一種情況，所涉書目恰為《伊尹說》、《鬻子說》、《黃帝說》，而其對應在道家有《伊尹》、《鬻子》、《黃帝四經》等。張舜徽對《黃帝四經》按言：「因之述道德之意以為書者，遂托名於黃帝也。即使漢世果有其書，亦必出六國時人之手。此乃著書托古之慣技，不足怪已。」[85] 所以，《伊尹》、《鬻子》也應與此類似，托古以著書而已。由於道家在小說家之前，班固在道家中已經表達了此意，所以對於小說家而言就可直接判斷。順此思路，對於第二種情況，《師曠》、《天乙》由於首次出現，所以有必要稍做闡釋。其中，班固對《天乙》註中也透露出小說所達到的虛構性程度，可以是書目名稱和內容毫不相關，恣意誇誕之能事。不僅如此，張舜徽先生認為：「小說家著錄之書，十九皆依托。班氏自註中，有指出者，有未指出者。」[86] 那麼，「未指出者」有哪些？《務成子》，班固註云：「稱堯問，非古語」，前已分析具有依托的性質。《宋子》，班固註云：「其言黃老意。」顯然，其思想應傾向於道家或陰陽家，由此其書有增衍之說極有可能。對於《封禪方說》、《待詔臣饒心術》、《待詔臣安成未央術》三篇，前已分析，與方士或方術關係密切，而《虞初周說》則明確表明虞初是方士，四者的思想性應有《數術略》或《方技略》的因子，如「眾占非一，而夢為大」、「則誕欺怪迂之文彌以益多，非聖王之所以教也」[87] 其虛構性可見一斑。《百家》亦有所謂「百家言黃帝，其文不雅馴」，[88] 「言黃帝」、「不雅訓」都暗言其有附會迂誕的特點。以上十二家，均展現了小說家著錄作品的虛構性，除此之外，還有《周考》、《青史子》、《臣壽周紀》（不可考）三家。我們重點看前兩家，班固分別註「考周事也」、「古史官記事也」，與史密切相關，可知其中必有實錄的內容，或許有虛構的成分，但真實性是存在的。由此可知，《漢書‧藝文志》小說家所列的十五家中，不只有虛擬虛構的人物事件，也有部分小說中存在人物真實或事件真實的情況。

85　張舜徽：《漢書藝文志通釋》，頁144。
86　張舜徽：《漢書藝文志通釋》，頁198。
87　（漢）班固撰，（唐）顏師古註：《漢書》，頁1773、1780。
88　（漢）司馬遷撰，（宋）裴駰集解，（唐）司馬貞索隱，（唐）張守節正義：《史記》，頁46。

# 三

　　綜上，通過對《漢書‧藝文志》小說家序文的解讀，基本解釋了何謂「小說家」；而對著錄作品的解讀，則大致了解了每部作品所述及主旨。對此，有兩點需要說明，一是序文中談到「小說家」之「小說」時，認為是對街談巷語的統稱，背離「大道」可以概言其基本傾向，而沒有具體言明。然而，在對作品的考察中，我們卻推斷出黃老之學是所錄作品主要的理論宗旨，可以說對《漢書‧藝文志》小說的研究又推進了一步。但要注意的是，有些作品表現的黃老思想中，還夾雜著其他學說，其專一性不足。所以，很難將「小說家」也立為一個學派；[89]二是在對作品的研究中，會發現著錄之「雜」是其顯著特征。這主要是由《漢書‧藝文志》在著錄書目時具有著「雜」於末的體例特點而決定的，常常將那些雜記、雜著、雜編或其它雜而無類可歸的作品著錄於相應的大類或小類的末尾。[90]由於小說家著錄的作品是由街談巷語和諸子略的「雜」書兩部分組成，[91]兩者之間可能又有交叉，在此情況下，只能做大致的判斷，而難以分條縷析具體羅列。所以，通過對《漢書‧藝文志》小說家序文和著錄作品的研究，可以看到目錄學視域中「小說」的基本概況，它與後世作為文體的「小說」不可等同。由此，對目錄學中小說的研究就要有意識避免先入之見的干擾，譬如不少論者依據後世對「家」的崇尚，理所當然的認為「道聽途說者」、「閭里小知者」、「芻蕘狂夫」等，如論如何也不能歸入「小說家」的行列；如受後世「小說」重在強調文體意義的制約，而鮮有看到目錄學中「小說家」及作品的思想價值；再如受後世「小說」以敘事為主要特點的影響，便認為目錄學中的「小說」也都是記事、講故事[92]等等。因而，切實從目錄學提供的文獻文本出發，做出客觀理性的剖析與判斷，才是在目錄學視野下研治「小說」的有效途徑。

89　孟昭連：〈「小說」考辯〉，《南開學報（哲學社會科學版）》，2002年第5期，頁77。

90　孫振田：〈《漢書‧藝文志》著「雜」於末體例論〉，《國學研究》（第25卷）北京：北京大學出版社，
　　2010年，頁395-407。

91　孫振田：〈《漢書‧藝文志》小說家研究三題〉，《理論月刊》，2011年第8期，頁122。

92　李零：《蘭臺萬卷──讀《漢書‧藝文志》》北京：生活‧讀書‧新知三聯書店，2011年，頁116-
　　118。

# 論《文心雕龍》祝盟「修辭必甘」說

應山紅

北京　中國人民大學國學院

　　劉勰《文心雕龍·祝盟》首次將祝文和盟文作為獨立文體進行研究，對其產生發展、源流演化和文體特點作了詳盡論述，並對祝盟文體的寫作提出了基本要求：「立誠在肅，修辭必甘。」

　　諸家釋「修辭必甘」，分為兩種，一是認為「修辭」是行文中的言辭修飾，如周勳初釋：「再次強調祝盟寫作的根本要求，雖然可以言辭甘美，但更應該恭敬真誠。」[1]周振甫亦認為：「確立真誠在於嚴敬，修飾辭語一定美好。」二是把「修辭」視作「祝盟的文辭」，以陸侃如、牟世金為代表：「道德的實誠在於嚴肅，祝盟的文辭必須寫得美善。」[2]不管是「行文中的言辭」，抑或「祝盟的文辭」，這兩種解釋都把「立誠」和「必甘」視為並列或者對立的要求，且以「立誠」為重。修辭立誠，源於《周易·乾·文言》：「修辭立其誠，所以居業也。」原指修理文教以立誠信，這裡根據上下文，應指寫祝辭要「誠」。修辭是「祝盟的文辭」，而非「言辭修飾」。「立誠在肅，修辭必甘」中，「立誠」和「修辭」呈互文關係。對「立誠在肅，修辭必甘」可以這樣理解：文辭寫作重在恭敬真誠，達到這個要求，祝盟就呈現「甘」的審美特徵。甘的含義，《說文解字》在釋「美」時有所提及，「美，甘也。從羊，從大。」[3]段玉裁註：「甘者（從口含一），五味之一，而五味之美皆曰甘，引申之凡好皆謂之美。從羊大，羊大則肥美。」[4]甘具有和「美」等同的內涵，日本學者笠原仲二在《中國人的美意識》中指出：「中國人最原初的美意識，就起源於『肥羊的味甘』這種古代人們味覺的感受性。」[5]《墨子·非樂》：「目之所美，耳之所樂，口之所甘」也是把「甘」視為美的具體呈現。劉勰在《文心雕龍·總術》中亦提出「味之則甘腴」的審美標準。然而祝和盟，都是「祝告於神名」的實用文體。這兩種文體具有實用特徵，且具有固定的程式，很難將其和美聯繫起來，縱觀《文心雕龍》全篇，比祝盟具有文采特點的文體不少，而

---

1　周勳初：《文心雕龍解析》南京：鳳凰出版社，2015年，頁169。

2　陸侃如、牟世金：《文心雕龍譯注》濟南：齊魯書社，2009年，頁182。

3　（清）段玉裁：《說文解字注》上海：上海古籍出版社，1981年，頁146。

4　同上註。

5　（日）笠原仲二撰，楊若薇譯：《中國人的美意識》北京：生活·讀書·新知三聯書店，1988年，頁3。

除了〈祝盟〉篇外，其餘文體都未用「甘」來作為評判標準，為什麼劉勰唯獨在評析祝盟文體時用「修辭必甘」來評判？前人對「立誠在肅，修辭必甘」的讀解，多重在「立誠在肅」，而對「修辭必甘」的關注較少。因而對「修辭必甘」仍有較大的探討空間和價值。

# 一　甘：「忠信」的審美意蘊

以味論文、以味論藝是中國古代文學批評中的重要傳統。古人把滋味分為酸、甜、苦、辣、鹹五味，「天有六氣，降生五味，發微五色，徵為五聲」[6]，並透過描述對食物的感官體驗來表達對外在事物的感受，用味來解釋抽象的概念，如老子：「道之出口，淡乎其無味」[7]孔安國《左傳正義》：「鹹，水鹵所出也；苦，焦氣之味也；酸，木實指性也；辛，金之氣味也；甘味生於百穀也，是五味為五行之味也，以五者並行於天地之間，故《洛書》謂之五行。」用味覺上的五味來說明抽象的「五行」，用感官的超越性來轉化心理的感受。

孔穎達把「甘」和忠信聯繫在一起，認為「甘」是眾味之本，正如禮是忠信之本：「甘為眾味之本，不偏主一味，故得受五味之和。……忠信之人，不有雜行，故可以學禮。其人，即忠信之人也。愚謂學禮者，習學義理之文也。然苟非忠信之人，則無本不立，而禮不能虛行矣。蓋忠信之本，與義理之文，固不可偏廢，而尤以立其本為先也。」[8]《周易》朱熹註：「忠信，主於心者，無一念之不誠也。修辭，見於事者，無一言之不實也。雖有忠信之心，然非修辭立誠，則無以居之。」[9]忠信，在文辭上體現為「修辭立誠」。《周易》王弼註：「立誠篤至，雖在暗昧，物亦應焉。故曰『鳴鶴在陰，其子和之』也。不私權利，唯德是與，誠之至也。」[10]

在〈祝盟〉篇中，劉勰認為祝和盟這兩個文體，最主要的特徵是「修辭立誠」，具體而言，對於祝，「祈禱之式，必誠以敬；祭奠之楷，宜恭且哀：此其大較也」，對於盟，則表現為「夫盟之大體……感激以立誠，切至以敷辭，此其所同也」。

《說文》：「祝，祭主贊詞者。」段註：「以人口交神也。」《書·無逸》孔穎達疏：

6　（清）洪亮吉撰，李解民點校：《春秋左傳詁·卷十五·傳·昭公一·元年》北京：中華書局，1987年，頁644。

7　（魏）王弼注，樓宇烈校釋：《老子道德經注校釋·上篇·一章·三十五章》北京：中華書局，2008年，頁87。

8　（清）孫希旦撰，沈嘯寰、王星賢點校：《禮記集解·卷二十四·禮器第十之二》北京：中華書局，1989年，頁667-668。

9　（宋）朱熹撰，廖名春點校：《周易本義·卷之一周易上經·乾》北京：中華書局，2009年，頁36-37。

10　（魏）王弼撰，樓宇烈校釋：《周易注·周易注·下經·中孚》北京：中華書局，2011年，頁320。

「以言告神謂之祝。」《爾雅・釋文》:「傳鬼神辭曰祝。」《禮記・禮運》:「陳其犧牲,備其鼎俎,列其琴瑟管磬鐘鼓,修其祝嘏,以降上神與其先祖。」鄭註:「祝,祝為主人饗神辭也。」《周禮・春官》:「蓋巫以歌舞降神,祝以文辭事神。」都說明瞭祝文是人向神靈或先祖祈求庇護、祈福消災的文辭。

> 天地定位,祀遍群神,六宗既埋,三望咸秩,甘雨和風,是生黍稷,兆民所仰,
> 美報興焉!犧盛惟馨,本於明德,祝史陳信,資乎文辭。

六宗,據《尚書・舜典》偽孔安國傳「所尊祭者,其祀有六:謂六時也,寒暑也,日也,月也,星也,水旱也。」三望,是指泰山、河、海等神,劉勰在這一段介紹了祝文文體來自於神靈信仰和祭祀禮儀:開天闢地以來,各種神靈受到祭祀,六種尊神已經祭祀,泰山、河、海的神按照次序望祭,於是風調雨順,各種穀物生長起來,由於億萬民眾仰賴,便對神靈作美好的報答。人們在祝文中寄託了對生產風調雨順、生活豐衣足食的美好響往,和對神靈的敬畏。

〈祝盟〉記載了原始社會時期的祝辭:

> 土返其宅,水歸其壑,昆蟲毋作,草木歸其澤。

〈文體明辨序說〉認為這一篇祝文是「祝文之祖」。劉勰認為這篇祝文「昔伊耆始蠟,以祭八神」,是神農氏時期年終祭祀所用的祝辭。古人認為一年中的收成依靠神靈的庇佑,因此要在年終的時候,舉行一次祭奠農事神明的祭祀活動,來表達對神明的感謝。八神,分別指穀物神、百穀神、農耕神、郵亭神、貓虎神、堤神、水溝神、昆蟲神,這八個神靈與農業生產息息相關,祝辭內容也體現了這一點:泥土返回自己的位置,水回到山溝裡,昆蟲不要興起,草樹長到沼澤地裡。

「祝」除了向神明禱告的文辭外,還是周朝負責向神靈祈禱的官職,在《周禮》中有「大祝」、「小祝」、「喪祝」、「甸祝」、「詛祝」、「女祝」等。

> 大祝掌六祝之辭,以事鬼神示,祈福祥,求永貞。一曰順祝,二曰年祝,三曰吉
> 祝,四曰化祝,五曰瑞祝,六曰筴祝。[11]
> 小祝掌小祭祀將事侯禳禱祠之祝號,以祈福祥,順豐年,逆時雨,寧風旱,彌災
> 兵,遠辠疾。[12]
> 喪祝掌大喪勸防之事。[13]

---

11 (清)孫詒讓撰,王文錦、陳玉霞點校:《周禮正義・春官宗伯第三・下大祝》北京:中華書局,
　　2013年,頁1985。
12 同上註,頁2032。
13 同上註,頁2043。

甸祝掌四時之田表貉之祝號。[14]

女祝掌王后之內祭祀，凡內禱祠之事。[15]

　　祝作為國家祭祀中的一種官職，通鬼神、問吉凶，掌管部落、氏族、國家的祭祀活動。《禮記・祭統第二十五》：「凡治人之道，莫急於禮；禮有五經，莫重於祭。」[16]祭祀是國家最終要的禮，李澤厚在《中國思想史論》中提到：「『禮』是頗為繁多的，其起源和核心則是尊敬和祭祀祖先」[17]；「所謂『周禮』，其特徵確是將以祭神（祖先）為核心的原始禮儀，加以改造製作，予以系統化、擴展化，成為一整套宗法制的習慣統治法規。」[18]西周時期建立了豐富的禮樂文化，開創了禮樂文明，祭祀典禮作為禮的重要核心，滲透在政治和生活的方方面面。

及周之太祝，掌六祝之辭。是以「庶物咸生」，陳於天地之郊；「旁作穆穆」，唱於迎日之拜；「夙興夜處」，言於祔廟之祝；「多福無疆」，布於少牢之饋；宜社類禡，莫不有文，所以寅虔於神祇，嚴恭於宗廟也。

周代的太祝，掌管「順祝」、「年祝」等六種祝辭，不同的祭祀典禮，有不同的祝辭，如用「萬物齊生」祭天祭地；用「光明普照」拜迎日出；用「早起晚睡」祝告於祖孫合廟；用「多福無疆」，祭祖獻食。祝文應用的場合逐漸擴大，出師打仗時的祭天祭地，也須使用祝文。祭祀的場合中，為了向神靈表示虔誠，對祖先表示恭敬，氛圍普遍比較肅穆：「旁作穆穆」、「寅虔於神祇，嚴恭於宗廟」。在《國語集解・楚語下第十八》中，記載了子期祀平王的場景：「國於是乎烝嘗，家於是乎嘗祀，百姓夫婦，擇其令辰，奉其犧牲，敬其粢盛，絜其糞除，慎其采服，禋其酒醴，帥其子姓，從其時享，虔其宗祝，道其順辭，以昭祀其先祖，肅肅濟濟，如或臨之。」[19]

　　盟和祝都是祝告於神明的文體：

盟者，明也。殺毛白馬，珠盤玉敦，陳辭乎方明之下，祝告於神明者也。

珠盤玉敦是盟誓時的器物，以槃盛血，以敦盛食。合諸侯者，必割牛耳，取其血，歃之以盟。盟禮最主要的儀式是在神靈面前殺牲歃血，讓神靈作為見證。《周禮・秋官・司盟》：「司盟掌盟載之法，凡邦國有疑會同，則掌其盟約之載及其禮儀。北面詔明神，既

---

14　同上註，頁2055。

15　同上註，頁562。

16　同上註，頁1236。

17　李澤厚：《中國思想史論》合肥：安徽文藝出版社，1999年，頁13。

18　同上註，頁14。

19　（春秋）左丘明撰，（清）徐元誥集解，王樹民、沈長雲點校：《國語集解・楚語下第十八・2・子期祀平王》北京：中華書局，2002年，頁519。

盟則貳之。盟萬民之犯命者，詛其不信者亦如之。凡民之有約劑者，其貳在司盟。有獄訟者，則使之盟詛。凡盟詛，各以其地域之眾庶共其牲而致焉。既盟，則為司盟共祈酒脯。」[20]鄭玄註：「載，盟辭也。盟者，書其辭於策，殺牲取血，坎其牲，加書於上，而埋之謂之載書。」孔穎達在《禮記‧曲禮下》：「盟之為法，先鑿地為方坎，殺牲於坎上，割牲左耳，盛以珠盤；又取血，盛以玉敦，用血為盟書，成乃歃血而讀書。」

祝盟文體指稱的對像是神明，因而要「犧盛惟馨，本於明德」，祭祀的人有光明的道德，神靈才會接受，祭品是否芳香，就在於祭祀的人是否有德行。反映在祝文中，就是「利民之志，頗形於言矣」。如舜祭田的祝文「荷此長耜，耕彼南畝，四海俱有」，向神明祈求讓天下百姓得到豐收。商湯用黑色公牛祭天的祝文「予小子履，敢用玄牡，敢昭告於皇皇後帝。有罪不敢赦，帝臣不蔽，簡在帝心。朕躬有罪，無以萬方；萬方有罪，罪在朕躬」[21]把各方的罪責都歸為己身，祈求神明不要降罪於自己的子民。商湯素車白馬祈求救旱的祝文「政不節與？使民疾與？何以不雨至斯極也！宮室榮與？婦謁盛與？何以不雨至斯極也！苞苴行與？讒夫興與？何以不雨至斯極也！」[22]，又用政不節、使民疾、宮室榮、婦謁盛、苞苴行、讒夫興六件事來責備自己，通過認罪來祈求得上蒼原諒，降雨來利萬民。舜和商湯的祝文，都是通過請求或罪己的形式，來為百姓謀福祉，罪己反而顯得祭祀的君主有光明無私的品格。

祝文的「誠敬」，在於「忠於民而信於神」、「無愧辭」，《左傳‧桓公六年》：「所謂道，忠於民而信於神也。上思利民，忠也；祝史正辭，信也。」《國語‧楚語下第十八》：「齊敬之勤、禮節之宜、威儀之則、容貌之崇、忠信之質、禋絜之服、而敬神明者，以為之祝。」[23]對巫祝的要求要有「忠信之質」，且其祭祀時要「虔其宗祝，道其順辭」、「聖王正端冕，以其不違心，帥其群臣精物以臨享祀，無有苛慝於神者」《左傳‧襄公二十七年》「夫子之家事治，言於晉國無隱情，其祝史陳信於鬼神無愧辭。」祝文要言辭誠懇，不能用虛妄之辭欺瞞神靈。

盟誓基於對神靈的崇拜和敬畏，給盟誓者造成一種心理上的約束力，來保證盟約的履行。《左傳》文公七年：「叛而不討，何以示威？服而不柔，何以示懷？非威非懷，何以示德？無德，何以主盟？子為正卿以主諸侯，而不務德，將若之何？」[24]《左傳》成

20　（清）孫詒讓撰，王文錦、陳玉霞點校：《周禮正義‧秋官司寇第五‧上司盟》北京：中華書局，2013年，頁2852-2857。

21　（清）劉寶楠撰，高流水點校：《論語正義‧卷二十三‧堯曰第二十一章》北京：中華書局，1990年，頁758。

22　（清）王先謙撰，沈嘯寰、王星賢點校：《荀子集解‧卷第十九‧大略篇第二十七》北京：中華書局，1988年，頁504。

23　（春秋）左丘明撰，（清）徐元誥集解，王樹民、沈長雲點校：《國語集解‧楚語下第十八‧昭王問於觀射父》北京：中華書局，2002年，頁513。

24　（清）洪亮吉撰，李解民點校：《春秋左傳詁‧卷九‧傳‧文公七年》北京：中華書局，1987年，頁367。

西元年：「背盟而欺大國，此必敗。背盟不祥，欺大國不義，神人弗助，將何以勝？」[25]《左傳》成公八年：「大國制義，以為盟主，是以諸侯懷德畏討，無有二心。」[26]《左傳》昭公二十五年：「宋右師必亡。奉君命以使，而欲背盟以幹盟主，無不祥大焉。」[27]盟誓用來維持彼此的誠信，但又正是雙方缺乏誠信，才要通過神靈的懲罰來進行強制的威脅，因而劉勰在〈祝盟〉中說「故知信不由衷，盟無益也」。盟是消除彼此之間不信任的理想方式，盟誓是鄭重嚴肅的，盟文也應體現「忠信」，即「忠信可矣，無恃神焉」。

　　祝和盟中對神明的敬畏與利民思想、對自我的約束，都體現了「甘」的忠信內核。劉勰提出祝盟「修辭必甘」，具有針砭時弊的重要意義。面對「秘祝移過，異於成湯之心，侲子驅疫，同乎越巫之祝」，劉勰發出「禮失之漸」的感歎。後世祝文出現「季代彌飾，絢言朱藍」的問題，華侈浮誇之風日盛，忠信之義漸失，而道德禮儀的缺失，是對祝盟「甘」美的消解。劉勰提出的「修辭必甘」，正是在此情境下對「本於明德」的呼籲和「後之君子，宜存殷鑒」的警示。

# 二　甘：「和」之審美意蘊

　　「甘」是五味之一，又是五味之本，是五味調和呈現出來的味之美，具有獨特地位。《禮記・禮運第九之二》：「五味、六和、十二食，還相為質也。」鄭玄註：「五味，酸、苦、辛、鹹、甘也。和之者，春多酸，夏多苦，秋多辛，冬多鹹，調以滑甘，是為六和。」[28]食物的調味要隨著季節而變動，春天多用酸味，夏天多用苦味，秋天多用辣味，冬天多用鹹味，這些都要配上柔滑的甜味來調和，甘在五味中起著中和的作用。孔穎達在《禮記・禮器第十之二》中疏云：「甘為眾味之本，不偏主一味，故得受五味之和。」[29]《淮南子》：「故音者，宮立而五音形矣；味者，甘立而五味亭矣；色者，白立而五色成矣；道者，一立而萬物生矣。」[30]甘是五味中的中央味，甘味出，五味定。「味有五變，甘其主也。位有五材，土其主也……煉甘生酸，煉酸生辛，煉辛生苦，煉苦生

25　（清）洪亮吉撰，李解民點校：《春秋左傳詁・卷十一・傳・成公元年》北京：中華書局，1987年，頁435。

26　同上註，頁456。

27　同上註，頁767。

28　（清）孫希旦撰，沈嘯寰、王星賢點校：《禮記集解・卷二十二・禮運第九之二》北京：中華書局，1989年，頁611。

29　（清）孫希旦撰，沈嘯寰、王星賢點校：《禮記集解・卷二十四・禮器第十之二》北京：中華書局，1989年，頁667-668。

30　（漢）劉安編，劉文典撰，馮逸、喬華點校：《淮南鴻烈集解・卷一・原道訓》北京：中華書局，2013年，頁30。

鹹，煉鹹反甘。」[31]甘是五味之本，生出其他味道；是五味調和呈現出來的完美狀態。

味作為一種審美範疇常常和聲音聯繫在一起，古人通過五味、五音的並舉，來把握人的思想情感，如荀悅《申鑒‧雜言上》：「夫酸鹹甘苦不同，嘉味以濟，謂之和羹。宮商角徵不同，嘉音以章，謂之和聲。臧否損益不同，中正以訓，謂之和言。」甘是五味之和的象徵，美的味覺呈現，常被用於樂論和人物品評中，如嵇康〈聲無哀樂論〉：「五味萬殊，而大同於美；曲變雖眾，亦大同於和。美有甘，和有樂；然隨曲之情，盡於和域；應美之口，絕於甘境。」劉劭《人物志‧九徵》：「凡人之品質，中和最貴矣。質白受采，味甘受和。人情之良田也。」王充《論衡‧別通篇》：「空器在廚，金銀塗飾，其中無物益於饑，人不顧也；肴膳甘醢，土釜之盛，入者饗之。古賢文之美善可甘，非徒器中之物也，讀觀有益，非徒膳食有補也。」他把古人的一切美文都比作「肴膳甘醢」。

佛陀「三十二相」之一有「味中得上味相」，鳩摩羅什所譯《大智度論》中解釋云：「若菩薩舉食著口中，是時咽喉邊兩處流注甘露，和合諸味，是味清淨故，名味中得上味。」[32]；「何以故？是一切食中有最上味因故。無是相人，不能發其因故，不得最上味。」甘露味是味中的上味，這種「無上甘露味」也常用來指佛法中的言辭之美，如《大方等大集經》中記載「彼佛如來所說法要，言辭美妙，猶如甘露，一切聽者心無疲厭。」[33]在《佛說長阿含經》中指出，講述佛法的語言，應當是「初言亦善，中下亦善，義味具足，淨修梵行，如我今日說法，上中下言，皆悉真正，義味具足，梵行清淨」[34]，佛陀的語言不僅僅具有言辭之美，更要「義味具足」，既有真義，又有句味。劉勰早年寄居定林寺十餘年，五十六歲時在定林寺出家，法號慧地，佛家思想對其有一定的影響。《文心雕龍‧總術》中亦有體現：

> 若夫善弈之文，則術有恆數，按部整伍，以待情會，因時順機，動不失正。數逢其極，機入其巧，則義味騰躍而生，辭氣叢雜而至。視之則錦繪，聽之則絲簧，味之則甘腴，佩之則芬芳：斷章之功，於斯盛矣。

〈總術〉是《文心雕龍》創作論的最後一篇，綜合論證寫作方法的重要性。這一段摘自〈總術〉的第二部分，從正反兩方面探討了執術寫作的重要性。「味之則甘腴」，是形容執術創作時達到的美好境界，即「義味騰躍而生，辭氣叢雜而至」，既有意義和韻味，又兼顧辭采和文氣。「或義華而聲悴，或理拙而文澤。知夫調鐘未易，張琴實難。」有的意義美好而缺乏聲情，有的命意拙劣而文辭光潤。和諧，即是意義韻味和辭

---

31 同上註，頁146。
32 （日）高楠順次郎：《大正新修大藏經》臺北：世樺印刷企業有限公司，1974年，頁91。
33 同上註，頁242。
34 同上註，頁42。

采文氣要和諧。

祝盟文要兼具「利民之志」和「文辭組麗」，內容和形式的和諧統一。修辭必甘，首先要「裁以正義」，有儒家的利民之志：

> 所以秘祝移過，異於成湯之心；侲子驅疫，同乎越巫之祝：禮失之漸也。至如黃帝有〈祝邪〉之文，東方朔有《罵鬼》之書，於是後之譴咒，務於善罵。惟陳思詰咎，裁以正義矣。

漢代之後，祭祀出現了極大的變化，用童子驅趕疫鬼，在內容上和商湯把罪過歸為己身不同，把過失推給臣民，祝中的「禮」已經漸漸丟失，而後來的譴責祝文，也只是「務於善罵」，這些都已經偏離了正道。劉勰認為展現「正義」之禮的，就是曹植的〈詰咎文〉：

> 五行致災，先史咸以為應政而作。天地之氣，自有變動，未必政治之所興致也。
> 于時大風，發屋拔木，意有感焉。聊假天帝之命，以詰咎祈福。其辭曰：
> 上帝有命，風伯雨師。夫風以動氣，雨以潤時。陰陽協和，氣物以滋。亢陽害苗，暴風傷條。伊周是過，在湯斯遭。桑林既禱，慶雲克舉。偃禾之復，姬公走楚。況我皇德，承天統民。禮敬川嶽，祗肅百神。享茲元吉，蕃福日新。至若災旱赫羲，飆風扇發。嘉卉以萎，良木以拔。何谷宜填？何山應伐？何靈宜諭？何神宜謁？於是五靈振悚，皇祗赫怒。招搖警怵，欃槍奮斧。河伯典澤，屏翳司風。古呵飛屬，顧叱風隆。息飆過暴，元敕華嵩。慶雲是興，效厥豐年。遂乃沈陰坱圠，甘澤微微。雨我公田，爰暨予私。黍稷盈疇，芳草依依。靈禾重穗，生彼邦畿。年登歲豐，民無餒饑。

曹植在序言中直接表明反對神靈降罪的迷信說，明確指出自然災害是「天地之氣」自然變動的結果，並不是對政治活動的感應或者降罪的徵兆。接著在祝辭正文中，又用陰陽變化解釋風雨旱潦的形成，表明陰陽之間的鬥爭變化是不以人的主觀意志而轉移的。既然如此，為何要寫一篇「假天帝之命」對「害苗」、「傷條」的風神雨神進行詰問的詰咎文呢？最後一句點出了作這篇祝辭的原委，即通過對風神雨神罪責的責罵來祈求風調雨順，使得「年登歲豐，民無餒饑」，落腳點為百姓而非統治階級的私欲，因而可稱作是「正義」的祝文。

## 三　結語

祝辭的寫作，除了內容務實、情感誠實、思想正義外，還要注意「練句協音，以便記誦」（《漢文學史綱要‧自文字至文章》）。雖然劉勰提出「凡群言務華，而降神務

實」，又對「彌飾」之風進行批判，但對於文辭「麗」的祝文仍持肯定態度：「若夫《楚辭·招魂》，可謂祝辭之祖麗也。」其對祝辭內容樸實虔誠的強調，也是在「華實相扶」的整體前提下提出的。

　　總之，劉勰提出祝盟文體應呈現出「甘」的審美意蘊，甘具有「忠信」、「和」的特徵，正暗合了祝盟的「立誠在肅」，「正義」、「組麗」的要求。紀昀評〈祝盟〉篇時，認為劉勰不僅僅落腳於祝盟文體，而更是對文學本身、對文辭和內容關係的探討：「此篇崇實而不論文，是其識高於文士處。非不論文，論文之本也。」范文瀾亦認為「以祝為名，舉一而包餘事也」。對祝盟文的探討，也反映了劉勰的審美傾向。

# 詩與史之間
## ──論謝靈運形象的接受

伍梓均

上海　復旦大學

## 緒論

　　謝靈運（西元 385-433 年）是劉宋時期乃至南北朝文學的代表人物，更是山水詩寫作的重要詩人。前人和時賢關於謝靈運的研究，多集中在其思想或文學方面，當中又以山水詩數量最多。[1]本文選取謝靈運傳記作為切入的角度，乃因《宋書‧謝靈運傳》常常用作理解謝靈運詩歌的途徑，比如唐代六臣註解謝靈運山水詩，便以傳記內容作為解讀詩歌的進路。學者對謝靈運詩歌的解讀多元紛雜，但是似乎對用來理解詩歌背景的傳記內容缺乏足夠的關注。有見及此，本文以《宋書‧謝靈運傳》為中心，討論謝靈運傳所呈現的謝靈運形象與謝靈運詩歌所載有何差異，繼而辨析形成這種差異的可能原因。

## 一　詩史互見的第一種形象：庸官

　　《宋書》在描述謝靈運生平事蹟時，有頗多的篇幅涉及其仕宦生涯。《宋書》描述謝靈運「為性偏激，多愆禮度，朝廷唯以文義處之」[2]，所以謝靈運即便在撰《晉書》時被「日夕引見，賞遇甚厚」[3]，但始終不是經國大業，且不滿於其他不如自己之輩被重用，故憤懣難平。傳記描述謝靈運因為性格偏激而不受到朝廷重用，表現其性格偏激的事蹟有很多，舉例而言，在登山遊覽時往往失之禮度，行事難料：

> 靈運因父祖之資，生業甚厚。奴僮既眾，義故門生數百，鑿山浚湖，功役無已。尋山陟嶺，必造幽峻，巖嶂千重，莫不備盡。登躡常著木履，上山則去前齒，下山去其後齒。嘗自始寧南山伐木開逕，直至臨海，從者數百人。臨海太守王琇驚

---

1　舉例來說，二〇〇一年選編的《謝靈運研究叢書：謝靈運研究論集》所收二十四篇文章，與山水詩相關者至少有十二篇，占數量一半。葛曉音編選：《謝靈運研究叢書：謝靈運研究論集》桂林：廣西師範大學出版社，2001年。

2　（南朝梁）沈約：《宋書》北京：中華書局，1974年，頁1753。

3　同上註，頁1772。

駭，謂為山賊，徐知是靈運乃安。又要琇更進，琇不肯，靈運贈琇詩曰：「邦君
難地險，旅客易山行。」在會稽亦多徒眾，驚動縣邑。[4]

在遊覽山林時，除了自己開山劈石闢路外，更有從眾數百人，往往驚動當地的縣府，臨
海太守甚至以為是山賊，足見謝靈運恣情任性、不守法度。謝靈運「動踰旬朔，民間聽
訟，不復關懷」，[5]且遊覽時乃「出郭游行，或一日百六七十里，經旬不歸，既無表聞，
又不請急」，[6]只重遊歷山水，似乎是一個不理政事的官員。

　　然而，如果比對謝靈運詩歌對其官宦生涯的記錄，詩中呈現出與傳記所不同的三種
面向：重視民眾的生產、自責治郡無方和自己治理下的太平景象。其一，愛民如子，重
視生產，在〈種桑詩〉中言「俾此將長成，慰我海外役。」[7]此詩的寫作背景是謝靈運
帶領當地百姓在永嘉郡城郊一帶種植桑樹，以提供養蠶需要，詩中表達謝靈運的欣喜之
情，並認為如果以後桑樹成林，也算是一件好事，足以慰藉赴任永嘉一事。在〈白石岩
下徑行田詩〉中，這種關心百姓的心態表現得更加具體：

> 小邑居易貧，災年民無生。知淺懼不周，愛深憂在情。舊業橫海外，蕪穢積頹
> 齡。饑饉不可久，甘心務經營。千頃帶遠堤，萬里瀉長汀。洲流涓澮合，連統塍
> 埒并。雖非楚宮化，荒闕亦黎萌。雖非鄭白渠，每歲望東京。天鑒儻不孤，來茲
> 驗微誠。[8]

事緣謝靈運在白石岩下巡視農田，看見災情嚴重，因民不聊生而深感憂慮。詩前四句主
要說貧民往往受天災影響而苦不堪言，後文所提及的「楚宮」，乃是古代楚國宮殿名，
為春秋時期衛文公在楚丘營建。據《左傳・閔公二年》所記，衛文公既立，就地建築宮
室，經營農事，經過二十五年的艱苦努力，終於由弱變強，復國初只有戰車三十乘，後
來發展到三百乘。[9]謝靈運希望營建水壩，使農事生產得以改善，如衛文公一般。至於
「雖非鄭白渠，每歲望東京」句，指鄭國渠和白渠，前者是韓國水工鄭國主持開鑿的水
渠，渠長三百多里，是關中地區主要的灌溉系統。《史記》卷二十七〈河渠書〉曰：「於
是關中為沃野，無凶年，秦以富彊，卒并諸侯，因命曰鄭國渠。」[10]白渠則是西漢白公
所開的管道，位於關中平原。《漢書》卷二十九〈溝洫志〉載：「袤二百里，溉田四千五

4　同上註，頁1775。

5　同上註，頁1753-1754。

6　同上註，頁1772。

7　逯欽立：《先秦漢魏晉南北朝詩》北京：中華書局，2017年，頁1169。

8　同上註，頁1168。

9　（晉）杜預註，（唐）孔穎達正義：《春秋左傳正義》北京：北京大學出版社，1999年，頁317。

10　（漢）司馬遷撰，（南朝宋）裴駰集解，（唐）司馬貞索隱，（唐）張守節正義：《史記》北京：中華
　　書局，1959年，頁1408。

百餘頃，因名曰白渠。」[11]這兩項水利建築都是裨益後代的工程，謝靈運所提出的水壩建設，希望州郡至少能夠在災年自給，然後再有餘力進貢朝廷。謝靈運似乎頗為關注水利工程對民生之影響，〈謝靈運傳〉嘗載「會稽東郭有回踵湖，靈運求決以為田」一事，[12]所謂決湖為田就是填湖造田，可增加耕地面積，但遭到會稽太守孟顗的反對。決湖為田雖未實現，但謝客提出此構想足見其治理郡地的高瞻遠矚，決湖為田對於農事生產有莫大裨益，《宋書》卷五十四〈孔季恭列傳〉記載，「山陰縣土境偏狹，民多田少，靈符表徙無貲之家于餘姚、鄞、鄮三縣界，墾起湖田。」[13]山陰縣因為人口數量多而耕地面積少，所以孔靈符提出開墾湖田以解決問題，湖田的產量勝於普通農地，乃在於接近水源而容易灌溉，而且土質會較為肥沃，所以適合種植水稻一類的作物。後來宋人曾鞏在〈越州鑑湖圖序〉更是高度評價謝客之構想：

> 昔謝靈運從宋文帝求會稽回踵湖為田，太守孟顗不聽，又求休崲湖為田，顗又不聽，靈運至以語詆之。則利於請湖為田，越之風俗舊矣。然南湖由漢歷吳、晉以來接于唐，又接于錢繆父子之有此州，其利未嘗廢者。彼或以區區之地當天下，或以數州為鎮，或以一國自王，內有供養祿廩之須，外有貢輸問饋之奉，非得晏然而已也。故強水土之政，以力本力農，亦皆有數，而錢繆之法最詳，至今尚多傳於人者。則其利之不廢，有以也。[14]

按照曾鞏所言，決湖為田乃是此地由來已久之風俗，而由湖田所生產的糧食不僅供給州郡內部需要，還可以進貢輸出，所以湖田制度是利民之策。如是說，謝靈運始終關注郡地百姓的農事生產及水利工程問題，〈謝靈運傳〉批評謝靈運怠政似難以成立。

其二，謝靈運會自責治郡無方，例如〈命學士講書詩〉言：

> 臥病同淮陽，宰邑曠武城。弦歌愧言子，清淨謝伏生。古人不可攀，何以報恩榮。時往歲易周，聿來政無成。曾是展予心，招學講群經。鑠金既雲刃，凝土亦能鈞。望爾志尚隆，遠嗣竹箭聲。敢謂荀氏訓，且布蘭陵情。待罪豈久期，禮樂俟賢明。[15]

言子即言偃，字子游，孔門弟子，轄治武城。《論語·陽貨》載子游任武城宰，以弦歌為教民之途，主張「君子學道則愛人，小人學道則易使也」，[16]即君子學習禮樂之教可

---

11　（漢）班固撰，（唐）顏師古註：《漢書》北京：中華書局，1962年，頁1685。

12　（南朝梁）沈約：《宋書》，頁1975-1776。

13　同上註，頁1533。

14　（唐）曾鞏：《曾鞏集》北京：中華書局，1984年，頁207。

15　逯欽立：《先秦漢魏晉南北朝詩》，頁1169。

16　（魏）何晏註，（宋）刑昺疏：《論語注疏》北京：北京大學出版社，1999年，頁233。

有仁愛之心，百姓學習後便能夠方便治理，以此達致安居樂業。謝靈運佩服子游治理武城出色，卻感慨自己未能如此認真。這幾句主要說自己治理州郡的成績無法和前賢比較，愧對朝廷對自己的恩惠與殊榮，來此地快至一年，卻在政事上無所成就。又如〈北亭與吏民別詩〉，「時易連還周，德乏難濟振。眷言徒矜傷，靡術謝經綸」，[17]言到任快一年，自己卻缺乏德治而無法救濟百姓，只能哀憐自己沒有辦法治理州郡。如果我們認同《宋書》所言謝靈運乃恣情任性之人，不顧政事而只意在遊山玩水，那麼他並沒有必要自愧於治郡無方。由此可見，〈命學士講書詩〉和〈北亭與吏民別詩〉二詩中所表達的愧疚，和謝靈運傳記所呈現的形象略有差異。

其三，謝靈運在詩中描寫其治下州郡的太平景象，例如〈齋中讀書詩〉的「虛館絕諍訟，空庭來鳥雀。」[18]學界通用的顧紹柏箋註本，言此條所反映的是謝靈運荒廢政務，而非真正治郡有方，其來源就是《宋書》所言的謝靈運「民間聽訟，不復關懷」。[19]這種評價不一定正確，因為在謝靈運另一首詩〈遊嶺門山詩〉中，謝氏明言是因為爭訟止息才去遊山玩水，並非二者互易。引錄其詩如下：

> 西京誰修政，龔汲稱良史。君子豈定所，清塵慮不嗣。早菭建德鄉，民懷虞芮意。海岸常寥寥，空館盈清思。協以上冬月，晨遊肆所喜。千圻邈不同，萬嶺狀皆異。威摧三山峭，瀄汩兩江駛。漁舟豈安流，樵拾謝西芘。人生誰云樂，貴不屈所志。[20]

此句「龔汲」指西漢時期的龔遂、汲黯。龔遂事見《漢書》卷八十九〈循吏傳〉，任渤海太守，平定盜賊又開倉賑貧，百姓安居樂業，爭訟停息。汲黯事見《史記》卷一百二十、《漢書》卷五十汲黯本傳，汲黯因直言進諫而被外放為東海太守，採用黃老之術治郡，一年多的時間便有清明和平之景。但謝靈運擔心自己不能接踵前賢而好好治理州郡，故言「君子豈定所，清塵慮不嗣」。所幸州郡百姓民風淳樸，不難治理，比喻為「建德鄉」和「虞芮」。前者是《莊子》所虛構的無為而治的國度，在《莊子·山木》中言：「南越有邑焉，名為建德之國。其民愚而樸，少私而寡欲；知作而不知藏，與而不求其報；不知義之所適，不知禮之所將；倡狂妄行，乃蹈乎大方；其生可樂，其死可葬。」[21]「虞芮」則是周代的兩個國家。《史記》卷四〈周本紀〉載：「於是虞、芮之人有獄不能決，乃如周。入界，耕者皆讓畔，民俗皆讓長。虞、芮之人未見西伯，皆慙，

17 逯欽立：《先秦漢魏晉南北朝詩》，頁1172。
18 同上註，頁1168。
19 顧紹柏：《謝靈運集校注》鄭州：中州古籍出版社，1987年，頁62。
20 逯欽立：《先秦漢魏晉南北朝詩》，頁1163。
21 陳鼓應註譯：《莊子今注今譯》北京：商務印書館，2007年，頁583。

相謂曰：『吾所爭，周人所恥，何往為，祇取辱耳。』遂還，俱讓而去。」[22]「虞芮」
主要指能互相謙讓、止息訟訴者。因為民風淳樸，絕少爭訟，就好像是「建德鄉」和
「虞芮」那樣，所以主持政務的謝靈運才有餘暇觀覽山水，這當然也從側面說明瞭在謝
靈運治下政治昌明，民眾不糾訴訟。

　　除了謝靈運的詩歌以外，在若干地理志和實際的地理建築上還能反映謝靈運的政事
作為。在《萬曆溫州府志》中，謝靈運被歸為良吏，在卷四〈祠祀志〉「名宦祠」條
下，言：「在廟門外左祀晉王羲之，宋謝靈運、顏延之。……」，[23]以紀念諸人的政治實
績。關於謝靈運的實際政績，卷九《治行志·郡良吏》如是說：

> 南宋謝靈運，玄之孫也，性穎異，文擅江左第一。為永嘉守，德惠多及民，招士
> 講書，人知向學。居西堂，夢弟惠連，得「池塘生春草」句，時以為工。有〈行
> 田〉、〈種桑〉、〈與民別〉等詩。今有夢草堂、謝公亭、謝客巖、謝池及康樂坊之
> 名，皆民所不能忘者。[24]

這段引文是放在《治行志》的「郡良吏」類別，而謝靈運乃是「德惠多及民」，所以才
有夢草堂、謝公亭、謝客岩等五處紀念謝靈運的建築。至於謝靈運在州郡行教化之事，
該書卷二有更詳細的描述：

> 漢東甌王敬鬼俗化焉，多尚巫祠。武帝時粵人自相攻擊，詔徙江淮間，其地遂
> 虛，後雖置縣，尚荒寂也。晉立郡城，生齒日煩，自顏延之、王右軍導以文教，
> 謝康樂繼之，人乃知嚮方。自是而家務比宋，遂成小鄒魯云。[25]

根據引文所述，乃說溫州本來是蠻荒之地，謝靈運繼承顏延之、王羲之的文教工作，使
民眾歸於正道。總的來說，謝靈運詩歌展現了一個為民擔憂的良吏形象，既有利民措
施，又會自責治郡無方，在謝靈運治下的州郡呈現一派清明景象，在實際存在的碑、廟
中也可見民眾擁戴謝靈運。本節通過比對《宋書·謝靈運傳》與謝靈運詩歌所呈現的官
員形象，認為二者存在頗多差異。

## 二　詩史互見的第二種形象：逆臣

　　《宋書·謝靈運傳》除了把謝客描述成庸官之外，另一種主要形象則是逆臣。史傳

---

22　（漢）司馬遷撰，（南朝宋）裴駰集解，（唐）司馬貞索隱，（唐）張守節正義：《史記》，頁117。
23　（明）湯日昭、（清）王光蘊：《萬曆溫州府志》，《四庫全書存目叢書》，濟南：齊魯書社，1996年，
　　頁539。
24　同上註，頁653。
25　同上註，頁515。

載謝客赴任為臨川內史後,再被彈劾,朝廷派鄭望生逮捕謝靈運,謝靈運卻先抓住鄭望生,起兵叛逃。朝廷念其祖上功勳卓著,赦免死罪,改徙廣州。在流徙之際,有一夥人被抓,供出受謝靈運指派劫刑,此事被識破後謝靈運便被判棄市刑。謝靈運死前賦臨終詩,史傳有載:

> 龔勝無餘生,李業有終盡。嵇公理既迫,霍生命亦殞。淒淒凌霜葉,網網衝風菌。邂逅竟幾何,修短非所愍。送心自覺前,斯痛久已忍。恨我君子志,不獲巖上泯。[26]

如此詩確是謝客所作,則逆反的原因在於不事新朝,因為詩前四句所涉及的龔勝、李業、嵇康和霍原,[27]皆是拒絕與亂臣賊子合作而被迫致死的良臣。龔勝,西漢時期光祿大夫,王莽篡漢後拒絕入朝,忠於舊主而後絕食而死,曾曰:「吾受漢家厚恩,亡以報,今年老矣,旦暮入地,誼豈以一身事二姓,下見故主哉?」(《漢書》卷七十二〈龔勝傳〉)[28]李業,王莽當政期間拒絕與之合作,後公孫述據益州稱帝,以毒酒脅迫李業出仕,有人勸說李業宜全身保家為重,李業卻說:「危國不入,亂國不居。親於其身為不善者,義所不從。君子見危授命,何乃誘以高位重餌哉?」(《後漢書》卷八十一〈李業傳〉),[29]遂飲毒酒而亡。嵇康,曹魏中散大夫,因拒絕依附司馬氏和得罪鍾會,遭其構陷,後被司馬昭處死。霍原,西晉人,幽州都督王浚謀僭稱帝,以尊號事問之,霍原不予表態,後王浚誣說霍原與盜賊謀逆,被斬首示眾。如果謝靈運把自己類比成上述四人,則言明不事新朝,拒絕與代晉自立的劉裕父子合作。

　　謝靈運之死因嘗引起諸多討論,有學者指出謝靈運謀反的原因並不在忠於舊主,[30]同時也有學者推測劫刑一事疑竇叢生,或為捏造栽贓之舉。[31]如果以謝靈運的詩歌為參

---

26 (南朝梁)沈約:《宋書》,頁1777。

27 關於「嵇公理既迫」一句「嵇公」所指何人有不同解讀,顧紹柏認為是嵇紹,即嵇康之子,但林文月認為是嵇康,因為嵇紹是在晉惠帝危難之際拼死相救而亡,雖有忠心,但與其餘三人不事新朝而被害的情況不太一致。本文取林文月說。顧紹柏:《謝靈運集校注》,頁205。林文月:〈謝靈運「臨終詩」考論〉,收入《中研院第二屆國際漢學會議論文集》臺北:中研院,1989年,頁847-849。

28 (漢)班固撰,(唐)顏師古註:《漢書》,頁3085。

29 (南朝宋)范曄撰,(唐)李賢等註:《後漢書》北京:中華書局,1965年,頁2670。

30 沈玉成:〈謝靈運的政治態度和思想性格〉,收入葛曉音編選:《謝靈運研究叢書:謝靈運研究論集》,頁94-117。

31 郝昺衡:「按元嘉九年,靈運尚在臨川,未為有司所糾,是否徙付廣州,更不可知。此云以去九月初云云,何從說起,此不合事實一也。三江之說,古今記載各有不同。而三江口之在吳地,則大抵一致。當時建康廣州間之交通要道,厥唯大庾始興,靈運徙付廣州,此亦必經之路,則三江口何從篡取?此不合事實二也。涂口即涂水口,而涂水又即今安徽之滁河。趙欽等謝不成,緣路為劫盜,不在吳中,不在京口,而獨在此邈不相涉之涂口,此不合事實三也。」郝昺衡:《謝靈運年譜》,收入陳祖美編校:《謝靈運年譜彙編》桂林:廣西師範大學出版社,2001年,頁53。

照物，則作為論述的反證亦有不少，其中在謝靈運詩篇中便不乏歌頌劉裕以及讚頌新朝之作。例如〈九日從宋公戲馬臺集送孔令詩〉，尤其值得留意的是「良辰感聖心，雲旗興暮節」。[32]「聖心」二字當是對劉裕的溢美之辭，方回《文選顏鮑謝詩評》卷一即認為如此，「宋臺既建，坐受九錫，則裕為君，而晉安帝已非君矣，故二謝皆以聖稱宋公」。[33]其時劉裕並未代晉自立，稱呼「聖心」似有獻媚之嫌。如果從創作緣起上來看，《文選》卷二十載謝瞻〈九日從宋公戲馬臺集送孔令詩〉，呂向在作者名下註曰：「謝瞻幼能為文章，孫章太守劉裕為宋公時，九月九日出遊項羽戲馬臺，送尚書令孔靖辭位歸鄉，宋公與百寮賦詩，以述其美焉。」[34]《宋書》卷五十四〈孔季恭傳〉也說：「宋臺初建，令書以為尚書令，加散騎常侍，又讓不受，乃拜侍中、特進、左光祿大夫。辭事東歸，高祖餞之戲馬臺，百僚咸賦詩以述其美。」[35]可知設宴為孔靖餞別乃在義熙十四年（西元418年），而劉裕在永初元年（西元420年）六月才至建康即位，改國號為宋。那麼謝靈運和謝瞻早已視劉裕為君王，不見得謝靈運會對劉裕有逆反之心。謝榛《四溟詩話》卷一：「謝瞻〈從宋公戲馬臺送孔令〉曰：『聖心眷佳節，揚鑾戾行宮。』謝靈運曰：『良辰感聖心，雲旗興暮節。』是時晉帝尚存，二公世臣媚裕若此。靈運又曰：『韓亡子房奮，秦帝魯連恥。』何前佞而後忠也。」[36]在後來的〈從遊京口北固應詔詩〉中，也有「皇心美陽澤，萬象咸光昭」，[37]同樣可證謝靈運對待劉裕的態度，此詩當然是歌頌劉裕治下一片昇平氣象，黃節引劉坦之言：「而見夫陽景暉暎，卉物鮮榮者，莫非聖心仁澤之美，遠近孚布，而萬象無不光昭也。詳此則群臣之受恩寵者，各遂其志，意有在矣。」[38]除此以外，謝靈運也對劉裕代晉自立持正面態度，例如〈三月三日侍宴西池詩〉稱「虞承唐命，周襲商艱。江之永矣，皇心惟眷」，[39]指虞氏首領舜被陶唐氏首領堯選為繼承人，以及周武王取代了處境困難的商朝兩件事，說明劉裕貢獻良多，並移用《詩經‧周南‧漢廣》之句，《毛詩序》曰：「《漢廣》，德廣所及也。文王之道被於南國，美化行乎江、漢之域」，[40]以此比喻劉裕恩德深廣。值得補充的是，如果認為這三首詩都只不過是謝靈運的應制之作，不免阿諛奉承，那麼在〈命學士講書〉中的「古人不可攀，何以報恩榮」，[41]以及〈北亭與吏民別〉中的「昔值休明

---

32　逯欽立：《先秦漢魏晉南北朝詩》，頁1157-1158。

33　方回：《文選顏鮑謝詩評》，《景印文淵閣四庫全書》臺北：臺灣商務印書館，1986年，頁577。

34　（南朝梁）蕭統編，李善、呂延濟、劉良、張銑、呂向、李周翰註：《六臣注文選》，頁375。

35　（南朝梁）沈約：《宋書》，頁1532。

36　（明）謝榛：《四溟詩話》北京：中華書局，1985年，頁5。

37　逯欽立：《先秦漢魏晉南北朝詩》，頁1158。

38　黃節：《謝康樂詩注》，收入《黃節注漢魏六朝詩六種》北京：人民文學出版社，2008年，頁704。

39　逯欽立：《先秦漢魏晉南北朝詩》，頁1153。

40　（漢）毛亨傳，（唐）鄭玄箋，（唐）孔穎達疏：《毛詩正義》北京：北京大學出版社，1999年，頁52。

41　逯欽立：《先秦漢魏晉南北朝詩》，頁1169。

初，以此預人群」，[42]也有類似追慕新朝的傾向。所以從現存謝靈運詩來看，似難以證明其的逆反是因為懷念舊主、不事新朝。

## 三　〈謝靈運傳〉的編撰者

上兩節所言謝靈運詩歌和謝靈運史傳二者之間的差異，或稱是傳記「作者」沈約所致，但與其它傳記所略微不同的是，《宋書》謝靈運本傳似乎並不完全出於沈約之手，沈約應是在吸收前人內容的基礎上寫定而成。《宋書‧謝靈運傳》依據內容大致可分為兩部分，分別是謝靈運的生平以及附錄於本傳關於「四聲八病」的文學理論。其中文學理論的部分，當是由沈約所撰，內容為梳理周代以降的文學發展脈絡，提出所謂平頭、上尾、蜂腰、鶴膝、大韻、小韻、旁紐、正紐八種詩歌創作力求避免的毛病，作為詩歌創作的聲律指導。《南史》卷四十八《陸厥傳》：

> 時盛為文章，吳興沈約、陳郡謝朓、瑯邪王融以氣類相推轂，汝南周顒善識聲韻。約等文皆用宮商，將平上去入四聲，以此制韻，有平頭、上尾、蜂腰、鶴膝。五字之中，音韻悉異，兩句之內，角徵不同，不可增減。世呼為「永明體」。」[43]

沈約把文學理論放在謝靈運本傳之後，唐人李周翰註曰：「約修《宋書》至靈運傳，嘉其文章，因為此傳論於下，以敘文章利害是非焉。」[44]日本學者興膳宏則指出，作為斷代史的《宋書》，應該把論述對象限定在劉宋時期，雖可以因史實關聯而前溯劉宋以前的歷史，但沈約作為後來者表述詩學觀點並不恰當。[45]雖然如興膳宏所言，此傳並不符合常例，但是卻可說明沈約有參與撰寫〈謝靈運傳〉。

但另一方面，也應當注意到，《宋書》並不是完全出自沈約之手，根據《宋書》卷一百〈自序〉載沈約所言：

> 宋故著作郎何承天始撰《宋書》，草立紀傳，止于武帝功臣，篇牘未廣。其所撰志，唯《天文》，《律曆》，自此外，悉委奉朝請山謙之。謙之，孝建初，又被詔撰述，尋值病亡，仍使南臺侍御史蘇寶生續造諸傳，元嘉名臣，皆其所撰。寶生被誅，大明中，又命著作郎徐爰踵成前作。爰因何、蘇所述，勒為一史，起自義熙之初，訖於大明之末。至於臧質、魯爽、王僧達諸傳，又皆孝武所造。自永光以來，至於禪讓，十餘年內，闕而不續，一代典文，始末未舉。且事屬當時，多

---

42 同上註，頁1171。

43 （唐）李延壽：《南史》北京：中華書局，1975年，頁1195。

44 （南朝梁）蕭統編，（唐）李善、呂延濟、劉良、張銑、呂向、李周翰註：《六臣注文選》，頁944。

45 （日）興膳宏撰，彭恩華譯：《六朝文學論稿》長沙：嶽麓書社，1986年，頁280。

> 非實錄，又立傳之方，取捨乖衷，進由時旨，退傍世情，垂之方來，難以取信。臣今謹更創立，製成新史，始自義熙肇號，終於昇明三年。桓玄、譙縱、盧循、馬、魯之徒，身為晉賊，非關後代。吳隱、謝混、郤僧施，義止前朝，不宜濫入宋典。劉毅、何無忌、魏詠之、檀憑之、孟昶、諸葛長民，志在興復，情非造宋，今並刊除，歸之晉籍。[46]

據引文所示，《宋書》的編撰在劉宋當代已經開始，負責人為宋文帝時期的著作郎何承天。根據《宋書》卷六十四〈何承天傳〉載「十六年，除著作佐郎，撰國史」，[47]可知當時乃宋文帝元嘉十六年（西元439年），距離劉宋建立的永初元年（西元420年）僅過去十九年，何承天撰述的部分包括武帝以前的功臣紀傳，以及《天文志》、《律曆志》兩部。其後有山謙之和蘇寶生繼續，但供職時間不長，大概所涉及的部分也不多，所以山謙之編撰了武帝以前的史志部分，而蘇寶生則負責元嘉名臣紀傳。其後再有徐爰，據《宋書》卷九十四〈恩倖傳〉所述，「六年，又以爰領著作郎，使終其業」，[48]即孝武帝大明六年（西元462年）接手繼續編撰，負責東晉義熙元年（西元405年）至大明末年傳、表和志的部分。其中孝武帝劉駿本人編撰了臧質、魯爽和王僧達等人之傳。

在沈約之前，《宋書》的編撰便至少有五人參與：何承天、山謙之、蘇寶生、徐爰和孝武帝劉駿。又根據〈自序〉所說：「五年春，又被敕撰《宋書》，六年二月畢功」以及「本紀列傳，繕寫已畢，合七帙七十卷，臣今謹奏呈。所撰諸志，須成續上」，[49]可知沈約只花了一年時間便把七十卷內容全部寫成，於此，不少人即認為《宋書》的紀和傳部分主要出自前代的著述。例如王鳴盛《十七史商榷》卷五十三說：

> 蓋《宋書》自何承天、山謙之、蘇寶生、徐爰遞加撰述，起義熙迄大明，已自成書，約僅續成永光至禪讓十餘年事，刪去桓玄、譙縱、盧循、馬魯、吳隱、謝混、郤僧施、劉毅、何無忌、魏詠之、檀憑之、孟昶、諸葛長民十三傳而已，覘約上書表自見。[50]

王鳴盛指出，沈約所處理的部分僅涉及十多年之間的史事，以及刪去若干篇傳記，這樣的工作量在一年內完成才算合理。另一方面，趙翼在《廿二史劄記》卷九也明確指出《宋書》的編撰過程：

> 沈約於齊永明五年武帝奉敕撰《宋書》，次年二月即告成，共紀、志、列傳一百

---

46 （南朝梁）沈約：《宋書》，頁2467-2468。

47 同上註，頁1704。

48 同上註，頁2308。

49 同上註，頁2466、2468。

50 （清）王鳴盛撰，黃曙輝點校：《十七史商榷》上海：上海書店出版社，2005年，頁388。

卷，古來修史之速未有若此者。今按其〈自序〉而細推之，知約書多取徐爰舊本
而增刪之者也。[51]

又說：

> 余向疑約修《宋書》，凡宋、齊革易之際，宜為齊諱；晉、宋革易之際，不必為
> 宋諱。乃為宋諱者反甚於為齊諱。然後知為宋諱者，徐爰舊本也；為齊諱者，約
> 所補輯也。人但知《宋書》為沈約作，而不知大半乃徐爰作也。觀《宋書》者，
> 當于此而推之。[52]

根據趙翼所言，為沈約所寫定的《宋書》，應該很大程度上參考了徐爰本，並且是在徐
爰本的基礎上增刪。趙氏以避宋諱和避齊諱作為判定書中出自徐爰或沈約之手，認為
《宋書》大半內容乃徐爰舊作。綜合王鳴盛、趙翼所述，以及沈約在〈自序〉明確提到
徐爰舊本因諸種原因「難以取信」，所以推斷沈約是在徐爰本的基礎上加以修改。

　　僅就〈謝靈運傳〉一篇而言，由於謝靈運歿於元嘉十年（西元 433 年），恰好在徐
爰編撰史書的時間範圍內，即〈自序〉所言的「爰（徐爰）因何（何承天）、蘇（蘇寶
生）所述，勒為一史，起自義熙之初，訖於大明之末」，約是四○五至四六七年之間。
另一方面，《宋書》的沈約自序稱徐爰舊本的基礎是蘇寶生本，「南臺侍御史蘇寶生續造
諸傳，元嘉名臣，皆其所撰」，[53] 謝靈運屬世家大族，又以文學成就顯名於世，所以謝
靈運當在徐爰的元嘉名臣紀傳寫作範圍內。因此可以推斷，雖然說《宋書》謝靈運本傳
有可能是沈約最後寫成，但當中應有徐爰著作的成分。若此，以徐爰和沈約為主要編撰
者的《宋書‧謝靈運傳》，如何在此二人的影響下加以形塑，當中又與史書的編撰體例
有何關係。

## 四　編撰者的政治取態

　　謝靈運傳記既由後人所寫，編撰者當一方面受制於當代的史學觀念，另一方面又受
個人史觀影響，編撰者本身所承擔的角色、身份或直接影響傳記最終呈現的面貌。無論
謝客是否謀反，但謝客被視為為謀逆之身當毋庸置喙，在《宋書》卷四十三〈檀道濟
傳〉記載檀道濟因受宋文帝見疑而被處死，在判定其罪的詔令中，如是說道：

> 檀道濟階緣時幸，荷恩在昔，寵靈優渥，莫與為比。曾不感佩殊遇，思答萬分，
> 乃空懷疑貳，履霜日久。元嘉以來，猜阻滋結，不義不暱之心，附下罔上之事，

---

51　（清）趙翼撰，曹光甫校點：《廿二史劄記》上海：上海古籍出版社，2011年，頁158。

52　同上註，頁159。

53　（南朝梁）沈約：《宋書》，頁2467。

> 固已暴之民聽，彰於遐邇。謝靈運志凶辭醜，不臣顯著，納受邪說，每相容
> 隱。……[54]

詔令說檀道濟深受皇恩，所得恩寵無人可及，但卻對這樣的恩賜不思報答，反而心生謀逆之志。自元嘉始已多有欺上瞞下、不臣不義之事。表現這種逆志的其中一個表現就是贊同謝靈運的「邪說」，為他的叛逆行為隱瞞和辯說。由此可見，宋文帝劉義隆已經把謝靈運定性為叛臣。[55]

謝靈運因謀逆而被處死，史傳對於如此一個罪臣的書寫必是採取一種貶斥的筆法。尤為關鍵的是，編撰者徐爰和沈約皆懂得揣摩上意，是編撰者本身對史傳內容的影響。先說徐爰，根據《宋書》卷九十四〈恩倖傳〉所涉及的徐爰本傳來看，徐爰乃是阿諛奉承、圓滑世故之人，其文曰：

> 爰便僻善事人，能得人主微旨，頗涉書傳，尤悉朝儀。元嘉初便入侍左右，預參
> 顧問，既長於附會，又飾以典文，故為太祖所任遇。大明世，委寄尤重，朝廷大
> 禮儀註，非爰議不行。雖復當時碩學所解過人者，既不敢立異議，所言亦不見
> 從。[56]

「便僻」，同「便辟」，即諂媚奉迎。《論語・季氏》：「友便辟，友善柔，友便佞，損矣。」《論語注疏》：「便辟，巧辟人之所忌以求容媚者也。」[57]徐爰擅於諂媚，能夠「長於附會」，深諳取悅人主之道，加之熟悉朝廷典章制度，故多被重用。元嘉初年便進入朝廷任皇帝的侍從，參與商議朝廷的事務，深受宋文帝信任。〈恩倖傳〉同時也記載：

> 前廢帝兇暴無道，殿省舊人，多見罪黜，唯爰巧於將迎，始終無迕。誅群公後，
> 以爰為黃門侍郎，領射聲校尉，著作如故。封吳平縣子，食邑五百戶。寵待隆
> 密，群臣莫二。帝每出行，常與沈慶之、山陰公主同輦，爰亦預焉。太宗即位，
> 例削封，以黃門侍郎改領長水校尉，兼尚書左丞。明年，除太中大夫，著作並如
> 故。[58]

---

54 同上註，頁1344。
55 與《宋書》多有重合的《南史》，記載這段資料時稱該詔令為彭城王劉義康矯造，而非出自宋文帝，但此中細微分別並不影響所反映的統治集團對謝靈運之認識，即一個不事新朝的逆臣。《南史》，卷十五〈檀道濟傳〉：「十三年春，將遣還鎮，下渚未發，有似鶴鳥集船悲鳴。會上疾動，義康矯詔召入祖道，收付廷尉，及其子給事黃門侍郎植、司徒從事中郎粲、太子舍人混、征北主簿承伯、秘書郎中尊等八人並誅。」李延壽：《南史》，頁446。
56 （南朝梁）沈約：《宋書》，頁2310。
57 （魏）何晏註，（宋）刑昺疏：《論語注疏》，頁226。
58 （南朝梁）沈約：《宋書》，頁2310。

此段言前廢帝劉子業在即位後濫殺無辜，朝中舊人多被殺戮放逐，唯有徐爰工於心計和能言善辯，故得以保全其身。而且前廢帝每次出行都和沈慶之及山陰公主同輦而乘，徐爰也往往位列其中，可見深得皇帝喜歡。其後宋明帝劉彧要將其貶謫至交州，其詔文曰：

> 夫事君無禮，教道弗容；訕上衒己，人倫所棄。太中大夫徐爰拔跡廝猥，推斥饕逢，遂官參時望，門伍豪族，邅位轉榮，莫非超荷。而諂側輕險，與性自俱，利口讒妄，自少及長，奉公在事，釐毫蔑聞，初無愧滿，常有窺進。……[59]

宋明帝嚴厲批評徐爰是「諂側輕險」、「利口讒妄」，實為佞臣之流。至於另一位編撰者沈約，在《南齊書》卷五十二〈王智深傳〉有這樣一則記載：

> 世祖使太子家令沈約撰《宋書》，擬立〈袁粲傳〉，以審世祖。世祖曰：「袁粲自是宋家忠臣。」約又多載孝（武）、明帝諸鄙瀆事，上遣左右謂約曰：「孝武事蹟不容頓爾。我昔經事宋明帝，卿可思諱惡之義。」於是多所省除。[60]

由此可證，沈約知道修史要為尊者諱，並非秉筆直書，修史既有立場，也要符合時人的整體評價。由此可見，徐爰和沈約善於審時度勢，所以在為謝靈運立傳時當考慮到在上位者對謝靈運本身的評價。

在當代價值判斷以及編撰者的雙重影響下，逆臣在史傳中皆為負面形象。在《宋書》具體的寫作中，凡關於反對代宋立齊的人物，都稱作「反」、「逆」，而輔助帝王蕭道成者，則是「起義」，這種敘事的框架和對照標準，又完全適用於謝靈運。傳記對於所謂逆臣的書寫，整體評價必然為負面。例如沈攸之便是一例，升明元年（西元 477年），宋後廢帝被殺，齊高帝蕭道成立劉準為宋順帝。不久，蕭道成代宋立齊，沈攸之在荊州起兵，但因為猛攻郢城不下，致使全軍潰散，在升明二年（西元 478 年），兵敗江陵，遂自縊而死。在《宋書》的記載中，沈攸之的形象負面，例如「為政刻暴，或鞭士大夫，上佐以下有忤意，輒面加詈辱。將吏一人亡叛，同籍符伍充代者十餘人。而曉達吏事，自彊不息，士民畏憚，人莫敢欺」，[61] 言其為政殘暴，經常鞭打士人，而且有一人叛亂，則需連坐隊伍的十多人。又如「賦斂嚴苦，徵發無度，繕治船舸，營造器甲」，[62] 言強徵苛稅營造兵甲，而且是早有謀逆之心，「時幼主在位，群公當朝，攸之漸懷不臣之跡，朝廷制度，無所遵奉」。[63] 在〈沈攸之傳〉中，載有齊王蕭道成駐兵新亭討伐沈攸之的檄文，「齊王出頓新亭，馳檄數攸之罪惡」。沈攸之早前屢立戰功，因為在

---

59　同上註，頁2310-2311。

60　（南朝梁）蕭子顯：《南齊書》北京：中華書局，1972年，頁897。

61　（南朝梁）沈約：《宋書》，頁1931。

62　同上註。

63　同上註。

仕途上不斷升遷，但在檄文中，列舉了沈攸之九條罪狀，否定了他的功績，即「樂禍幸災」、「苞藏禍志，不恭不虔」、「侮蔑朝廷」、「伏愿藏詐，持疑兩端」、「跋扈滋甚，招誘輕狡」、「無君陵上」、「不辨是非，罔識善惡，違情背理」、「驛書至止，晏若不聞」和「不荷盛德，反生讎釁」。[64] 並且言明反叛乃是不自量力：

> 夫彎弓射天，未見能至；揮戈擊地，多力安施。何則？逆順之勢定殊，禍福之驗易原也。是以違乎天者，鬼神不能使其成；會乎人者，聖哲不能令其毀。……況乎行陳凡才，斗筲小器，而懷問鼎之志，敢構無君之逆哉。……攸之以谿壑之性，含鴟鴞之腸，直置天壤，已稱醜穢。況乃舉兵內侮，逞肆姦回，斯實惡熟罪成之辰，決癰潰疽之日。幕府過荷朝寄，義百常憤，董司元戎，龔行天罰。今皇上聖明，將相仁厚，約法三章，輕刑緩賦，年登歲阜，家給人足，上有惠和之澤，下無樂亂之心。攸之不識天時，妄圖姦逆，舉無名之師，驅怨讎之黨。是以朝野審其易取，含識判其成禽。熊羆屬爪，蓄攫裂之心，虎豹摩牙，起吞噬之憤，鼓怒則冰原激電，奮發則霜野奔雷，以此定亂，豈移晷刻。雖復眾徒梗陸，舉郡阻川，何足以抗沸海之濤，當燒山之焰。[65]

把自己的軍隊視作仁義之師，又貶斥敵軍不自量力、兇狠殘暴，自招失敗。這種論述的方式適用於蕭齊政權如何看待這些反對自己的逆臣，其實沈攸之更多的可能還是效忠前朝的忠臣，把沈攸之塑造成兇狠殘暴、目光短淺之人，恰恰是史書敘事的需要。從〈沈攸之傳〉的整體敘事脈絡來看，前部言其如何忍辱負重，又能夠治郡有方、有勇有謀，才能在鵲尾城之戰中勝利，可是後部的敘事卻消解了這種正面事蹟。由此可見，一旦某位人物被視為叛臣賊將，則某些正面的事情會被隱去，這是史傳編寫的意旨，也是當時的政治取態使然。以此觀之，被認定為逆臣的謝靈運，出於敘事需要，在整體上必然描述成負面人物，所以在與謝靈運詩歌比對時，出現若干不可調和之處。

## 五　結論

　　本文通過比對劉宋代表詩人謝靈運之傳記及詩歌，主要分析傳記中如何形塑謝靈運荒廢政事的庸官形象以及不事新朝的逆臣形象。但在謝靈運的詩歌中，常常出現與民休戚與共的政治抒情，既對自己的政治作為不甚滿意，也對自己治下的州郡常有歡意，實與傳記中的人物形象相距甚遠。另一方面，謝靈運在屢屢稱讚明君，可見以謀逆被殺的理由也不甚可信。傳記和詩歌之間的差異，或者是來源於傳記所在《宋書》之編撰體例

---

64　同上註，頁1936-1938。

65　同上註，頁1936-1939。

和過程所致。謝靈運本傳經過徐爰和沈約二人之手而寫定，一方面涉及到編撰者的史學觀念，一方面又受制於當代的政治氛圍。雖說《宋書》成於眾人之手，但是諸位編撰者都對人物的褒貶具備清晰的觀念，即以一種負面的評價界定謝靈運。

# 論十六國胡族王言的體式特徵與審美訴求[*]
## ——兼論其反映的特殊外交關係

郭晨光

北京師範大學漢語文化學院

十六國始於建興四年（西元 316 年），西晉滅亡到北魏太武帝太延五年（西元 439年），北魏滅北涼重新統一北方，前後約一二四年。以五胡民族為主先後建立了大大小小二十多個政權，戰亂頻繁，曾有數個割據政權並存，整體的文化環境適合公文的撰作。筆者對《全晉文》、《十六國春秋》等相關史籍、類書的統計，實用性文體約為三百二十六篇，其中有詔令敕書、章奏表啟、書信、經序經記、經論等論文、戒子書、檄文、符命等文體，內容上大致可分為帝王、州郡長官的政令、教令；臣下向君王上書以論政、頌德；著文以聲討敵人、「告伐告捷」等，近十六國文章總數的百分之七十。其中胡族首領的詔令公文數量最多，作為一種特殊的王言文體，僅有一些較為零散的成果，有必要對其進行專門研究。

## 一　十六國王言文書使用情況及程式化特徵

十六國除前涼、西涼、北燕為漢族政權，其他分別為匈奴、鮮卑、羯、氐、羌等五胡民族。散居的胡族多以遊牧涉獵為主，大多停留在原始部落階段。入主中原後，面臨著爭奪正統、加速本民族封建化的任務。胡主進行典章制度、禮樂文化建設，需要以文書形式向天下展示，即「以文書御天下」。特別是「王言之制」作為古代皇帝最高命令的文書，是帝王向國內臣民發布的各種下行文書的統稱，用來傳達政令、推行法律、曉諭百姓，其中以詔、策、誥、敕、令最為常用。在君主意志高於一切的封建時代，具有至高無上的權威力量，與一般的只有行政效力的官府下行文書不同。據嚴可均《全先秦漢魏晉南北朝文》、《十六國春秋》等相關史籍、類書的統計，十六國王言文書共九十八篇，使用情況具體如下：

---

* 基金項目：國家社科基金「魏晉南北朝擬詩研究」（批准號：18FZW054）階段性成果。

| 國別 | 胡　主 | 王言文體類型 |
|---|---|---|
| 前趙 | 劉　淵 | 〈即漢王位下令〉 |
| | 劉　曜 | 〈下令議除漢宗廟改國號〉、〈下書追贈崔嶽等〉、〈下書封喬豫和苞〉 |
| 後趙 | 石　勒 | 〈下令絕劉曜〉、〈下令論功〉、〈下令起建德殿〉、〈復武鄉令〉、〈獲黑兔下令〉、〈擒劉曜下令〉、〈下書拒石虎等勸稱尊號〉、〈下書採集律令之要〉、〈下書國人〉、〈下書刺陳武妻〉、〈下書修祖氏墳墓〉、〈下書八座〉、〈又下書〉、〈下書招賢〉、〈下書議複寒食〉 |
| | 石　虎 | 〈敕敬佛圖澄〉、〈敕秋麻〉、〈下書稱居攝趙天王〉、〈下書以錢谷麥贖刑〉、〈下書尊佛圖澄〉、〈下書清定選制〉、〈下書上尊號〉、〈下書拒上尊號〉、〈下書問中書令〉、〈下書聽百姓為道士〉、〈因災議下書〉、〈又下書〉、〈因天變下書求極言〉 |
| | 石　遵 | 〈假劉氏令〉 |
| | 冉　閔 | 〈攻斬孫伏都等下令〉、〈令城內〉、〈頒令斬胡〉、〈下令改國號姓〉 |
| 前燕 | 慕容廆 | 〈與陶侃箋〉（國書） |
| | 慕容皝 | 〈下令賜封裕〉、〈下令罪宋該〉、〈與庾冰書〉（國書） |
| | 慕容儁 | 〈手令敕常禕〉、〈下令追崇祖考〉、〈下書定冠冕制〉 |
| | 慕容暐 | 〈下書祈雨〉 |
| 西燕 | 慕容泓 | 〈與苻堅書〉（國書） |
| | 慕容沖 | 〈命詹事答苻堅〉 |
| 後燕 | 慕容垂 | 〈濟河下令〉、〈報丁零及西人令〉、〈遺令〉 |
| | 慕容盛 | 〈告成太廟令〉、〈下令公侯贖罪不得以金帛〉 |
| 南燕 | 慕容德 | 〈下詔增名為備德〉 |
| | 慕容超 | 〈下書議複肉刑〉 |
| 北燕 | 馮　跋 | 〈郎位下書〉、〈下書葬高雲〉、〈下書除前朝苛政〉、〈下書令民植桑柘〉、〈下書令境內不改葬〉、〈下書建大學〉 |
| 前秦 | 苻　健 | 〈下書求賢〉 |
| | 苻　生 | 〈下書用峻刑極罰〉 |
| | 苻　堅 | 〈燕平下詔大赦〉、〈以鄧羌為鎮軍將軍詔〉、〈沙汰眾僧別詔〉、〈下詔簡學生受經〉、〈下詔分遣侍臣問民疾苦〉、〈下詔徵張天錫入朝〉、〈下詔論平涼州及索頭功〉、〈詔慕容沖〉、〈下書徵王猛輔政〉、〈下書召徐統子孫〉、〈下書遣鄧羌討蜀〉、〈下書伐晉〉、〈下令國中〉、〈兼道赴壽春下令〉 |
| | 苻　丕 | 〈下書攻慕容永〉 |

| 國別 | 胡　主 | 王言文體類型 |
|---|---|---|
| 後秦 | 姚　萇 | 〈下書禁復私仇〉、〈下書置學官〉、〈下書復從徵兵吏〉、〈下書禁誣劾〉、〈敕太子興〉 |
| | 姚　興 | 〈敕關尉〉、〈班命〉、〈下書恤戰亡士卒〉、〈下書定遭喪制〉、〈下書贈戰沒軍士〉、〈下書僧䂮等〉、〈下書道恒道標〉、〈致書鳩摩羅什僧䂮〉、〈又下書與僧䂮等〉、〈遺禿髮傉檀書〉（國書） |
| | 姚　泓 | 〈下書復死事士卒〉 |
| 前涼 | 張　軌 | 〈下令將歸老宜陽〉、〈遺令〉 |
| | 張　寔 | 〈求直言令〉 |
| | 張　茂 | 〈遺令〉 |
| | 張　俊 | 〈下令境中〉 |
| | 張　祚 | 〈下書攝帝位〉 |
| 後涼 | 呂　光 | 〈下書討乞乾歸〉 |
| 南涼 | 禿髮利鹿孤 | 〈下令封爵〉、〈求極言〉、〈遺令〉 |
| 西涼 | 李　暠 | 〈手令誡諸子〉 |
| 蜀 | 李　壽 | 〈將入寇下書〉、〈李宏自趙還下令〉 |
| 大夏 | 赫連勃勃 | 〈築統萬城下書〉、〈下書改姓赫連勃氏〉 |
| 北涼 | 沮渠蒙遜 | 〈下書省繇務農〉、〈下書伐禿髮儒檀〉、〈下書大赦〉、〈又下書大赦〉、〈下書伐乞伏暮末〉、〈下令尊禮劉昞〉、〈下令求賢〉 |

　　胡主使用的王言文書主要有詔、令、敕、命，其中以詔令為主，文體種類上沿襲漢晉。慕容儁〈手令敕常煒〉、李暠〈手令戒諸子〉、張茂〈遺令〉等少數為胡主親作，賜重臣、親屬以示親密，其餘大多應為以漢族文人代筆。其中苻堅〈燕平下詔大赦〉、〈以鄧羌為鎮軍將軍詔〉、〈沙汰眾僧別詔〉、〈下詔簡學生受經〉、〈下詔分遣侍臣問民疾苦〉、〈下詔征張天錫入朝〉、〈下詔論平涼州及索頭功〉、〈詔慕容沖〉、慕容德〈下詔增名為備德〉九篇明確標為「詔」，其餘題為「下書」的文體即「下詔」，後代史家不認可胡主的正統地位，用春秋筆法加以貶斥。[1]其餘若〈與陶侃箋〉、〈與庾冰書〉、〈與苻堅書〉、〈遺禿髮傉檀書〉、〈與沮渠蒙遜盟文〉是胡主以君主名義對外交往、軍事活動所用之外交文書，相當於今日的「國書」，也屬廣義的「王言」範圍。詔令文書用於處理各種繁瑣的公務，撰文速度是提高行政效率的關鍵，如《陔餘叢考》卷四十「作文最速」

---

1　參見拙文：〈十六國「下書」的文體特徵及其文化意蘊——兼論胡主君權合法性的訴求〉，《文學遺產》錄用待刊。

條列舉南北時期多位使者立待詔成的情形[2]。十六國戰亂頻繁，需快速處理軍務，胡主多「不修書傳」，使君命、軍牘文體有了口頭述說的可能性，「口占」類文書在此時大行其道，如赫連勃勃「命其中書侍郎皇甫徽為文而陰誦之，召裕使前，口授舍人為書，封以答裕」（《晉書・赫連勃勃載記》）嚴可均所輯應有一些未標明「口占」的文書，經過記錄者的酌情修改，最後以寫定在冊的面貌呈現於世人面前。

胡族王言文書的文體獨特性，表現在程式化的書寫方式，有一套固定的格式和寫法，大體可分為套語和通式兩個方面。套語指公文中與問題功能密切相關的詞語、術語。嚴可均所輯大多從史書、類書中截取，只保留了內容，經歷了漫長的輾轉傳抄過程，刪減了文書本來的面貌和格式。作為一種帝王話語形式，仍然包含了一套特殊的王言符號系統，第一類即與「君臣」相關，如表達經辦的命令用語，如「施行」、「主者施行」、或需臣子討論上奏，如「定議以聞」、「丞議以聞」。還如「稱朕意（心）焉」、「表朕敬焉」、「極言勿諱」、「極言無隱」、「示民軌則」、「敷告天下」、「露布遠近，咸使聞知」等語，一般出現在詔書末尾，表達計策被君主認可，或君主以自己的意志下達的命令。詔令用於公布重大政事、制度和法律時使用，需要下到最基層，如鄉里官吏將百姓召集進行口頭宣讀，或以「扁書」、「大扁書」的形式在鄉庭、市門、里門等高顯之處展示，便於基層百姓、往來人員觀看，「詔書往往有昭告天下之意，故其結尾往往有『布告天下』之語」[3]，使文本除了敘述功能以外，有突顯皇帝權威、規範君臣之間上下尊卑關係的政治功用，也是漢晉時期王言文書共有的文體術語。值得注意的是，各割據政權並非大一統的帝國，胡主沒有正統天子身份，如劉淵、石勒、慕容皝、張祚、沮渠蒙遜等在詔令中自稱「孤」（諸侯王自稱）而非「朕」、張軌、禿髮利鹿孤自稱「吾」或「我」，表達謙卑姿態。如禿髮利鹿孤〈求直言〉：「二三君子其極言無諱，吾將覽焉」。這是十六國胡族王言文書的顯著民族特點。

第二類為法律類，蔡邕《獨斷》曰：「制詔者，王之言，必為法制也」，詔令文書的主體是帝王，帶有強制力量的法律特徵，闡明對百姓的禁約，如石虎〈下書清定選制〉：「著此詔書于令」、馮跋〈下書令境內不改葬〉：「自今皆令奉之」等。漢代詔令由於「皇帝直接行使立法權，使用『著令』、『著為令』等語」[4]，也為十六國詔書所採納。胡族占領中原以後給社會環境造成了很大變化，帶來了新的社會問題和矛盾，特別是胡族風俗的改造和社會秩序的穩定。如石勒〈下書採集律令之要〉：「『今大亂之後，律令煩滋，其採集律令之要，為施行條制。』於是命法曹令史貫志造〈辛亥制度〉五千文，施行十餘歲，乃用律令。」（《十六國春秋・後趙錄三》）；慕容盛〈下令公侯贖罪不得以金帛〉：「法律例，公侯有罪，得以金帛贖，此不足以懲惡而利於王府，甚無謂也。

2　（清）趙翼：《陔餘叢考》上海：上海古籍出版社，2011年，頁798。

3　卜憲群：〈秦漢公文文書與官僚行政管理〉，《歷史研究》，1997年第4期。

4　（日）大庭脩：《秦漢法制史研究》上海：上海人民出版社，1991年，頁165。

自今皆令立功以自贖，勿複輸金帛」（《資治通鑑》卷一十一題為「下詔」）。胡主通過制定新的法律條文予以約束、穩定社會秩序。羯族是五胡之中地位最低者，其文化背景、人情風俗與其他胡族、漢人有較大差別，據《大唐西域記》卷一〈颯秣建國〉（即康國）載：「赭羯之人，其性勇烈，視死如歸，戰無前敵」，勇烈嗜殺可稱為早期遊牧民族的顯著特點。入主中原後仍保留了本民族的文化特徵，羯族的葬俗為火葬，石勒曾下令：「其燒葬令如本俗」（《晉書‧石勒載記》），後來其又〈下書國人〉、〈下書覆議寒食〉整齊「報嫂婚」、「寒食節」等胡族舊俗，王言文書以法治手段推行「一道德，同風俗」，體現了鮮明的民族性和時代性。

　　第三類為典故類，詔令作為王言文書必須講究用典隸事。十六國王言中引經據典很多時候採取了同一模式的情況。同一典故，反覆使用，氾濫成風。如劉曜〈下書追贈崔嶽等〉：「《詩》不云乎？『中心藏之，何日忘之』。」；慕容皝〈下令賜封裕〉：「《詩》不云乎：『無言不酬』。」；劉曜〈下書封喬豫和苞〉：「《詩》不云乎？『無言不酬，無德不報』。」；慕容皝〈下令賜封裕〉：「《詩》不云乎：『無言不酬』。」據《晉書》、《十六國春秋》等記載，詔令中直接引用儒家典籍有八條，重複引用的比例近一半之多，對《詩經》中典故的使用較為單一，並非因為大亂之後北方儒統斷裂導致[5]。胡主大多不會親自作詔，士人在「代王言」時，可能參考一定的範本或參考書[6]，應該涵蓋基本的儒家經典或「警句」、素材等。上文所引四條詔令均用於嘉獎功臣，具備近似的功用，經典中的「警句」可快速的應用於撰作實踐，或參照已有的範本稍加修改，因而不可避免的帶有雷同模式。

　　再看王言文書的「通式」（文體秩序），即行文思路和邏輯結構。草詔茲事體大，由中書令、監親領，還有中書侍郎、舍人等共同參與、協商，需多次修改上奏。這些草詔之臣不是鬆散的個體，而是擁有同質性與擁有自我認同感的文官群體，如晉武帝〈下傅玄、皇甫陶詔〉、劉曜〈下書追贈崔嶽等〉、〈下書封喬豫和苞〉等，對其表彰、加官均以群體作為對象。草詔之臣文思敏捷、厚積薄發的功力需建立在對行文不斷摸索、熟悉的基礎上，形成一定的格套，下面以晉武帝〈下傅玄皇甫陶詔〉、劉曜〈下書封喬豫和苞〉、慕容皝〈下令賜封裕〉為例：

> 二常侍懇懇於所論，可謂乃心欲佐益時事者也。／／而主者率以常制裁之，豈得不使發憤邪！二常侍所論，或舉其大較而未備其條目，亦可便令作之，然後主者八坐廣共研精。凡關言於人主，人臣之所至難。而人主苦不能虛心聽納，自古忠臣直士之所慷慨也，其甚者，至使杜口結舌。每念於此，未嘗不歎息也。故前詔

---

5　考之相關史籍，十六國人時常在口語中引《詩》、《書》、《易》、《左傳》、《春秋》、《老子》等各類典籍。

6　類似於當時索靖《月儀帖》指導撰寫書信的格式、用語，是供時人模仿、套用的參考書。

敢有直言，弗有所距，庶幾得以發懷補過，獲保高位。喉舌納言諸賢當深解此心，務使下情畢盡。苟言有偏善，情在忠益，不可責備於一人，雖文辭有謬誤，言語有失得，皆當曠然恕之。古人猶不拒誹謗，況皆善意，在可採錄乎？近者孔晁綦母皆按以輕慢之罪，所以皆原，欲使四海知區區之朝無諱言之忌也。又每有陳事輒出付主者。主者眾事之本，故身而所處。當多從深刻，至乃雲恩貸當由上者出。（按〈武帝紀〉此下有「是何言乎，其詳評議」）／／出付外者，寧縱刻峻是信邪？故復因此喻意。

──晉武帝〈下傅玄皇甫陶詔〉

二侍中懇懇有古人之風烈矣，可謂社稷之臣也。／／非二君，朕安聞此言乎？夫以孝明於承平之世，四海無虞之日，尚納鍾離一言，而罷北宮之役。況以朕之暗眇，當今極弊，而可不敬從明誨乎？今敕悉停壽陵制度，一遵霸陵之法，《詩》不云乎？「無言不酬，無德不報」。今封豫安昌子，苞平輿子，並領諫議大夫，可敷告天下，使知區區之朝思聞過也。／／自今法政有不便於時，不利社稷者，其詣闕極言，勿有所諱。

──劉曜〈下書封喬豫和苞〉

覽封記室之諫，孤實懼焉。／／君以黎元為國，黎元以穀為命。然則農者國之本也，而二千石令長，不遵孟春之令，惰農弗勸，宜以尤不修辟者，措之刑法，肅屬屬城。主者明詳推檢，具狀以聞。苑囿悉可罷之，以給百姓無田業者。貧者全無資產，不能自存，各賜牧牛一頭。若私有餘力，樂取官牛墾官田者，其依魏晉舊法。溝洫溉灌，有益官私，主者量造，務盡水陸之勢。中州未平，兵難不息，勳誠既多，官僚不可減也。待克平凶醜，徐更議之。百工商賈，數四佐與列將，速定大員，餘者還農。學生不任訓教者，亦除員錄。夫人臣關言於人主，至難也，妖妄不經之事，皆應蕩然不問，擇其善者而從之。王憲劉明，雖罪應禁黜，亦由孤之無大量也。可悉複本官，仍居諫司。封生寒寒，深得王臣之體。《詩》不云乎：「無言不酬。」其賜錢五萬！／／明宣內外，有欲陳孤之過者，不拘貴賤，勿有所諱。

──慕容皝〈下令賜封裕〉

　　司馬炎給傅玄、皇甫陶、劉曜給喬豫、和苞以及慕容皝給封裕的加官之詔，相當於今日的嘉獎令。真實的作者絕非君主，應系於草詔之臣的名下。筆者選擇這三篇文章，不僅由於嘉獎的物件均為掌管文書、諷諫君主的侍中、記室參軍，而且在謀篇布局中有近似的邏輯和篇章結構，用「／／」標識。

　　前趙由匈奴人劉淵所建，作為十六國第一個割據政權，典重得體的詔命文書承擔著

昭告天下、宣誓主權的作用，必須選擇合適的師法物件。劉淵、聰曜父子兄弟一門皆染漢學，與西晉統治集團淵源很深，劉淵曾作為匈奴貴族侍子在洛陽十餘年，[7] 深受司馬昭賞識。劉聰早年有造訪作為豫章王的晉帝的經歷，曾為其作樂府歌（《晉書‧劉聰載紀》）在立國之初自然選擇時代接近的西晉詔書作為擬寫對象。詔書首句「二侍中懇懇有古人之風烈矣，可謂社稷之臣也」、「二常侍懇懇於所論，可謂乃心欲佐益時事者也」，對傅玄、皇甫陶、喬豫、和苞的表彰、讚美在用詞、句式上達到了亦步亦趨的地步。詔書必須準確、快速傳達資訊，表達主旨必須開門立論，一句話概括「嘉獎的物件」以及「為什麼要嘉獎」，用語措辭精確扼要。接下來主體部分告知收文方開展工作的具體事項，即「嘉獎後要求怎麼做」，晉武帝根據傅玄、皇甫陶所論，提出通過八座集議決策制度，讓朝臣詳細評議，最後表達君主自謙態度，「無諱忌之言」。〈下書封喬豫和苞〉要求暫停胡族的壽陵制度，「一遵霸陵之法」，最後以套語「其詣闕極言，勿有所諱」結束，表達君主求賢亮方正之心。慕容皝〈下令賜封裕〉邏輯結構上也可分為三部分，首句「覽封記室之諫，孤實懼焉」，以君主之懼表明對其工作的認可，概述嘉獎緣由作為詔書的開頭。接下來提出重視農業、撫恤百姓、興修水利，以及對百工商賈、學生等一些措施，最後亦提出「有欲陳孤之過者，不拘貴賤，勿有所諱」。各部分之間形成層層深入的遞進式結構形式。

　　三份詔書在結構上分為開頭（表彰物件、原因）、主體（實施要求）以及結尾三部分。為了迅速的處理公事，在公文格式、布局等方面形成了「約定俗成」的模式。開頭、正文和結尾，每個部分都有大致統一的形式要求，「體段明則製作當。篇首欲包含一篇大旨，貴乎明而緊。篇中曲折周密，鋪陳詳盡，引用飽滿。篇尾欲點綴丁寧，發送輕快」[8]，明人總結篇頭、篇中、篇尾的公文文法，以及各部分對應的篇幅長短，早在漢晉時期就形成了相對固定的模式化寫作路數。三個層次在篇幅長短上不均衡，兩頭輕、中間重。篇中是公文寫作的主體，篇幅最長、所占比例最重，是君主布置工作、提出實施要求，即「表彰後要求怎麼做」。這種「普適性」結構並不僵化，一篇公文涵蓋多重內容、情況複雜，其排列順序往往不能簡單劃一，可能出現層層套疊的情況，如〈下書封喬豫和苞〉：「今封豫安昌子，苞平輿子，並領諫議大夫，可敷告天下，使知區區之朝思聞過也」；〈下令賜封裕〉：「王憲劉明，雖罪應禁黜，亦由孤之無大量也。可悉復本官，仍居諫司。……其賜錢五萬！」在篇中「要求怎麼做」部分穿插對受表彰人物（含其他機關人員，如王憲劉明）的獎勵決定，希望他們珍惜榮譽、再接再厲並號召其他臣僚向其學習，有君主「希望號召」的意味，最後承接「求賢納諫」的政治姿態。各部分之間常以過渡詞銜接，如〈下傅玄皇甫陶詔〉「而」、「然後」、「故」、「雖」、「所

7　陳勇：《漢趙史論稿——匈奴屠各建國的政治史考察》北京：商務印書館，2009年，頁12。
8　杜浚：《杜式文譜》，載王水照主編：《歷代文話》上海：復旦大學出版社，2007年，第三冊，頁2449。

以」、「又」、〈下書封喬豫和苞〉「而」、「況」、「而」、〈下令賜封裕〉「然則」、「而」、「若」、「亦」等，使前後層次文意連貫、結構嚴謹。公文聯繫的是雙向的主體，其標準、嚴密的的層次以及排列次序使其重點突出、條理清楚，不僅對於文化水準不高的文人、胡主、宗室將領來說，套語和通式為其提供了一條寫作捷徑，有利於公文程式化寫作在民間社會的流布和應用。對收文方、閱讀方來說，不必花費時間分析文本內部要素，而是尋找固定位置，為閱文者節約了大量時間，提升了公文的處理和傳播效率。

## 二　十六國胡族王言的審美訴求

　　古往今來的臣僚對王言公文的大量研習擬寫，公文的模式化（而非個性化）、製作性（而非創造性）以及功用性（而非審美性）的特徵，排斥特立獨行的個性化創作，不能像其他文學體裁那樣變化無窮、翻新出奇。詔令文書作為官方文書中等級最高的體裁，「王言如絲，其出如綸」（《禮記・緇衣》）要求文士把更多精力放在文章的審美訴求和揣摩聖意（寫作心理）上，對草詔之臣能力要求必然包括文學寫作技巧，實現「突圍」和「超越」。更何況詔令文書「于古收入文集」[9]，中古時期的詔令文獻在史志目錄的分類中一直在「史部類」和「集部類」徘徊，本身即具備史集兩栖性特徵。

　　首先，王言文書作為「處理公務的重要工具」，具有上傳下達、溝通商洽的實用價值，實用性是其審美訴求的首要原則。若詔令像文學創作一樣撰寫，充斥著華而不實、言而無物的華麗詞藻就顯得不倫不類，如梁元帝蕭繹〈耕種令〉，將耕種之令寫成了「春景圖」，「此〈令〉直似士女相約遊春小簡，官樣文章而佻浮失體」[10]。「去文學化」是保證公文語言權威性的前提。草詔者在「代王言」時，關注點是文章能否最大程度發揮實際政治功效，而非展示個人的文學技巧。如冉閔《攻斬孫伏都等下令》：「內外六夷，敢稱兵仗者斬之」、苻堅〈兼道赴壽春下令〉：「敢言吾至壽春者拔舌」等，簡潔準確、令行禁止，如《文心雕龍・詔策》言「明罰敕法，則辭有秋霜之烈」，具有穩定軍心的重要作用。同時使用的語言或引用典故多口語化，讓這一階段的公文呈現出不夠嚴肅的面貌。其中不乏與公文寫作人員的素養有關，但淺顯直白的語言極大方便軍民理解，在戰爭、宣傳過程中的作用不言而喻。各割據政權有極強的領地意識、宗族觀念，這些口語、俗語能在宣讀過程中可能伴隨著濃厚的鄉音、方言，對於鼓舞軍隊士氣以及爭取更多宗親、鄉黨的支持，發揮了巨大作用。

　　公文的實用美還表現在具體寫法上對情感的表達。文書中的「情」也不能等同於文學中的「情」。「唯詔誥一門，非鎔經鑄史，持以中正之心，出以誠摯之筆，萬不足以動

---

9　章太炎：《國學講演錄》南京：鳳凰出版社，2008年，頁331。

10　錢鍾書：《管錐編》北京：生活・讀書・新知三聯書店，2014年，頁778。

天下」[11]，詔令文書在感情色彩上具有獨特性，本質是在儒學充養的基礎上形成的對家國、君臣的忠愛之心，用來談理性、陳治道、論人事。以功利作為情感交流的目的，更需在撰寫過程中將「情」作為一種寫作技巧展示、外化在文本之中。從寫作心理角度揣摩帝王心意，模擬天子口吻成為一種特殊的寫作技巧。如〈下傅玄皇甫陶詔〉：「凡關言於人主，人臣之所至難。人主苦不能虛心聽納，自古忠臣直士之所慷慨也，其甚者，至使杜口結舌。每念於此，未嘗不歎息也」，以帝王身份將心比心，站在臣子角度體恤其「至難」。「苟言有偏善，情在忠益，不可責備於一人，雖文辭有謬誤，言語有失得，皆當曠然恕之」，為了落實寬宏大度的姿態，「主者眾事之本，故身而所處。當多從深刻，至乃雲恩貸當由上者出。（按〈武帝紀〉此下有『是何言乎，其詳評議』）」將恩賜由主上手中交給朝臣評議。將人主「寬厚」、「仁恕」的恩澤施於四海。整篇詔書沒有多餘的浮詞，以散句為主，常用一些感歎句、反問句，如「每念於此，未嘗不歎息也」、「古人猶不拒誹謗，況皆善意，在可採錄乎？」、「是何言乎，其詳評議」、「出付外者，寧縱刻峻是信邪？」句句發自肺腑，激發臣子的感恩之心。

成功的詔書能悚動人心，絕非從字句、修辭上打磨，而是在文本中充「情」的方式行文。〈下書封喬豫和苞〉不僅在遣詞造句上模擬〈下傅玄皇甫陶詔〉，在文法上亦學習其充「情」的方式行文，如大量使用反問句，如「非二君，朕安聞此言乎？」、「況以朕之暗眇，當今極弊，而可不敬從明誨乎？」、「《詩》不云乎？『無言不酬，無德不報』」，一連三個反問句，中間穿插口語和語氣詞連接，如「非」、「安」、「況」、「乎」、「而」，如君主對親友之語一樣平易真摯，運用升降平直、曲折變化等不同語調，通過修辭實現其節奏美，讓文本形成波瀾起伏之勢，達到了平鋪直敘難以取得的效果。如「非二君，朕安聞此言乎？」在公文開頭使用「假設＋反問」組合，彰顯喬豫、和苞在君主心中獨一無二的地位，為下文的表彰做鋪墊。「況以朕之暗眇，當今極弊，而可不敬從明誨乎？」，「暗眇」為君主的自謙詞，先抑後揚突顯忠臣直士獻言獻策的重要性，引發閱讀方的思考，也使文勢富有生氣，韻味悠長。還有「《詩》不云乎？『無言不酬，無德不報』」，使用「《詩》不云乎？」體式，「其常見的用法是借助《詩》之原句進行論證，詩句一出便緊接著得出結論，而不必再進行論證，引詩本身便代替了論證的過程」[12]。借助經典的權威性，擇其與主旨密切相關的內容，為帝王的決策尋找新的理據，營造王命詔書特有的典雅風貌。

其次，詔令文書的審美雖不同於文藝性文體的審美，然而成功的文書在實現其實用價值的同時，又需通過多種文學技巧、修辭手段來滿足審美主體的需求。其實用價值往往附麗在審美價值上，呈現互相滲透、交織的情況，如〈下令賜封裕〉：「君以黎元為

---

11　林紓：《春覺齋論文》北京：人民文學出版社，1998年，頁30。
12　曹勝高：〈兩漢詔令引《詩》體式考〉，《廣州大學學報》，2016年第7期。

國，黎元以穀為命」，使用駢體句式中的「六：六」式。十六國詔書的偶句相對魏晉來說比重大為降低，且多為寬對、流水對，並不過分追求工整。出於功效而講究文采，在關鍵位置偶然加入一些駢句「便於宣讀」[13]，在宣讀諷誦時常伴有相關儀式活動，以其特有的言辭、音韻的視覺美和聽覺美帶給活動參與者，承擔者建構禮儀文化的功能性任務。還有「溝洫溉灌，有益官私，主者量造，務盡水陸之勢。中州未平，兵難不息，勳誠既多，官僚不可減也。待克平凶醜，徐更議之」，大量使用「四字格」修辭方式，中間穿插六字格，形成兩組「四：四；四：六」的排比句，把繁冗的工作要求變得簡明有力、節奏明朗，長短結合，使詔書整齊而不雷同，勻稱而不呆板。同時注重將緊句和松句穿插使用，在簡明緊湊且容量大的工作任務之後，銜接「夫人臣關言於人主，至難也」、「封生蹇蹇，深得王臣之體。《詩》不云乎：『無言不酬』」，穿插一些語氣舒緩、結構鬆散的散句，在行文中充入君主對臣子的感慨、感激之情，在篇章布局上顯得輕鬆活潑、鬆緊適度。同為胡族詔書，〈下令賜封裕〉在篇幅容量上比〈下書封喬豫和苞〉大，而且使用多種修辭手法，篇章結構更加整飾規範。不僅取決於草詔之臣的個人修養、水準，詔書的閱讀物件除了士大夫，還有普通民眾，為使詔令起到「敷告天下、咸使聞之」的效果，必須考慮民眾的文化水準和理解能力，寫作水準的提升實際上反映的是民眾文化水準的提高，「前後燕的文學水準較高，因此這時河朔地區已成了北方的文化中心」[14]。錢穆曾言：「慕容氏于五胡之中受漢化最深」[15]，其統治下的河朔地區已成為北方的文化中心。由於各割據政權的封建化水準不一，如羯族首領石勒曾作十五篇詔令，最長的〈下書拒石虎等拒上尊號〉也只有八十二個字，其餘像〈獲黑兔下令〉、〈下書采律令之要〉、〈下書國人〉等只有短短一句，為解決具體事務而頒行的具有短期法律效力的詔令，可能就屬於「口占」、口令之類，較少有文采的修飾和詞藻的點綴。

最後，不斷重複、頻頻運用的公文套語不僅具備實用性，還兼有儀式性的審美功能。詔令所用套語是皇帝向臣民、上對下的「單向性」言說，是儀式化最高的應用文體，在公文文本和日常生活中具有強大的話語權力。套語作為口語表達的需要，在大量的諷誦宣讀過程中，表現出與聽眾、閱讀方直接交流的現場感，便於臣民記憶和傳誦；或表現君主對某人、某事的心理、褒貶態度，如十六國詔書中「不拘貴賤」、「無諱言之忌」、「勿有所諱」、「稱朕意（心）焉」申孤之心」、「表朕敬焉」等，文本便不再是冷冰冰的史料，有了人情暖意。詔令多用於正式場合，在行政場域中君主與官僚、民眾之間的尊卑等級秩序，需要用對應其身份的套語、措辭來維持，如「敕悉」、「依」、「一

---

13　（宋）謝伋：《四六談塵》，載王水照主編《歷代文話》上海：復旦大學出版社，2007年，第一冊，頁33。

14　曹道衡：《南朝文學與北朝文學研究》，載《曹道衡文集》鄭州：中州古籍出版社，2018年，卷五，頁449。

15　錢穆：《國史大綱》，臺北：商務印書館，1991年，頁280。

遵」、「奉之」、「其詳評議」、「明宣內外」、「敷告天下」、「露布遠近、咸使聞知」等，文體的規範性維繫著森嚴的等級關係。不斷對下施壓、示威的套語表達，實際是在執行一種必須的政治儀式，突顯禮儀、展現「端嚴之體」，各個層級複製儀式的過程中讓統治者的意志、決策合法化，作為權利文化符號的套語就具備了「儀式性」的審美功能。官場政治生態並未發生多少異質變化時，舊的套語每每改動個別字詞，又成新篇。十六國與西晉政治制度不同、民族迥異，但文書仍維持著極強的穩定性。當套語成為連篇累牘的話語權力「符號」時，如「凡關言於人主，人臣之所至難」（〈下傅玄皇甫陶詔〉、〈下令賜封裕〉），表達君主感情、態度的語在特定段落的書寫規範及其特定的排序、位置，成為完成政治角色的儀式性「表演」，「若後世徒奉為故事已」[16]，官樣文章便在所難免。

## 三　十六國胡族王言反映的特殊外交關係

《文心雕龍·詔策》云：「夫王言崇秘，大觀在上，所以百辟其刑，萬邦作孚。故授官選賢，則義炳重離之輝；優文封策。則氣含風雨之潤；敕戒恒誥，則筆吐星漢之華；治戎燮伐，則聲有洊雷之威；眚災肆赦，則文有春露之滋；明罰敕法，則辭有秋霜之烈；此詔策之大略也」[17]。集權制度下以天子名義頒布的詔令，旨在向天下詔高其政權受命於天，在政統上具有神聖的合法性，特別是具有外交國書性質的詔書，如漢文帝〈賜南粵王趙佗書〉、〈遺匈奴書〉、成帝〈報烏珠留鞮禪於詔〉等，體現了大一統政權在世界秩序中的中心位置。十六國政權更迭頻繁，疆界屢屢變動，不能體現其在割據秩序的中心位置。頒布、使用的實用性詔書，很多時候體現為口頭形式，其類型和使用範圍並不固定。加之並非出自「天下主」的名義，沒有合法性和權威性，例如：

先是，李壽將李宏自晉奔於季龍，壽致書請之，題曰趙王石君。季龍不悅，付外議之，多有異同。中書監王波議曰：「……壽既號並日月，跨僭一方。今若制詔，或敢酬反，則取誚戎裔。宜書答之，並贈以楛矢，使壽知我遐荒必臻也。」（《晉書·石季龍載記》）

李壽致書石勒，題曰「趙王石君」，面對非君臣關係，謹慎使用書狀形式的外交文書，而非制詔，以免引起麻煩。在此通過胡主使用、頒布的詔令，其中的「天下」用語，考察其「天下家國」觀念，據統計，所見十六國胡主詔令使用「天下」用語，共計二十二條，大致可分為三類：（一）古代天下用法的傳承。其中有指具體朝代，如劉曜〈下令議除漢宗廟改國號〉：「光文以漢有天下歲久」、馮跋〈下書葬高雲〉：「昔高祖為義帝舉哀，天下歸其仁」；還有虛指古代的，如石虎〈因天變下書求極言〉：「蓋古明王

---

16 童養正編：《史漢文統·西漢文統》，卷一，《四庫全書存目叢書》濟南：齊魯書社，1997年，集部，374冊，頁12。

17 （南朝梁）劉勰著，范文瀾註：《文心雕龍注》北京：人民文學出版社，2008年，頁360。

之理天下也」、慕容暐〈答慕容恪、慕容評〉:「且古者以天下為榮」、慕容超〈下書譏複肉刑〉:「綱理天下」等。(二)超出本國範圍的涵義,指全中國,如慕容廆〈與陶侃箋〉:「不能滅中原之寇,刷天下之恥」、慕容皝〈與庾冰書〉:「天下皆痛」等。(三)指代本國境內、國家全境,如劉曜〈下書封喬裕和苞〉:「可敷告天下」、石虎〈下書清定選制〉:「先帝創臨天下」、慕容垂〈濟河下令〉:「天下既定」、苻堅〈燕平下詔大赦〉:「大赦天下」、〈下詔分遣侍臣問民疾苦〉:「今天下既無丞相」等,胡主認識到自己擁有「天下」,「天下」就是本國的代名詞。在古代傳統觀念中,「天下」有廣狹之分,「一為日月所照,人跡所至的普天之下,一指四方之內的『國』」[18]。胡主認識到自己所擁有的「天下」顯然是指後者。除此以外,其他胡主也是擁有「天下」的,如慕容泓〈與苻堅書〉:「與秦以虎牢為界,分王天下」、慕容沖〈命詹事答苻堅〉:「孤今心在天下」、赫連勃勃〈與沮渠蒙遜盟文〉:「若天下有事」等。各割據政權對於治內和治外有著清楚的劃分,「天下」包括本國和他國二元結構。

在有限王權的視界裡,各割據政權同時並立,是多元中心,外交方面一是表現為對外征伐擴張,遊牧民族建立的國家,興衰不穩定,疆界不能劃定,彼此之間不斷征伐擴張,試圖讓「天下」向國家回歸,成為名副其實的「天子」。還需說明,除苻堅外的胡主不敢與東晉一爭高下,而是極力與北方其他胡族政權爭奪正統,各方試圖混元四方,成為夷狄共主。二是在相當長時期內由於各種因素而選擇和平共處,由於軍事實力、文化水準以及民族差異等原因,五胡之間的地位並不平等。特別是五涼政權,如前涼一直以西晉遺民自居,後臣屬東晉。奉使東晉,又不得不向據有巴蜀的成漢稱臣。後涼、南涼一度臣屬後秦,西涼、北涼則稱臣東晉,又投靠後涼、北魏、劉宋。涼國之間也有交好或歸屬的現象。國力弱小者為了爭取強大者的支持和庇護,對其稱臣,享受對方虛封的爵位、官號。他們頒布的詔令文書鮮明體現了這種複雜多變的外交關係,如北涼沮渠蒙遜臣屬東晉、北魏,作〈上晉安帝表〉、〈上魏太武帝表〉,弘始三年(西元 401 年)作〈上疏于禿髮利鹿孤〉,自降身份,稱對方為「陛下」[19],目的是為了爭取時間,減少西涼、南涼的雙重壓力。西元四一二年,沮渠蒙遜即位河西王,開啟了封建王權時代,雙方力量已大不相同,於是作〈下書伐禿髮傉檀〉。攻打西秦,又作〈下書伐乞伏暮末〉等。通過對上、對下頒布不同的詔書彰顯身份以及貫徹不同的外交策略。

胡主雖不認為自己是「天下共主」,互相承認與其他政權的對等關係,如何彰顯在世界秩序中「唯我獨尊」的天子地位,詔令等外交文書中微妙的表達方式可一窺究竟。如黃始二年(西元 397 年),奚牧任並州刺史,其書「稱頓首,鈞禮抗之,責興侵邊不

---

18 邢義田:〈天下一家——中國人的天下觀〉,載劉岱主編:《中國文化新論·根源篇》臺北:聯經出版事業公司,1981年,頁441-442。

19 弘始四年(西元402年)姚興遣使拜禿髮傉為廣武公,沮渠蒙遜為西海侯。可知南涼的實力、地位在北涼之上。

直之意。興以國通和，恨之。有言于太祖，太祖戮之」（《魏書・奚牧列傳》）北魏與後秦互為敵國，奚牧作為地方長官，致書姚興卻稱「頓首」，與後秦主是均禮，被姚興所殺。顯示了在對等國家關係中，自居上位的名分關係。苻堅〈下令國中〉甚至將東晉皇帝司馬昌明為尚書僕射，把東晉視為本國境內。這種特殊心態不僅存於征伐擴張不斷的十六國時期，還有相對穩定的南北對立時期，如「（建元）二年、三年，芮芮主頻遣使貢獻貂皮雜物。與上書欲伐魏，謂上足下，自稱吾」（《南齊書・芮芮列傳》）柔然不稱南齊皇帝為「陛下」，而稱為較自己地位低的「足下」，自稱時用的是對下人使用的「吾」[20]。還有：

> 自梁、魏通好，書下紙每雲，書下紙每雲「想彼境內寧靜，此率土安和。」梁後使其書乃去「彼」字，自稱猶著「此」，欲示無外之意。收定報書云：「想境內清晏，今萬國安和。梁人複書，依以為體。
>
> ——《北齊書・魏收傳》

外交公文中固定用語原為「想彼境內寧靜，此率土安和」，被魏收改為「想境內清晏，今萬國安和」，以示南北不分彼此，有交好之意。雙方的矛盾在於外交文書的問候起居（安否）之語使用了「境內」、「率土」等詞語，其中「率土」用於自己起居，「率土」一詞出自《詩經・小雅・谷風之什》：「普天之下，莫非王土，率土之濱，莫非王臣」，指皇帝統治的無限疆域，問候對方使用「境內」，不是用於皇帝，而是用於統治疆域有限的國王的用語。「無外之意」指東魏和南梁將對方視為有限的「天下」（狹義「天下」概念），而將「此」即自己的統治疆域視為無限（廣義「天下」概念），兩者是一種視自己為上而將對方置於其下的「對等」關係。「梁人復書，依以為體」，也採取了同樣的做法。更改之後的文書成為南北之間外交公文的固定之「體」，可見成為當時的固定程式用語。這樣的例子還見於太建十四年（西元582年）陳向隋遞交的文書中，「而後主益驕，書末云：『想彼統內如宜，此宇宙清泰。』隋文帝不悅，以示朝臣」（《南史・陳本紀》）雖未使用「率土」、「境內」而使用「宇宙」、「統內」等詞語，但意義大致相同。在外交秩序中堅持以自我為中心，同時維持基本的邦交。

# 四　結語

　　（清）姚鼐〈古文辭類纂序〉總結詔令功用為「昭王制，隸強侯，所以悅人心而勝於三軍之眾，猶有賴焉」[21]。詔令具有使國家法令昭明，使強大的諸侯敬服的功用。主要用於大一統的中央政府與賓服以外那些被鬆散控制、或完全獨立自主的蠻夷戎狄之間

---

20 如齊高帝遺詔中寫道：「吾本布衣素族，……公等奉太子如事吾」（《南齊書・齊高紀下》）。
21 （清）姚鼐纂集，胡士明、李祚唐標校：《古文辭類纂》上海：上海古籍出版社，2016年，頁4。

的關係。這樣理想的外交關係，是天子統治在空間層面的設想和體現。然而，十六國大部分各割據政權，包括曾短暫統一北方、占據中原的苻堅，顯然不具備這樣的條件，因而詔書「法令出一」的巨大政治威力亦大打折扣。

# 貞觀應制詩的創作導向與
# 唐太宗的用人政策[*]

## 王聰

北京　中華女子學院文化傳播學院

　　應制詩，通常是指大臣應皇帝詔命所作的詩，而且往往是在飲宴、遊賞、出巡等情境中的即席之作。應制詩的傳統由來已久，（明）吳汝、吳英在編撰《歷朝應制詩選》時指出「應制詩雖盛於唐，實起於漢魏。自武帝〈柏梁臺〉肇開君臣唱和之端，曹植〈應詔〉詩始備闕庭進獻之體，茲選故以二冠其首。」雖然，〈柏梁臺〉是君臣聯句，〈應詔〉是獻詩，二者都談不上是真正意義上的應制詩，但確實初步具備了一些應制的特點，開了應制詩的端倪。

　　曹魏時期，似可稱為應制詩的濫觴期。受當時漢末經學衰微和曹魏「唯才是舉」用人政策的影響，詩中多表現出重功利、輕道德，重緣情、求華美的傾向。如王粲〈從軍詩〉「籌策運帷幄，一由我聖君」，劉楨〈公宴詩〉「芙蓉散其華，菡萏溢金塘。靈鳥宿水裔，仁獸游飛梁」等。到了西晉，應制詩多以四言為主，一方面是對詩經「雅頌」典麗風格的繼承，另一方面受到當時玄學的影響。如陸雲的〈征西大將軍京陵王公會射堂皇太子見命作此詩〉中，「茫茫太極，玄化煙熅」、「頹形成器，凌象垂文」透露著玄學的訊息，而「先識經始，實綜彝倫」、「邈矣遐風，茂德有鄰」，又體現出儒家的思想。今所見東晉應制詩微乎其微，除了散佚等流傳原因外，皇權疲弱士族掌權等因素也致使這種歌功頌德的詩體缺乏豐沃的政治土壤。

　　南朝應制詩開始大量湧現。在宋、齊和梁的早期，應制詩繼續走儒學、玄學結合路線，但是相比兩晉，南朝君主對儒學更為重視，如劉裕認為「古之建國，教學為先」，且「選備儒官，弘振國學」，將儒學放在了儒、玄、史、文四學之首。梁武帝則是「親屆輿駕，釋奠於先聖先師」，並大力提倡《三禮》。這些尊儒崇禮的為政舉措在文學上的一個重要體現，即是應制詩中儒學思想日益充盈起來。此時應制詩在風格上，仍以典麗雅遜為主。顏延之的〈應詔宴曲水作詩〉、〈皇太子釋奠會作詩〉、〈三月三日詔宴西池詩〉、〈應詔觀北湖田收詩〉等很有代表性，其「錯彩鏤金」的風格很好地突顯了皇家氣

* 　【基金項目】國家社會科學基金重大項目「中國古代都城文化與古代文學及相關文獻研究」（18ZDA237）；校級科研課題「陰陽五行思想視域中的隋唐政治與文學」（KY2019-0328）。

象。但到了梁代後期以及陳的時候，這種崇儒重教、典麗莊重的詩歌樣式逐漸向娛樂、消遣、炫才、裝飾的詩歌風格過渡。

# 一　貞觀應制詩創作──風雅之體與浮豔之詞並存

隋唐重築起大一統王朝。唐太宗對於應制詩作，沒有因為文風「放蕩」而一味否定，也沒有因為個人喜好而全盤接收，而是從文學的現實功用出發，認可應制詩在治國理政、溝通君臣等方面的積極作用，與此同時在思想和風格上進行必要的改良和引導。試看太宗的〈正日臨朝〉：

> 條風開獻節，灰律動初陽。百蠻奉遐贐，萬國朝未央。
> 雖無舜禹跡，幸欣天地康。車軌同八表，書文混四方。
> 赫奕儼冠蓋，紛綸盛服章。羽旄飛馳道，鐘鼓震岩廊。
> 組練輝霞色，霜戟耀朝光。晨宵懷至理，終愧撫遐荒。[1]

此詩作於貞觀五年正月元日。貞觀四年，李靖大敗突厥，太宗被奉為天可汗。所以在第二年元日的盛典中，太宗作此詩以記其文治武功。詩的前四句點明時令和事件，五到八句雖口吻謙遜，但重在突顯自己執政期間四海一統的功勳，九到十四句寫盛典的人物、場面和景象，最後兩句表居安思危、克勤克儉之志。此詩寫好後，楊師道、顏師古、魏徵、岑文本、李百藥均有和詩。楊師道〈奉和正日臨朝應詔〉：

> 皇猷被寰宇，端辰屬元辰。九重麗天邑，千門臨上春。[2]

楊師道，弘農華陰（今陝西華陰）人，隋文帝族侄觀王楊雄之子，隋亡後投奔唐朝，拜上儀同、駙馬都尉，娶桂陽公主為妻，後歷任吏部侍郎、太常卿，封安德郡公。《新唐書》本傳稱他「清警有才思」，詩文方面，在沿襲北朝質樸詩風的同時，充分學習吸收南朝的創作技巧。這首詩只有短短四句，是這組詩中篇幅最短的一首，但於剛健之中透出一股清新之氣。第一句歌讚太宗功德，第二句點明事件並突出太宗的核心地位，剩下兩句則是勾勒出盛典的恢弘氣象及和樂融融的氛圍。整首詩短小精悍，既不失典雅莊重，又有一股簡麗清新之氣貫穿其中。

魏徵〈奉和正日臨朝應詔〉：

> 百靈侍軒後，萬國會塗山。豈如今睿哲，邁古獨光前。
> 聲教溢四海，朝宗引百川。鏘洋鳴玉佩，灼爍耀金蟬。

---

1　《全唐詩》北京：中華書局，1979年，卷一，頁3。

2　《全唐詩》，卷三十四，頁461。

> 淑景輝雕輦，高旌揚翠煙。庭實超王會，廣樂盛鈞天。
>
> 既欣東日戶，復詠南風篇。願奉光華慶，從斯億萬年。[3]

魏徵出身山東微族。詩中用了大量的典故描繪盛典氣象，歌頌太宗功績。值得注意的
是，這些典故多出自儒家，「萬國會塗山」將唐太宗的元日盛典比附為《左傳・哀公七
年》中的「禹合諸侯于塗山，執玉帛者萬國」之事。「聲教溢四海」取《書・禹貢》的
「東漸於海西，被於流沙，朔南暨聲教，訖于四海」之意。「庭實超王會」，「王會」語
本《逸周書・王會》，講「成周之會，壇上張赤帝陰羽」，孔晁註：「王城既成，大會諸
侯四夷也。」「復詠南風篇」出自《禮記・樂記》「昔者舜作五弦之琴，以歌〈南風〉。」
《孔子家語・辨樂解》言道：「其詩曰：『南風之薰兮，可以解吾民之慍兮；南風之時
兮，可以阜吾民之財兮。』」從「灼爍耀金蟬」句選取的意象來看，有一定的箴規之
意。陸機〈寒蟬賦〉云：「蟬有五德。……加以冠冕，取其容也。君子則其操，可以事
君，可以立身，豈非至德之蟲哉！」根據《舊唐書・輿服志》的禮制規定，唐代只有親
王以上級別的方有「加金附蟬」的資格，這一配飾具有很突出的德行象徵意義。結合詩
中「詠南風」的典故。可見，無論是在用典的安排上，還是在意象選取上，魏徵在頌美
的同時，時刻不忘以儒家的德行規諫太宗。

岑文本〈奉和正日臨朝〉：

> 時雍表昌運，日正葉靈符。德兼三代禮，功包四海圖。
>
> 逾沙紛在列，執玉儼相趨。清蹕喧輦道，張樂駭天衢。
>
> 拂蜺九旗映，儀鳳八音殊。佳氣浮仙掌，薰風繞帝梧。
>
> 天文光七政，皇恩被九區。方陪瘞玉禮，珥筆岱山隅。[4]

岑文本，南陽棘陽（今新野縣）人，隋末蕭銑在荊州建立地方政權時，任岑為中書侍
郎，專典文翰。貞觀元年，除秘書郎，後遷中書舍人，官至中書令。此首應制詩寫得規
矩中見文采，與其它幾首相比，南朝的風流蘊藉隱現其中。前四句言德自天承，功蓋四
海，讚美太宗的功績，五到八句是對盛典人物和場面的描繪，九到十二句借景物渲染皇
家威儀以及和樂的氛圍，最後四句突出皇恩浩蕩，自己有幸作為「珥筆」之臣參與莊重
的「瘞玉」大禮。整首詩，既有對皇帝的頌美，也有對盛典的禮贊，還專用四句來進行
現場的景物描繪和氣氛烘托，華美中見清麗。在語詞和典故的選取上，儒家為主，道家
為輔，在一定程度上沿襲了南朝儒學中滲入玄學的思想傾向。

　　與前朝的應制詩相比，這一組詩呈現出的整體風貌，一是所用的語詞與典故，儒家
占了相當高的比重，思想上呈現出儒家重德、重禮、重修身、重祥瑞的傾向，儘管偶爾

---

3　《全唐詩》，卷三十一，頁441。

4　《全唐詩》，卷三十三，頁451。

夾雜一些道家的術語，但儒家思想在太宗時期的應制詩中，尤其是山東士人的詩中明顯占據著主導的位置。二是詩作風格上，呈現出南北融合的詩學風尚。不同地域的文人詩風呈現出一定的差異，同時存在北人向南人學習的特點與傾向，如楊師道雖是北朝文人，但深入學習南朝的詩歌創作技巧，最終形成自身簡拔清新的文學風格。

　　太宗為政上大力提倡文治武功，他主張「雖武功定天下，終當以文德綏海內，文武之道，各隨其時」（《全唐文》）。應制詩適於彰顯文德，是歌頌帝王文治的一種重要載體。因此，太宗在位期間，除前面列出的貞觀五年元日外，多次組織近臣奉和應制，尤其以貞觀朝後期為盛，在太宗親征遼東的過程中，詩賦亦不絕於途，參與和作的大臣也頗多，如貞觀十九年三月，太宗至定州，作文祭北嶽，又作〈春日望海〉詩，楊師道、許敬宗、褚遂良、長孫無忌、岑文本、劉洎、上官儀、高士廉、鄭仁軌皆有和作。貞觀二十年，太宗至靈州，行經隴州時有感而發，作〈經破薛舉戰地〉詩，許敬宗、褚遂良、長孫無忌、楊師道、上官儀皆有和作。《全唐詩》評價太宗道：「詩筆草隸，卓越幹古。至於天文秀髮，沈麗高朗，有唐三百年風雅之盛，帝實有以啟之焉。」[5]太宗之所以能夠帶動應制詩的創作，與應制詩這種文學樣式獨特的政治作用是分不開的。太宗執政期間，應制詩成為綜合多方矛盾意見的突破口，它既能詠贊國家的強大昌盛、匡顯國威，又能將太宗私下裡對文學的喜好置之於廟堂。每次應制，皆是君臣和諧、其樂融融的場面。

　　《唐會要》載：「貞觀二十二年，考功員外郎王師旦知舉。時進士張昌齡、王公瑾並有俊才，聲振京邑。而師旦考其文策，全下，舉朝不知所以。及奏等第，太宗怪無昌齡等名，因召師旦問之，對曰：『此輩誠有詞華，然其體性輕薄，文章浮豔，必不成令器。臣若擢之，恐後生相效，有變陛下風雅。』帝以為名言。後並如其言。」[6]當時朝廷中存在一種北人排斥南學的風氣[7]，而從這段記載可見，主張質實的大臣對於文辭綺麗、華而不實之士是深為摒棄的。而其中最耐人琢磨的是太宗的態度。此事之後，太宗因欣賞張昌齡的文章，特將其拔擢為昆山道行軍記室，「破處月，降龜茲，軍書露布，皆出其手」。而對於王師旦沒有選拔張昌齡一事也沒有加以責怪，而是頗為肯定他的選錄標準，後來仍任其為知貢舉。材料雖短，卻能由一個側面反映出貞觀之時，太宗兼容并包的文學態度，以及風雅之體與浮豔之風並存的文學風貌。

---

5　《全唐詩》，卷一，頁1。

6　（宋）王溥撰：《唐會要》北京：中華書局，1998年，卷七十六〈貢舉中‧進士〉，頁1379。

7　參見牟潤孫：〈唐初南北學人論學之異趣及其影響〉，見《注史齋叢稿》北京：中華書局，2009年，頁398。

## 二　貞觀應制詩的儒學傾向與唐太宗對山東士人的複雜態度

太宗在〈帝京篇十首〉的〈序〉中談到：

> 余追蹤百王之末，馳心千載之下。慷慨懷古，想彼哲人。庶以堯舜之風，蕩秦漢
> 之弊；用咸英之曲，變爛漫之音。求之人情，不為難矣。故觀文教於六經，閱武
> 功於七德。臺榭取其避燥濕，金石尚其諧神人。皆節之於中和，不係之於淫放。
> 故溝洫可悅，何必江海之濱乎！麟閣可翫，何必山陵之間乎！忠良可接，何必海
> 上神仙乎！豐鎬可游，何必瑤池之上乎！釋實求華，以人從欲。亂於大道，君子
> 恥之。故述〈帝京篇〉以明雅志云爾。[8]

在〈帝京篇〉中，太宗明確提出了「雅正」的文學觀[9]，這在很大程度上是受山東士人
的影響。貞觀十年，房玄齡、魏徵、姚思廉、李百藥、孔穎達、令狐德棻、岑文本、許
敬宗等撰成梁、陳、周、齊、隋五代史。其中，魏徵在《隋書·文學傳序》中指出，
「江左宮商發越，貴於清綺，河朔詞義貞剛，重乎氣質。氣質則理勝其詞，清綺則文過
其意。理深者便於時用，文華者宜於詠歌。此其南北詞人得失之大較也。若能掇彼清
音，簡茲累句，各去所短，合其兩長，則文質彬彬，盡善盡美矣。」[10]對此，牟潤孫指
出，「魏徵雖於南北文學有持平之論，而抑揚之間，於河朔猶有偏袒。謂河朔理勝，便
於時用。其所謂用，即序首所言：『大則經緯天地，作訓垂範，次則風謠歌頌，匡主和
民。』謂江左文華，宜於歌詠。則其為用，僅限於風謠歌頌，在功用價值上，已次於作
訓垂範，況複詞尚浮麗，流於淫放，肇亡國之禍乎？」[11]「文質彬彬」是從詩文本身來
講的，指內容和形式同時兼備，「盡善盡美」的說法出自《論語·八佾》：「子謂〈韶〉
『盡美矣，又盡善也。』謂〈武〉：『盡美矣，未盡善也。』」是從文學與政治的關係角
度來說的，音樂（文學）的美善成為政治的直接折射。魏徵這種「盡善盡美」的文學觀

---

8　《全唐詩》，卷一，頁1。

9　關於〈帝京篇〉的寫作時間，吳雲、冀宇校註的《唐太宗全集校注》認為作於貞觀二年；（南宋）王
　　應麟的《玉海》，卷二九寫道：「〈帝京篇〉五言，太宗制，褚遂良行書，貞觀十八年八月。」傅璇琮
　　主編，陶敏、傅璇琮著的《唐五代文學編年史》初盛唐卷採納了這一觀點。李巍在其文章〈論唐太
　　宗前後矛盾的文學觀——兼考〈帝京篇序〉的創作時間〉中指出，貞觀二年百廢待興，僅從「臺榭
　　取其避燥濕」來斷定為此年，恐過早。而貞觀十八年，太宗正準備攻打高麗，且後期提倡封禪，與
　　詩歌中的觀點相悖。並根據序中「觀文教於六經，閱武功於七德」及封禪、宴飲諸事的史書記載，
　　將此組詩的寫作時間定在貞觀七年。儘管李巍的說法多為推測，但根據詩中的大致內容及太宗對儒
　　學和文學的態度，此詩很有可能作於貞觀七年至貞觀十年這段時間，體現了太宗貞觀前期的文學思
　　想。

10　（唐）魏徵等撰：《隋書》北京：中華書局，1973年，卷七十六，〈文學傳序〉，頁1730。

11　牟潤孫：〈唐初南北學人論學之異趣及其影響〉，見《注史齋叢稿》，頁378。

點，是儒學詩樂傳統的重要組成。就其內涵而論，與其說是對文學創作的要求，不如說是對為政者的期許。山東士人大力弘揚儒家學說，提倡何種文學、反對何種文學，都是從「上以風化下」的為政者立場出發。他們抨擊齊梁詩風，實是懼怕「亡國之音」復活於新朝，維護李唐王室剛剛建立起來的基業；他們提倡「盡善盡美」的文學，實是在時刻提醒太宗要「以文德綏海內」，實現天下的長治久安。

在貞觀之際，尤其是貞觀前期，百廢待興，政治上確實有重用山東士人的必要。「北周滅北齊，隋繼北周又並江南，統一全國，只要稍有頭腦的政治人物到這時就不曾再死守住關隴集團的老框框。」[12]太宗取得皇位後，採取提用山東士人的策略，擢用他們的目的，一是借山東士人的文化傳統、政治經驗，來彌補關隴軍事集團文化落後、人才不足的缺陷；二是骨子裡還有緩和山東人對唐室惡感的用意。[13]在儒家的傳統理念中，文學乃是安國興邦的重要工具，因此，山東士人在朝廷上向太宗推舉儒家執政理念的同時，也大力提倡儒家的文學觀念。貞觀前期，由於山東士人的敦促，太宗的提倡，君臣上下大力實踐，形成了一個以「雅正」為中心的應制詩範式。這種范式尤適於詠讚新的國都、新的朝代，引領一種宏大的寫作風尚，表現出一代開國君臣典雅整肅的闊大胸襟，並且在華麗典雅中追求謹嚴昂揚的氣息，以此影響文人的價值走向和社會的精神風貌。

從太宗對山東士人的具體任用來看，太宗雖然重用山東士人，但在具體的戰術上則採取既拉攏又打壓的方式。首先，打壓大族，提拔微族，求取政治上的平衡。太宗既要拉攏山東士族，又不能把權力下放給大的山東士族，因此，房玄齡、李勣、張亮、戴胄、魏徵、溫彥博、馬周、張行成等一般山東士人，成為太宗提拔重用的對象。太宗在位二十三年，任宰相者二十八人，除高祖舊相外，山東士人十一人為相，占了將近一半。[14]可見，太宗對山東士人政事才能的欣賞與肯定。而擢用山東微族，既充分利用了山東士人治國理政的能力，又對大的山東士族給予打壓與遏制。其次，太宗雖然採用「人盡其才」的方式給予山東士人政治上的發揮空間，但不是全然的信任，在心理上多差別對待。太宗「嘗言及山東、關中人，意有同異」，當時的殿中侍御史張行成乃山東士人，跪而奏曰：「臣聞天子以四海為家，不當以東西為限；若如是，則示人以隘狹。」[15]

太宗對山東士族之所以會採取這樣的策略，一方面，自古有「關西出將，關東出

---

12 黃永年：〈論武德貞觀時統治集團的內部矛盾和鬥爭〉，見《唐代史事考釋》臺北：聯經出版事業公司，2005年，頁27。

13 唐長孺、吳宗國、梁太濟、宋家鈺、席康元編：《汪籛隋唐史論述稿》北京：中國社會科學出版社，1981年，頁142-143。

14 參見唐長孺、吳宗國、梁太濟、宋家鈺、席康元編：《汪籛隋唐史論述稿》，頁132。

15 （後晉）劉昫等撰：《舊唐書》北京：中華書局，1975年，卷七十八，〈張行成傳〉，頁2703。

相」的說法，而山東地區歷史文化深厚，士族顯赫，在大一統的局面下，統治者必然要在一定程度上倚賴這些人的政治才能。另一方面，北周、北齊同出於北魏，原北齊治理下的山東士族往往自視甚高，同時，彼此間又有盤根錯節的聯繫，所以太宗在重用他們的同時，仍持有強烈的防範之心，防範他們結黨營私或是揭竿而起。事實上，太宗在位期間多次懷疑山東士人私下結黨，曾責「祖孝孫以教宮人聲樂不稱旨」，王珪[16]及溫彥博為之辯解，太宗由是懷疑他們同出山東，私下有所勾結，面對太宗的怒責，王珪獨不拜曰：「今臣所言，豈是為私？不意陛下忽以疑事誚臣，是陛下負臣，臣不負陛下。」[17]又如魏徵死後，其生前推薦的杜正倫以罪黜，侯君集犯逆，太宗懷疑他們都是魏徵的朋黨，因此手詔解除了先前許下的把衡山公主嫁給魏徵長子叔玉的婚約。[18]

可見，山東士人絕非太宗真正心腹，太宗與他們詩酒唱和、應制往還，可視為一種政治情感的溝通。太宗鮮用山東士人擔任吏部、兵部尚書兩大要職。貞觀一朝，擔任兵部尚書的有杜如晦、李靖、侯君集、長孫無憲、李勣、崔敦禮。其中，只有李勣一人非關隴士族。太宗以李勣才幹功勳卓著尤重之，但任其為兵部尚書時，不任為相；任其為相時，將其調離兵部，籠絡防範之心可見一斑。因為貞觀初期，朝綱不穩，山東一帶對朝廷的敵意很明顯，不能給他們創造任何謀反的機會和條件。但百廢待興之際，又尤其需要多方人才為朝廷效力，也需要在心理上拉近與山東士人的距離。

## 三　貞觀「頌美」的應制詩轉向與江左文人的現實政治地位

在很多公開的場合，太宗都極力防備耽湎於娛樂的靡靡之音，並大力提倡「雅正」的文學觀，肯定「詩教」積極的政治功用。但如果僅就他個人的喜好和興趣來看，並不盡然。首先，他不認同「亡國之音」的說法，《唐會要》卷三二言道：「武德九年正月十日，始命太常少卿祖孝孫考訂雅樂，至貞觀二年六月十日，樂成奏之。……御史大夫杜淹對曰：『前代興亡，實由於樂……』，太宗曰：『不然。夫音聲感人，自然之道也。故歡者聞之則悅，憂者聽之則悲。悲悅之情，在於人心，非由樂也。將亡之政，其民必苦，然苦心所感，故聞之則悲耳。豈樂聲哀怨，能使悅者悲乎！』」[19]太宗把音樂看作一種娛情遣興的方式，並不認同政事和音樂混淆一體的說法，他在〈帝京篇序〉中談到「予于萬機之暇，遊息藝文」，「藝文」是他在「萬機之暇」的放鬆娛樂方式。其次，太宗喜歡南朝的文學樣式和風格。《全唐詩》中太宗存詩近百首，除了〈帝京篇〉和一些

---

16 王珪祖父為關中名將王僧辯，但江陵既陷後，珪父入齊，珪自小受儒學薰陶。故珪雖祖江左，但為政思想更近於山東。

17 （後晉）劉昫等撰：《舊唐書》，卷七十〈王珪傳〉，頁2528-2529。

18 （後晉）劉昫等撰：《舊唐書》，卷七十一〈魏徵傳〉，頁2562。

19 （宋）王溥撰：《唐會要》，卷三十二〈輿服下·雅樂上〉，頁588。

重大場合的吟詠之外，三分之二以上的詩作仍以詠物、寫景為主，用語纖細精微，風格流麗華美，很接近南朝的審美風尚。而且，縱使是他寫戰爭邊塞的詩作，也常出現纖微綺麗的詩句夾雜其間，如〈飲馬長城窟行〉前半部分氣象壯大，後半部分則雕琢藻繪。〈經破薛舉戰地〉在整體壯志恢弘的言辭中筆鋒一蕩，突然插入「浪霞穿水淨，峰霧抱蓮昏」清澈靜謐的畫面。

太宗的文學傾向，某種程度上受時代風氣影響。關隴集團以武力定國，在文學方面比較落後，「蓋自東晉南北朝以來，北人就常認江南為文化衣冠正統之所在，歷經東晉宋齊梁二百餘年，士族子弟都以文學談議相尚。此種風氣，直至唐初，仍然保存。」[20]面對此種局面，一部分關隴人士以打壓、嫌棄的態度維護自己作為國家最高統治集團的尊嚴，以高祖為代表；還有一部分人在與南朝文士的接觸過程中，浸淫其中，學習仿效並且希冀以後來居上的創作成果來構建最高統治集團的權威，以太宗為代表。

南朝的文學傳統由來已久。西晉的「永嘉之亂」後，「洛京傾覆，中州士女避亂江左者十六七」[21]，再加上江南秀麗山水的陶冶和東晉豪門貴族的大力推動，使得江左文學得到了蓬勃的發展。特別是以宮廷為中心的奉和應制詩，成為當時一種主要的文學樣式。《南史‧文學傳序》言道：「自中原沸騰，五馬南度，綴文之士，無乏于時。降及梁朝，其流彌盛。蓋由時主儒雅，篤好文章，故才秀之士，煥乎俱集。于時武帝每所臨幸，輒命群臣賦詩，其文之善者賜以金帛。是以縉紳之士，咸知自勵。」[22]而當時的北方，主要是由北魏分裂而成的北齊和北周，北齊經學氛圍濃厚，在制度和文學方面都多受宋齊影響[23]。北周則是希望模擬《尚書》古樸的文章樣式，建立與之抗衡的文化傳統，但在文學方面，收效甚微。魏徵雖然提出「南北文學不同論」，但在其時，並沒有形成能與江左相抗衡乃至並立的北方文學。無論是樣式還是風格，多處於草創或模擬階段。[24]而魏徵等山東士人，雖然在文學的發展方向上，作出理論性的開創，提出頗有建設性的意見。但在個人創作方面，遠沒有達到理論追求的效果。山東士人自身不擅長創作，所以試圖通過太宗之手，在朝廷上下形成一種「文質彬彬，盡善盡美」的詩文風格。

只是，在時代風氣的影響下，在文學自身慣性的推動下，太宗對南朝的文學心慕而手行。宋神宗曾評價道：「唐太宗亦英主也，乃學庾信為文，此亦識見無以勝俗故也。」[25]羅列貞觀時期太宗的詩作，就會發現，隨著朝政日穩，太宗亦在逐漸背離山東

20 唐長孺、吳宗國、梁太濟、宋家鈺、席康元編：《汪籛隋唐史論述稿》，1981年，頁141。

21 （唐）房玄齡等撰：《晉書》北京：中華書局，1974年，卷六十五，《王導傳》，頁1746。

22 （唐）李延壽撰：《南史》北京：中華書局，1975年，卷七十二，《文學傳序》，頁1762。

23 參見陳寅恪：《隋唐制度淵源略論稿》北京：生活‧讀書‧新知三聯書店，2009年，頁3-5。

24 參見杜曉勤：《唐太宗與齊梁詩風之關係》，《陝西師範大學學報》（哲學社會科學版），2016年第4期，頁46-67。

25 （宋）李燾著，（清）黃以周等輯補：《續資治通鑒長編》上海：上海古籍出版社，1985年，卷二七五，宋神宗熙寧九年五月癸酉，頁2593。

士人提倡的儒家文學觀念，越來越表露出對南朝審美文學的屬意。以至於宋人鄭毅夫謂「唐太宗功業雄卓，然所為文章纖靡浮麗，嫣然婦人小兒嬉笑之聲，不與其功業稱。甚矣，淫辭之溺人也！」[26]此外，唐太宗還特意下詔徵求道德、政術外的文學之士。《全唐文》卷八太宗〈令天下諸州舉人手詔〉言道：「或含章傑出，命世挺生，麗藻迶文，馳楚澤而方駕；鉤深睹奧，振梁苑以先鳴。業擅專門，詞高載筆。……並宜推擇，咸同舉薦。」貞觀後期，隨著山東士人的或死或貶，或文采不出眾，參與應制詩創作的山東士人，比重逐漸降低，而太宗與許敬宗、褚遂良等人的應制酬唱日漸頻繁，且除一些正式場合外，多為感時流連、吟詠風月之作。在太宗的這一喜好和傾向日益鮮明後，群臣應制之作中規諷之言日少，頌美之聲漸漲，儒學詩教的思想愈見單薄。故貞觀後期，應制詩逐漸由「箴規型」朝著「頌美型」發展開來。[27]

　　這種文學上的傾心或能帶來政治上的眷顧，但尚談不上倚重。太宗尚為秦王南征北戰之時，即開始廣羅文學之士，學習切磋，禦極後設立了弘文館，政事之餘探討詩文玄理。但貞觀朝宰相二十八人，其中的江左人士只有蕭瑀、陳叔達、劉洎、岑文本、褚遂良、許敬宗六人[28]，僅占總比例的五分之一，而蕭瑀、陳叔達屬南朝皇族，高祖時即任宰相。劉洎性疏妄言，得罪太宗，後遭褚遂良誣奏至死。[29]岑文本為官十分低調，太宗拜為中書令後，無喜反憂。[30]褚遂良與長孫無忌交好[31]，許敬宗人品不端、性喜鑽營[32]，二人在貞觀後期漸被重用，除與太宗多有唱和往來外，與他們站隊迎合及朝廷上下周旋的能力密不可分。這樣，從貞觀一朝重要官職的任用來看，儘管太宗欣賞南朝士人的文學才華，但是對於朝廷要職的調配，他倚重的主要還是關隴舊臣和山東士人。

　　從江左士人的角度來看，「江南由積弱而覆亡，李唐為新興之盛朝，江南人自梁、陳以來，既相繼為周、隋俘虜，在中原社會中，其身分地位較之山東猶有遜色，益不能與關隴人抗衡。」[33]故江左士人對於自身在新朝的位置多是清醒而戒懼的，如太宗伐遼，將後勤籌度方面的工作都委任給岑文本，岑彈精竭慮，恐有疏忽，終至操勞過度而亡。對於導致南朝傾覆的「靡靡之音」，不僅魏徵等山東士人極力反對，虞世南等江左士人也心存戒懼。當太宗跟虞世南說到「戲作豔詩」的時候，虞世南同樣以「上以風化

---

26　（宋）王應麟著，（清）翁元圻等註：《困學紀聞》上海：上海古籍出版社，2008年，卷十四，〈考史〉引，頁1590。

27　參見葛曉音：〈論宮廷文人在初唐詩歌藝術發展中的作用〉，《遼寧大學學報》，1999年第4期，頁69-74。

28　汪籛認為，王珪按祖父籍來算，也是江左人士，但鑒於王珪的思想學術淵源，暫將其除外。

29　（後晉）劉昫等撰：《舊唐書》，卷七十四，〈劉洎傳〉，頁2612。

30　（後晉）劉昫等撰：《舊唐書》，卷七十，〈岑文本傳〉，頁2538。

31　（後晉）劉昫等撰：《舊唐書》，卷八十，〈褚遂良傳〉，頁2729-2739。

32　（後晉）劉昫等撰：《舊唐書》，卷八十二，〈許敬宗傳〉，頁2761-2765。

33　年潤孫：〈唐初南北學人論學之異趣及其影響〉，見《注史齋叢稿》，頁378。

下，下以俗承上」的儒家教義對太宗進行勸諫。[34]可見，在貞觀之初，「亡國之音」為一種主流的看法，不僅山東士人時刻警戒，就是江左文士也極力避免。

## 四　結語

南北文化衝突由來已久，「唐初諸臣對南北文化之歧見集中於太宗一身，調和之理想與現實勢力相矛盾」，而太宗「求治之心固切，好學之情亦甚般」，因此，他既不同隋文帝只採魏、晉禮儀的做法，又不同於煬帝徒好梁、陳之文學，而是施行「博采廣取、相容並包」的文化策略。[35]在某種意義上，太宗的文學態度與其用人政策間甚至構成一種表裡的投映。太宗強調「以文德綏海內」，大力推動應制詩的創作，其旨歸在於協調不同地域的矛盾，充分調動各方積極性，使不同政治力量間達成持久的穩固與平衡。

---

34 《唐會要》記載：（貞觀）七年九月二十三日，上謂侍臣曰：「朕因暇日，每與秘書監虞世南商量今古。朕一言之善，虞世南未嘗不悅；有一言之失，未嘗不悵恨。嘗戲作豔詩，世南進表諫曰：『聖作雖工，體制非雅。上之所好，下必隨之。此文一出，恐致風靡。輕薄成俗，非為國之利。賜令繼和，輒申狂簡。而今之後，更有斯人，繼之以死，請不奉詔旨。』群臣皆若世南，天下何憂不治！」因顧謂世南曰：「朕更有此詩，卿能死否？」世南曰：「臣聞詩者，動天地，感鬼神，上以風化下，下以俗承上。故季禮聽詩而知國之興廢。盛衰之道，實基於茲。臣雖愚誠，願不奉詔。」
35 牟潤孫：〈唐初南北學人論學之異趣及其影響〉，見《注史齋叢稿》，頁405-406。

# 物我的隱與現

## ——略論杜甫詠物五律的末句書寫

### 楊清瑞

北京師範大學文學院

「杜陵（詠物）諸詩，五律十七」[1]，杜甫選擇五律作為其詠物詩的常用體裁，創作了一大批備受讚譽的詠物五律。可目前學界卻較少將兩者一併提起，或僅專注探討詠物詩，忽略古近體在物我呈現上的區別；或獨獨著眼於五律體，對寫景抒情外的吟詠對象視若無睹[2]。事實上杜甫集大成的五律體式和物我兼備的詠物題材是相互促成的，應該把兩者合二為一，對詠物五律進行整體探討。但由於詠物五律中間兩聯有涉及物我的佳句，標誌性的對仗和格律也在此表現得極為突出。所以學者們關照杜甫詠物五律時，頷聯和頸聯居多，對起的首聯次之，單句散行的末句卻很少見。然而末句不僅寫作難度較大，並且在物我關係處理中所起的作用也絲毫不比其他句子少。所以本文決定從末句入手，考察它是如何配合表現方式和句法等技巧來實現在結構上調節全詩物我關係的，並以此為基礎梳理杜甫詠物五律的末句發展史。

末句指的是一首詩的收尾部分，亦有「結句」、「落句」、「斷句」和「尾句」等稱呼[3]。歷代詩話對此皆有談論，杜詩註本也常於具體詩篇評點末句，胡應麟更是直言杜詩五律的結句之妙。近來同樣有論著專門探討杜甫五律的尾聯，不過大多屬於淺層次的名句賞析或脫離全詩語境的句法分析，且較少提及詠物詩[4]。將杜甫五律末句與詠物綜

---

1　陳伯海主編；張寅彭，黃剛編撰：《唐詩論評類編》上海：上海古籍出版社，2015年，頁669。此後引用的古代詩話詩評皆出此書，後文不再單獨出註。

2　參見程千帆、張宏生：〈英雄主義與人道主義：讀杜甫詠物詩劄記〉，《文學遺產》，1988年第5期，頁25-32；莫礪鋒：《杜甫評傳》南京：南京大學出版，1993年，頁144-167；蔡亮：〈杜甫詠馬詩淺論〉，《西南農業大學學報（社會科學版）》，2009年第1期，頁138-142；趙謙：〈杜甫五律的藝術結構與審美功能〉，《中國社會科學》，1999年第4期，頁113-129；葛曉音：〈杜甫五律的「獨造」與「勝境」〉，《文學遺產》，2015年第4期，頁69-82。

3　結句、落句、斷句和尾句等同於尾聯，但「末句」的指稱範圍卻並不十分清晰明確。有時即尾聯，有時卻僅指代第八句。本文的核心探討點在於全詩第八句，而非尾聯兩句，所以選用「末句」這一概念。但由於古代詩話本身定義模糊，所以在提及詩話評價時還是會用到上述名稱。

4　參看高天霞：〈從幾個關鍵字的解讀再談杜甫〈登高〉尾聯的意蘊〉，《名作欣賞》，2017年第3期，頁107-108；孫力平：《杜詩句法藝術闡釋》南昌：江西教育出版社，2001年，頁78-94；韓曉光：〈杜甫律詩尾聯的語式特徵淺析〉，《杜甫研究學刊》，2000年第1期，頁38-41。

合起來進行討論的只是鳳毛麟角，但這些零星論斷卻十分精闢。如《唐詩三論》指出杜甫五律尾聯所用句法關涉全詩的物我關係，極具啟發性[5]。〈含思落句式：古典詩詞的結句體式〉一文也認為結句體勢牽涉詩歌的物意理論，並從杜詩上下句的結構來思考情景效果[6]。由此可見，杜甫詠物五律的末句與物我間的關係值得進一步挖掘。

　　而對於杜甫詠物五律來說，更適合拆解尾聯的上下兩句，把第八句視作末句單獨加以探究。因為一方面詠物五律的尾聯多是單句散行的組織形式，五字一句成為全詩結構層次上相對獨立完整的基礎單位。另一方面，詠物五律不乏一聯之中物我內容分詠的現象。范晞文和仇兆鼇在解析老杜五律情景關係的時候，就都具體到了單句之內，如以「高風下木葉，永夜攬貂裘」為例，稱其「一句情，一句景」。因此本文將在第一部分對杜甫詠物五律進行拆分，瞭解每個單句的物我狀況，以明確末句這個特殊單句在全詩物我關係中所扮演的角色。

# 一　句內乾坤：末句的物我狀況

　　杜甫詠物五律中的物我關係不外乎以下三種。首先是「將自身放頓在裡面」的比興體詠物，即客觀物象和人的主觀情緒並存。有物我合一同時現身的比體，通過「物皆著我之色彩的有我之境」托物言志[7]。如杜甫在〈鸂鶒〉中以己度其觀雲呼波的物之本性，認為鸂鶒是在悵望白雲哀號清波。被剪下羽毛而孤飛未高的何曾只是鸂鶒，更映照著詩人自身[8]。也有物我分開接續呈現的興體，在寫物之外另行創造「情境」以借物抒情[9]。如杜甫於〈病馬〉一詩先寫其塵中老病之態和毛骨平平等外表特徵，然後再表達自己內心的感動和悲傷；其次是「將自身站立在旁邊」的賦體詠物，即賦物寫形時不浸潤情感，只有形似的「物境」和「無我之境」。如〈晨雨〉這首詩每一筆都在描繪自然界的畫面，晨光下的雨之色、樹葉上的雨之聲、風霧裡的雨之形，從頭到尾剝離情緒；最後是將比興體和賦體結合起來的作品，時而單純賦物，時而物我一體。如〈甘園〉此詩在提及地理位置和白花青葉之時，均不沾染人情。講到柑橘後熟得獻天子的時候，又在柑橘上附著了大器晚成的慨歎。

　　全詩的物我關係由單句的物我狀況造就，杜甫詠物五律的單句歸納起來有兩類物我

5　（美）高友工，（美）梅祖麟著；李世躍譯：《唐詩三論：詩歌的結構主義批評》北京：商務印書館，2013年，頁121。

6　汪超：〈「含思落句式」：古典詩詞的結句體勢〉，《中國韻文學刊》，2015年第4期，頁41。

7　王國維著，徐調孚校註：《校注人間詞話》北京：中華書局，2003年，頁1。

8　（唐）杜甫著，（清）仇兆鼇註：《杜詩詳註》北京：中華書局，1979年，頁878。此後引用杜詩及繫年皆出此書，後文不再單獨出註。

9　張伯偉編：《全唐五代詩格匯考》南京：江蘇古籍版社，2002年，頁172-173。

狀況，它們各自組合從而構建出上述物我關係。第一類是句內物我皆在；第二類則為句內物我僅存其一，或只含物象的描摹，或單有情感的抒發[10]。比如指竹寓己的「青冥亦自守」，加上僅涉竹子的「霜根結在茲」和獨表人意的「幸近幽人屋」等單句共同形成了比興寄託的〈苦竹〉。屬於單句中一員的末句，其物我狀況也同樣如此。

一句之內物我皆現的末句如「回首怪龍鱗」(〈黃魚〉)，就是典型的詩人代黃魚擬語，驚怪魚龍可變而己不能變。還有「亦恐歲蹉跎」(〈蒹葭〉)，害怕時歲蹉跎流逝的不僅是蒹葭，也是日漸衰老的詩人自己。「會傍主人飛」(〈歸雁〉)、「飄零何處歸」(〈螢火〉)、「何用羽毛奇」(〈鸚鵡〉)、「生長漫婆娑」(〈惡樹〉)、「會見拂雲長」(〈嚴鄭公宅同詠竹〉)、「終得獻金門」(〈甘園〉)、「欹蓋擁高簷」(〈嚴鄭公階下新松〉)、「休照國西營」(〈月〉)等末句皆屬此類，同時糅合了物象和人情。尤其像「父子莫相離」(〈猿〉)這種祈使句式的對話互動，更是極大地推動了物我融合。

一句之內物現我隱的末句如「新切露華新」(〈十七夜對月〉)、「暗滿菊花團」(〈初月〉)、「巫岫鬱嵯峨」(〈江梅〉)、「埋輪月宇間」(〈石鏡〉)、「夜久落江邊」(〈月三首·其三〉)、「毛血灑平蕪」(〈畫鷹〉)等等。有微小之物和大氣之景，也有不大不小的物景畫面。而一句之內物隱我現的末句則如「吾亦離殊方」(〈雙燕〉)、「愁寂故山薇」(〈歸雁二首·其一〉)、「霸上遠愁人」(〈柳邊〉)、「不敢強為容」(〈庭草〉)、「誰憂容鬢催」(〈早花〉)、「仙老暫相將」(〈觀李固請司馬弟山水圖三首·其一〉)、「人生亦有初」(〈除架〉)、「感激異天真」(〈促織〉)等等。或是直接的感慨抒情，或是人的行動舉止和評論判斷。

這些物我狀況各異的末句一方面與其他單句共同承擔著組建全詩的任務，並在此過程中形成不同的物我關係。而另一方面作為處於全詩收束位置的特殊單句，它還起著最終從整體結構上調節全詩物我關係的重要作用。因此，杜甫的詠物五律有選擇地安排相應末句來作結，從而支撐其獨特物我關係的呈現。

## 二　契題合體：末句的結構選擇

歷來有關杜甫詠物五律中物我關係的評價，都會提及它的兩個特點：一是體物與緣情並重，二是寄託遙深。而選取物我隱現不同的末句，將詠物的內容與五律的結法融合，是全詩得以在整體結構上完成相關特點塑造的關鍵。

以寫物與表情並重為特點的詠物五律，詩內大多是物我分離的單句，一句之內或純粹抒情，或單獨狀物，物我在句子的隔離下涇渭分明。只有各單句組合起來，全詩才能

---

10 杜甫的詠物五律經常採取比興與賦物相結合的手法，人、情、物、景都有，詩中各單句的物我安排較為複雜。所以上述的單句物我狀況其實是按照程度深淺來進行界定，根據主體與否略微簡化過的版本。

呈現出物我兼備的效果。這種情況下容易出現兩種極端：要麼人情感慨偏重，要麼物色體態過多。要想做到恰如其分的物我平衡，就須要通過末句進行調整。

　　前者有〈江梅〉、〈雨四首・其四〉、〈石鏡〉、〈月圓〉、〈江邊星月二首・其二〉、〈雞〉、〈舟前小鵝兒〉、〈秋笛〉、〈月三首〉、〈十七夜對月〉等，詩中已經充斥著直接表達感情的單句。此時杜甫多採用描寫物景的末句，在「篇終接混茫」的同時，把全詩的物我比例調配到均衡狀態。如：

　　　　梅蕊臘前破，梅花年後多。絕知春意好，最奈客愁何。
　　　　雪樹元同色，江風亦自波。故園不可見，巫岫鬱嵯峨。

　　　　　　　　　　　　　　　　　　　　　　　　　　——〈江梅〉

　　　　楚雨石苔滋，京華消息遲。山寒青兕叫，江晚白鷗饑。
　　　　神女花鈿落，鮫人織杼悲。繁憂不自整，終日灑如絲。

　　　　　　　　　　　　　　　　　　　　　　　　　——〈雨四首・其四〉

〈江梅〉頷聯以「最奈客愁何」點出客旅人情，末句卻只現巫山之景，隱去遊子之思。山嶺高峻，其上草木繁茂鬱鬱蔥蔥，句內全然不言心繫故園的悲苦。鄉愁憂思被置換為遠望視野中的廣闊空間，以景結情，因情語直露而突兀加速的全詩節奏也得到了緩解。並且由於句中僅「巫岫」為核心成分，山色和山高均屬修飾語，更表明了這是單一的物象描述。〈雨四首・其四〉同樣前有「悲」和「繁憂」等情感抒寫，至末句則轉換了觀察視角，由近及遠勾勒出巨大時空背景下的空靈景致。同時用「終日」做時間狀語，獲取了印象式的短暫歷史感。虛情搖身一變而成實景，詩人心中的情「思」轉化為了看得見摸得著的雨「絲」。

　　這種物現我隱的末句正是「宕出遠神，有不盡遠想」的典型律詩結法，末句明面上都是物象，情感則在讀者閱讀後進行聯想補足。如此一來，詩中外露的人情得到了抑制，物我比例趨向於和諧。與吟詠物件有關的物景再度出現在結尾，使全詩不至顯得太過偏頗，成為流於詠物詩之外的詠懷作品。

　　後者有〈歸雁二首〉、〈雲〉、〈嚴公廳宴，同詠蜀道畫圖，得空字〉、〈柳邊〉、〈雨（冥冥甲子雨）〉、〈舟中夜雪，有懷盧十四侍禦弟〉、〈庭草〉、〈白小〉、〈早花〉、〈觀李固請司馬弟山水圖三首〉、〈雨（萬木雲深隱）〉、〈銅瓶〉、〈甘園〉、〈嚴鄭公宅同詠竹〉、〈歸雁〉、〈促織〉、〈除架〉、〈月〉、〈琴臺〉等。這些詠物五律都是前面物象描寫較多，因而末句以人為表現主體，搭建「卒章顯志」的結構，調節勻稱全詩的物我比重。如：

　　　　欲雪違胡地，先花別楚雲。卻過清渭影，高起洞庭群。
　　　　塞北春陰暮，江南日色曛。傷弓流落羽，行斷不堪聞。

　　　　　　　　　　　　　　　　　　　　　　　　——〈歸雁二首・其二〉

白小群分命，天然二寸魚。細微沾水族，風俗當園蔬。
入肆銀花亂，傾箱雪片虛。生成猶拾卵，盡取義何如。

──〈白小〉

〈歸雁二首・其二〉前七句交代歸雁行跡，描寫態度極為客觀，仿佛自然紀錄片的鏡頭一般。只在末句言明詩人不忍聽聞大雁的苦苦哀鳴，抒情淒婉濃郁，從而恰到好處地均衡了詠雁和悲人的比例。並且末句還採用了複式句，前二與後三各為小句，分說大雁行斷孤飛和詩人不堪哀音兩件事。將兩者的因果關係展示出來，加強邏輯推論色彩，更顯人的參與感。〈白小〉前面也都在描摹物色形態，寫魚的尺寸大小、食用方式、數量多少和顏色等等。直到末句才以強烈的疑問語氣質問夔門之人，捕魚時連魚卵都不放過，如此沒有節制的漁獵置仁義於何地？這裡同樣使用了複式句，兩個具有假設關係的小分句提升了表達程度，有限的五字空間裡包含著濃重的譴責意味。

這種物隱我現的末句屬於律詩「繳前聯之意」以結的書寫方式。末句所表現出的強烈個人基調，能夠把自我拉進物象的世界。人情盡顯，從而消解詩篇前面物象堆砌疊垛的匠人之氣，避免步齊梁詠物詩情味人語薄弱的後塵。

而以寄託遙深為特點的詠物五律，它們詩內大多是物我皆現的單句，一句之內既體物又含情，物濡染著人的氣息。有〈歸燕〉、〈雙燕〉、〈螢火〉、〈鸚鵡〉、〈苦竹〉、〈麂〉、〈孤雁〉、〈鷗〉、〈天河〉、〈花鴨〉、〈鸂鶒〉、〈蒹葭〉、〈廢畦〉、〈百舌〉、〈番劍〉、〈梔子〉、〈初月〉等。各單句聚合疊加後形成全詩層面上更大規模的物我一體格局，此時物與我的融合度已然較高，寄託遙深的特點呼之欲出，末句在此基礎上使人情愈加顯露，最終將其敲定。如：

花鴨無泥滓，階前每緩行。羽毛知獨立，黑白太分明。
不覺群心妒，休牽眾眼驚。稻粱沾汝在，作意莫先鳴。

──〈花鴨〉

致此自僻遠，又非珠玉裝。如何有奇怪，每夜吐光芒。
虎氣必騰踔，龍身寧久藏。風塵苦未息，持汝奉明王。

──〈番劍〉

〈花鴨〉用看似客觀的筆觸形容花鴨身無泥滓、黑白分明，將詩人潔身自好、明辨善惡的比況暗含其中。末句「作意莫先鳴」卻直接大聲疾呼，勸誡花鴨不要率先鳴叫，把原本藏在物象背後的詩人扯了出來。祈使句式使得主觀態度與客觀物象之間產生了互動，以我語告該物。注入個人的主觀語氣，情感由此從暗轉明噴薄而出。〈番劍〉也是典型的物我合一，番劍喻朝廷之外的江湖賢才。君子隱居山野正如番劍來自僻遠之地，劍光四溢亦類君子才華充盈，劍氣龍騰虎躍則表示賢者終不被埋沒。末句採用直呼人稱的方

式，進一步強調人的主體地位。「汝」這個第二人稱的語調從筆尖緩緩寫出，仿佛一場面對面的談話，趁此傾吐滿腔胸臆情愫。這種對話型的末句正是律詩「放開一步」的結法。如此操作能夠揭露之前略有隱晦的物我對應關係，詠物中所喻之情也可趁機澈底大白於眾。從而使情感更為渹永，寄寓愈加濃重。命意高遠情韻深長的詠物詩追求在律詩的最後，通過末句得以再次確認。

杜甫選擇單句之內物我狀況殊異的末句，並配合各自不同的律詩結法，造就了其詠物五律物我兼備、寄寓深遠的風格特徵，同時也實現了詠物題材和五律體裁的巧妙契合。具體來說，當詠物五律以寫物與表情並重為特點的時候，詩中物象與人情大多分別以單句呈現。末句視全詩各句物我比例的多少，或是物現我隱式的篇終接混茫，描繪廣闊時空下的單一物象。或是物隱我現式的卒章顯志，用複式句表達強烈的慨歎。從而均衡體物和抒情的關係，達成勻稱的物我效果。當詠物五律以寄託遙深為特點的時候，詩中各單句已是物我交融的狀態，末句在物我皆現的基礎上放開一步作結，用祈使語氣和人稱的互動來加深渹永的寄喻之意。

## 三　自我超越：末句的時代變遷

杜甫的詠物五律隨著人生不同階段有所變化，其對於末句物我狀況的選擇也是如此。從秦州時期到成都時期再到夔州時期，物現我隱的末句比例遞增，物隱我現的末句比例則略下降。

前期杜甫詠物五律的末句表現物件以主觀情緒居多，物隱我現的末句所占比重極高，情感的抒發和揮灑比較濃郁。如：

> 西京安穩未，不見一人來。臘日巴江曲，山花已自開。
> 盈盈當雪杏，豔豔待春梅。直苦風塵暗，誰憂容鬢催。
>
> ——〈早花〉

這首詩寫於廣德元年十二月，前一年杜甫為避徐知道叛亂而從成都遷至梓州，八月又因弔唁房琯獨自留滯閬州至臘月。同年九月吐蕃侵犯西京長安，可謂戰亂頻發。全詩物態描繪較多，無論是開放時節和地理位置，還是花朵的雪白色彩和豔麗姿容，統統都與人無涉。末句則放置反詰之語，將家國離亂的憂愁激憤一擲而出。巴江旁邊開放的早花悄然隱去，人的情緒感歎隨之即現。憂愁容鬢衰老本為人之常情，此時卻因苦慮君主安危而不暇哀傷。詩人情感在「誰憂」的反問句式中繼續推進，言辭直接而語氣激蕩。

隨著時間的推移，杜甫詠物五律的末句慢慢傾向於使用物態作結，情感表達較為委婉蘊籍，即物現我隱。如：

　　江浦寒鷗戲，無他亦自饒。卻思翻玉羽，隨意點春苗。

　　雪暗還須浴，風生一任飄。幾群滄海上，清影日蕭蕭。

——〈鷗〉

大曆二年冬遷居夔州時杜甫作了這首詩，此時距離他病逝於岳陽僅剩三年時間。五十六歲的杜甫在夔州數度移居漂泊不定，春天遷至赤甲，三月前往瀼西，秋天又挪到東屯，沒過多久又從東屯回歸瀼西，次年冬天離開夔州出峽。鷗鳥在寒冷的冬天怡然自足，風雪交加只當是洗濯沐浴。就像遊蕩夔州的詩人一樣，遭遇窮途末路也能以隱士自居而得其樂。在全詩情感較為充裕的情況下，這裡的末句「清影日蕭蕭」則描寫了群鷗清影翛然，不為泥滓所染的逍遙圖景。全句核心是「影」這個單一物象，其他成分以定中和狀中的語法結構進行修飾，人當高舉遠引歸潔其身的情感寄託則被隱藏了起來。

　　也就是說，杜甫詠物五律的末句書寫從前期到後期，表現物件發生著由人到物，情感由顯到隱的變化。而這與杜甫的性格及其對律詩創作的自覺打磨有關，當然也有詠物題材更換的緣故。

　　從性格上講，年歲愈長，內向型性格在杜甫身上體現得愈多。早年間意氣風發的張揚，在安史之亂和疏救房琯等坎坷後逐漸風流雲散。取而代之的是輾轉梓州、漢州、閬州和夔州各處艱苦度日（「計拙無衣食，途窮仗友生」〈客夜〉）的衰老沉鬱。同時杜甫以儒自居（「乾坤一腐儒」〈江漢〉），儒家信條也使其不像道教徒李白那般慣於用詩直抒胸臆，反而是倫理性的內省式情感表達居多[11]。從前期秦州到後期夔州，物景物事作為杜甫詠物五律末句表現對象的比例逐漸超過了人之抒情，大抵便是這種心態導致的寫作習慣遷移。

　　從律詩創作上講，秦州五律作為杜甫精心構建的一座藝術高標，與夔州七律互為媲美，共同代表著唐代近體詩的最高成就[12]。也就是說，隨著年齡增長，杜甫建構「起承轉合」律詩章法的技巧愈發純熟，對末句的打磨功夫當然也更上一層樓。而言有盡意無窮的物現我隱式結法相對於一般末句來說自是勝出一籌，因此杜甫於成都和夔州時期寫的詠物五律，末句表現物件呈現出含情之物景突現而直發之人情退隱的走向。但這並不意味著杜甫後期的詠物五律末句中人情完全消隱，只是它的創作比例有所下降而已。

　　造成杜甫詠物五律末句書寫發生變化的還有另一個原因，那就是各個時期詠物題材的不同。詠物詩的題材有人造物、動植物和天然物象等。杜甫秦州時期的詠物五律圍繞笛、鏡、瓶、劍等人造物來寫，人造物為人所製，與人關聯較大。〈秋笛〉之笛，人吹之，〈銅瓶〉之瓶，人取之。成都時期的詠物五律各種題材均有涉及，無論是本就存在物我聯繫因而更容易觸動詩人情感的人造物，還是與人存在情感共鳴的具象化動植物，

11 謝思煒：〈論自傳詩人杜甫——兼論中國和西方的自傳詩傳統〉，《文學遺產》，1990年第3期，頁75。

12 葛景春：〈唐詩成熟的標誌——論杜甫律詩的成就〉，《杜甫研究學刊》，2006年第1期，頁3。

全都囊括在內。夔州時期的詠物五律則多寫雲、雨、雷、月等天然物象，它們較為抽象，因而與人的情感聯繫相對隱蔽。所以，隨著不同時期所詠之物與人牽連程度的差異，杜甫詠物五律末句的表現物件也經歷了從人到物的變化。

　　人生各個創作階段的末句書寫變化是杜甫不斷追求自我超越的一大體現，從整個唐代來看，物我兼備的詠物五律及其末句書寫在杜甫手中同樣也產生了堪稱時代性創變的巨大超越。

　　初唐時期的詠物五言詩除了古近體不分外，全詩的物我關係也尚未圓融結合，遠不及物我自由穿插交織且聲律和諧的杜甫詠物五律。與物我順序分詠的簡單層次格局相對應，初唐詠物五言詩採用了千篇一律的卒章顯志式末句來抒發感情，且句法上頗為近似五古。如王勃的〈詠風〉和沈佺期的〈詠芳樹〉，全詩多圍繞刻畫物態落筆，極力描摹涼風山嵐和夭桃穠李的具體細節。末句則格式化地抒寫一二人情，無論是「為君起松聲」的請邀，還是「飄零君不見」的嘆惜，都並非物我相通後情感一層層蓄積的最終自然迸發。而且人稱還局限在「君」，頗有漢魏古詩常見的第二人稱遺貌。即使到了聲律已協的李嶠，也依舊囿於生硬的賦物，缺少人情比興。其末句同樣以更加生硬的干謁言志作結。如「終冀作良臣」（〈史〉）、「猶冀識吳宮」（〈燕〉）、「希謁聖明君」（〈山〉）、「希君馬上彈」（〈琵琶〉）等，依舊是漢魏古詩慣用的主客對面傾訴口吻。當然，這一時期也存在物我交融的優秀詠物五律，並且其末句的抒情結法已經有了些許創變，只是較為稀少。如：

> 西陸蟬聲唱，南冠客思深。那堪玄鬢影，來對白頭吟。
> 露重飛難進，風多響易沉。無人信高潔，誰為表予心。
>
> ——〈在獄詠蟬〉[13]

駱賓王的這首詩就在露重難飛、風響易沉的蟬中寄寓自己高潔的情愫。只是首聯到頷聯仍然是一句物，一句人，到了第三聯才語義雙關。風露沾身讓蟬難高飛鳴叫，世上誹謗詆毀之語累詩人蒙冤入獄。末句則使用了「予」這個第一人稱，區別於以往詠物五言詩末句中的「君」。同時以感慨的疑問句式傳達自證的渴望，較之敘述句更為有情。

　　這種末句表現物件為人情的物隱我現式結法在杜甫那裡得到了大力發展，並成為其詠物五律常用的末句類型。杜甫不僅將聲律煉製得更精巧，而且全詩物我關係也都呈現出了愈加渾然一體的物我交融狀態。在此基礎上方以末句抒情，再加上豐富的人稱和句式，從而使得這種末句書寫方式圓通於全詩。如描寫人和燕艱辛輾轉風塵中的〈雙燕〉，該詩末句「吾亦離殊方」，即以第一人稱直言流離之苦；〈蒹葭〉裡為秋風摧折的

---

13　（清）彭定求等編：《全唐詩》北京：中華書局，1960年，頁848。此後引用非杜甫的詠物五律皆出
　　此書，後文不再單獨出註。

蒹葭與慘遭陷害的詩人同在，其末句「亦恐歲蹉跎」共抒年華逝去的傷感。「歲蹉跎」這一主謂短語做「恐」的賓語，越發彰顯情衷。

　　盛唐時期的詠物五律以張九齡和山水詩派為主，詩中物我關係變得較為密切，末句書寫在人情之外更加多樣化。如：

> 海燕雖微渺，乘春亦暫來。豈知泥滓賤，只見玉堂開。
> 繡戶時雙入，華堂日幾回。無心與物競，鷹隼莫相猜。
>
> ——〈詠燕〉

這首張九齡的詠物五律，既是詠物佳作，又堪稱律詩好結。無心競爭的燕子投射了詩人不願爭權奪位的心態。末句以情感激烈的戒令式物我對話終結全詩，用祈使句警告鷹隼切莫隨意猜忌海燕的一片冰心。杜甫「留滯莫辭勞」（〈鸂鶒〉）和「莫作委泥沙」（〈花底〉）的末句即為此類結法。至於山水派詩人的詠物五律，也在末句寫法上另闢了蹊徑。如：

> 山中有流水，借問不知名。映地為天色，飛空作雨聲。
> 轉來深澗滿，分出小池平。恬澹無人見，年年長自清。
>
> ——〈詠山泉〉

儲光羲揮灑筆墨極寫山間泉水的秀美聲色，末句「年年長自清」亦是物現我隱的一處山泉常景，於此無我之境中深藏棲逸自守之意，收結前三聯純粹狀物的描摹。「年年」和「長」均為修飾清泉的時間狀語，使得末句集中刻畫物態，且無形中延伸了詩歌的長度。杜甫「他夕始相鮮」（〈江邊星月二首・其二〉）和「萬里共清輝」（〈月圓〉）的末句便是此種以景物作結的寫法，兼之時空上深度和廣度的開拓，混茫中隱約見婉曲之情。

　　也就是說，自初唐至盛唐，詠物五律整體上經歷著從聲律偶有不協、物我兩分到聲律已和、物我一體的進步，其末句表現物件則在持續物隱我現的人之抒情以外，零星出現了物現我隱的狀物寫景與互動對話等。而杜甫詠物五律的末句，則在此基礎上實現了創變。首先，杜甫仍用物隱我現式的末句結法。但他卻憑藉高超的筆力緊密融合體物和命意，並拓展了末句情感抒發時的人稱範圍及句式類型，以豐富卒章顯志類的詠物五律末句。其次，原本稀少的物我對話型末句也被杜甫擴充，將詠物五律詩中的情感揮灑得淋漓盡致。最後，杜甫還大力發展了之前僅是偶見的物現我隱式末句，以物為表現對象而又超脫物外，使其一躍成為詠物五律末句書寫的大宗。

　　而杜甫之後的中晚唐詠物詩，較為著名的作品以絕句、七律和古體居多，如韋應物和李賀的詠物五絕，韓愈的詠物古詩，白居易的詠物樂府，杜牧和李商隱的詠物七律，羅隱的詠物七言。五律詠物則少見佳作，數量和品質大不如前，偶有出色詩作，末句也未出杜甫之意。如大曆詩人耿湋和皇甫冉的詠物五律，於尾聯抒情達意，第七句言情，

末句物現我隱。(「寧知霜霰侵」〈賦得沙上雁〉、「多在客舟前」〈賦得海邊樹〉)。但杜甫詠物五律早已有此做法，如「他夕始相鮮」(〈江邊星月二首・其二〉)，即承第七句末已之客情，轉言星月輝映的物景。許渾在〈孤雁〉末句僅言「西風相伴歸」的雙燕，與杜甫「鳴噪自紛紛」(〈孤雁〉)的寫法亦是極似，皆為描摹他物之態的結法。吳融〈微雨〉中末句「荷珠點點傾」的細微描寫，也實襲「新切露華新」(〈十七夜對月〉)而來。無論是荷葉上的雨滴還是月光照耀下的露珠，都是以微小之物作結的物現我隱式末句。而李商隱在〈蟬〉的末句自述心意，明言「我亦舉家清」，更加絕類「吾亦離殊方」(〈雙燕〉)的慨歎。杜牧的〈杜鵑〉一詩，末句「嗚咽復誰論」，與「感動一沉吟」(〈病馬〉)的情感抒發有異曲同工之妙。可見，杜甫詠物五律的末句書寫實為集初盛唐大成之作，完全涵蓋了中晚唐詠物五律末句的諸多寫法。

再到宋代，詩人雖多學杜，卻少仿子美的詠物五律。此時詠物詩主流體裁的變化極為明顯，王安石、黃庭堅和陸游等人大多採用七言律絕。有宋一代，詠物詩中的緣情成分漸漸趕超體物，併發展出「宋尚議論」的新趨勢。因此，詠物詩便要求使用更適合抒情和議論這兩種表現功能的體裁。各字多實的五言與可添虛詞的七言相比，前者雖善體物刻畫，後者卻更適合聲情的表達。再加上自大曆以來五律題材範圍漸趨狹窄，所以詠物七律在宋代逐漸取代了詠物五律。而七絕更是因其「三一格」的結構極大地滿足了宋人創新論理的需求，所以成為宋代詠物詩最常見的體裁。以文為詩的宋調，既然多發議論和俗語虛詞入詩的杜詩技巧在詠物七言律絕中能夠得到充分實現，自然不必勉力回復到「瘦勁太過」的詠物五律中，亦無須在已被杜甫窮盡的該體末句書寫上再費筆墨，故而詠物五律的末句書寫盛勢至宋漸漸消亡。當然，詠物詩所使用主流體裁的變化並非如此簡單，篇幅所限，在此不作詳談。

總之，從歷時上來說，因各階段性格心態、律詩技巧和題材物件的不同，杜甫詠物五律的末句書寫由物隱我現到物現我隱，情感由奔放到含蓄。而將其置於整個唐代來看，杜甫詠物五律的末句書寫上承初盛唐物隱我現的抒情表意式末句，又從數量和品質上著力擴充物我互動式和物現我隱式的末句寫法。從而形成了足以囊括中晚唐詠物五律各種末句類型的多樣化書寫形式，在末句書寫這一方面為詠物題材和五律體裁的圓融契合提供了足夠的支援。

綜上所述，杜甫詠物五律各單句的句內物我狀況或分或合。與此相應，他根據全詩物我關係的不同特點，選擇相應末句來從結構上進行調節，以與物我兼備和寄託遙深的風格特徵相輔相成。同時，這些末句所體現出來的律詩結法也在技巧方面實現了詠物題材和五律體裁的圓滿契合。由於杜甫在不同時期存在性格心態、律詩創作和題材物件上的差異，其詠物五律的末句經歷了表現物件由人到物，情感由直到曲的階段性變遷。而這些集大成的詠物五律末句書寫範式實際上是承創初盛唐流行的物隱我式抒情末句寫法，並發揚當時勢微的物現我隱式末句類型的結果。

# 《唐詩鼓吹》編者問題研究

顧凌文

北京　中國人民大學國學院

　　《唐詩鼓吹（十卷）》是目前現存最早的一部唐代七言律詩選本，選錄唐代詩人九十六家，作品五九七首。作者排列不依年代先後，多數為中晚唐詩人，初盛唐詩人僅七人（王維、高適、岑參、張說、崔顥、李頎、蘇廣文）。所選詩歌多傷時感懷之作，內容包括酬贈、喪亂、送別、懷古等，風格沉鬱蒼涼。

　　《唐詩鼓吹》有不少的註釋本、解評本，如元代郝天挺《注唐詩鼓吹》，明代廖文炳《唐詩鼓吹注解大全》，清代錢朝鼏、王俊臣、王清臣、陸貽典《唐詩鼓吹箋注》，錢謙益、何義門《唐詩鼓吹評注》，朱三錫《東岩草堂評定唐詩鼓吹》，以及民國時期吳汝綸《評點唐詩鼓吹》等，是一部影響較大的唐詩選本。

　　由於缺乏直接的證據，歷代對《唐詩鼓吹》的編者眾說紛紜，多數文人學者將其定為元好問，但也有學者對此表示疑問。下文將系統梳理此問題，從版本證據、選詩風格證實元好問確為《唐詩鼓吹》的編者，並試圖對《鼓吹》不著編者作一個合理的推測。

## 一　選者問題由來

　　《唐詩鼓吹》前有趙孟頫、武乙昌及姚燧序，後附盧摯跋。武乙昌的序稱：「至大戊申，浙省屬儒司以是編鋟於梓，僕實董其事。」[1]武乙昌是這本書刊刻的主要負責人，《鼓吹》最早的刊本為至大戊申江浙儒司刊本，一九七二年臺灣廣文書局影印《注唐詩鼓吹》即是此版。卷首題「注唐詩鼓吹卷一」，第二行寫資善大夫中書丞郝天挺註，並無編者姓名。

　　楊守敬《日本訪書志》記載了自己所見的《唐詩鼓吹》朝鮮活字本，亦是以至大本為底本：

> 不記刊行年月，前有養安院圖記，蓋亦明時所印行也。按通行本有趙孟頫序，此本佚之，而此本有姚燧一序，則又通行本之所無。據都印《三餘贅筆》，此書至大戊申江浙儒司刊本。舊有姚燧武乙昌二序，此本亦無。武乙昌序，想重印時刪

1　（金）元好問選，（元）郝天挺註：《注唐詩鼓吹》臺北：廣文書局，1973年，頁7。

之，然其原於至大本，固無疑也。每半葉九行，行十七字，註雙行，載於每句之下，卷首題：唐詩鼓吹卷。第一次行題：資善大夫中書左丞郝天挺註。[2]

楊守敬根據版式、印記分析，《唐詩鼓吹》朝鮮活字本是據至大元年的江浙路學本所刻。卷首又無作者，只寫明註者為郝天挺。

　　金元之際有兩個郝天挺，一位是元好問的老師，據《金史・隱逸傳・郝天挺》記載：「郝天挺字晉卿，澤州陵川人。早衰多疾，厭於科舉，遂不復充賦。太原元好問嘗從學進士業……為人有崖岸，耿耿自信，寧落魄困窮，終不一至豪富之門。年五十，終於舞陽。」[3]另一位為元好問的學生，也就是註《唐詩鼓吹》的元代郝天挺：「郝天挺字繼先，出於朵魯別族，自曾祖而上，居安肅州，父和上拔都魯，太宗、憲宗之世多著武功，為河東行省五路軍民萬戶。天挺英爽剛直，有志略，受業於遺山元好問。……拜中書左丞，與宰相論事……皇慶二年卒，年六十七，贈光祿大夫、中書平章政事、柱國，追封冀國公，諡文定。天挺嘗修《雲南實錄》五卷，又註《唐人鼓吹集》一十卷，行於世。」[4]王士禎的《池北偶談》就曾提到清代刻書人因同名之故，妄改刻本：「近常熟刻《鼓吹集》，乃以為隱逸傳之晉卿，而致疑於趙文敏之序稱尚書左丞，又於尚書左丞上妄加金字，誤甚。」[5]根據下文提到的序跋，以及第一次行題「資善大夫中書左丞郝天挺註」[6]，再加上《元史》的記載，當是元好問弟子的元代郝天挺為《唐詩鼓吹》作的註本。

# 二　《鼓吹》編者為元好問

## （一）序跋記載

　　元好問一二五七年去世，《唐詩鼓吹》一三〇八年刊刻完成。趙孟頫、武乙昌、姚燧的序文，以及盧摯的跋文，對刊行情況都做了描述。

　　趙孟頫序稱：「唐人之於詩美矣，非遺山不能盡取其工，遺山之意深矣，非公不能

---

2　楊守敬：《日本訪書志》，17卷，卷十三，清光緒刻本。

3　（元）脫脫等撰，中華書局編輯部點校：《金史・卷一百二十七・列傳第六十五・隱逸・郝天挺》北京：中華書局，1975年，頁2750。

4　（明）宋濂等撰，中華書局編輯部點校：《元史・列傳第六十一・郝天挺》北京：中華書局，1976年，頁4065。

5　（清）王士禎撰，靳斯仁點校：《池北偶談・卷六・兩郝天挺本末》北京：中華書局，1982年，頁128。

6　楊守敬：《日本訪書志》，17卷，卷十三，清光緒刻本。

發比興之韻。」[7]武乙昌開篇即言：「國初遺山元先生為中州文物冠冕，慨然當精選之筆，自太白、子美外，柳子厚而下，凡九十六家，取其七言律之依於理而有益於性情者五百八十餘首，名曰《唐詩鼓吹》。」[8]姚燧還解釋了書名的來源「取以名書則由高宗退居德壽，嘗纂唐宋遺事為《幽閒鼓吹》，故遺山本之。」[9]《唐書・藝文志》確實有《幽閒鼓吹》這一本書，也確實講的是唐宋遺事，但作者是小說家張固而非高宗，不知道姚燧何出此言，或許是想說明元好問以《鼓吹》為名，意在讓人振聾發聵。盧摯的跋文亦言：「《唐詩鼓吹》集者，遺山先生元公裕之之所集。」[10]四人明明白白指出《唐詩鼓吹》為元好問所集，好問弟子郝天挺加之以註，請四人作序跋。郝天挺既能言己師所作，應當不假，且其在「宋邕」一條下註：「謹按：以下遊仙詩一十一首，出曹唐集中，他集亦然，今先生題作宋邕，必有據矣。」[11]通觀全書，只有此處的「先生」指的是編者而非對詩或典故中前人的尊稱，應當是郝天挺對元好問將曹唐詩放在宋邕之下發出的疑問。

## （二）曹之謙詩

元代房祺的《河汾諸老詩集》收錄了與元好問交好的曹之謙作〈讀《唐詩鼓吹》〉一首：「傑句雄篇萃若林，細看一一盡精深。才高不似人間語，吟苦定勞天外心。白璧連城無少玷，朱弦三歎有遺音。不經詩老遺山手，誰識披沙揀得金。」[12]曹之謙與元好問曾同官尚書省左司，兩人多有相互贈答之作，「機務倥傯間，商訂文字未嘗少輟，（元）至以正脈與之。」[13]詩歌描述的情況與《鼓吹》十分相似，「吟苦定勞天外心，朱弦三歎有遺音」一句，借用蘇軾在〈答仲屯田次韻〉「大木百圍生遠籟，朱弦三歎有遺音。」陸遊也有〈讀書〉一詩：「我讀殘編食忘味，朱弦三歎有遺音。」形容讀書後意味深長、回味無窮的感受。而披沙揀金的形容，也符合《鼓吹》多錄中小作家的情況。以此詩證《鼓吹》為元好問所編，應當是十分有力的。

---

7　以下四人（趙孟頫、武乙昌、姚燧、盧摯）的序跋皆引自：（金）元好問選，（元）郝天挺註：《注唐詩鼓吹》臺北：廣文書局，1973年，頁1-20。

8　同上。

9　同上。

10　同上。

11　（清）錢謙益、何焯評註，韓成武等點校《唐詩鼓吹評注》保定：河北大學出版社，2000年，頁183。

12　（元）房祺：《河汾諸老詩集》北京：中華書局，1958年，頁53。

13　（元）王惲：〈兌齋曹先生文集序〉，見《秋澗先生大全文集》，卷四十二，《四部叢刊》本，上海：上海商務印書館，1912-1948年，頁435。

## （三）疑點辯證

### 1 傳記、文集都未提及

　　《元史》無〈藝文志〉，《明史‧藝文志》不記南宋、遼、金、元之書，只有在《元史‧郝天挺傳》提到郝天挺註了《唐詩鼓吹》。在私人藏書目錄或詩話中，目前可見最早提到《唐詩鼓吹》的是明代瞿佑《歸田詩話》，言：「元遺山編《唐鼓吹》（應是《唐詩鼓吹》），專取七言律詩，郝天挺為之註，世皆傳誦。」[14]焦竑《國史經籍志》記錄：「唐詩鼓吹十卷，元郝天挺。」[15]明末清初的黃虞稷在《千頃堂書目》裡明確提出作者：「金元好問，唐詩鼓吹十卷，元中書右丞郝天挺註。又中州集十卷。」[16]有明一代或錄編者或不錄，可能也是因為他們看到的本子沒有寫作者，但多數人以為元好問所編。

　　元好問的傳記、文集中都未曾提及《唐詩鼓吹》。《金史‧元好問傳》記載：

> 好問字裕之。七歲能詩。年十有四，從陵川郝晉卿學，不事舉業，……其所著文章詩若干卷、杜詩學一卷、東坡詩雅三卷、錦機一卷、詩文自警十卷。晚年尤以著作自任……今所傳者有中州集及壬辰雜編若干卷。年六十八卒。纂修金史，多本其所著云。[17]

元好問另一位學生郝經為其所作〈遺山先生墓銘〉，羅列了元好問的著作：

> （元好問）為《杜詩學》、《東坡詩雅》、《錦機》、《詩文自警》等集，指授學者。……先生曰：「不可遂令一代之美泯而不聞。」乃為《中州集》百餘卷，又為《金源君臣言行錄》。[18]

《金史‧元好問傳》與〈遺山先生墓銘〉提及的著作十分一致，但都無《唐詩鼓吹》，元好問本人在各類書信、自序中也從未提過《鼓吹》。

　　《唐詩鼓吹》作為一個唐詩選本，在傳記中不被提及是很正常的事情。而且該選本或許並非元好問有意發行，系弟子整理。王安石曾編選《唐百家詩選》，《宋史‧王安石傳》亦未曾提及。

---

14　（明）瞿佑：《歸田詩話》，收入丁福保輯：《歷代詩話續編》，北京：中華書局，1983年，頁1249。

15　（明）焦竑：《國史經籍志》，（明）徐象橒刻本。

16　（明）黃虞稷：《千頃堂書目》，清文淵閣四庫全書本。

17　（元）脫脫等撰，中華書局編輯部點校：《金史‧卷二十三‧五行志》北京：中華書局，1975年，頁545。

18　（元）郝經著，吳廣隆、馬甫平主編：《陵川集‧卷三十五‧墓誌銘遺山先生墓銘》山西：三晉出版社，2006年，頁1230-1231。

## 2　誤收宋人詩

　　明代的楊慎在《升庵詩話》中提出疑點：「如《唐詩鼓吹》以宋胡宿詩入唐選。宿在《宋史》有傳，文集今行於世，所選諸詩在焉。觀者不知其誤，何耶？」[19]

　　對於在唐詩選本中收錄宋人胡宿詩，胡震亨認為是偶然收錄：「宋人胡宿詩誤入，意遺山偶錄以備檢閱。」[20]《四庫》認為是元好問誤收，「然第八卷中胡宿詩二十三首、今竝見文集中、實為宋詩誤入。則亦不免小有疎舛。」[21]吳汝綸在〈桐城先生評點《唐詩鼓吹》〉給出了解釋，認為是後人雜入：「楊升庵又以是書中闌入胡宿，決其非遺山之書。餘考其卷首柳子厚詩中即雜有劉夢得〈再授連州〉之作，不僅胡武平雜入唐詩為可疑。但此等乃後人竄亂，非必元本書。然觀郝天挺於諸詩人各立小傳，獨胡宿無有，知郝作註時尚無胡詩闌入也。」[22]然今考《鼓吹》，除卻胡宿，譚用之、吳商浩，包括李後主等十六位詩人都無小傳，難道都是後人闌入？

　　實則宋詩入《鼓吹》，或是元好問錯選也未嘗不可。根據《四庫》對胡宿的評價：「其五七言律詩、波瀾壯闊、聲律鏗訇、亦可彷彿盛唐遺響。」[23]盧文弨在〈胡方平文恭集書後〉言胡宿詩歌特點：「（胡宿）詩豐縟而不失氣骨，置唐中盛間，誠無所多讓。間有近晚唐者，如『桐井曉寒千乳斂，茗園春嫩一旗開』、『拂窗紅葉欺閑臥，倚欄黃花笑獨醒』亦佳句也。」[24]王士禎《帶經堂詩話》：「宋初諸公競尚西崑體，世但知楊、劉、錢思公耳，如文忠烈、趙清獻詩最工此體，人多不知……觀李子田袞《藝圃集》載胡文恭武平宿詩二十八首，亦崑體之工麗者……風調與二公（文彥博、趙抃）可相伯仲，起結尤多得義山神理，不具錄。」[25]提到宋初西崑體的詩人，世人皆知楊億、劉筠、錢惟演，但是很少有人知道文彥博、趙抃最工此體。而王士禎又說自己曾經看見到胡宿的二十八首詩，多得義山神理。《鼓吹》誤收的二十三首胡宿詩也在這二十八首中。歐陽修為胡宿作的墓誌銘提到「楊文公億得其詩，題於秘閣，歎曰：『吾恨未識此人』。」[26]同樣說明西崑體名匠楊億很欣賞胡宿的詩。再看《鼓吹》所選胡宿的詩，確實能感受其工麗清新，如「西北浮雲連魏闕，東南初日滿秦樓」一句，上句用「西北有高樓，上與浮雲齊」，下句用「日出東南隅，照我秦氏樓」，聯合成句，詞意天然，讀之

19　（明）楊慎：《升庵詩話》，收入丁福保輯：《歷代詩話續編》，北京：中華書局，1983年，頁821。

20　（明）胡震亨：《唐音癸籤》上海：上海古籍出版社，1981年，頁324。

21　（清）永瑢等撰：《四庫全書總目集部四十一總集類三・唐詩鼓吹十卷》北京：中華書局，1965年，頁1706。

22　吳汝綸：《桐城先生評點唐詩鼓吹》北京：北京圖書館出版社，2002年，頁3。

23　（清）永瑢等撰：《四庫全書總目集部四十一總集類三・唐詩鼓吹十卷》北京：中華書局，1965年，頁1310。

24　（清）盧文弨：《抱經堂文集（卷十三）》北京：中華書局，2006年，頁183。

25　（清）王士禎：《帶經堂詩話》北京：人民文學出版社，1963年，頁43。

26　（宋）歐陽修：《歐陽修全集・贈太子太傅胡公墓志銘》北京：中華書局，2001年，頁518。

絕不類引用昔人者。胡應麟評價其「興象高遠，優入盛唐。」[27]對比梅詢〈送夏子喬招討西夏〉中「亞夫金鼓從天落，韓信旌旗背水陳」二句，胡應麟認為後者「冠裳偉麗，字字天然，此用事第一法門也。惜其語與開元不類。」[28]這裡又說後者雖極精嚴，而猶若有意，但胡宿此詩句無跡可尋，這正符合嚴羽評價盛唐詩歌「羚羊掛角，無跡可求。」[29]《鼓吹》所錄胡宿詩，多有李商隱神韻：

　　長樂夢回春寂寂，武陵人去水迢迢。

——〈殘花〉

　　彩雲按曲青岑醴，沉水薰衣白璧堂。前檻蘭苕依玉樹，後園桐葉護銀牀。

——〈侯家〉

　　睡驚燕語頻移枕，病起蛛絲半在琴。

——〈早夏〉

　　還有〈天街曉望〉抒發仕途迷茫之感，〈感舊〉抒發思故友之情，〈塞上〉借漢諷唐，〈長卿〉抒發憂患之情等等，這些都為感懷之作，和〈鼓吹〉總體風格相近。周弼〈三體唐詩〉、洪邁〈萬首唐人絕句〉皆有誤收宋詩之例，宋人選唐詩尚有誤入本朝詩的情況，況金元距唐年代較遠，胡宿的詩歌風格和唐人也類似，又符合〈鼓吹〉的審美趣味，錯選也在情理之中。

## 3　不錄李杜詩

　　楊慎《升庵詩話》認為「《鼓吹》之選，皆晚唐之最下者，或疑非遺山。」[30]《鼓吹》多選晚唐詩人，盛唐詩亦不錄李杜，或有文人對編者持懷疑態度。

　　杜甫為七律大家，元好問自有《杜詩學》一本，對杜詩作了詳盡的註釋，不必再選杜詩列於選本之中。

　　首先須要明白元好問對李白的態度。〈論詩絕句三十首（第十）〉第十首：「排比鋪張特一途，藩籬如此亦區區。少陵自有連城璧，爭奈微之識碔砆。」[31]元稹〈唐故工部員外郎杜君墓系銘並序〉特別推重杜甫晚年所寫的長篇排律詩「鋪陳始終，排比聲律」[32]，認為這方面李白連它的門牆也達不到，說「則詩人以來，未有如子美者。時山東人李

27　（宋）胡應麟：《詩藪（二十卷）》，外編五，明刻本。

28　（宋）胡應麟：《詩藪（二十卷）》，外編五，明刻本。

29　（宋）嚴羽：《滄浪詩話（不分卷）》，（明）津逮秘書本。

30　（明）楊慎：《升庵詩話》，收入丁福保輯：《歷代詩話續編》，北京：中華書局，1983年，頁821。

31　（元）元好問：《元遺山詩集箋注》，卷十一，清道光二年（1832）南潯瑞松堂蔣氏刻本。

32　（唐）元稹：〈唐故工部員外郎杜君墓繫銘〉，董誥：《全唐文》北京：中華書局，1983年，頁2945。

白，亦以奇文取勝；時人謂之李杜。予觀其壯浪縱恣，擺去拘束，摹寫物象，及樂府歌詩，誠亦差肩於子美矣。至若鋪陳始終，排比聲韻，大或千言，次猶數百，詞氣豪邁，而風調清深，屬對律切，而脫棄凡近，則李尚不能歷其藩翰，況堂奧乎?」[33]當時揚杜抑李的，還有白居易、張籍等元白一派的詩人。元好問卻譏元稹只識排比鋪張，可見其並不贊同這種傾向。

第十五首「筆底銀河落九天，何曾憔悴飯山前。世間東抹西塗手，枉著書生待魯連。」[34]元好問化用李白的詩句來稱讚李白奔騰的寫詩才華，又認為李白政治才能出眾，像魯仲連不為官而周遊各地，為各地排憂解難。

第十六首「切切秋蟲萬古情，燈前山鬼淚縱橫。鑒湖春好無人賦，岸夾桃花錦浪生。」[35]「夾岸桃花錦浪生」是李白〈鸚鵡洲〉中的詩句，元好問借此表達對盛唐開闊明朗、清新鮮活的境界的喜好。

綜上所述，元好問對李白作了全方位的肯定，尤其是敏捷的文思，天生的詩才，開闊的詩境。但是為什麼不選李白？或許因為《鼓吹》是一本唐詩教材，選錄詩歌應用性強，如唱和酬贈、感時紀亂等等，都是七律題材的日常應用。李白「筆底銀河落九天」，多以才力興趣為詩，如何能學？

宋元很多唐詩選本都不選李杜，採取一種尊而不親的態度。元好問〈自題中州集後五首〉（其二）：「陶謝風流到《百家》，半山老眼淨無花。北人不拾江西唾，未要曾郎借齒牙。」[36]吳汝綸認為《中州集》和《唐詩鼓吹》的選詩主旨、編選體例頗為相似，應當都是以王安石《唐百家詩選》為底本的。《唐百家詩選》不錄李杜，胡仔《苕溪漁隱叢話》引《遁齋閒覽》解釋：「公復後以杜、歐、韓、李別有《四家詩選》，則其意可見。」[37]即散佚的王安石《四家詩選》，已錄李白、杜甫、韓愈、歐陽修四家詩。王士禎在《香祖筆記》中也云：「余按其去取多不可曉者，如李、杜、韓三大家不入選，尚有自說。」[38]王士禎《唐賢三昧集·序》繼承了這個傳統：「不錄李、杜二公者，仿王介甫《百家》例也。」（南宋）趙師秀選《眾妙集》，李白、杜甫、韓愈等大家均未入選。劉克莊在《唐五七言絕句》自序云：「惟李、杜當別論。」[39]亦以李、杜為別例。周弼《三體唐詩》同樣未選李、杜詩。《鼓吹》或許也是對此有所繼承。同樣，元末楊士宏在《唐音》中稱讚：「詩莫盛於唐，李、杜文章冠絕萬世，後之言詩者，皆知李、

33　同上。

34　（元）元好問：《元遺山詩集箋注》，卷十一，清道光二年（1832）南潯瑞松堂蔣氏刻本。

35　同上。

36　同上，卷十三。

37　（宋）胡仔：《苕溪漁隱叢話（卷三十六）》北京：人民文學出版社，1981年，頁242。

38　蔡上翔：《王荊公年譜考略（卷八）》上海：上海人民出版社，1973年，頁133。

39　（宋）劉克莊：《後村先生大全集》成都：四川大學出版社，2008年，頁2444。

杜之為宗也。」[40]但仍然沒選李、杜詩，他在〈凡例〉中解釋為「世多全集，故不及錄。」[41]李、杜詩歌是唐詩巔峰，但因為世有全集，就不予以選錄。

《鼓吹》不選李、杜，清人王清臣註《唐詩鼓吹》分析：「至於李、杜之作，唐人諸選，惟殷璠、韋縠僅及青蓮廿餘篇，此並李、杜而軼之。蓋以兩家專集，光焰萬丈，無可去取，故世有選李、杜者，亦有取五經四子書而甲乙之，未嘗不令人捉鼻也。」[42]認為《鼓吹》也是以不選李杜是因「無所去取」，作為特別的推崇。

綜上所述，作為唐詩選本而言，李、杜詩歌過於經典，若在有限的篇幅內選出幾首李、杜的詩歌，確為難事；作為唐詩教材而言，李、杜詩集是讀書人必有的書目，不必再多選，不如著錄一些中小詩人，以教後學。

## （四）小結

錢謙益為《唐詩鼓吹》所作的註中和了上述兩種觀點，頗為中肯：「余觀此集，探珠搜玉，定出良工哲匠之手。遺山之稱詩，主於高華鴻朗，激昂痛快，其旨意與此集符合，當是遺山巾箱篋衍吟賞記錄。好事者重公之名，繕寫流傳，名從主人，遂以遺山傳也。」[43]錢謙益認為《唐詩鼓吹》所選詩歌與元好問的詩歌主張相符合，但對於存在的不著編者名氏、誤入宋人詩等等疑點，可能是元好問「巾箱篋衍吟賞記錄」，就相當於是讀唐詩的隨手摘記。好事者，即郝天挺，看重元好問的名聲，在元好問去世後對此加以繕寫流傳。

正如盧摯跋文所言：「《唐詩鼓吹》集者，遺山先生元公裕之之所集。公以勳閥英胄，幼受學遺山公，嘗以是集教之詩律，公慨師承之有自，故為之註。」[44]《唐詩鼓吹》是元好問在讀唐詩的時候編選出來的唐詩選本教材，或是在閱讀各種詩選時對觸動心靈的詩歌隨手記錄。在編選的時候並沒有想過如《中州集》那樣刊印出來，所以會有不完備的地方，也沒有考慮到詩人詩作的排列順序。這也解釋了為何元好問自己從未提及，郝經（元好問另一弟子）所寫的墓誌銘也沒有羅列，史料也皆未曾表明元好問曾編選《唐詩鼓吹》。正因為是先師遺稿，所以郝天挺將詩集歸名於元好問，只說自己《注唐詩鼓吹》。《唐詩鼓吹》可能經過了郝天挺的刪改，並非原貌，但其體現了元好問的詩學思想還是毫無疑問的。

---

40　（元）楊士弘：《唐音評注》河北：河北大學出版社，2006年，頁5。

41　同上。

42　（清）王清臣：《唐詩鼓吹小引》，見《唐詩鼓吹箋注》，卷首，清乾隆十一年（1746）刻本。

43　（清）錢謙益、何焯評註，韓成武、賀嚴、孫微點校：《唐詩鼓吹評注》保定：河北大學出版社，2000年，頁1。

44　（金）元好問選，（元）郝天挺註：《注唐詩鼓吹》臺北：廣文書局，1973年，頁17。

# 三　《鼓吹》與元好問唐詩觀

　　《鼓吹》的詩歌體裁、詩歌風格、選錄詩人，都與元好問的唐詩主張和創作實踐十分一致。

## （一）選詩體裁──七律

　　《鼓吹》專錄七律，符合元代宗晚唐的學術風氣。明代王行評論元人為詩的風氣：「元人為詩，獨尚七言近體，跡其所由，蓋元裕之倡之於先，……常裒萃唐人此體，為《鼓吹集》十卷，以教後學。」[45]

　　七律也是元好問本人頗為擅長且多有創作的。現存的《元遺山詩集箋注》中收錄元好問詩一千餘首，其中七律占到約四分之一。在諸體當中，七律被公認為是元好問成就最高者，元好問本人頗具盛名的喪亂詩正是用七律寫就。趙翼《甌北詩話》評價：「七言律則更沉摯悲涼，自成聲調。唐以來律詩之可歌可泣者，少陵十數聯外，絕無嗣響，遺山則往往有之。」[46]認為元好問繼承了杜甫七律的衣缽，其七律成就可見一斑。

## （二）詩歌題材──多憂時感世之作

　　《鼓吹》所錄詩歌題材較為廣泛，主要有感時紀亂、念昔懷古等，陸貽典評價：「其撰為是編，亦多去國懷鄉之作，而娛情悅志之篇，十蓋三四焉。」[47]去國懷鄉，亦是元好問詩歌的中心思想。

### 1　感時紀亂

　　元好問經歷了金元兩朝。天興元年（1233），金朝國都汴京淪陷，元好問被羈管於山東聊城。一二三五年，元好問由聊城移居冠氏。[48]這期間他寫下了大量的「喪亂詩」，如〈岐陽三首〉、〈壬辰十二月車駕東狩後即事五首〉、〈癸巳五月三日北渡三首〉、〈即事〉等。〈壬辰十二月車駕東狩後即事五首〉組詩，寫於天興元年十二月，汴京糧盡，金哀宗倉皇失逃。其中如「高原水出山河改，戰地風來草木腥」、「白骨又多兵死鬼，青山元有地行仙」，與晚唐戰亂之景何其相似。「何時真得攜家去，萬里秋風一釣

---

45　（明）王行：《半軒集》，卷五，清文淵閣四庫全書本。

46　（清）趙翼：《甌北詩話》上海：人民文學出版社，1963年，卷八，頁117。

47　（元）元好問編，王清臣、陸貽典參解：《唐詩鼓吹箋注（十卷）》山東：齊魯書社，1997年，頁2。

48　（元）脫脫等撰，中華書局編輯部點校：《金史·卷二十三·五行志》北京：中華書局，1975年，頁545。

船」、「西南三月音書絕，落日孤雲望眼穿」、「喬木他年懷故國，野煙何處望行人。秋風不用吹華髮，滄海橫流要此身。」又有淹留他鄉的孤寂之感。清人趙翼在《題元遺山集》裡說：「國家不幸詩家幸，賦到滄桑句便工。」[49]就是指的這一類詩。

《鼓吹》所選作品多晚唐傷時之作，山河破碎，去國懷鄉。如吳融的〈彭門用兵後經汴路〉：「細柳舊營猶鎖月，祁連新塚已封苔。霜凋綠野愁無際，燒接黃雲慘不開。」借長亭徘徊之情而寫千里關河之戰，通過舊營新塚的對比來突顯兵亂中的愁慘之情，錄事不多而感時傷亂之情出之，氣象開闊，馳騁千里。韓偓〈傷亂〉、鄭谷〈漂泊〉亦深狀此情。

身處黑暗，自然會萌生對政治清明的盼望。許渾〈咸陽城西門晚眺〉：「溪雲初起日沉閣，山雨欲來風滿樓」、薛能的〈漢南春望〉：「奸邪用法原非法，唱和求才不是才。自古浮雲蔽白日，洗天風雨幾時來」，可謂痛切至極。

韓偓詩多傷唐末世亂而作，「殘春孤館人愁坐，斜日空園花亂飛」（〈避地寒食〉）、「眼看朝市為陵谷，始信昆明是劫灰」（〈途中經野塘〉）等詩句充滿唐末的淒涼感。其「雨梁免被塵埃汙，拂拭朝簪待眼明」（〈殘春旅舍〉）等詩句，又對政治有一線期望。

元好問〈淮右〉詩曾言「空餘韓偓傷時語，留與纍臣一斷魂。」[50]元好問選錄這些詩歌，其實是以他人酒杯澆自己胸中塊壘。

## 2　詠史懷古

元好問詠史詩承續宋人好發議論的傳統，多高聲大腔、作意好奇，多借古諷今之作。如〈新野先主廟〉：「兩朝元老心雖壯，再世中興事可常？」[51]指出劉備去世後，蜀漢時運已盡，諸葛亮也無力回天。〈楚漢戰處〉結句「成名豎子知誰謂？擬喚狂生與細論。」[52]〈鴻溝同欽叔賦〉「雌雄自決已無策，尺寸必爭唯上流。」[53]正是借古代爭霸表達對金元之戰的看法。〈鄧州城樓〉寫「隆中布衣不復見，浮雲西北空悠悠。」[54]其實是希望現世也能出現一位長於軍事謀略的「諸葛亮」解決憂患時事。〈讀靖康僉言〉：「顛沛且當懲景德，規模何必罪朱梁。」[55]借寫北宋「靖康之變」，來諷諭金末時政。

劉禹錫、杜牧、李商隱、許渾是中晚唐的詠史詩高手，《鼓吹》也多選其作品，例如劉禹錫〈西塞山懷古〉、〈漢壽城春望〉、〈荊門道懷古〉，許渾〈凌歊臺〉、〈途經驪

---

49　（清）趙翼：《甌北集》，卷三十三，清嘉慶十七年（1812）湛貽堂刻本。

50　（元）元好問：《元遺山詩集箋注》，卷八，清道光二年（1832）南潯瑞松堂蔣氏刻本。

51　同上。

52　同上。

53　同上，卷四。

54　同上，卷三。

55　同上，卷八。

山〉、〈咸陽城西門晚眺〉，杜牧〈洛陽〉、〈西江懷古〉，李商隱〈隋宮〉、〈馬嵬〉、〈聖女祠〉等等，多為精品。高棅〈唐詩品彙〉云：「元和後律體屢變，其間有卓然成家者，皆自鳴所長，若李商隱之長於詠史，許渾、劉滄之長於懷古，此其著也。」[56]

　　《鼓吹》所選詠史詩有兩種特點，一是諷朝政，二是悲自身。前者如劉禹錫〈荊門道懷古〉：「徒使詞臣庾開府，咸陽終日苦思歸。」前六句描繪了南國昔日的繁華之地，如今已是破敗荒涼的景象；尾聯雙關，明寫庾信思念江陵，暗喻詩人牽掛長安。全詩表達詩人對南國昔盛今衰的感慨和革新政治的抱負不得施展的悲憤，更表達了詩人對唐王朝的岌岌可危的政治局勢的憂慮。其著名的〈西塞山懷古〉：「千尋鐵鎖沉江底，一片降幡出石頭。」充滿一種含蘊半瞻的蒼涼意境，給人以沉鬱頓挫之感。後者如溫庭筠〈過陳琳墓〉：「詞客有靈應識我，霸才無主始憐君。石麟埋沒藏秋草，銅雀荒涼對暮雲。」以陳琳言己，抒發自己懷才不遇的憤懣。

## （三）詩歌風格──渾厚平和

　　元好問的唐詩觀趨尚古雅，宗唐兼宋，劉熙載評價其詩學：「兼杜、韓、蘇、黃之勝，儼有集大成之意。」[57]可見其對詩歌的看法綜合唐宋，有重新建構，《唐詩鼓吹》所選詩歌的風格與其〈論詩絕句三十首〉所推崇的頗為一致。

## 1　自然天成

　　元好問推崇自然天成的文學作品，在〈論詩絕句三十首〉中，稱讚陶淵明「一語天然萬古新，豪華落盡見真淳」[58]，批評潘岳「心畫心聲總失真，文章寧復見為人。高情千古閒居賦，爭信安仁拜路塵。」[59]潘岳的〈閒居賦〉描繪自己淡泊名利，情志高潔，但他實際為人卻是趨炎附勢，鑽營利祿，足見其「心畫心聲」並非完全真實。批評與潘岳齊名的陸機時，言「心聲只要傳心了，布穀翻瀾可是難。」[60]《世說新語·文學》：「孫興公云：『潘文淺而淨，陸文深而蕪。』」[61]元好問認為「陸文猶恨冗於潘」，詩歌只須傳達心聲，意盡言止，不要鋪張華豔。元好問在其晚年所作的〈楊叔能《小亨集》引〉中總結說：

---

56　（明）高棅：《唐詩品彙》上海：上海古籍出版社，1988年，頁707。

57　（清）劉熙載：《藝概·卷四·詞曲概》上海：上海古籍出版社，1978年，頁138。

58　（元）元好問：《元遺山詩集箋注》，卷十一，清道光二年（1832）南潯瑞松堂蔣氏刻本。

59　同上。

60　同上。

61　（南朝宋）劉義慶著，徐震堮校箋：《世說新語校箋·文學第四》北京：中華書局，1984年，頁144。

詩與文，特言語之別稱耳。有所記述之謂文，吟詠性情之謂詩。其為言語之則一也。唐詩所以絕出於三百篇之後者，知本焉爾矣。何謂本，誠是也。[62]

同篇其後又稱：

故由心而成，由誠而言，由言而詩也，三者相為一。情動於中而形於言，言發乎邇而見乎遠，同聲相應，同氣相求。雖小人賤婦，孤臣孽子之感諷，皆可以厚人倫，美教化，無他道也，故曰不誠無物。夫惟不誠，故言無所主，心口別為二物，物我邈其千里，漠然而往，悠然而來，人之聽之，若春風之過馬耳。其欲動天地感神鬼，難矣！其是之謂本。[63]

因此，元好問將「誠」作為詩歌的根本。以其所選柳宗元的詩歌為例，柳宗元放在第一卷卷首，選詩九首，七首為貶謫所作（其中〈再授連州〉現在被認為是劉禹錫的作品）。元好問在〈論詩三十首〉其二十評論柳宗元的詩歌：「謝客風容映古今，發源誰似柳州深。朱弦一拂遺音在，卻是當年寂寞心。」認為柳宗元詩發揚了謝靈運的風格，對其能發「寂寞心」表示極大的讚賞，在《中州集》和〈東坡詩雅引〉也稱讚：「柳州怨之愈深，其辭愈緩，得古詩之正。」[64]，「柳子厚最為近風雅。」[65]

《鼓吹》選柳宗元詩，如：

共來百越文身地，猶自音書滯一鄉。

—— 〈登柳州城樓寄漳汀封連四州〉）

今朝不用臨河別，垂淚千行便濯纓。

—— 〈衡陽與夢得分路贈別〉）

歸目並隨回雁盡，愁腸正遇斷猿時。

—— 〈再授連州至衡陽酬贈別夢得〉）

一身去國六千里，萬死投荒十二年。

—— 〈別舍弟宗一〉

柳宗元經過多次貶謫，其內心情感之悲切抑鬱，在這些貶謫感懷詩中完全流露了出來，這正符合元好問對於柳宗元詩歌「誠」、「正」的稱讚。

---

62　（金）元好問：《遺山先生文集》，卷三六，《四部叢刊》初編本。

63　（金）元好問：《遺山先生文集》，卷三六，《四部叢刊》初編本。

64　姚奠中主編，李正民增訂：《元好問全集卷第四十》太原：三晉出版社，2015年，頁719。

65　姚奠中主編，李正民增訂：《元好問全集卷第三十六》太原：三晉出版社，2015年，頁642。

## 2　風雅雄健

　　元好問本人十分推崇杜甫，著有《杜詩學》。〈論詩三十首〉云：「古雅難將子美親，精純全失義山真。論詩寧下涪翁拜，未作江西社裡人。」[66]認為江西詩派未曾學習到杜甫「古雅」，亦不曾領悟李商隱的「精純」，走向了偏途。他還讚賞陳子昂的高蹈：「沈宋橫馳翰墨場，風流初不廢齊梁。論功若準平吳例，合著黃金鑄子昂。」[67]認為陳子昂在初唐時期齊梁詩風浸染之時，高倡漢魏風骨，上接建安傳統，廓清了初唐齊梁餘風，對其表示極大的推崇。可見元好問偏向於雄渾風雅的詩歌風格。

　　元好問本人的七律，得錢鍾書評價為：「聲調茂越，氣色蒼渾……其七律亦學杜之肥，不擎杜之瘦，尤支空架，以為高腔。」[68]即元好問自己的七律創作就帶有雄健高昂的風格，選詩自是有此偏好。錢謙益〈注唐詩鼓吹序〉稱：「遺山之稱詩，主於高華鴻朗，激昂痛快，其旨意與此集符合。」[69]

　　溫庭筠豔情詩頗具盛名，比如他的〈博山〉、〈七夕〉、〈牡丹二首〉等，這類《鼓吹》全不選，只選其詠史詩和風格比較清新的詩，如〈過陳琳墓〉、〈傷李羽士〉等等。許渾、杜牧、李商隱為晚唐學杜大家，《鼓吹》選許渾三十一首，杜牧三十二首，李商隱三十四首，也可見元好問的風格偏好。

## 3　中正平和

　　元好問貶抑柔弱、巧飾與險怪的詩風，崇尚中正平和的美感，從其〈論詩三十首〉評論盧全、孟郊、韓愈、李賀等唐代詩人可見一斑。其十八云：「東野窮愁死不休，高天厚地一詩囚。江山萬古潮陽筆，合在元龍百尺樓。」[70]在對比孟郊和韓愈詩中，元好問推崇韓詩充滿剛健遒勁之美，斥責孟郊局促險怪之作。其十三云：「萬古文章有坦途，縱橫誰似玉川盧。真書不入今人眼，兒輩從教鬼畫符。」[71]認為盧全詩像「鬼畫符」，明明文章有坦途，盧全卻不走。其十六云：「切切秋蟲萬古情，燈前山鬼淚縱橫。鑒湖春好無人賦，岸夾桃花錦浪生。」[72]元好問指責孟郊、李賀二人詩作幽靜冷僻，毫無開明暢麗之美。

　　就遺山本人作詩而言，其〈楊叔能《小亨集》引〉就曾說：

---

66 （元）元好問：《元遺山詩集箋注》，卷十一，清道光二年（1832）南潯瑞松堂蔣氏刻本。

67 同上。

68 錢鍾書：〈七律杜樣〉，載《談藝錄》北京：生活・讀書・新知三聯書店，2001，頁581。

69 （清）錢謙益、何焯評註，韓成武、賀嚴、孫微點校：〈唐詩鼓吹評注序〉保定：河北大學出版社，2000年，頁2。

70 （元）元好問：《元遺山詩集箋注》，卷十一，清道光二年（1832）南潯瑞松堂蔣氏刻本。

71 同上。

72 同上。

> 初予學詩，以數十條自警，云：無怨懟，無謔浪，無驚狠，無崖異，無狡訐，無
> 媕阿，無傅會，無籠絡，無炫鬻，無矯飾……信斯言也，予詩其庶幾乎！[73]

文中提到元好問的初學作詩的自警，也是元好問一生都堅守的寫詩準則。所以《鼓吹》
所選詩句皆中正平和，充滿淡然之氣，以《鼓吹》所選陸龜蒙詩歌為例，皆為溫柔敦厚
之作。其實陸龜蒙的詩歌創作頗為矛盾，他一面用七律敘寫自己閒居生涯、抒發隱逸情
懷，一面用古體詩寫社會的動亂、政治的腐敗、人民的疾苦。陸龜蒙也曾在〈甫里先生
傳〉中提到他的創作風格的變化歷程：「少攻詩歌，欲與造物者爭柄，遇事輒變化，不
一其體裁。始則凌轢波濤，穿穴險固，囚鎖怪異，破碎陣敵，卒造平淡而已。」[74]這就
明確指出他早年的詩歌充滿激烈的言論，晚年詩歌創作歸於平和。

　　《唐詩鼓吹》共選陸龜蒙詩三十五首，在所選詩數量上，僅少於譚用之的三十八首
而位列次席。這三十五首中有二十二首為寄贈唱和之作，其餘如〈揚州看辛夷花〉、〈中
秋待月〉等，也多為閒適詩。元好問推崇敦厚的詩學思想，故《唐詩鼓吹》所選陸龜蒙
之詩都為溫柔敦厚之作，如：

> 更憶幽窗凝一夢，夜來村落有微霜。
>
> ——〈憶白菊〉

> 孤島待寒凝片月，遠山終日送餘霞。
>
> ——〈奉和襐家林亭〉

> 除卻數函圖籍外，更將何事結良朋。
>
> ——〈次韻襲美見寄〉

元好問認為這些詩歌才符合「平淡」的境界，而不是陸龜蒙早年那些「標置太高，分別
太甚，搜刻太苦，譏罵太過」的「憤激之辭」作。[75]

## 四　結論

　　《唐詩鼓吹》專選唐人七律，以中晚唐詩人為主，題材涉及生活的方方面面，是一
種獨特的唐詩選本。編者確為元好問，元好問弟子郝天挺將其師唐詩選本教材整理後加
以註釋，刊行於世。

---

73　（金）元好問：《遺山先生文集》，卷三六，《四部叢刊》初編本。

74　（唐）陸龜蒙：《唐甫里先生文集》，卷十六，四部叢刊景黃丕烈校明鈔本。

75　（金）元好問：《校笠澤叢書後記》，《元好問全集》，卷三十四，太原：山西人民出版社，1990年，
　　頁769。

　　《鼓吹》反映了元好問部分的詩學觀，如追求自然天成、風雅雄健、中正平和的詩歌風格，對險怪佶屈、故作矯飾的詩歌不加收錄。

　　《鼓吹》本就是元好問「巾箱筐衍吟賞記錄」[76]，並非是一個系統完整的詩學理論，所以或有謬誤，也許出於偶然；不錄大家，亦不必過於穿鑿。《鼓吹》選詩，將個人的唐詩觀與個人的情感結合在一起，其中傷時感懷之作，也正是元好問選錄詩歌時的內心感受。對於元好問來說，這些詩歌不僅帶來美的感受，更是達到了精神層面的共振。

---

76　（清）錢謙益、何焯評註，韓成武、賀嚴、孫微點校：《唐詩鼓吹評注》保定：河北大學出版社，
　　2000年，頁1。

# 李商隱詩歌多義性成因探賾

## 劉天禾

上海　復旦大學中國古代文學研究中心

　　李商隱詩歌以其豐富幽深及朦朧隱晦的特點，代表了中國古代象徵性多義性詩歌的一大高峰[1]。楊億評之「包蘊密緻」[2]；馮浩稱其「繁豔遙深」[3]；葉燮譽之「寄託深而措辭婉」[4]；劉學鍇、余恕誠先生也評其如「霧裡繁花的朦朧淒豔」[5]，都是在說李商隱詩歌意旨深邃繁複、難以確指的特點。義山詩的多義特徵具有三點鮮明色彩：一是整體性，詩歌並非局部意義的複遝，而是由意象群的集體架構指向完滿渾融的詩境；二是主情性，意在表現情感世界的錯綜複雜，由此與形下世界保持聯繫，使詩歌雖恍惚無定卻不致玄虛；三是內斂性，詩歌境象漸向人的內心世界推進，所表現的迷離幽約世界相較於外部環境來說更具內化傾向。有關這種多義性的表現特徵，前修時彥已作充分闡發，並從虛實相生、比興象徵、幻象幻境等多種藝術視角對其進行開掘，但多是從意蘊層面入手，少有從詩歌本體即語言結構及邏輯關係出發的成因分析。現分別從詩歌語言、邏輯架構及隱喻系統入手，對義山詩進行解構研究，俾使有力於為李商隱詩歌多義性研究更添新質。

## 一　語言：意象與推論

　　詩歌語言常以意象語言與推論語言互相補充，前者的「外在句法關係較弱且名詞性複合詞的內在構成包含了強烈地傾向於感覺特徵的因素」，偏重感性的個體化思維；而後者的「句法關係較強且分析的明晰度超過感覺的強度」[6]，側重理性的推演式思維。李商隱詩歌的獨特性在於對意象語言的反覆運用及意象語言與推論語言的相互作用，這二種語言在其詩中存在三種典型的關係模式，都在不同程度上導向了詩歌的多義特徵：

---

1　參考余恕誠：〈從「阮旨遙深」到「玉溪要眇」──中國古代象徵性多義性詩歌之從主理到主情〉，《文學遺產》，第1期，2002年2月，頁20-28。

2　（宋）葛立方：《韻語陽秋》北京：中華書局，1985年，頁15。

3　（清）馮浩：〈玉溪生詩集箋註序〉，見《玉溪生詩集箋註》上海：上海古籍出版社，1979年，頁819。

4　（清）葉燮著，蔣寅箋註：《原詩箋註》上海：上海古籍出版社，2014年，頁448。

5　（唐）李商隱著，劉學鍇、余恕誠選註：《李商隱詩選》北京：人民文學出版社，1997年，頁26。

6　（美）高友工、梅祖麟：《唐詩的魅力》上海：上海古籍出版社，1989年，頁169。

　　一是意象語言的強度遠大於推論語言，使詩歌語言雖缺乏明晰的句法關係，卻因感覺因素的多樣化而達致蘊意的複合。例如名篇〈錦瑟〉[7]：

　　　錦瑟無端五十弦，一弦一柱思華年。莊生曉夢迷蝴蝶，望帝春心托杜鵑。

　　　滄海月明珠有淚，藍田日暖玉生煙。此情可待成追憶？只是當時已惘然。

全詩可謂「心華結撰，工巧天成，不假一毫湊泊」[8]，並無闡發性的分析語言，而是借今昔虛實境中綺麗紛繁的意象群構擬整體性感受。首聯本寫詩人觸物興情，卻以「無端」二字將情感反推回物，物似有意逗恨，再由物及人，錦瑟五十弦勾起年華之愁，這一物我間的情感波折並非正向闡述式的，而是由意象的內在張力委曲道來。頷聯用典亦未依照傳統的借古喻今之途，而是增添典故無有之「曉」、「迷」二字，將亟待宣洩的現時意會投射溯回至往昔，再以夢醒之際恍惚迷蒙的瞬間感受溝通今古；這種虛幻之美好剎那消逝的抒情鏈條方始搭建卻不再接續，而是又轉典故寫望帝化鵑，變「化」為「托」體現出一種猶有所期的微妙趨向，這二句並無直接的句法聯繫，意義指歸僅存些許共同向度，但意象之間雖各自獨立卻又因情感的自在流動性及強烈相似性而得以渾融一貫，體現出意象語言的喻情色彩。頸聯有序鋪排了看似不相契合的典故意象，滄海明珠在月照下泣淚，詩境清冷而幽邃，藍田日暖良玉生煙，又是溫暖朦朧的，二境的猝然相逢不受任何理性思辨的控制，而是令心理感覺遊逸其間，將現實情感賦予幻境中的意象，並將每個意象以其皆處虛無縹緲之域的特性串聯成完整詩境，生發出一種望之難即困頓難紓、介於超越與禁錮之間的複雜情緒。尾聯打破了近體詩常用推論語言作結的慣例，依舊摒棄了連續性關係而選擇用感性理路一貫而終，供人追憶之「情」無法確指，可為男女之愛，可為思華年與自傷之情，亦可是對所有響往追求卻難擁有之物的緬懷追思，或是將其看作更廣泛而整體的生命普遍情感，皆有憑依；這種迷蒙悵惘的情緒在尾句又步入一層回轉結構，由現今推向往昔更加重了「惘然」的程度，使真切情感不僅因其性狀更因時間的溯回而被多重阻隔，難以清晰實指，「則未可以一辭定也」[9]，餘緒悠長。再如〈無題〉：「紫府仙人號寶燈，雲漿未飲結成冰，如何雪月交光夜，更在瑤臺十二層？」亦是以意象語言取代推論語言，紫府仙人雲漿瑤臺及冰雪月夜等意象並非以現實邏輯串聯而成，雲漿緣何未飲而結冰及其與雪夜瑤臺的關係均不留有任何可供分析闡發的暗示性餘地，而是令所有意象集體構成了寒涼空靈的詩境，並由之生發高遠幻邈可望而不可即的理想境界，至於其中暗含的渴望追求之心所具體針對的目標人事，則潛

---

7　（唐）李商隱著，朱懷春等標點：《李商隱全集》上海：上海古籍出版社，1999年，頁61。下文如未標明引文者，皆引自此。

8　（清）姜炳璋選釋，郝世峰輯：《選玉溪生詩補說》天津：南開大學出版社，1985年，頁40。

9　（清）錢謙益、何焯評註，韓成武等點校：《唐詩鼓吹評註》保定：河北大學出版社，2000年，頁348。

藏於悲涼命運的不確定感之中，令人雖難真切通曉卻能明確感知到主人公不屈於美好難求之絕望的執著向美之心，由此實現詩歌感人肺腑的情感力量。由上可見，這種以感受為主導的意象語言以感性起伏代替闡析架構，不僅使詩歌實現了蘊意的豐富性，還令情感層理由遠近強弱之別生發出無限張力，正適於對包蓄萬千之心靈世界進行多重表達與描摹。

　　二是意象語言占據主導地位，同時對推論語言有所包蓄和裹挾，使詩意朦朧隱約卻又自始至終維持著內在的邏輯聯繫。如〈正月崇讓宅〉：

> 密鎖重關掩綠苔，廊深閣迴此徘徊。先知風起月含暈，尚自露寒花未開。
> 蝙拂簾旌終輾轉，鼠翻窗網小驚猜。背燈獨共餘香語，不覺猶歌起夜來。

全詩由意象的跳轉達致整體詩境的圓融，借由荒涼悽愴之境烘托懷人傷己之悲，意象語言雖以個體化感受為系聯線索，其間卻包蓄著周密照應的事理邏輯。詩歌的推論語言掩於意象語言之下，或是直白淺切，如頷聯便具敘述性質及明晰的邏輯關係，月暈為起風先兆，天冷露寒故花未開。或是幽隱難測，首聯綠苔深廊之幽邃的周邊環境與頸聯蝙蝠老鼠肆意橫行的室內環境相互照應，共同凸顯了舊宅的破敗荒涼；而眼前的敗落景象正是妻子故去人去樓空的寫照，這便與尾聯所寫的亡妻餘香及思君憶昔之樂府舊題〈起夜來〉形成了情感對話；尾聯中的詩人獨自言語歌吟，以思念之情為媒介步入幻境，將澄黃燈火下的綺羅之香盡融於前文所構的冷寂荒蕪之境，形成色調與聲響上的對比關係，極摹真摯之情；全篇與詩題中的「正月」亦構成了對話關係，這種關係依託於正月的引申義，即闔家歡度新年的美好時節，由此更反襯出詩人的寥落神傷。這嚴密完備的邏輯層理並不依託於推論語言的直接彰明，而是仍依附於借現時感受推動意脈前進的意象語言，將綠苔深廊、風月花露、蝙鼠窗簾等意象共同置於以感傷為基調的境象中，使其共同構成為剎那感受所涵括的周遭環境，由此，其間的分析邏輯相較於意象語言所要傳達的整體情感不過一隅而已。再如〈重過聖女祠〉：

> 白石岩扉碧蘚滋，上清淪謫得歸遲。一春夢雨常飄瓦，盡日靈風不滿旗。
> 萼綠華來無定所，杜蘭香去未移時。玉郎會此通仙籍，憶向天階問紫芝。

全篇詩境由緬邈迷蒙仙氣彌漫的意象群統攝，頷聯「有不盡之意」[10]，將風雨意象所能傳遞的情感借由「夢」、「靈」二字盡皆托出，雨落瓦上本就朦朧，夢境更添縹緲之氣，風不滿旗寫其輕柔，靈字則更增其幻渺，該聯摹畫出虛無難即之境，由意象間的張力傳遞無盡意蘊，頗富象外之致。其餘三聯皆為此境所籠，又於其中包裹著推論語言的邏輯

---

10　（宋）呂本中：《紫微詩話》，見陳伯海主編：《唐詩匯評（增訂本5）》上海：上海古籍出版社，2015年，頁3644。

架構，由苔蘚蔓生之況推向聖女歸遲之由，以其餘女仙來無定所、去未移時之狀反襯聖女無所依託的境遇，尾聯順其自然盡抒其慨，祈盼著重回天界求取紫芝，事理邏輯從始至終周全妥帖，並與詩人現況暗合，或求政治遇合或盼理想之境，諸多解讀都依託於詩歌隱晦的推論語言，而推論分析又潛藏於以在沉淪與執著間徘徊之情感為表達中心的意象語言之間，引人回味無窮，實乃「空靈縹緲之詞，極才人之能事矣。」[11]這種隱含邏輯暗示的意象建構令詩歌富含充分的意蘊空間又不致紛亂無章，感情層理雖繁複多義卻又富於內在秩序，包蓄著美感表達的多重可能。

　　三是意象語言與推論語言在表達中進行微妙轉換，由此產生不同層次的意義，並賦予詩歌情感張力及內涵深度。這種表達常與一種願望式思維相聯，由此形成渴求而不可得的情緒感受場，如〈無題〉：

> 相見時難別亦難，東風無力百花殘。春蠶到死絲方盡，蠟炬成灰淚始乾。
> 曉鏡但愁雲鬢改，夜吟應覺月光寒。蓬山此去無多路，青鳥殷勤為探看。

詩歌寫別離相思之情，卻無法連綴具體人事，此因意象語言一貫而就，除首句是闡發式敘述外，下文自東風至青鳥皆由不在相同邏輯鏈的意象聯結，這便實現由推論語言向意象語言的一層轉變，精妙之處便在於開篇即展開統攝；同時，首句又實現了意脈的內在波折，將「別易會難」的傳統套語翻義而述，即「會難別亦難」，這便更襯不捨離別的心情。次句以兩個意象便鋪展出凋敝零落的暮春景色，既是對離別景象的渲染，又可將其義無限延展，小至心境之況，大至時代環境，似都可被籠罩，這便是意象語言的張力效果。領聯依舊延續意象的情感線索，看似略具推論語言，春蠶絲盡蠟炬油乾，皆是順敘性質的描述，但二者悲觀又堅定的情感力量卻使這種闡析向感受方面過渡，這種過渡以象喻作為紐帶，自然妥帖而不見突兀，似乎一切無望而執著的情理行為皆可為所徵，迸發出強烈的悲劇美力量，這便是推論向意象語言的又一層微妙轉化。頸聯自對面落筆，並由從早至晚的意象綴合成淒清悲切的完整情境，其中又包涵了明晰的內在關係，晨起攬鏡方見白髮，故有青春易逝之憂；憂緒難紓獨自沉吟，因在夜半而更覺月色寒涼，其內裡的事理聯繫完備而周密，體現出意象語言向推論語言的轉換。尾聯則在意象選擇的過程中增添了寬解慰懷的積極因素，青鳥殷勤地致意傳書，便由意象承擔了願望式思維的作用，這裡隱藏了推論語言的前序鋪墊，即將假設關係作為前提並有意模糊假設與真實的區別，此處抹去了青鳥乃傳說之物的預設，而使物我真幻達成同一，一方面沉湎於虛構意象帶來的有所期待的情緒體驗，另一方面又由對無法隨心所欲之清醒認知而沉入更深層的悲慟絕望，通過從意象到推論再返歸意象語言的路徑轉變，只發揚願望思維的樂觀部分而在感傷基調的推動下刻意忽略其預設違背現實的前提，這便使悲觀潛

11 俞陛雲：《詩境淺說》北京：北京出版社，2003年，頁82。

藏於表達深層而滿蓄著更強盛的情感動勢。再如〈無題·重幃深下莫愁堂〉末兩聯：「風波不信菱枝弱，月露誰教桂葉香，直道相思了無益，未妨惆悵是清狂」，以意象語言展開架構，寫風波摧折菱枝、月露不潤桂葉，極摹無情之態，卻又在尾聯借無情至深情之變由意象語言轉向推論語言，縱是相思全然無益，也不礙詩人永秉真摯癡情而悵惘終生，這一層意脈轉折便接續了前文的情理推演，通過卒章翻義實現詩意於幻滅與堅韌之間交替顯現的情感完整性。由上可見，意象語言與推論語言間的微妙轉換常建基於求而不得卻仍心懷祈願的情緒脈絡，並以其間生發的不同層次展開意蘊的無限解讀，由之形成詩歌的多義特徵。

　　值得注意的是，義山詩對意象的選擇與組合有三大鮮明特徵：一是獨特性，詩人善將特殊蘊義賦予常規意象，由此使意象帶有個體化的象徵意味。如寫梅花「匝路亭亭豔，非時裊裊香」、「為誰成早秀，不待作年芳」，不按常規寫梅凌寒獨開，而摹其早秀之灼灼芳華，這便有所托寓，與物宛轉間「寓含有詩人的身世，而且寄託自然，渾融無跡」[12]；再如摹柳，「見說風流極，來當婀娜時，橋回行欲斷，堤遠意相隨」，物與人的情愫飽滿而充盈，「見說」是旁人與柳之情，「來當」開啟詩人對柳的追逐之意，「風流」、「婀娜」展開對柳的擬人摹畫，自然引出下文「意相隨」之柳與人纏綿難舍的雙向情感，此意象便帶有強烈的個人特性，「真寫柳之魂魄。」[13]二是非現實性，李商隱常用蓬山、青鳥、瑤臺、靈風、彩鳳、靈犀、紫府、雲漿等意象，意在營構出變幻杳遠卻又於現世有所關攝的詩境，並通過意象群構成的幻境指向人生中一切可望而不可即的情境，這便使詩歌雖具非現實的虛幻意義，卻能發揮對人類普遍情感的感召作用。三是跳躍性，這是義山詩之意象語言最鮮明的特徵，詩歌意象以內感體驗為軸心向外投射，故常錯綜跳躍，不受現世次序限制。如〈隋宮〉：「玉璽不緣歸日角，錦帆應是到天涯，於今腐草無螢火，終古垂楊有暮鴉」，將典故中的典型意象以蒙太奇手法相與拼接，使詩意從現時回溯，於往昔之境由錦帆遠去天涯實現歷史空間中的由近及遠，又忽而借煬帝征螢之典返歸至今，腐草無螢垂楊暮鴉既是親歷之景，又是荒淫朝代遺留萬世的衰頹後果，是富於滄桑感並將長久綿亙的圖景，由此實現諷刺慨歎的精神力度。這種超越時空之限的跳躍意象使詩歌於間隙中生發多重蘊意，令複合涵義與慨歎基調融合無間，如「百寶流蘇」般「風華典雅」[14]，具有顯著的藝術表現效果。

12 樂雲編：《唐宋詩鑒賞全典》武漢：崇文書局，2011年，頁553。

13 （清）袁枚：《隨園詩話》北京：人民文學出版社，1960年，頁279。

14 吳調公：《李商隱研究》上海：上海古籍出版社，1982年，頁127。

## 二　邏輯：情感與事理

　　義山詩在邏輯架構方面體現出以情感邏輯為主而以事理邏輯為輔的鮮明特徵，這種意脈承續正與意象語言的反覆出現相適，遵循思路本身邏輯任意緒紛飛遊移，「轉接之間以神而不以跡也」[15]，令詩歌意蘊飽滿豐富。這種情感邏輯的主要呈現方式便是對意識流思維的無意識運作，令意識流動牽引事理趨向，達致情理分合間無限延展的意義空間。如〈回中牡丹為雨所敗（其二）〉：

　　　　浪笑榴花不及春，先期零落更愁人。玉盤迸淚傷心數，錦瑟驚弦破夢頻。
　　　　萬里重陰非舊圃，一年生意屬流塵。前溪舞罷君回顧，並覺今朝粉態新。

詩人詠物自傷，慨歎身世，但並非按照敘事邏輯寫牡丹如何為雨所敗，而任以牡丹為中心的觸物心緒流轉漫溢：首聯由眼前花敗聯想至不及春的榴花，意緒回歸卻更顯牡丹引人憂愁的零落樣態；頷聯再任意識散逸，極摹花落景象在當時間觸發的心靈感受，如玉盤迸淚、錦瑟驚弦，從色態聲響等角度將牡丹凋零及其引發之愁緒具象化與立體化，充分體現出意識流思維無限拓展意蘊邊界的豐富潛能；頸聯由眼前回溯過往，令園圃今昔及花叢之生死形成兩組對沖關係，更顯深慟的淒零之悲；尾聯更將感傷情調推向高潮，任情思超前至異日花瓣落盡之時，再反顧於今，竟覺目前凋敗之景如粉態尚新，暗示未來的悲劇命運。全篇將詠物與抒懷緊密相聯，通過與物交感共通的意緒流動，貫穿起由物及己再由己推向世間一切衰落事物的情感邏輯和撼思脈絡。再如〈出關宿盤豆館對叢蘆有感〉：

　　　　蘆葉梢梢夏景深，郵亭暫欲灑塵襟。昔年曾是江南客，此日初為關外心。
　　　　思子臺邊風自急，玉娘湖上月應沉。清聲不遠行人去，一世荒城伴夜砧。

全篇以跳躍發散的思維組織聚合，將哀傷底色以情緒漫逸的方式貫注其間。首聯緊扣題面關聯現時，平淡道來時間地點及環境特徵；接下來便由眼前的荒僻征塵叢蘆蕭颯展開情思的波動延展，先任意緒回溯年華返歸青春，不作駐留沉浸而即刻回返當下，更襯愁悶心境；頸聯先是延續時間軸上的當下塵煩並將其與具體的空間地點相聯繫，渲染了疾風淒涼的落寞暮色，轉而又任思緒向遠，想像浙水之月的沉落之狀，肆意奔走的意識無論時空遠近，皆浸染於昏冥黯淡的色調之中；尾聯又將萬千思緒返歸目前叢蘆，以蘆聲與夜砧極襯現世的荒蕪靜謐，這既是感官實摹，亦是心靈世界的剎那感受。這種以意識流組合詩篇的方式，體現出義山善融情緒於詩的特徵，將情感作為主線邏輯串聯文句始

---

15　（清）紀昀：《玉溪生詩說》，轉引自劉學鍇、李翰撰：《李商隱詩選評》上海：上海古籍出版社，
　　2003年，頁67。

終，並令事理線索潛於意脈之後，使意蘊擴寫爛漫縱肆卻又不至於散逸無序，在達致複義效果的同時葆有強烈而動人的精神力量。

　　由上可見，這種以意識流貫連情感邏輯的方式具有兩大突出的表現效果：一是物我同一的藝術境界，在情緒自如蔓延的過程中，物象無差別地沾染上強烈的主觀色彩，共同承擔了情感場域中的互動角色。義山詩中的會通物我並非如傳統般打破界限泯滅分別，那是以將世界物件化為前提的投射過程，李商隱的獨到之處在於以心理感受為連綴線索將萬物自然地納入主觀範疇，由此使人之於世並非「觀」者而是「在」者，不只是「以我觀物」而是「物我此在同感」。例如他寫蟬「本以高難飽，徒勞恨費聲」，便不止於寫蟬或摹己，而是在涵納這二者之餘更辟對冷淡世情的失望與對清高品格的堅守之物我共通的情感畛域，是以相似境域生發的共同精神為基礎的。二是詩意於橫縱維度向深廣境界無限遊走而產生的內涵張力與朦朧美感，情感邏輯在事理邏輯的微弱制約下遵循本然狀態彌散而發，這既契合於情感自身的朦朧特質，又令詩歌的個性表達得到極大的彰揚空間。如〈無題〉：

> 颯颯東風細雨來，芙蓉塘外有輕雷。金蟾齧鎖燒香入，玉虎牽絲汲井回。
> 賈氏窺簾韓掾少，宓妃留枕魏王才。春心莫共花爭發，一寸相思一寸灰。

詩歌以情感奔湧為軸貫穿始末，既可稱是對客觀景物及具體典實的摹寫，又是對心靈感受的形象刻畫。首聯綜合了輕柔與強勁、悠緩與迅疾等多重感覺，這些真切感受於頷聯金蟾齧鎖玉虎牽絲的意象表達中漸致曲折細膩，頸聯用典更拓寬了情感溯遊之途，令其絲絲入扣又朦朧難指，尾聯收束有力，令前文蓬勃積蓄的整體情思盡化積灰，既變無形為有形表現出生動的藝術效果，又達成了詩歌層理由淺及深化外物為內象的創造性成就。這種朦朧特質與詩歌的多義性互為表裡相輔相成，使詩歌的「內蘊創造力非常豐富」[16]，極富美學價值。

　　義山詩擅以情感邏輯架構全篇，這便使詩歌表現出對心靈世界的物化傾向，即將表現物件從形上虛境帶入可感實境，由此實現對豐富意緒的形象表達。這種表現手法主要有兩大途徑：

　　一是將心象與物象相融。義山常將心靈感受與現實世界相互連結，把事物當作意緒來寫，又將紛繁意緒貫入客觀事物，由此實現心象與物象的密合無間。如〈無題〉：

> 鳳尾香羅薄幾重，碧文圓頂夜深縫。扇裁月魄羞難掩，車走雷聲語未通。
> 曾是寂寥金燼暗，斷無消息石榴紅。斑騅只繫垂楊岸，何處西南任好風。

首聯的鳳尾香羅和碧文圓頂既是象徵男女好合的閨中事物，又是主人公縫製羅帳之時沉

---

16 董乃斌：《李商隱的心靈世界》上海：上海古籍出版社，1992年，頁95。

浸於自我情感抒發的真實寫照；三四句將遇見愛情時的情緒奔湧與物狀聲響合寫，營造出男女邂逅時欲語還羞的真實氣氛；頸聯最是精妙，金燼與石榴同別後寂寥的心情相融無間，既將二者作為點染環境的意象，以殘燈暗示難眠、用石榴喻示春盡，又使其承擔心靈感受之凝結物的作用，以可感具象將真切體會鮮明托出；尾聯則延續情緒漫湧的路徑，將情繫於風，逸至遠方所思之人的身畔。全篇將物象與心象雜糅交合，並非單純地融情於物即令物著人之色彩，帶有明顯的移情作用，而是將具有象徵性的喻象變成物與情的整合體，使其高於形下具象和形上感知的分別意義，將蘊意昇華得真切鮮活。又如〈無題〉：「來是空言去絕蹤，月斜樓上五更鐘」、「蠟照半籠金翡翠，麝熏微度繡芙蓉」，意象依託於這焦慮惝恍的情感湧動中，難分實幻，曉月斜照既是客觀景象，又是對晦澀心緒的象徵化表達；而殘燭微籠帷帳，幽香浮動於床褥，則營造出虛實間的迷離之境，在詩意宛轉間溝通了夢醒今昔，物境與心境密切交聯，細膩情思與隱約意象互相彰顯，共同構築了朦朧多義的詩境。再如〈無題〉：「何處哀箏隨急管，櫻花永巷垂楊岸，東家老女嫁不售，白日當天三月半」，摹寫環境卻將人物面對年華將逝之苦悶哀怨的心情全然托出，借當下的聲音及感受營造出紛雜焦急的氣氛，令讀者順勢入境，其既是物境也是詩人心境，從而收穫動人心弦的審美效果。

　　二是將感興與感傷結合。義山詩的紛繁之感常由兩大層面組成，即觸目感懷之無限興感與長久綿亙於詩人精神內質的感傷底色，這二者的互輔共存使詩歌抒情既滿富關懷當下的現世意味，又具來去無由難以確指的縹緲色彩，使詩意蘊旨豐裕繁複耐人尋味。如〈樂遊原〉：

　　　　向晚意不適，驅車登古原。夕陽無限好，只是近黃昏。

詩歌並非簡單的登臨之作，也未於任何望之有觸的單向情感上一味縱深，而由「意不適」觸發茫如古原的無限感喟，對好景易逝之歎中似裹挾了自然、身世、家國乃至萬物宿命等多重指向，又似殊無指寓，「百感茫茫，一時交集，謂之怨身世可，謂之憂時事亦可。」[17]這種多義特徵便是詩歌攜感興入感傷再以感傷浸染感興的結果，觸景起情之興是就原野落日的蒼莽景象而言的，而來源於詩人天性及長年累月之積澱的感傷蘊質則瞬間包融了這種興感，使興起之緒無不沾染悲戚之色。再如廣受稱譽的〈無題〉：

　　　　昨夜星辰昨夜風，畫樓西畔桂堂東。身無彩鳳雙飛翼，心有靈犀一點通。
　　　　隔座送鉤春酒暖，分曹射覆蠟燈紅。嗟余聽鼓應官去，走馬蘭臺類轉蓬。

此篇感興依託回憶而成，由對美好昨夜之追溯返歸當下為仕途所羈絆的淒清無奈，全篇皆圍繞阻隔來寫，即今昔之別、主人公與佳人之隔、無奈現實與美好願景之阻，但又於

---

17 劉學鍇、李翰撰：《李商隱詩選評》，頁225。

重重關隘間迸發出相聯相親的積極意味，有情人間雖既隔座次又再難相見，但因心有靈犀而得以相與慰懷，儘管人生蹭蹬卻能始終對美好存留一份希冀，體現出對真情摯意的推尚。此種徘徊於企望與絕望間的掙扎思緒雖是對具體情事的興感之發，卻亦源自詩人的感傷型人格，帶有獨屬於李商隱的矛盾色彩。感興注入感傷，則情之所由皆自興之所起，紛繁而無端；感傷貫於感興，則觸目之物無不牽引悲戚，終歸於哀情，這使得義山詩常由情感邏輯貫連心靈世界並使意緒物化而可感，詩歌便在依附於事理邏輯又超脫其上追索開掘情感邏輯之發展空間的過程中，極大豐富了意旨的多元性。

## 三　隱喻：意象語言與情感邏輯

義山詩以意象語言與情感邏輯為主的架構方式最終指向具有鮮明個體化特徵的隱喻系統，這種隱喻並非簡單的修辭，而是一種由詩歌語言與邏輯相互作用所呈現出的整體關係模式。雅各森曾說：「詩的功能就是把對等原則從選擇軸引申到組合軸」[18]，以語義的對等原則分析義山詩的隱喻系統，是借結構主義詩學闡析詩歌多義性成因的創新性嘗試，具體可從三方面入手：

首先從詩歌語言中代表共時性向度的選擇軸與代表歷時性向度的組合軸來看，義山詩中審美功能的投射作用令語義的相似性附著於毗連性，從而使隱喻象徵性和複雜多義性成為詩歌的實質特徵。例如〈晚晴〉：

深居俯夾城，春去夏猶清。天意憐幽草，人間重晚晴。
並添高閣迥，微注小窗明。越鳥巢幹後，歸飛體更輕。

詩歌的對等原則在於鄰接組合的對等蘊意，「天意」與「人間」、「幽草」與「晚晴」、「高閣」與「小窗」、「迥」與「明」分別處於縱組合軸上的對立範疇，詩意將其變為橫組合軸上之範疇的對立，增添了語言的詩性功能。這種以相似性為主導的對立導引了隱喻語言的正向或反向路徑，若將「幽草」視作艱虞身世的象徵，「晚晴」與「越鳥」則是振作精神的具象化喻體，這是反對義帶來的外勢；而「越鳥巢幹」與「晴」互應，「歸飛」與「晚」相適，這是正向義觸發的內勢；全篇營構之明淨清麗、生意盎然的整體詩境與詩人桂幕初期的精神狀態又構成了一組同向隱喻，從而使詩歌無論從代表較大規模聯繫之構架還是從較小規模聯繫之肌質層面進行考察，都能通過對等原則實現隱喻關係的內在強化。而這種由隱喻關係組成的系統並無絲毫斧鑿痕跡，興感與托寓間的聯繫無法明確坐實，其生發於有意無意之間，自然渾成。由上可見，從選擇軸到組合軸的

---

18 （俄）雅各布森：《語言學與詩學》，見趙毅衡編：《符號學文學論文集》天津：百花文藝出版社，2004年，頁182。

投射致使相似與相異、同義與反義兩組範疇在詩性功能中建立巧妙的相互作用，從明知其有卻難以確指之隱喻關係帶來語義的多重性。

其次從語言闡釋功能的結構模式進行考察，闡釋結構是相對於交際結構而言的，前者由意義、資訊、意旨、符號載體組成，後者則包括指稱、呼籲、情感、資訊、接觸、元語言功能六方面。詩歌的隱喻系統常將語言的交際功能引申至闡釋功能並令後者占據主導地位，義山詩於這個基礎之上更專注於闡釋結構中資訊的內指性及符號載體的美學代碼作用，由此達致其獨特的多義特徵。如〈夜意〉：

> 簾垂幕半卷，枕冷被猶香。如何為相憶，魂夢過瀟湘。

詩歌的語言資訊不承擔外向的傳達作用，而集中於內化的審美意義，窗簾低垂幕帳半卷，這既是醒後暫態的視覺映射，也烘托出情感生發的心理環境，具有內向趨勢。枕頭的冰冷觸感及對妻子體香的嗅感是語言傳達出的意義，由隱喻作用指向意旨關係，感官上的寒涼指向了寂寥境況，「猶香」則實現了由夢到醒之由幻到真的趨向，最終歸於思念之摯，處於虛境中的香氣作為符號載體承擔了溝通意義與意旨間的橋樑作用，即美學代碼的本體功能。詩人其後的發問看似實現了語言的交際功能，但由於物件處虛指範疇，其並未歸向外在人事的內指意義最終還是導向了闡釋功能的情感意旨，書寫物件在此承擔了情感寄託的作用，令表意向抒情過渡的路徑得以完整。無論是虛境中的餘香夢魂還是實境中的簾幕枕被，都呈現出一種以相思之情為軸心的向心運動，而這種運動所蘊蓄的內在動勢，正為情感表達的多元化提供了廣闊空間，正因抒情邏輯鏈上的物件與感受皆無法確指，才使語言的詩性特徵於有意無意間得到極大揮發。由此，將闡釋結構中的符號載體作為意義與意旨間的聯繫紐帶，為隱喻系統實現詩歌的多重蘊涵表達提供潛在可能。

其三是從隱喻系統中的分析關係切入，這在義山詩中主要體現於頻繁密集的典故運用。如〈詠史二首・其二〉：

> 歷覽前賢國與家，成由勤儉破由奢。何須琥珀方為枕，豈得真珠始是車。
> 運去不逢青海馬，力窮難拔蜀山蛇。幾人曾預南薰曲，終古蒼梧哭翠華。

詩歌從標題到內容都未有明確的歷史性指稱，而借由典故意義與表現內容的相似性引發讀者對深層意旨的思考與關注。開篇即彰顯出分析關係的立論色彩，從歷史經驗出發，得出成功由自勤儉而破敗來於奢靡的教訓；接下來展開大量的典故書寫，從梁王的珍珠照乘之車、吐谷渾的青海聰馬到蜀王遇蛇、舜撥五弦，最後承續舜典以其葬地與今朝文宗之陵相聯繫，終返於今。琥珀枕、真珠車、蜀山蛇屬於立論點的反向範疇，而本處其正向維度的青海馬、南薰曲與蒼梧翠華，又因「不逢」、「難拔」「哭」這類消極意義的限定詞而變作反義，這使得全篇用典皆為強調相反而非相似點的否定性典故。這種以時

間空間為線索的關聯比較強調行為表現而非特徵描繪，將每個意象獨具之引申義中包涵的動機與選擇納入隱喻系統之借古喻今的程式中，雖以意象的局部取喻為基礎又能不囿於此，而上升至對人類普遍行為的深刻表現。再如〈重有感〉：「玉帳牙旗得上游，安危須共主君憂，竇融表已來關右，陶侃軍宜次石頭」，其用典皆圍繞分析關係之國家危亡時應共君主同憂的論點而發，三四句用竇融與陶侃的典故，意在隱喻當下朝廷徵求藩鎮之助的時局；竇典喻指劉從諫已為之事，陶典以「宜」字暗示其當作卻未作的舉動，彰顯了詩人的期望向度，二者以相似及相反的歷史比較構成了詩意表達的張力，所喻之體的性狀介於兩大喻象之間，形成隱喻系統的立體化構造，多層面豐富了詩歌蘊旨的表達。由此可見，分析關係的介入看似使詩意明朗化而減弱了多重解讀的必要性，卻因詩人對喻體及喻象之異同的組合重構而仍具備繁複色彩，李商隱詩歌之多義特徵由此展現出迥異于摹擬心靈世界而注重現世關照之由內向外的呈現方式。

　　義山詩的隱喻系統彰顯出詩歌神話思維對理性思維的容納包蓄，前者代表了與感知相聯繫的象徵隱喻型思維，由不同類型之具備獨立情志的意象符號系統構成；後者即是有明確方向和依據而以微觀代理宏觀並重視概括闡析式手段的思維方式，往往用於對事理結論的索求。許多詩歌在令神話思維占據支配地位的同時適當引入理性思維，以確保引申義能落於實處；而義山卻常反其道而行之，他在處理這二者關係的過程中，善將本屬理性思維的範疇通過神話思維進行改造，將其納入隱喻系統，使之適應詩歌表現情感世界的需求。義山詩將這種特性體現得最為明顯的便是其對時空關係的把握與塑造，他將在理性分析中常用於闡明邏輯關係的時空敘述昇華成一種意旨表現特徵，由此在思維跳躍間實現對情感層理的彰現及對蘊義空間的無限拓展。這種時空範疇的隱喻主要有兩種呈現模式：一是時空互為隱喻，例如〈嫦娥〉：

　　　　雲母屏風燭影深，長河漸落曉星沉。嫦娥應悔偷靈藥，碧海青天夜夜心。

這首詩歷來為人稱道之處在於對傳說的翻義生新，世人只羨嫦娥長生不老之福，李商隱卻看見她捨棄人間情愛之悔。這種懊喪感懷是針對嫦娥、詩人自身及修道女冠之三位一體而發，而這貫穿始終之意脈於末句得到延展與強化，將時空化作修飾「心」的形容概念，「碧海青天」從橫縱向拓寬了空間，「夜夜」延伸了時間。同時，時空之間存在一種微妙的互襯關係，時間向度的隱喻義托顯出空間之寥遠，空間維度的廣闊又暗含了寂寞境況的長度，時與空在隱喻系統中的所有相互作用力共同指向了對嫦娥心境的呈現，這便令嫦娥之「心」被長久束縛於這永恆時空，情感之淒涼寂寥是通過時空之夐遠來表現的。本屬於理性思維並代表精確意義的時空，之所以能夠發揮情感邏輯鏈上的樞紐作用，是因其在詩歌的隱喻系統中被神話思維解構與重構。二是時空與意象互為隱喻，例如〈夜雨寄北〉：

　　　　君問歸期未有期，巴山夜雨漲秋池。何當共剪西窗燭，卻話巴山夜雨時。

詩歌摒棄了時空的理念意義而將其作為情感的紐帶，「我」與「君」隔著難以度越的現
實空間，巴山夜雨漲滿秋池隱喻了時間的流逝，時空綿延又指向了隨著雨漲秋池而不斷
昇華的思念之情；以這充盈的情感飛躍時間限制直抵來日，並將空間無限縮短令二人得
以共剪燈燭，西窗燭隱喻了時空的懸置，而這種懸置亦包蘊了意象本身的情感內涵；在
對未來時空進行設想後翻轉至今，又增添一層對現世的回想，「翻從他日而話今宵，則
此時羈情，不寫而自深矣。」[19]這種時空與意象互為隱喻的關係將詩歌邏輯有意打亂，
令實幻間雜相生，情感走向全繫於時與空或交替或同時的翻覆變化，詩歌寓意之深刻雋
永便是神話思維通過心理感受線索對理性思維加以調整與改造的結果。由上可見，這種
由神話思維對理性思維進行改造包蓄而形成的隱喻系統，令時空之間、時空與意象及情
感主體之間的互動張力得到極大增強，詩歌也由之生發不同層次的豐富旨蘊，最終指向
了詩歌的多義性。

　　　李商隱詩歌呈現出繁複多義的特徵，其成因從語言上看，由詩歌意象語言和推論語
言之相互作用形成的三種典型關係模式皆有益於詩歌蘊意之豐富；從邏輯上看，義山詩
以情感邏輯為主而以事理邏輯為輔的架構方式指向了極具內涵張力與朦朧美感的詩意表
達；從隱喻系統來看，其選擇軸與組合軸、闡釋功能的結構模式及分析關係都從不同層
面導向了詩歌的多義性。運用結構主義詩學理論對義山詩進行闡析，是對其多義性展開
進一步研究的創新性嘗試，這種探索仍具廣闊的開掘空間。

---

19　（清）徐德泓：《李義山詩疏》，轉引自霍松林著：《霍松林古詩文鑑賞集》西安：陝西師範大學出版
　　社，2018年，頁260。

# 遮蔽與呈現
## ——從《河嶽英靈集》看殷璠對儲光羲詩歌的接受

謝賢良

北京　中國人民大學國學院

　　詩歌選本作為古典文學研究的重要材料，不僅體現了編選者的個人好惡，還折射出了當時的文學觀，從接受美學的角度視之，不同的詩歌選本形成了各自的文化「場域」，編選者在收集、刪削、評點、排布每一篇作品時，都將自身的文學感知投入其中，編選者藉由入選作品的文本解讀表達者自身的文學觀點，即借他人之酒杯，澆自己之塊壘，而這一過程勢必伴隨著對原作者有意無意的建構，有時會產生求全之毀，有時又會帶來不虞之譽。

　　在諸多的唐詩選本中，最珍貴也最真實的即唐人選唐詩，因為這些選本不僅最接近創作者的原貌，也更能體現出當代人的眼光，具有同步性。殷璠的《河嶽英靈集》正是其中之一，他不僅收錄了當時文壇詩人的重要作品，還鮮明地提出了自身的詩學觀點。以《河嶽英靈集》出發，追溯儲光羲詩歌接受的淵藪，體會殷璠本人對儲光羲的建構，並在這種建構中尋找有意為之的遮蔽與呈現，不僅有助於還原儲光羲詩歌的整體風貌，更能從中窺得殷璠本人的詩學理想。

## 一　山水田園與政治污點：儲詩接受的兩種趨勢

　　盛唐是詩歌的盛世，也是天才詩人輩出的時代，而儲光羲在其中顯得有些寂寞。考察其生平，《舊唐書》、《新唐書》皆無傳，據《唐才子傳》記載：

> 光羲，兗州人。開元十四年嚴迪榜進士，有詔中書試文章。嘗為監察御史。值安祿山陷長安，輒受偽署。賊平後自歸，貶死嶺南。工詩，格高調逸，趣遠情深，削盡常言，挾風雅之道，養浩然之氣。覽者猶聆〈韶〉、〈濩〉音，先洗桑濮耳，庶幾乎賞音也。有集七十卷，《正論》十五卷，《九經分義疏》二十卷，並傳。[1]

---

1　（元）辛文房著，傳璇琮主編：《唐才子傳校箋・卷第一・儲光羲》北京：中華書局，1995年11月，第1版，頁222。

可見儲光羲的一生仕途並不顯赫，經歷也有些潦倒，只有詩名得到了肯定。有趣的是，「格高調逸，趣遠情深，削盡常言，挾風雅之道，養浩然之氣」這一論詩的評語是直接借用了《河嶽英靈集》中殷璠的原話，之後對儲詩的評論也大都沿襲這一說法，可見殷璠之論影響頗深。

儲光羲現存作品二百二十七首，山水田園詩有一百二十八首，占其作品的絕大部分，因而對儲詩的接受主要是圍繞其山水田園詩展開的。從不同時代的詩歌選集和詩歌評論考察其詩歌接受的整體脈絡，可以總結為逐漸衰落，間有復興。盛唐地位最高，宋代最低，明清有所突破。而究其原因，可以發現兩條脈絡，一條是因山水田園詩人身份逐漸呈現的接受，另一條則是被人品瑕疵所遮蔽的否定。

## （一）山水田園詩人身份的逐漸確立

唐代並未形成山水田園詩人這一專門的文學團體，而是一群熱愛自然、互相唱和的詩人自發形成的一種文化圈子。儲光羲作為其中的知名人物，與王維、孟浩然、祖詠、常建、裴迪、殷遙、綦毋潛等人都多有唱和。

宋代是儲光羲山水田園詩人身份正式確立的時期。《文苑英華》收錄儲詩十八首，數量上雖然不多，然而主要是山水田園之作，儲光羲被確立為以王維為中心的盛唐山水田園詩人中的一員。王安石的《唐百家詩選》選儲詩二十一首，其中都是描寫田園風光的佳作，儲光羲被作為山水田園詩派的重要代表人之一的地位基本確立。值得一提的是，宋人中最推崇儲光羲的是蘇轍，認為「唐儲光羲詩，高處似陶淵明，平處似王摩詰」[2]，將儲光羲提高到山水田園詩超一流詩人的地位，並且還以儲光羲為衡量詩藝的標準，在評價他人詩歌創作時多次用儲光羲作為評價的尺度，「我讀君詩笑無語，恍然重見儲光羲」。[3]

明清對於儲光羲詩歌的接受存在著截然相反的兩種態度，然而整體上都承認儲光羲在五古和山水田園詩的成就。高棅在《唐詩品彙》中肯定儲光羲五古的成就，鍾惺的《唐詩歸》選儲詩六十一首，其中有意未收錄許多前人肯定的作品，而另選了生僻之作近乎一半，強調儲光羲的學識修養，認為讀者要去細心體會其中的妙處。而同時期陸時雍的《唐詩鏡》僅選錄五首，認為儲詩「衷本無情語，無定趣，前後自不相喻。」[4]整體持否定與批判態度。此後對於儲光羲的評價雖然也有高低起伏，然而核心還是圍繞著山水田園詩人這一身份展開的。

2　（宋）蘇籀：《欒城遺言》，文淵閣四庫全書本。

3　（宋）蘇軾：《欒城集》上海：上海古籍出版社，1987年，頁324。

4　（明）陸時雍：《詩境總論》，丁福保輯：《歷代詩話續編》北京：中華書局，1983年，頁1423。

　　總而視之，從文學史的角度上看，儲光羲的山水田園詩人身份逐步確立，往往和王維、孟浩然等人並稱。而在山水田園詩的內部，儲詩以質樸真實見長，然而藝術成就是遜於王、孟二人的。

## （二）由人品否定文品風氣漸盛

　　「知人論世，以意逆志」是中國古代文學批評的傳統。在文學評論家看來，人品和文品是一體兩面，品格卑下的作者創作不出優秀的文學作品，而高尚的人格有助於為作品增色。這種思想深刻影響了長期以來的文學評論，譬如陶淵明以高潔人品聞名於世，而元稹卻因與求仕於宦官而卻飽受爭議。

　　儲光羲一生中唯一也是最大的人品污點便是在安史之亂中被授偽官，「值安祿山陷長安，輒受偽署。賊平後自歸，貶死嶺南。」從情理上講，儲光羲為了在戰亂中保全自身的行為是無可厚非的，然而在秉持著「有道則見，無道則隱」觀點的中國文人士大夫而言，在亂世出任官職就是一種不忠苟且的人格硬傷。就連王維這樣的大詩人也因被授予偽官而飽受批評，如果不是因為有〈菩提寺私成口號〉的表明心跡之作和親友的傾力相助，也要被貶官發配，更何況是儲光羲呢。況且二人交往密切，又同朝為官，兩相對比下對儲光羲人品的詬病也就越多。

　　儲光羲被視作私德有虧的典型形成于宋代，隨著理學的興起，社會對於士人道德評價的標準也在不斷升高，臣侍二主的情況被看作是極大的污點。朱熹在評價儲光羲時就說：「王儲之詩非不翛然清遠也，然一失身於新莽祿山之朝，則平生所辛勤而僅得以傳世者，足為後人嗤笑之資耳。」[5]直接因為品格上存在問題就完全否認了其文學價值。朱熹此言幾乎可以算是蓋棺定論，而後在對儲光羲作品的研究總是繞不開這個人品的污點，元代劉履在《選詩補注》中評儲光羲「詩有沖淡之趣，時人與王維並稱其美矣。然其為人躁進不忠，是亦可醜也」[6]；《欽定四庫全書簡明目錄》甚至全面否認了儲光羲，認為「光羲失節從賊，終以貶死，其人殊不足道」[7]。政治上的污點也或多或少地減損了人們對儲光羲詩歌藝術價值的接受。

　　綜上，儲光羲在後世更多被視作山水田園詩人群體中與王、孟等人密切相關的詩人之一，對其詩歌的評價受到了其政治遭際的影響，整體上評價並不突出。然而與之相反，在殷璠所編選的《河嶽英靈集》中卻對儲光羲進行了高度評價與推崇。

---

5　（宋）朱熹：〈向薌林文集後序〉，《朱熹集》成都：四川教育出版社，1996年，頁3980。

6　（元）劉履：《選詩補注》，文淵閣四庫全書本。

7　（清）紀昀等編：《欽定四庫全書簡明目錄》，文淵閣四庫全書本。

## 二　《河嶽英靈集》對儲光羲的推崇

《河嶽英靈集》中是這樣評價儲光羲的詩歌的：

> 儲公詩，格高調逸，趣遠情深，削盡常言，挾風雅之道，得浩然之氣。〈述華清宮〉詩云：「山開鴻蒙色，天轉招搖星。」又〈遊茅山〉詩云：「山門入松柏，天路涵虛空。」此例數百句，已略見《荊楊集》，不復廣引。璠嘗覩儲公《正論》十五卷，《九經分一作外義疏》二十卷，言博理當，實可謂經國之大才。[8]

殷璠從三個方面稱讚了儲光羲詩歌的成就：「格高調逸，趣遠情深」強調其詩歌旨趣的高潔，「削盡常言」是稱讚他詩歌用字不落俗套，「挾風雅之道，得浩然之氣」則是指出其詩歌繼承了《詩經》的傳統兼有儒家的政治教化。這一評價從多個角度盛讚了儲詩，縱觀《河嶽英靈集》，這種全無批評完全是溢美之詞的評語也不多見。具體來看，殷璠對儲光羲的推崇體現在以下三個方面：

首先從選詩的數目上來看，詩歌選本的數量最能體現重視程度。《河嶽英靈集》共收錄二十四位盛唐詩人，選錄詩歌二三四首，人均不到十首，而儲光羲入選十二首，高於平均水平。其中，王昌齡入選最多，為十六首；王維、常建次之，各十五首；李白、高適各十三首；岑參七首；孟浩然六首。橫向上看，儲詩在數量上位於第一梯隊，縱向上看，儲詩的數量遠高於岑參、孟浩然，在都是名家名篇的《河嶽英靈集》中，這一突出的數量足見其重視程度。

其次從編排的順序和他人並稱的情況來看，《河嶽英靈集》將儲光羲與當時著名的王昌齡等人相提並論，認為：「元嘉以還，四百年內，曹、劉、陸、謝，風骨頓盡。頃有太原王昌齡、魯國儲光羲，頗從厥跡。且兩賢氣同體別，而王稍聲峻」[9]，王昌齡是《河嶽英靈集》中入選篇目最多也最受推崇的詩人，將儲光羲與王昌齡並稱，足以見得殷璠對儲光羲的推崇。此外，《河嶽英靈集》還提出了當時詩歌的一個重要轉折點即「開元十五年後，聲律風骨始備矣」，而這一時間節點的前後正是儲光羲與王昌齡考中進士，可見殷璠對儲光羲的推崇構建起了《河嶽英靈集》的邏輯支點。

再從同時代的其他選本來看，考察當時的另一唐詩選本《國秀集》，其中選了王維和王昌齡的詩歌，但是卻對儲光羲未加收錄，雖然《國秀集》本身編選的理由有所偏頗，然而作為天寶三年成書的唐人選本，倘若當時儲光羲真的是一位廣有影響的詩人，那麼沒有道理不收錄他的詩。由此可見，對儲詩的推崇並非是時代現象，而更多的還是殷璠的個人行為。那麼，殷璠對儲光羲的推崇究竟為何？他又是如何看待儲詩的呢？下面筆者將回到文本，從選詩具體內容中看殷璠對儲光羲的接受。

---

8　（唐）殷璠：《河嶽英靈集》，《唐人選唐詩新編》西安：陝西人民教育出版社，1996年，頁107。

9　（唐）殷璠：《河嶽英靈集》西安：陝西人民教育出版社，1996年，卷上，《唐人選唐詩新編》，頁128。

## 三　從選詩內容看殷璠對儲光羲的接受

　　與後世對儲光羲「山水田園詩人」的定性不同，殷璠在《河嶽英靈集》中多選儲光羲關心現實、抒發政治抱負的五古。考察《河嶽英靈集》中所選的十二首詩：〈雜詩〉二章、〈效古〉二章、〈猛虎詞〉、〈射雉詞〉、〈採蓮詞〉、〈牧童詞〉、〈田家事〉、〈寄孫山人〉、〈酬綦毋校書耶溪見贈之作〉、〈使過彈箏峽作〉，可以發現十二首詩中嚴格意義上的山水田園詩僅有兩首，而描寫田園風光的詩歌也不超過一半，其中大多數入選篇目為與政治有關的詩作，可以說在殷璠眼裡，儲光羲不是一個縱情山水的隱逸詩人，而是關懷現實的政治家，下面從具體文本入手進行分析。

### （一）非典型的山水田園詩

　　儲光羲在後世被認為是典型的山水田園詩人，然而在《河嶽英靈集》中所所收錄的山水田園詩篇目極少，後世所公認的佳作也只有〈田家事〉一篇：

> 蒲葉日已長，杏花日已滋。老農要看此，貴不違天時。
> 迎晨起飯牛，雙駕耕東菑。蚯蚓土中出，田烏隨我飛。
> 群鴝亂啄噪，嗷嗷如道饑。我心多惻隱，顧此兩傷悲。
> 撥食與田烏，日暮空筐歸。親戚更相笑，我心終不移。

作者不避瑣屑，從容道來，對農家場景進行了細緻描摹，並通過耕作田間時「撥食與田烏」這件小事加以表現，語言質樸且字字含情，充滿了對農家生活親切的情感體驗。同時，儲光羲的田園詩並不是單純地描寫田園生活，而是以田園為喻體寄託自己的志趣與感慨，曲折有深意，格調清雅老成。

　　此外，在贈答酬唱之作中，儲光羲也多有對山水風光的描寫，如〈酬綦毋校書夢遊耶溪見贈之作〉：

> 校文在仙掖，每有滄洲心。況以北窗下，夢游清溪陰。
> 春看湖口漫，夜入回塘深。往往纜垂葛，出舟望前林。
> 山人松下飯，釣客蘆中吟。小隱何足貴，長年固可尋。
> 還車首東道，惠然若南金。以我采薇意，傳之天姥岑。

這首嚴格意義上講並非描寫山水田園，而是以山水田園來抒發詩人對隱逸的追求。詩歌寫景明快良麗，清新自然。細緻的刻畫了山中隱者的生活狀態，用細膩的筆法，清新的語言，描寫泛溪過程中的所見之景，在景色中寄託自己對山水田園隱逸生活的嚮往和追求。語調真摯，平實動人，使得全詩呈現出自然之美。

這一類詩極其質樸真實，儲光羲是山水田園詩人中為數不多親身經歷過大量農村勞動生活的。最真實的田園生活使得他的詩歌不具有王孟等人的超然空靈，沖淡平和，反而為他的詩歌提供了真實質樸的底色。

## （二）多發議論的古題樂府

在《河嶽英靈集》中所選詩歌中〈猛虎詞〉、〈射雉詞〉、〈採蓮詞〉、〈牧童詞〉四首都是儲光羲對古題樂府的模擬之作。所謂古題，是指這一詩體之前在樂府中已經存在，詩人借用舊的形式來表達新的內容，一般而言，所選取的樂府古題與詩歌主題之間是有一定的聯繫的。考察儲光羲的古題樂府，可以發現儲光羲好發議論的特點，以下兩首為例：

〈採蓮詞〉
淺渚荇花繁，深塘菱葉踈。獨往方自得，恥邀淇上姝。
廣江無術阡，大澤絕方隅。浪中海童語，淚下鮫人居。
春鴈時隱舟，新荷複滿湖。采采乘日養，不思賢與愚。

〈射雉詞〉
曝暄理新翳，迎春射鳴雉。厚田遙一色，皋陸曠千里。
遠聞咿喔聲，時見雙飛起。冪歷踈蒿下，陪鰓深麥裡。
顧敵仍忘生，爭雄方決死。仁心貴勇義，豈複能傷此。
超遙下故墟，迢遞回高軌。丈夫昔何苦，取笑歡妻子。

儲光羲並不是在簡單地描寫採蓮和射雉的活動，在〈採蓮詞〉中，他以「獨往方自得，恥邀淇上姝」來表達自己獨居的氣節，以「采采乘日養，不思賢與愚」的結尾表達自己甘願藏身於荷塘，不理人世的紛爭。在〈射雉詞〉時，他在描寫了射雉活動後發出了「仁心貴勇義，豈複能傷此」的議論，表面上是寫射雉，背後寄託了作者對高尚人格的追求，末句寫「超遙下故墟，迢遞回高軌」，用徘徊來體現作者內心的糾結和彷徨，結句的「丈夫昔何苦，取笑歡妻子」一方面是寫射雉者的內心，另一方面也是表達了儲光羲對於人生在世，要委身取笑於他人的感慨。

儲光羲在古題樂府中對環境的描寫不過是鋪陳的手法，其核心還是在於所抒發的抱負，以「采采乘日養，不思賢與愚」或「取樂須臾間，寧問聲與音」的叩問結尾，在這樣的議論中表達作者本人的思考和志向。

## （三）關心民瘼的政治詩

除了古題樂府之外，儲光羲也有模擬漢魏六朝之作，在其中寄託自身對時事的關心，反映民瘼，可謂「挾風雅之道，得浩然之氣」。其中最為典型的代表便是他的〈效古二章〉：

> 晨登涼風臺，目走邯鄲道。曜靈何赫烈，四野無青草。大軍北集燕，
> 天子西居鎬。婦人役州縣，丁男事征討。老幼相別離，泣哭無昏早。
> 稼穡既珍絕，川澤複枯槁。曠哉遠此憂，冥冥商山皓。
> 東風吹大河，河水如倒流。河洲塵沙起，有若黃雲浮。頹霞燒廣澤，
> 洪曜赫高丘。野老泣相逢，無地可蔭休。翰林有客卿，獨負蒼生憂。
> 中夜起蹢躅，思欲獻厥謀。君門峻且深，跂足空夷猶。

這兩首詩反映了戰爭中百姓悲慘的生活狀況，「婦人役州縣，丁男事征討。老幼相別離，泣哭無昏早」與後世杜甫名篇〈兵車行〉何其一致，上一首主要描寫山河破碎、百姓流離失所的悲慘現實，下一首以「東風吹大河」為起興，主要抒發了作者面對這樣的社會現實內心的憂慮，「中夜起蹢躅，思欲獻厥謀。君門峻且深，跂足空夷猶。」這種真摯的關懷社會疾苦和報國無門的不平之氣在儲光羲的詩歌中集中體現。以剛健的筆觸道出了貧民百姓淒苦的生活狀態，充斥著強烈的憤慨之情，體現了儲光羲對民生的關心和國運的擔憂，「浩然之氣」顯露無疑。殷璠在《河嶽英靈集》中的王昌齡詩選小序評曰：「元嘉以還，四百年內，曹、劉、陸、謝，風骨頓盡。頃有太遠王昌齡、魯國儲光羲，頗從厥跡。」從其社會政治詩的議論來看，儲光羲受到了漢魏六朝尤其是建安詩學的影響，對於現實問題和民生疾苦都有著高度的關注。

## 四　儲詩選評背後殷璠的詩學思想

任何一個詩歌選本都並非機械的羅列和編排，而是通過去蕪存菁來表達選詩人自身對文學的理解，故而在《河嶽英靈集》中，殷璠對儲光羲的建構的本質還是對自身詩學觀點的發揚。殷璠與儲光羲交往密切，二人不僅同時代，並且同鄉。據戴偉華先生考證，殷璠在編選《河嶽英靈集》的過程中受到了儲光羲的幫助和支持。因而，殷璠在《河嶽英靈集》中對於儲光羲的詩歌的選評闡發了自身的詩學觀點。

## （一）復古的詩學傳統

殷璠的詩歌理論集中體現在《河嶽英靈集・敘》中：

> 梁昭明太子撰《文選》……開元十五年後，聲律風骨始備矣。實由主上惡華好
> 樸，去偽從真，使海內詞場，翕然尊古，南風周雅，稱闡今日。璠不揆，竊嘗好
> 事，願刪略群才，贊聖朝之美，爰因退跡，得遂宿心。粵若王維、昌齡、儲光羲
> 等二十四人，皆河嶽英靈也，此集便以《河嶽英靈集》為號。詩二百三十四首，
> 分為上下卷，起甲寅，終癸巳。倫次於敘，品藻各冠篇額。如名不副實，才不合
> 道，縱權壓梁、竇，終無取焉。

這裡殷璠追溯了詩歌發展流變的歷史，指出當代文壇的弊端，這也可以看出殷璠編寫
《河嶽英靈集》的目的就在於扭轉唐初以來華貴奢靡的六朝習氣和不公正的詩歌評價。
這種復古的傾向影響到了殷璠整體的選詩標準，比如對古體的偏愛殷璠要掃除六朝詩
風，必然從抵制輕豔文風和聲律之飾開始：可作為反映當代創作情形的選本，又不能完
全無視近體詩受到重視的事實，故殷氏在處理上，採取明尊暗貶的辦法對待近體詩的聲
律問題，通過增加古體詩尤其是五古的篇目，來闡發自己復古的詩學思想。

　　這種復古是以《詩》、《騷》傳統為終極旨歸，以建安文學為具體路徑的。由此殷璠
在編選儲光羲詩歌時側重其五古，尤其是對於古題樂府和懷古有關的詩歌，這種詩歌從
體制和內容上都帶有明顯的建安風骨。在殷璠的詩學詩學觀裡，與後世完全不同，他認
為儲光羲詩歌的成就不在於山水田園的隱逸之作，而在於針砭時弊、關心民瘼的現實主
義作品，即使是所選的山水詩，其背後都是有對現實的關注和議論的。

## （二）開元十五年的時間節點

　　聲律是殷璠詩學思想的一大重要組成部分，他在《河嶽英靈集‧論》裡說：

> 昔伶倫造律，蓋為文章之本也。是以氣因律而生，節假律而明，才得律而清焉。
> 宵預於詞場，不可不知音律焉。孔聖刪《詩》，非代議所及。自漢、魏至於晉、
> 宋，高唱者十有餘人，然觀其樂府，猶有小失。齊梁陳隋，下品實繁，專事拘
> 忌，彌損厥道。夫能文者匪謂四聲盡要流美，八病鹹須避之，縱不拈二，未為深
> 缺。即「羅衣何飄飄，長裾隨風還」，雅調仍在，況其他句乎？故詞有剛柔，調
> 有高下，但令詞與調合，首末相稱，中間不敗，便是知音。而沈生雖怪，曹、王
> 曾無先覺，隱侯言之更遠。璠今所集，頗異諸家，既閑新聲，複曉古體，文質半
> 取，風騷兩挾，言氣骨則建安為傳，論宮商則太康不逮。將來秀士，無致深憾。

在殷璠看來，詩歌的內容、主題和才思都要經過聲律的和諧才能得以體現，而聲律不僅
僅影響詩歌形式上的表達，更決定了詩歌內容和格調上的區別，譬如「吳聲西曲」就被
視作靡靡之音。而殷璠所理解的良好的要「既閑新聲，復曉古體」、「文質半取，風騷兩

挾」，做到聲律上和諧，風骨風骨上磊落，即詩歌的形式和內容要相統一。

　　而在殷璠看來，聲律和風骨變化的關鍵節點就在開元十五年，「開元十五年後，聲律風骨始備矣」。一般來講對於詩歌發展的斷代很難具體到某一年，因為文學的演進本就是一個複雜而漫長生成的過程，可殷璠為何確定開元十五年是關鍵節點呢？考察《河嶽英靈集》中所選詩人的登第年紀，大多都在這一年前後。顧況〈監察御史儲公集序〉中提到：

> 聖人賢人，皆鐘運而生，述聖賢之意，亦鐘運盛衰矣。開元十四年，嚴黃門知考功，以魯國儲公進士高第，與崔國輔員外、綦毋潛著作同時；其明年，擢第常建少府、王龍標昌齡，此數人皆當時之秀，而侍禦聲價隱隱，蘭蓀諸子。[10]

而在這一年最為重要的兩位詩人便是儲光羲和王昌齡。殷璠有意把儲光羲與王昌齡並舉，卻又在許多具體評價上更高地評價儲光羲。殷璠如此行事不是因為自身的私心，而是他明知儲光羲的詩歌成就未必有王昌齡高，但儲光羲詩歌中對於現實的關注、對於聲律和風骨的兼備，是他所認可的良好的詩學風貌，殷璠需要通過標榜儲光羲來影響之後的詩歌創作實踐。

　　綜上，儲光羲作為盛唐名家，其接受的過程雖然有所波動，在後世更多被接受為質樸清淡的山水田園詩人。但從殷璠的《河嶽英靈集》對儲詩的選評來看，他有意遮蔽了儲光羲被後人所稱讚的山水田園詩，通過突出其關心現實、承襲建安風骨的作品，呈現了一個關心現實的政治詩人，在這一選評背後承載著的是殷璠「以復古為革新」的詩學思想。

---

10 顧況：〈監察御史儲公集序〉，《全唐文》北京：中華書局，1983年，頁5368。

# 理會與日用

## ──朱熹「吾道一以貫之」章註的形成

### 李翠琴

新加坡國立大學

　　《論語集注》凝結了朱熹較多心血，自隆興元年《論語要義》、《論語訓蒙要義》成書後，又十四年，至淳熙四年《論語集注》[1]方成。本文考察的「吾道一以貫之」章註[2]猶能看出朱子思考落筆時的辛勤斟酌。朱子對這一章的困惑產生於蘇東坡說，並以蘇說請教過老師李侗，不久又與胡憲、范如圭就這一章內容有過多番書信討論。本文希望對這一章註的形成作時間脈絡上的梳理，考察朱子此章註在字斟句酌間潛藏的多層面考慮和用意，譬如經典註釋體裁方面的關照[3]，在將理學思考融入註文中時，力求註文與經文間的和洽條暢，在註文中同時體現自己對儒學學者見道體與重工夫、得理會與行日用的雙重期許等。這一章註形成本身也是展現朱熹的思想與語言從佛學走出、吸收二程漸趨成熟的一個很好例證。此外，從漢至清學者們就這一章理解形成的豐富歧見所折射出的思想史變遷也可在此集中呈現。

## 一　「零零星星」的《論語》與蘇東坡的「知其不容言」

　　《論語》是一部語錄體著作，誰都無法否認孔子是一位極其善於思考的思想家。孔子對思考的準確性有相當自覺[4]，而思考的詩性形式，格言與比喻，亦是《論語》特色，如孔子稱子貢「瑚璉之器」就是一個典型的定義性比喻。《論語》格言性質的話也

---

1　關於《論語集注》的成書版本及勘誤校對見王傳龍：〈朱熹《論語集注》手稿的塗抹與成書過程〉，《廈門大學學報──哲學社會科學版》，2009年第5期，以及張雨、胡曉鳳：〈朱熹《論語集注》校勘商榷〉，《古籍整理研究學刊》，2015年第5期，頁73-79。

2　該章注對理解朱熹理學思想的重要性可參閱樂愛國：〈朱熹《論語集注》中的「道」論──兼論「道」與「理」的異同關係〉，《哲學動態》，2017年第2期，頁34-39。

3　對《論語集注》注釋體例的集中討論參見周元俠：〈《論語集注》的「集注」體例及其意義〉，《中國哲學史》，2013年第1期，頁15-20。

4　可參閱勞悅強：〈「聞道」並非「達道」──廖名春教授〈《論語》「朝聞道，夕死可矣」章新釋〉讀後〉，《新亞學報》，2012年總第30卷，頁1-14。其中有關「聞道」與「達道」的辨析，可視為「準確性」的一則說明。

很多，但與同樣近似格言的《老子》相比，卻顯得過於平實和細碎，用朱子的話說，「零零星星」、「零碎問」[5]。抽象的、分析的、推演的、形而上的思考似乎在《論語》中不易看到。孔子對於世界萬物、對於他自己的學問、思想有沒有一種越出特殊經驗內容的體系性統一看法，這是不能確切知道的。當然也不排除魏晉時王弼、郭象等人所說「聖人體無，無又不可以訓，故不說」的可能，但從《論語》來看，這方面的表現的確很少。這並不是說《論語》不具備我們一般普通思維的特徵，如顧炎武《日知錄》駁宋儒，認為夫子所說的「一以貫之」，即是如：

> 三百之《詩》，至泛也，而曰：「一言以蔽之，曰思無邪。」三千三百之儀，至多也，而曰：「禮與其奢也，寧儉。」十世之事，至遠也，而曰「殷因于夏禮，周因于殷禮，雖百世可知。」百王之治，至殊也，而曰「道二，仁與不仁而已矣」[6]

這類陳述中體現的思考方式，對一類事情本質的判斷、一種概括的看法、推斷的前瞻等。然而〈里仁〉篇該章的特殊處是，它的陳述主語是「吾道」，而非像顧炎武所列舉《詩》、禮這樣一般的物件，因此它在後代引出一些歧見，聖境難測，也是可預見的事情。我們先來把這一章的原文內容摘錄如下：

> 子曰：「參乎！吾道一以貫之。」
> 曾子曰：「唯」子出。
> 門人問曰：「何謂也？」
> 曾子曰：「夫子之道，忠恕而已矣。」

對話中先是孔子呼曾子之名，告訴曾子說：「吾道一以貫之」，曾子應之以「唯」。後孔子出戶離去，門人問：「何謂也」，曾子回答：「夫子之道，忠恕而已矣」。對話中曾子充當了中間人的角色，孔子所說的「吾道一以貫之」是借曾子之口被表述為「夫子之道，忠恕而已矣」的。作為中間人的曾子是否準確理解並原原本本地傳達了孔子的意思，在宋代以前是沒什麼疑問的事。何晏《集解》引孔安國註「直曉不問，故答之以唯。」[7]皇侃《義疏》說：

> 門人，曾子弟子也，不解孔子之言，故問於曾子也。云「曾子曰：夫子之道，忠恕而已矣者」，曾子答弟子，釋於孔子之道也。忠，謂盡中心也。恕，謂忖我以

5　《朱子語類》，卷十九，見朱傑人等編，《朱子全書》，上海、合肥：上海古籍出版社、安徽教育出版社，2002年，14冊，頁645。

6　（明）顧炎武撰，（清）黃汝成釋：《日知錄集釋》，卷七，《四部備要》，上海：中華書局，1936年，176冊，頁134。

7　（南朝梁）皇侃：《論語集解義疏》上海：商務印書館，1937年，頁49。

度於人也。言孔子之道，更無他法。[8]

這一章文脈理解上的不同始出於蘇軾。蘇軾曾作《論語說》，朱子《集注》有徵引，朱熹還以蘇軾說請教過李侗，這一點下文再展開。據卿三祥、舒大剛兩位學者的輯佚，蘇軾認為：

> 一以貫之者，難言也。雖孔子莫能名之，故曾子「唯」而不問，知其不容言也。雖然，論其近似，使門人庶幾知之，不亦可乎？曰：反開人之所及也，非其所及而告之，則眩而失其真矣。然則盍亦告之以非其可及乎？曰：不可。門人將自鄙其所得而勞心於其所不及，思而不學，去道益遠。故告之以忠恕，其曾子之妙也。」

又說：「師弟子答問，未嘗不『唯』，而曾子之『唯』獨記於《論語》。一『唯』之外，口耳俱喪，而門人方欲問其所謂，此繫風捕影之流，何足實告哉！」[9] 蘇軾對這一對話場景的補充想像，「口耳俱喪」，為曾子僅一個字的應答「唯」增添了生動的情節，曾子在孔子一句話的提示下，仿如領受了天啟或頓悟一般，從語言、周圍現實中滑脫，口不能言，只能應以一聲「唯」。而當孔子離開後，門人問及，曾子思量「一以貫之」是極難用語言描繪的，連孔子本人都「莫能名之」，以門人之修養根本無法明白，於是選擇了以「忠恕之道」告之，蘇東坡認為這正是曾子的高妙之處。經蘇東坡詮釋後，我們可以看到，經文的語脈有了從第一層「吾道一以貫之者」下跌至第二層「忠恕之道」的變化。如皇侃所說：「曾子答弟子，釋於孔子之道」那種語脈上的渾整感覺沒有了。

　　對於蘇東坡來說，孔子告「吾道一以貫之」，而沒有進一步展開，及曾子對以「唯」而不追問，都是對「難言」者所採取的誠實恰當態度。在關於「子貢曰：『夫子之文章，可得而聞也』」一章的解說上，蘇東坡批評當時士大夫以老莊為聖人，「鬻書於市者，非莊老之書不售也。讀其文，浩然無當而不可窮；觀其貌，超然無著而不可把，此豈真能然哉！」[10] 莊老文章的「浩蕩無當而不可窮」正是孔子、曾子審慎態度的反面。儘管孔子、曾子腦海中的「吾道一以貫之」與莊老論述的諸如「一」、「道」等概念的內容可能並不一樣，但在言說這一點上，蘇東坡認為孔、曾的不言才是真誠可信的。蘇東坡的這一講法影響較大。金代學者王若虛《論語辨惑》，即認為東坡所說可取，並援引楊龜山、游定夫這些理學中人稱「楊龜山、周氏、游氏皆以忠恕為姑應門人之語，則疑此者不獨東坡也，予故從之。」[11] 直至清代蘇東坡的這一說法仍有迴響。對蘇東坡

---

8　同上註，頁50。

9　曾棗莊、舒大剛主編：《三蘇全書》，北京：語文出版社，2001年，3冊，頁184。

10　同上註，頁188。

11　（金）王若虛：《滹南集》，影印《摛藻堂四庫全書薈要》，臺北：臺灣世界書局，1985年，397冊，頁11。

來說，曾子所說的「忠恕之道」只是權宜之語，而真正難以參驗、難以表達的東西，並沒有通過曾子傳遞出來，似乎也非他一個今天的評說者應去點破。這正是後來朱熹要發揮闡明的地方之一。

## 二　問學李侗及與范如圭的討論

　　蘇東坡關於此章的理解在朱熹心中一定激起過不少思考。記載他與老師李侗之間問答的《延平問答》裡就有一條是朱子以蘇東坡說請問老師。李侗對朱熹「進學」的影響很大。據束景南先生考證，朱熹是紹興二十七年二十八歲時正式從學李侗，「問忠恕一貫之旨」即在紹興二十八年。這一番正式問學，李侗確實給朱熹帶來了思想上的深入轉變。李果齋《紫陽年譜》說：「先生常言：『自見李先生，為學始就平實，乃知向日從事於釋氏之所皆非』……李先生曰『公恁地懸空理會得許多道理，而面前事卻理會不下。道亦無他玄妙，只在日用間著實做功夫處，便自見得』」[12]另有《朱子語類》載朱子說：「向時諸前輩每人各是一般說話。後來見李先生，李先生較說得有下落，說得較嚴密。」[13]李侗不僅在大的方向上使朱子從釋老之學澈底轉向儒家正統，在治學方法上也給了朱熹針對性的建議。李侗對「懸空理會得很多道理」的朱熹的批評是缺乏「日用間著實作功夫」，「道」不須遠尋，「日用間」、「便自見得」。這種注重日用尋常工夫的傾向，我們會在師徒間有關「一以貫之」章的問答與朱熹《論語集注》中得到確證。

　　《延平問答》載朱子問「吾道一以貫之」章，所記雙方問答的篇幅並不短。先是朱熹陳述自己的看法，「曾子之學主於誠身，其於聖人之日用觀省而服習之，蓋已熟矣，惟未能即此以見夫道之全體，則不免疑其有二也。然用力之久而亦將有以自得，故夫子以一以貫之之語告之，蓋當其可也。」[14]在朱熹的理解中，夫子告曾參是有見於曾子進學已至張弓滿弦、引箭待發的境地，距「見道之全體」不過咫尺之距，聖師才適時地點化以「一以貫之」。朱熹對前後「異旨」的懷疑是以「或者以為」並不直稱其名的口吻請教老師的，「或者以為忠恕未足以盡一貫之道，曾子姑以違道不遠者告其門人，使知入道之端，恐未曾盡曾子之意也。如子思之言忠恕違道不遠，乃是示人以入道之端。」即「忠恕」只是算作「違道不遠」，並沒有完全傳達出曾子的深層體悟。針對這一問題，李侗的回答是「伊川先生有言曰：『維天之命，於穆不已，忠也；乾道變化，各正性命，恕也。』體會於一人之身，不過只是盡己及物之心而已。曾子於日用處，夫子自有以見之，恐其未必覺此亦是一貫之理，故卒然問曰：『參乎吾道一以貫之。』曾子於是領會而有得焉，輒應之曰『唯』，忘其所以言也。東坡所謂口耳俱喪者，亦佳。至於

---

12　束景南：《朱熹年譜長編》上海：華東師範大學出版社，2001年，頁1542。

13　《朱子語類》，卷一百四，見《朱子全書》，頁3434。

14　同上註，頁319。

答門人之問，只是發其心耳，豈有二耶？若以謂聖人一以貫之之道，其精微反開人之問所可告，姑以忠恕答之，恐聖賢之心不如是之支也。」[15]老師引伊川語，認為「忠」、「恕」觀念固可推廣於宇宙萬物，但就「體會於一人之身」，不過就是「盡己及物之心」。說夫子所以告曾參和曾參所以告門人有二是對聖人之心的曲解。但之所以不告以如伊川所說「維天之命」等語，是因為「忠恕」切身可體，「盡己及物之心」人皆可明，告之以此可「發其心」。

　　大概問學李侗時隔不久，朱子又與胡憲、范如圭兩位前輩老師再次討論了這一問題。《晦庵先生朱文公文集》收〈與范直閣〉書共四封。第一封朱熹並沒有太多申述自己的看法，開篇引胡丈（即藉溪先生胡憲）一貫之說「若理會得向上一著，則無有內外、上下、遠近邊際，廓然四通八達矣」，朱熹以為「此語深符鄙意」。接著講自己至延平見李先生，問以近世儒者之說，李先生曰「如此則道有二致矣，非也。」大概范直閣對朱子的看法不以為然，所以接下來的兩封書信朱子都在竭力辯明自己的意思，第三封所辯尤為明瞭。「熹所謂『忠恕』者，乃曾子於『一貫』之語默有所契，因門人之問，故於所見道體之中，指此二事日用最切者以明道之無所不在；所謂『已矣』者，又以見隨寓各足，無非全體也。『忠恕』兩字，在聖人有聖人之用，在學者有學者之用。如曾子所言，則聖人之忠恕也，無非極致。二程所謂『維天之命，於穆不已，天地變化，草木蕃』者，正所以發明此義也。如夫子所以告學者與子思《中庸》之說，則為學者言之也。故明道先生謂曾子所言與違道不遠異者，動以天爾。蓋動以天者，事皆處極，曾子之所言者是也。學者之於忠恕，未免參校彼己，推己及人，則宜其未能誠一於天，安得與聖人之忠恕者同日而語也？」同老師李侗一樣，朱子認為曾子所告門人即是自己從夫子處所得，因為所見道體既無處不在，則言「忠恕」即是言道之全體。然而需要區別的是，「忠恕」對於聖人和學者各具有的不同意義。就聖人的體認而言，「忠恕」意指他們理會所得的無遠近、內外、上下之別的渾然道體，朱熹亦援引伊川所說「維天之命」和「各正性命」之語來描述這一「廓然四通八達」的領悟。然而就學者來說，「忠恕」的意義還只在日用之間的引導，盡己推己仍是一種仍需勉力為之的事情。也就是說，聖人於「忠恕」上見得的是道體，而普通學者只能見得日用。在上一封信中，朱熹還援引孟子「由仁義行」和「行仁義」比擬這裡的區別。「蓋曾子專為發明聖人『一貫』之旨，所謂『由忠恕行』者也。子思專為指示學者入德之方，所謂『行忠恕』者也。」曾子所告訴門人的即是「忠恕」所意指的道本體，儘管不能排除門人只能從子思所示的那種日用「德之方」的意義上去理解「忠恕」。

　　不過似乎范直閣並沒有被朱熹的講法說服，第四封信上朱熹說：「伏蒙鐫曉切至，但於愚見尚有未安，比因玩索，遂於舊說益有發明，乃知前者請教之時雖略窺大義，然

---

15 同上註。

涵詠未久，說詞未瑩，致煩辨析之勤如此。今再錄近所訓義一段拜呈……」[16] 這裡「再錄所訓義一段」即應是《忠恕說》，按朱熹自己說，是在又一番涵詠之後新作，說詞上更瑩潤些。不過解釋夫子為何語「參乎！吾道一以貫之」方面，《忠恕說》所採用的言辭仍是問老師李侗時的，並無變動。所不同者在於下一層，「曾子於是默契其旨，然後知向之所從事者莫非道之全體，雖變化萬殊，而所以貫之者，未嘗不一也。此其自得之深，宜不可以容聲矣。然門人有問而以『忠恕』告之者，蓋以夫子之道不離乎日用之間，自其盡己而言，則謂之忠，自其及物而言，則謂之恕，本末上下皆所以為一貫，惟下學而上達焉，則知其未嘗有二也。夫子所以告曾子，曾子所以告門人，豈有異旨哉！」[17] 可見這一段新訓義仍是針對近世儒者以夫子所以告曾子、曾子所以告門人有別而作，後來的《集注》有關這方面的考慮已隱去。此外，〈與范直閣〉書二、三中特意強調的聖人、學者之別，在《忠恕說》中也通過「本末上下皆所以為一貫」、「下學而上達」寥寥數語蓋過，很是凝練。另值得注意的一點是，《忠恕說》中朱子並沒有採用伊川、明道等人夾帶有先秦哲學話語的解說，而是用了「理一分殊」的表達結構，「道之全體，雖變化萬殊，而所以貫之者，未嘗不一也」。後來的《集注》亦只將伊川語存備一說。

　　如上文所引，二程對「忠恕」概念的使用遠超出「盡己推己」的簡單內涵，這一點朱子自問學李侗以來一直深以為然，並在〈與范直閣〉書中反覆申辯過。在二程，「忠」實具有了《中庸》所講「誠」的意義。「不誠則無物，且『出入無時，莫知其鄉』者，人心也。若無忠信，豈復有物乎？」[18]；「忠恕一以貫之。忠者天理，恕者人道。忠者無妄，恕者所以行乎忠也。忠者體，恕者用，大本達道也。」[19] 有關這些說法，《論語或問》朱子與弟子間的問答均有涉及。如弟子問「聖人之忠即是誠否？」及「聖人之恕即是仁否？」，朱子都予以肯定。[20] 然而不管是較早的《忠恕說》還是後來的《集注》，都沒有用「忠恕」概念去講宇宙萬物本體論的事情，《集注》只是說「天地之至誠無息」。《或問》記一位學生的疑問，「程子所引『乾道變化，各正性命』，及《大學》中說『有諸己而後求諸人』，卻兼通不得？」實際即是不明白「乾道變化，各正性命」何以謂之「恕」。朱熹的回答是：「也只是一般。但對副處別，子細看便可見。今人只是不曾子細看。某當初似此類，都逐項寫出，一字對一字看。少間紙上底通，心中底亦脫然。且如『乾道變化，各正性命』，各正性命底，便如乾道變化底，所以為恕。」又有另一位學生問：「程子言『如心為恕』，如心之義如何？」朱子回答：「萬物之心，

---

16　以上所引朱熹〈與范直閣〉書，見《朱子全書》，21冊，頁1605-1609。

17　同上註，23冊，頁3272。

18　（宋）程顥、程頤著，王孝魚點校：《二程集》北京：中華書局，1981年，頁127。

19　同上註，頁124。

20　《朱子語類》，卷二十七，見《朱子全書》，15冊，頁968。

便如天地之心；天下之心，便如聖人之心。天地之生萬物，一個物裡面便有一個天地之心。聖人於天下，一個人裡面便有一個聖人之心。聖人之心自然無所不到，此便是『乾道變化，各正性命』，聖人之忠恕也。」[21]這一段問答或許可以給我們解釋為什麼朱子在作新訓義《忠恕說》時即不再採用程子的講法。一方面以天道「惟天之命，於穆不已」、「乾道變化，各正性命」分別講「忠」、「恕」，對於普通讀者來說有很大理解上的困難；另一方面，以此言「忠恕」只說得「天地之心」，與《論語》聖人自言「吾道一以貫之」語脈中的「聖人之心」仍有隔，尚需另一層譬喻方可。或許正是這種表意上的古奧和對經文文脈的考慮[22]使朱熹在表面上放棄了伊川說。

　　然而這種放棄只是「說詞」上的，今本《集注》有關這章的註解實含有三層關懷在內。《或問》朱子自稱「此章一項說天命，一項說聖人，一項說學者，只是一個道理。」[23]程子所言的「天命」和朱子自己詳加辨析過的「聖人」、「學者」之別即是朱子隱隱然寄寓註解中的三重視角。「子曰：『參乎！吾道一以貫之。』曾子曰：『唯』」第一節，朱子註說「聖人之心，渾然一理，而泛應曲當，用各不同」[24]，緊貼經文就聖人「吾道一以貫之」言「聖人之心」。門人問，曾子曰：「夫子之道忠恕而已矣」第二節，朱子註較長，天命、聖人、學者盡在其中，逐字抄錄如下：

> 盡己之謂忠，推己之謂恕。而已矣者，竭盡而無餘之辭也。夫子之一理渾然而泛應曲當，譬則天地之至誠無息，而萬物各得其所也。自此之外，固無餘法，而亦無待於推矣。曾子又見於此而難言之，故借學者盡己、推己之目以著明之，欲人之易曉也。蓋至誠無息者，道之體也，萬殊之所以一本也；萬物各得其所者，道之用也，一本之所以萬殊也。以此觀之，一以貫之之實可見矣。或曰：『中心為忠，如心為恕。』於義亦通。[25]

《集注》此一段註比起此前所作的《忠恕說》要複雜得多。按照註釋體例，朱子先解釋了「忠」、「恕」、「而已矣」的意思。緊接著「夫子之一理」至「無待於推矣」一段，「聖人之心」與「天地之心」通過「譬則」二字聯繫了起來。而根據我們上文獲得的印象，朱子講「天地之至誠無息，而萬物各得其所」實際就是伊川「乾道變化，各正性命」之說的另一種表達，是思想和「說詞」都成熟時的朱子自己的哲學語言。通過「譬

---

21 同上註，頁990。

22 保證注文與經文文脈的和洽是朱熹注解經時的重要考慮，他希望讀者能夠「看《注》即知其非《經》外之文，卻須將《注》再就《經》上體會，自然思慮歸一，功力不分，而其玩索之味亦益深長矣。」參閱勞悅強：〈攻乎異端——劉寶楠父子對朱熹的愛恨情結〉，見勞悅強：《文內文外：中國思想史中的經典詮釋》臺北：臺大出版中心，2010年，頁249-282。

23 同上註，頁987。

24 （宋）朱熹撰：《四書章句集注》北京：中華書局，1983年，頁72。

25 同上註。

則」，「渾然一理」的「聖人之心」就通過天地「忠恕」之德得到闡明，這樣從第一節「一以貫之」到第二節「忠恕之道」，就不存在文義的跌落。為了維護這種一體性，朱子在說完「借學者盡己、推己之目以著明之」後，又再一次申述了天地道體、道用的問題。而在作《忠恕說》時，這一部分並沒有刻意強調。重申「至誠無息者，道之體也」，而不把文義落腳停留在學者日用上，也是呼應「著明之」之義。學者若能日常生活中於「盡己推己」近處用功，則終能如曾子一般理會得天地至誠無息之道體，同時也將見得聖人渾然一理之心。

從二十九歲問「吾道一以貫之」章於李侗，到四十八歲《集注》成書，雖然我們不能捕捉朱子思想變化的更多細節，但現存的以上這些材料足可使我們看到朱子灌注其間的心力之勞。他既要說明曾子所以告門人和夫子所以告曾子並無二致，又要在「忠恕」二字上見得聖人與學者之別，故不得不將「忠恕」的本體論意涵隱於其中，以期學者能夠就此推廣理會去。對於蘇東坡避言的「難言者」，又要努力地用理一分殊、道體道用的結構予以闡明，用思之辛勤縝密可見一斑。同樣認為「難言」，蘇軾之「難言」意味著不言，朱熹之「難言」則意味著言而意遠，需要學者於日用功夫之上再進一層去理會，方知曾子所得與所告並無分別。

## 三　廓然理會與日用之行

上文已闡明朱熹認為孔子之所以告曾參「吾道一以貫之」是有見於曾子積力日久、距見得「道體」所差未幾，才適時地予以了啟發。曾子速應之以「唯」也恰印證了他原本就「將有所得」的修習功力。而這一點多被後人詬病為釋氏之流。如清代張甄陶《四書翼注論文》就認為「此章道理最平實，是以盡心之功告曾子，非以傳心之妙示曾子。曾子之『唯』是用力承當，與顏回『回雖不敏，請事斯語』口氣一同，不是釋迦拈花，文殊微笑。忠恕而已，是直截切指，及闖人共證明此第一義，不是將一貫之語移下一層。」[26] 張甄陶的批評並不懇切，「傳心之妙」等說法是在未分辨前即已將朱子之說等同佛學。然而這種聯想也並非不可理解。前文引朱子〈與范直閣〉書，「『忠恕』兩字，在聖人有聖人之用，在學者有學者之用」也會使人馬上想到佛學典籍中常見的「菩薩位」、「凡夫位元」等表達結構。大概朱子也是為避免讀者臆度，《集注》在語言文辭上並沒有沿襲〈與范直閣〉書時的說法。朱子所講的曾子的情況當然與佛學「釋迦拈花，文殊微笑」截然有別，一「有」一「空」，佛學稱之為「頓悟」，理學家常用的詞則是「理會」。

前文引胡憲語說「若理會得向上一著，則無有內外、上下、遠近邊際，廓然四通八

---

26 引自程樹德撰，程俊英、蔣見元點校：《論語集釋》，北京：中華書局，1990年，1冊，頁260。

達矣。」理學家固注重日常生活細瑣事上的功夫，但理會得「道體」，見得「天理」之全，仍是學者「尊德性而道問學」的目標。「但聖人底是個渾淪底物事，學者是要逐一件去推，然也是要全得這個天理。」[27]「全得這個天理」就須窮理格物。「曹問：『有可一底道理否？』曰：『見多後，自然貫。』又曰『會之於心，可以一得，心便能齊。但心安後，便是義理。』」、「器遠問：『窮事物之理，還當窮究個總會處，如何？』曰：『不消說總會。凡是眼前底，都是事物。只管恁地逐項窮教到極至處，漸漸多，自貫通。然為之總會者，心也。』」[28]「心安後，便是義理」，此處講「心」也可見「理會」並不是單純頭腦的事，更非釋氏的斷絕思慮、住念住心。朱子引延平先生語「道理須是日中理會，夜裡卻去靜處坐地思量，方始有得。」[29]「思量」才是思考、反思的意思。而「日中理會」則是行事體認，包含著複雜的知行反覆經驗，特別是對當下自我心理體驗的觀察覺知，「心安後，便是義理」。「這道理，須是見得是如此了，驗之於物，又如此；驗之吾身，又如此；以至見得天下道理皆端的如此了，方得。」[30]因此，理會可以是起始於對經典著作義理的認識理解，從理上會，但必須將其一件件地驗之於身心方構成完整環節。這樣一來，一個有著靈覺的修習者的所有日常活動，都可同時稱得上是在理會。在理學家看來，通過這些不斷的理會、不斷的格物窮理，還終會獲得一個「廓然四通八達」的大理會。「且如惻隱之端，從此推上，則是此心之仁；仁即所謂天德之元；元即太極之陽動。如此節節推上，亦自見得大總腦處。若今看得太極處分明，則必能見得天下許多道理皆自此出，事事物物上皆有個道理，元無虧欠也。」[31]從人心最切近的「惻隱之端」可以一直推演到「太極之陽動」，徹上徹下天道人道都是這渾然之「一理」，這正是理學家常講「下學而上達」的功夫。而進學至「上達」，如朱子所言，也會使得對具體分殊事物的體認更加清晰明確，「事事物物上皆有個道理，元無虧欠也」，一種種恍然通徹感。

而對於清代批評者來說，正是此求得「廓然四通八達」的理會顯得過於「空言」。阮元《揅經室集》「《論語》貫字凡三見，曾子之一貫也，子貢之一貫也，閔子之言仍舊貫也，此三貫字，其訓不應有異。元按：貫，行也事也。三者皆當訓為行事也。孔子呼曾子告之曰『吾道一以貫之』，此言孔子之道皆於行事見之，非徒以文學為教也……此皆聖賢極中極庸極實之道。」[32]亦以宋儒「一貫」說近於「禪家頓宗」，故須訓之以「實」，「貫」當作「行也事也」講。而阮元「此言孔子之道於行事見之，非徒以文學為

---

27　《朱子語類》，卷二十七，見《朱子全書》，15冊，頁975。

28　《朱子語類》，卷九，見《朱子全書》，14冊，頁307。

29　《朱子語類》，卷一百四，見《朱子全書》，17冊，頁3433。

30　同上註，頁3436。

31　《朱子語類》，卷九，見《朱子全書》，14冊，頁307。

32　（清）阮元撰：《揅經室集》北京：中華書局，1993年，頁53。

教也」的考慮朱子並非沒有。前文已闡明朱子此章「忠恕」說有三種層面的關懷，其一即是就學者為學之目而言，盡己推己是學者可切近遵行的原則。《集注》為突顯《論語》教人尋常處著力踐行這一點，在其他章的註解上也頗多考量。如〈泰伯〉篇「曾子有疾」章「君子所貴乎道者三：動容貌，斯遠暴慢矣；正顏色，斯近信矣；出辭氣，斯遠鄙倍矣」一段。《或問》記朱子對此章的解說前後有異。「（動容貌、正顏色、出辭氣）是皆修身之要，為政之本」原作「修身之驗，為政之本」。弟子疑惑「動」、「正」、「出」不可做「工夫字」。朱子的回應是「這三字雖不是做工夫底字，然便是做工夫處。正如著衣吃飯，其著其吃，雖不是做工夫，然便是做工夫處。此意所爭，只是絲髮之間，要人自認得。舊來解以為效驗，語似有病，故改從今說。」[33]一身之體態動止，面容的表情神色，說話時的聲調用語，都是最最尋常普通之事，在朱子看來也是著力做工夫處。「修身之驗」與「修身之要」一字之差，用意煥然一變。又如〈子罕〉篇「子曰：『出則事公卿，入則事父兄，喪事不敢不勉，不為酒困，何有於我哉？』」一章，朱註「此事愈卑而意愈切矣。」[34]也是從卑微細小之事上見聖人之心。

　　朱子對日用之「行」的重視也表現在對曾子與子貢的不同評價上。〈衛靈公〉篇亦有夫子以「一以貫之」告子貢。「子曰：『賜也，女以予為多學而識之者與？』對曰：『然，非與？』曰：『非也，予一以貫之。』」朱熹認為子貢這裡表現出的似信而疑，與曾參一樣是積學既久自己將有所得者應有的反應。然而這兩位孔門高第領會夫子「一以貫之」語卻是從不同的路徑而來。「自今觀之，夫子只以一貫語此二人，亦須是它承當得，想亦不肯說與領會不得底人。曾子是踐履篤實上做到，子貢是博文強識上做到。」《論語》有「參也魯」，而子貢雖自稱與顏回相比「回也聞一以知十，賜也聞一以知二」，仍是活躍於《論語》中一位極機敏的弟子。而在朱子看來，子貢這種由智識上得來的領會，並不透澈可靠。「曾子篤實，行處已盡。聖人以一貫之語，曾子便會，曰：『忠恕而已矣。』子貢明敏，只是知得。聖人以一貫語之，子貢尚未領略，曰：『然，非與？』是有疑意。」又曰：「子貢乃是聖人就知識學問上語之；曾子，就行上語之，語脈各不同。」[35]也有後來的學者分辨說兩處夫子「一以貫之」是分別就「道體」和「學問」而言，不過在朱熹，大概只承認是聖人「渾然一理」面對不同學生施教語境上的差異，「一以貫之」對說話者的孔子而言並無不同。因此差異更在於曾參與子貢的理會上。《禮記・檀弓》記曾子病床上易簀，為親守喪「水漿不入於口者七日」，以及與子游、子夏等人辯論禮節是非等問題，足可見曾參的確是一位行事密實、躬行篤定的人。對曾參「從實處上做」的認可，是宋儒共同的看法。程子亦認為「顏子默識，曾子篤

33　《朱子語類》，卷三十五，見《朱子全書》，15冊，頁1284。

34　《四書章句集注》，頁113。

35　《朱子語類》，卷二十七，見《朱子全書》，15冊，頁977。

信，得聖人之道者，二人也。」[36]又有「『參也魯』，然顏子沒，終得聖人之道者，曾子也。觀其啟手足之時之言，可以見矣。」[37]從窮萬物之理到理會得「一理」，在最後固然需要一種思維靈知上的飛躍，但作為最終理會根基的卻是日用之篤行。這正是包括朱熹在內的宋儒推舉曾子的原因之一。

## 四　結語

　　自宋至清〈里仁〉「吾道一以貫之章」引起的學術歧見不可謂不多。作為一個今天的《論語》讀者，如果不看後代儒者的詮釋，是無論如何也想不到其中會涉及這麼多複雜的問題。如果子貢與夫子的對話結束後，也有一位門人問子貢「何謂也？」子貢會作何回答呢？或者那位門人的提問原本就是一個不合時宜的問題？孔子說：「參乎！吾道一以貫之」從「子出」二字我們知道，是孔子主動至曾參處告之。當時孔子懷著的究竟是一種什麼心態？是一種對自己心跡的剖白？因而無須再問，應之以「唯」或如子貢不再接話，即是一個完整的對話。然而因為有了門人問，曾子就不得不回應以什麼。而且需注意的是門人所問是「何謂也？」提問似乎並不單針對作為謂語結構的「一以貫之」，也不單針對作為主語的「吾道」，而是對這一整句內容的不解。細想一下，生活中我們也常常遇到類似對話情景，當被對方問到「怎麼講」時，我們總要做一番較複雜的解釋才行。而曾子此處的回答是「夫子之道，忠恕而已矣」，門人沒有繼續追問，對話也就此結束。當然，解釋原話中主謂各自的意義同樣是我們今天回答類似「何謂也」、「怎麼講」時的一種解疑方式，但這種回答是否窮盡了前面的陳述內容，提問者是否因這樣的回答釋然，卻並不好判斷。

　　然而，對於朱子來說，曾子的回答「夫子之道，忠恕而已矣」卻相當切合。「忠恕」概念因宋代《中庸》地位的提高變得極為重要。宋儒關於它的解釋，不論是王安石的「中心為忠、如心為恕」還是程子的「盡己之為忠，推己及人之謂恕」，都在力圖賦予這一概念更加生動的意涵，而且如程子所講「忠恕」指稱的物件早已超出人類個體。因此宋、元、清學者詮釋上的歧見就不僅因經文本身的晦暗不明而生，也是思想史上一些或隱或顯的變動的投射，每一個時代的詮釋者都會不自覺地捲入屬於那一時代的觀念和話語中。蘇東坡的「不容言說」論又未嘗不是魏晉以來玄學、佛學洗禮的結果。朱子此章註如前文所示，從義理揣摩到說詞下筆，都用心頗多。問學李侗，確證夫子所以告曾子、曾子所以告門人並無二致後，即要使宋儒賦予「忠恕」的本體論意義與《中庸》所講「忠恕違道不遠」的工夫進學意義能夠並存，且使作為日用「德之方」的後者成為

---

36　《二程集》，頁119。

37　同上註，頁108。

抵達前者道體理會的途徑，從而以此來保證曾子所告不誣，「吾道一以貫之」可以由「忠恕而已矣」去揭示。而現有的理學話語直接用「忠恕」概念去形容道體、道用，卻會使朱子考慮的日用之行的方面無法體現出來。因此《集注》關於道體的說明，雖義理內容繼承了伊川，使用的話語卻是朱子自己體味出的，在顯見的層面，朱子只是將「忠恕」詮釋為了「學者盡己推己之目」，此一句之後，對道體、道用再作申述，即是要表明「忠恕」的日用工夫中蘊藏了見得道體的可能。此外，〈與范直閣〉書中反覆闡明的聖人、學者之別，在《集注》中也隱藏了起來，這些應都是朱子作註時反覆推敲過的。從詮釋的角度看，蘇東坡避而不言的「難言」者通過宋代理學家的努力被言說了出來，聖人之心渾然一理譬如天地之心於穆不已，與孔子所歎「天何言哉！天何言哉！四時行焉，百物生焉」未嘗不洽。「極高明」之理會與「道中庸」之日用，宋儒最為關心的兩項內容，在這一章都得到了體現，這是朱子理學積澱與對經典自身的理解都臻純熟時方能作出的註解。

# 知行合一
## ——陸象山的「講學」觀

### 黃子嬋
新加坡國立大學中文系

　　鵝湖之會後，朱子曾批評象山「其病卻是盡廢講學，而專務踐履」，加之象山為學確實非常重視踐履，因而常給人他只重視踐履而忽視講學的刻板印象。本文將從南康之會的白鹿洞書院講學入手，再結合象山其他論學文字，分析象山對講學的看法，並探究他自己是如何講學的，及與朱子的不同所在。至於講學與踐履之間的關係的看法，即象山對知與行關係的看法，究竟是什麼樣的呢？本文對此亦將著重分析，探討知行的先後，並試究其說如何可以與朱子相合。

　　宋淳熙八年（1181），朱熹（1130-1200）守南康軍時，陸九淵（1139-1193）訪學於朱熹，這是他們之間的第二次會面。朱子請象山登白鹿洞書院講席，象山為眾學者講「君子喻於義，小人喻於利」一章，頗動聽眾之心。朱子以為象山之說能警喻學者，於是請之記錄下其說，即為〈白鹿洞書院論語講義〉，後刻於石。

　　此次會面，朱子對象山倍加獎掖推引，他說：「十日丁亥，熹率寮友諸生，與俱至於白鹿書院，請得一言以警學者。子靜既不鄙而惠許之。至其所以發明敷暢，則又懇到明白，而皆有以切中學者隱微深痼之病，蓋聽者莫不悚然動心焉。熹猶懼其久而或忘之也，復請子靜筆之於簡，而受藏之。凡我同志，於此反身而深察之，則庶乎其可不迷於入德之方矣。」[1]

　　但眾所周知，朱、陸二人在廣信鵝湖寺的會面（淳熙二年，1175）上，對「教人之法」一事有不能相合的意見。[2]據《象山年譜》：「朱道亨〈書〉云：『鵝湖講道誠當今盛事。伯恭蓋慮陸與朱議論猶有異同，欲會歸之於一而定其所適從，其意甚善。……』又曰：『鵝湖之會，論及教人，元晦之意，欲令人泛觀博覽而後歸之約；二陸之意，欲先發明人之本心，而後使之博覽。朱以陸之教人為「太簡」，陸以朱之教人為「支離」，此頗不合。先生更欲與元晦辯，以為堯、舜之前，何書可讀？復齋止之。』」[3]從這段記載

---

1　（宋）陸九淵：〈白鹿洞書院論語講義〉，《陸九淵集》北京：中華書局，1980年，頁275。

2　「九卦之序」的朱、陸異見參看：〈象山年譜〉，《陸九淵集》北京：中華書局，1980年，頁490。

3　〈象山年譜〉，《陸九淵集》北京：中華書局，1980年，頁491。

可以看出，朱熹和陸九淵主要的矛盾在為學次序上，即初學者入門是當以「泛觀博覽」為先還是以「發明本心」為先。二人持不同的立場，當然各有所據，然而朱道亨沒有詳細地把當時朱、陸二人辯論的話語記載下來，因此不得而知「泛觀博覽」與「發明本心」二者的具體所指，只知朱責陸的方法為「太簡」，而陸以朱的方法為「支離」。

　　錢穆先生以為朱道亨稱朱子「欲令人泛觀博覽而後歸之約」一語並不得朱子論學之實情。錢先生說：「朱子在當時，其所為學，博覽而非無宗主範圍、無輕重先後。如其教人讀《論》、《孟》，讀伊、洛《遺書》，讀濂溪、橫渠，在朱子自不認為是支離；遇文字有疑義，加以考索窮究，朱子亦不認為便有榛塞陸沉之憂。」[4]不管朱道亨的轉述是否失實，朱、陸二人頗不相合，確實事實。鵝湖之會後，朱熹給好友張栻（1133-1180）亦寫了一封信，憂心忡忡地說道：「子壽兄弟氣象甚好，其病卻是盡廢講學，而專務踐履，卻於踐履之中要人提撕省察，悟得本心，此為病之大者。要其操持謹質，表裡不二，實有以過人者。惜乎其自信太過，規模窄狹，不復取人之善，將流於異學而不自知耳。」[5]

　　朱子所謂「盡廢講學、專務踐履」的批評又是否得象山論學之實情呢？象山真的完全不與講學之事嗎？其實不然，南康相會上，象山在白鹿洞書院的宣講，便可算是他面對公眾講學的一個例子。如此，是象山的教學途轍在鵝湖之後發生了變化？還是朱子之前的批評其實亦不盡準確？

　　根據上引的獎掖之說，朱子與象山在讀書、講學上的異見難道在這第二次會面中得以相合統一了嗎？其實不然。朱子寫給呂祖謙（1137-1181）的信中，談及象山此次的變化說：「子靜近日講論，比舊亦不同，但終有未盡合處，幸其卻好商量，亦彼此有益也。」不久又去一書說：「子靜舊日規模終在，其論為學之病，多說如此即是意見，如此只是議論，如此即只是定本。熹因與說：『既是思索，即不容無意見。既是講學，即不容無議論。統論為學規模，亦豈容無定本。但隨人材質病而救藥之，即不可有定本耳。』渠卻云：『正為多是邪意見，閑議論，故為學者之病。』熹云：『如此即是自家呵斥亦過分了。須著邪字閑字，方始分明不教人作禪會耳。又教人恐須先立定本，卻就上面整頓，方始說得無定本底道理。今如此一概揮斥，其不為禪學者幾希矣。』渠雖唯唯，然終亦未盡窮也。」[6]從朱子的陳述可知，第二次當面論學，二人的意見不合處主要在意見、議論和定本三事上，象山斥朱子求思辨的做法為「邪意見」、「閑議論」，而朱子斥象山不要「定本」，不看文字的做法為「禪」。

　　所謂的「意見」、「議論」、「定本」和文字，均涉及讀書、講學之事，朱子認為三者

4　錢穆：〈朱子與二陸交游始末〉，《朱子新學案》臺北：聯經出版事業公司，1994年，第3冊，頁340。
5　（宋）朱熹：〈答張敬夫書〉，見王懋竑：《朱熹年譜》北京：中華書局，1998年，頁71。
6　錢穆：〈朱子與二陸交游始末〉，《朱子新學案》臺北：聯經出版事業公司，1994年，第3冊，頁359。

的存在是合理的，也是必要的，但象山認為，此三者恰恰是當時學者的弊病所在。二人的異見不能統合。那麼，象山究竟是如何看待講學的呢？他的道理何在？其講學之法與朱子又有何不同？這幾個疑問，是本文將要探討的核心問題之一。

筆者發現，象山的「辨志」說與他批評講學問辨的主張關係密切。本文將以象山在南康《白鹿洞論語講義》中主張的「辨義利之志」為入手處，並以此次宣講為一個講學案例，再結合他別的論學文字，分析象山對講學的看法，並探究他自己是如何講學的，及與朱子的不同所在。

又象山為學非常重視踐履，常給人他只重視踐履而忽視講學的刻板印象，誠如上文假設，象山也講學，那麼他對講學與踐履之間的關係的看法，即他對知與行關係的看法，究竟是什麼樣的呢？本文對此亦將著重分析，探討知行的先後，並試究其說如何可以與朱子相合。

# 一　「辨志」與「立本」

象山的〈白鹿洞書院論語講義〉節選如下：

子曰：「君子喻於義，小人喻於利。」

此章以義利判君子小人，辭旨曉白，然讀之者苟不切己觀省，亦恐未能有益也。某平日讀此，不無所感：竊謂學者於此，當辯其志。人之所喻由其所習，所習由其所志。志乎義，則所習者必在與義，所習在義，斯喻於義矣。志乎利，則所習者必在於利，所習在利，斯喻於利矣。故學者之志不得不辨也。

科舉取士久矣，名儒鉅公皆由此出。今為士者固不能免此。然場屋之得失，顧其技與有司好惡如何耳，非所以為君子小人之辯也。而今世以此相尚，使汩沒於此而不能自拔，則終日從事者，雖曰聖賢之書，而要其志之所向，則有與聖賢背而馳者矣。推而上之，則又惟官資崇卑、祿稟厚薄是計，豈能悉心力於國事民隱，以無負於任使之者哉？從事期間，更歷之多，講習之熟，安得不有所喻？顧恐不在於義耳。

誠能深思是身，不可使之為小人之歸，其於利欲之習，怛焉為之痛心疾首，專志乎義而日勉焉，博學、審問、慎思、明辨而篤行之。由是而進於場屋，其文必皆道其平日之學、胸中之蘊，而不詭於聖人。由是而仕，必皆共其職，勤其事，心乎國，心乎民，而不為身計。其得不謂之君子乎？[7]

---

7　（宋）陸九淵：〈白鹿洞書院論語講義〉，《陸九淵集》北京：中華書局，1980年，頁275。

乍看之下，象山上述講義的重點在批評場屋陋習，及時下諸生多志在名利富貴的不良學風。但此外，他含蓄地提出了一個關乎為學方式的嚴峻的問題，那就是，像「君子喻於義，小人喻於利」這樣的聖人言語，辭旨淺顯易曉，且諸生又終日從事於所謂的「聖賢之書」，那為什麼還不能在義利之間分辨明白，抉擇清楚呢？反倒日益計較起場屋得失、官資崇卑、和祿稟厚薄，而與聖賢之道背向而馳呢？

如果我們帶著上述的問題重新審視這個講義，不難得出象山的回答。

首先，象山認為當今學者失在為學之初沒有「辨志」，因義利不辨，大本不立，因而習於利，喻於利，最後為人欲所奪。所謂「習」，原意指雛鳥初生，不斷拍打翅膀學飛，進而引申指示練習、學習等人的行為。學習需有一對象，象山認為如果一個人志在謀利，那麼他所學的大概都是與謀利有關的知識、技能，那麼他所能掌握住和熟習的本領也將是為謀利服務的。又「人之所喻由其所習」，前所習者已不是為了義，後所施用於政事者又如何能得義之宜？更何況，其所用心，恐怕還是一如往前偏在求利上，因而只看得到高官和厚祿。如此日久，其所明白曉暢者，自然是利而不是義了。

象山被邀去白鹿洞講學，邀請方應該沒有規定講解內容，而象山之所以選擇《論語》「君子喻於義，小人喻於利」這一章，與他本人所堅持的學術主張是密切相關的。他教人為學，極其看重「義利之辨」，而且將「辨志」作為一項基本且關鍵的工夫。他曾說：「凡欲為學，當先識義利公私之辨。人生天地間，為人自當盡人道。學者所以為學，學為人而已。」[8]道者，大路也。人生而為人，之所以區別於禽獸百蟲，則有人之為人所應行之道，是為「人道」。象山以為學者為學只是要學如何做一個人而已，而要學好做一個人，首先應該先辨別義利、公私以便選擇為人應該走的道路。

《象山年譜》記云：「（乾道八年，1172）旴江傅子淵云：『夢泉向來只知有舉業，觀書不過資意見耳。後因困志知反，時陳正己自槐堂歸，問先生所以教人者。正己曰：『首尾一月，先生諄諄只言辨志，又言古人入學一年，早知離經辨志，今人有終其身而不知自辨者，是可哀也。』夢泉當時雖未領略，終念念不置。一日，讀《孟子》〈公孫丑〉章，忽然心與相應，胸中豁然蘇醒。歎曰：『平生多少志念精力，卻一切著在功利上。』自是始辨其志。雖然如此，猶未知下手處。及親見先生，方得個入頭處。』嘗云：『傅子淵自此歸其家，陳正己問之曰：『陸先生教人何先？』對曰：『辨志。』復問曰：『何辨？』對曰：『義利之辨。』若子淵之對，可謂切要。」[9]是年，象山三十四歲，距赴鵝湖之會還差三年，又早白鹿洞講學九年，則他教人為學以「辨志」為先的學術路徑，在與朱熹第一次鵝湖論辯前就大體確定了，至第二次南康會面時，依然如故。

在了解了象山的說法後，我們不禁要問以下幾個問題：為什麼先要辨義利？又如何

---

8　錢穆：《宋明思想史概論》北京：九州出版社，2011年，頁175。

9　〈象山年譜〉，《陸九淵集》北京：中華書局，1980年，頁488-489。

分辨義利？義利本身的界限是模糊的，還是分明的？又義利的界限是難知的，還是易知的？人心要如何才能知曉乃至洞悉此界限的所在呢？

首先，象山往往對「義利」和「公私」兩組概念不做詳細的區辨而混同二者，因此，「義」即是「公」，「利」即為「私」。譬如，他在區辨儒釋二教的時候，就說：「某嘗以義利二字判儒釋，又曰公私，其實即義利也。」[10]又進一步解釋說：「儒者以人生天地之間，靈於萬物，貴於萬物，與天地並而為三極。天有天道，地有地道，人有人道。人而不盡人道，不足與天地並。人有五官，官有其事，於是有是非得失，於是有教有學。其教之所從立者如此，故曰義、曰公。釋氏以人生天地間，有生死，有輪迴，有煩惱，以為甚苦，而求所以免之。其有得道明悟者，則知本無生死，本無輪迴，本無煩惱。故其言曰：『生死事大。』如兄所謂菩薩發心者，亦只為此一大事。其教之所從立者如此，故曰利，曰私。惟義惟公，故經世；惟利惟私，故出世。」[11]象山以釋教只關心死生輪迴之事，以求得免於人生之種種痛苦而判其為私，為利。「今習釋氏者，皆人也。彼既為人，亦安能盡棄吾儒之仁義？彼雖出家，亦上報四恩。日用之間，此理之根諸心而不可泯滅者，彼固或存之也。然其為教，非欲存此而起也，故其存不存，不足為深造其道者輕重。」[12]蓋象山將「仁義」視為人之為人所固有之理，在此前提下，他認為學佛者所學之目的在解脫，而不在存得此固有之理於己之身心，於是乎學釋教者雖有人之形，但卻不能恪盡人道而區別於禽獸。相比之下，儒家以「仁義」立教，則是為了盡人之道而與天地並立，因而為義，為公，要經世，而非出世。

由上述可知，象山以存不存「此理」為判斷公私義利之根據，他說：「此理在宇宙間，未嘗有所隱遁天地所以為天地者，順此理而無私焉耳。人與天地並立而為三極，安得自私而不順此理哉？孟子曰：『先立乎其大者，則其小者不能奪也。』人惟不能立乎大者，故為小者所奪，以叛乎此理，而與天地不相似。」[13]因此，在如何為「義」，如何為「利」的問題上，象山認為：「順此理為無私」，即「順此理」為公，為義。「此理充塞宇宙，天地鬼神而不能違異，況於人乎？誠知此理，當無彼己之私。」[14]人誠知「此理」，則無己之私，若有己之小私、小利，則是因為「不能立乎大者，故為小者所奪」。所謂「大者」，其實正指「此理」而言。

至於象山對「此理」的具體認識，乃指與「天地」並而為「三極」的「人道」而言，其根本在孟子所講的具有「仁義禮知」四端之心，本文難以全面闡明，僅就「此理」與「義利」判斷有關的性質加以論述。於是，我們來到了第二個問題，「義」和

10 （宋）陸九淵：〈與王順伯〉，《陸九淵集》北京：中華書局，1980年，頁17。
11 同上註。
12 同上註。
13 （宋）陸九淵：〈與朱濟道〉，《陸九淵集》北京：中華書局，1980年，頁142。
14 （宋）陸九淵：〈與吳子嗣〉，《陸九淵集》北京：中華書局，1980年，頁147。

「利」的區別的易知的，還是難知的？根據象山對「義」的理解，即「順此理」即為「義」，反之為「不義」，那麼，我們要知道是「義」或不是，就得先明「此理」，如此才能知道是否順「此理」而為。因此，上述的問題可以轉換為，「此理」是易知的，還是難知的？又人心如何能知「此理」？

象山對「此理」的認識，大體繼承於孟子。他認為：

> 人非木石，安得無心？心於五官最尊大。〈洪範〉曰：「思曰睿，睿作聖。」《孟子》曰：「心之官則思，思則得之，不思則不得也。」又曰：「存乎人者，豈無仁義之心哉？」又曰：「至於心，獨無所同然乎？」又曰：「君子之所以異於人者，以其存心也。」又曰：「非獨聖賢有是心也，人皆有之，賢者能勿喪耳。」又曰：「人之所以異於禽獸者幾希，庶民去之，君子存之。」去之者，去此心也，故曰：「此之謂失其本心」。存之者，存此心也，故曰：「大人者，不失其赤子之心」。四端者，即此心也；天之所以與我者，即此心也。人皆有是心，心皆具是理，心即理也，故曰：「理義之悅我心，猶芻豢之悅我口」。所貴乎學者，為其欲窮此理，盡此心也。[15]

這段話闡述了象山最著名的主張之一：「心即理也」，而四端即此心。《孟子‧公孫丑上》曰：「惻隱之心，仁之端也；羞惡之心，義之端也；辭讓之心，禮之端也；是非之心，智之端也。」象山所指心所具備之理的具體內涵即是關乎惻隱、羞惡、辭讓、是非之理。心是在人一身之內的，而「此理」卻「充塞宇宙」，在天、在地、亦在萬物。象山認為，雖然「此理」遍布於外在的世界，但並不高遠難求，因其內具足於人心，即人人心中皆有「此理」，只要反身而誠，即可求之。因此，他又說：「仁，即此心也，此理也。求則得之，得此理也。」「仁」就是他說的「此理」。「此理」客觀上具備於每一個的內心，反身而求，則可得之。

象山又說：「先知者，知此理也；先覺著，覺此理也；愛其親者，此理也；敬其兄者，此理也；見孺子將入井而有怵惕惻隱之心者，此理也；可羞之實則羞之，可惡之事則惡之，此理也；是，知其是，非，知其非，此理也；宜辭而辭，宜遜而遜者，此理也；義，亦此理也；內，此理也，外，亦此理也。故曰：『直方大，不習無不利。』孟子曰：『所不慮而知者，其良知也；所不學而能者，其良能也。此天之所與我者，我固有之，非由外鑠我也。』故曰：『萬物皆備於我矣，反身而誠，樂莫大焉。』此吾之本心也。」[16] 人心之所以有「四端」，能惻隱，能羞惡，能謙遜，能有是非，是因人心固有「此理」；人之所以能愛親，能敬長，也是因為人心中固有「此理」，而非由外在的、

---

15 （宋）陸九淵：〈與李宰（二）〉，《陸九淵集》北京：中華書局，1980年，頁149。

16 （宋）陸九淵：〈與曾宅之〉，《陸九淵集》北京：中華書局，1980年，頁5。

別的原因導致。於是，我們可以得出結論，象山認為「此理」是人人固有的，內在於人心的，且具備「良知」與「良能」，即「天生而知」，不必多加思慮；「天生而能」，不必後天學習。象山將這樣一顆天生具備「此理」的心，稱為「本心」，也叫「赤子之心」。

象山認為，在不失「本心」的情況下，「此理」不但「易知」，而且「易從。」這一點率涉到知與行的問題，非常關鍵。他說：「後世言《易》者以為《易》道至幽至深，學者皆不敢輕言。然聖人贊《易》則曰：『〈乾〉以易知，〈坤〉以簡能。易則易知，簡則易從。易知則有親，易從則有功。有親則可久，有功則可大。可久則賢人之德，可大則賢人之業。易簡而天下之理得矣。』孟子曰：『夫道若大路然，豈難知哉？』夫子曰：『仁遠乎哉？我欲仁，斯仁至矣。』」[17]後世學者以為「此理」高深難測，不敢輕言，但象山以為這樣的看法違背了聖人的垂訓，不得「此理」「易簡」之真實。如孟子所講的「良知」，是不慮而知，與「〈乾〉以易知」相合；「良能」，不學而能，與「〈坤〉以簡能」相合。又如孟子所謂「夫道若大路然，豈難知哉？」蓋「大路」是人人所能行之路，若有人聲稱「此理」深奧難懂、難行，而僅僅容易為少數幾個聖賢所知、所行，一般人即便花費莫大工夫力氣也難與之匹，則象山認為那一定不是真的「道」。也就是說，象山認為「此理」客觀上必備「易知」與「易從」這兩個固有屬性，且對任何人來說，都一樣。

如上所論，象山之所以教人「辨志」，其實是要人明白，「此理」不為時空所限，也不為資質所限，客觀上是內具於每一個人的內心的。「此理」在人心，並不高遠；「此理」也並非難求，反而是「易知」且「易從」的。學者之所以汩沒於私欲而不自知，是由於不能辨識「此理」而存之於心，即沒有做到孟子所謂的「先立乎大者」，故「為小者所奪」。因而，象山教人「辨志」，其實還是教人先立「大本」的意思。唯有先識得「此理」、立得「大本」，才能在日用常行中辨得義利，做出正確的抉擇。

## 二　講學與知行合一

回到第一節開篇提出的問題：像「君子喻於義，小人喻於利」這樣的聖人言語，辭旨淺顯易曉，且諸生又終日從事於所謂的「聖賢之書」，那為什麼還不能在義利之間分辨明白，抉擇清楚呢？

由上節的論述得出的一個回答是，學者不知「辨志」以立「大本」，從而無法分別義利。所謂「私利」，不徒指聲色、名利、富貴等人情之所欲，而統指所有「己之未克」以至於不能復於「本心之初」的事與物。在象山的判斷標準之下，科舉、文章當然屬於「私利」的範圍，因它們都會蒙蔽至理，傷害大本，以至於影響人心中的公私義利

---

17 同上註，頁4。

之辨，從而離道越來越遠。

　　本節將論述象山的第二個回答，即學者從事於講學，期待「此理」能由「講」而「明」是錯誤的。象山認為某些自以為宣講「仁義」，但實際卻是「異端邪說」的講學其實也屬於「私利」的範疇。他說：「若已汨於利欲，蔽於異端，逞志遂非，往而不返，雖復雞鳴而起，夜分乃寐，其為害益深，而去道愈遠矣。」[18]

　　雖然「此理」「易知」、「易從」，但畢竟普通人生而非聖賢、非上智，不能全知、先知，因而「此心之理」有「已知」和「未知」之分，如愛親、敬長，是「良知」，那便是天生不慮不思而知，可視為「已知」。對此「已知者」，象山認為「已知者，則力行以終之」，[19]我們只要在生活中貫徹落實，著力去做，奉行終身便可。如此，對「已知之理」來說，講學便無用武之地，意見、議論更是不必要的。

　　對「未知者」而言，象山說：「則學問思辨以求之」。[20]誠如他所言，「所貴乎學者，為其欲窮此理，盡此心也。」早在鵝湖會面前，朱子便寫信給呂祖謙的弟弟呂祖儉（？-1198）質疑象山的學術路徑道：「陸子靜之賢，聞之蓋久，然似有脫略文字直趨本根之意，不知其與《中庸》學問思辨然後篤行之旨，又如何耳？」[21]朱子質疑象山所以教人之法違背了《中庸》「博學、審問、慎思、明辨」然後「篤行」之旨，因此向朋友打聽象山是如何為自己的主張自圓其說的。

　　如上引所示，象山並不避諱談及《中庸》裡的「學思問辨」，只是他所謂的「學思問辨」的意思，並不同於朱子所主張。

　　他批評今人所謂的「學問思辨」道：

> 學問固無窮已，然端緒得失，則當早辨，是非向背，可以立決。……君子之道，夫婦之愚不肖，可以與知能行……故孟子曰：「人皆可以為堯舜。」病其自暴自棄，則為之發四端，曰：「人之有是而自謂不能者，自賊者也；謂其君不能者，賊其君者也。」……今謂之學問思辨，而於此不能深切著明，依憑空言，傅著意見，增疣益贅，助勝崇私，重其狷忿，長其負恃，蒙蔽至理，扞格至言，自以為是，沒世不復，此其為罪，浮於自暴自棄之人矣。……物有本末，事有終始，知所先後，則近道矣。其於端緒知之不至，悉精畢力求多於末……要之其終，本末俱失。[22]

象山以為人有「四端」而不知反求、發明，是「自暴自棄」，而那些從事「學問思辨」

---

18　（宋）陸九淵：〈與趙然道〉，《陸九淵集》北京：中華書局，1980年，頁156。

19　（宋）陸九淵：〈與傅聖謨（三）〉，《陸九淵集》北京：中華書局，1980年，頁79。

20　同上註。

21　（宋）朱熹：〈答呂子約書〉，王懋竑：《朱熹年譜》北京：中華書局，1998年，頁71。

22　（宋）陸九淵：〈與邵叔誼〉，《陸九淵集》北京：中華書局，1980年，頁2。

的人，不但不知反求「端緒」，反而還依仗者自己的「空言」、「意見」自以為是，蒙蔽至理，這是比「自暴自棄」還要更大的罪過。大抵他的意思，是以「端緒之知」為本，其餘由私智而起的言論、意見為「末」。「端緒之知」即孟子所講的「四端」，所謂「端」，端始也，「四端」是人不論賢愚，天生固有的「良知」。象山曾說：「彝倫在人，維天所命，良知之端，形于愛敬。擴而充之，聖哲之所以為聖哲也。」[23] 蓋「良知」是求取「未知」的起點，「未知」是「良知」、「擴而充之」的結果。但今之學者，不知反求自身之「良知」，捨近求遠，追逐空言和私見，如此違背了本末之道，最後只會落得本末俱失的下場。因而為學當「早辨端緒」，然後「是非向背，可以立決」。由上可知，象山所認為的恰當的「學問思辨」，是應該以「端緒之知」為本的。

　　人以為「此理」高遠難知，因而從事於「學問思辨」無窮已，但卻不曉，「此理」之「本」根植於人心，何遠求之？又「此理」既然是「易知」的，則一問本心便能得知。一旦遠離本心，追逐意見和議論，便離道越遠了。因此象山說：「正理之在人心，乃所謂固有。易而易知，簡而易從，初非甚高難行之事，然自失正者言之，必由正學以克其私，而后可言也。」[24]

　　又「此理」是「易從」的，但今人議論愈來愈高，凌節越等，無補於實行。象山認為多餘的議論對實行無幫助，反倒使「言」與「行」分為兩事，與古人不類。如果不能付諸實行的「知」，不是「真知」，因「真知」必定是「易知」，同時「易從」的，如缺少任何一點，那便不是真知，棄之可也。

　　朱子正是當時講學的大宗。象山在南康時便已直言朱子的「意見」為「邪意見」，朱子的「議論」為「閑議論」，待他與朱子爭論《太極圖說》「無極」和「太極」之時，觀念未改，言辭則更為激烈直白：

> 南康為別前一夕，讀尊兄之文，見其得意者，必簡健有力，每切敬服。……今閱來書，但見文辭繳繞，氣象偏迫，其致辨處，類皆遷就牽合，甚費分疏，終不明白，無乃為「無極」所累，反困其才耶？不然，以尊兄之高明，自視其說亦當如白黑之易辨矣。古人質實，不尚智巧。言論未詳，事實先著。知之為知之，不知為不知。所謂「先知覺後知，先覺覺後覺」者，以其事實覺其事實。故言即其事，事即其言，所謂「言顧行，行顧言」。周道之衰，文貌日勝，事實湮於意見，典訓蕪於辨說。揣量模寫之工、依放假借之似，其條畫足以自信，其習熟足以自安。以子貢之達，又得夫子而師承之，尚不免此「多學而識之」之見，非夫子叩之，彼固晏然而無疑，「先行」之訓，「予欲無言」之訓，所以覺之者屢矣，

23 （宋）陸九淵：〈武陵縣學記〉，《陸九淵集》北京：中華書局，1980年，頁238。

24 （宋）陸九淵：〈與李宰（二）〉，《陸九淵集》北京：中華書局，1980年，頁149。

而終不悟。……尊兄之才，未知其與子貢如何？今日之病，則有深於子貢者。[25]

　　追根究底，象山認為「大道」樸實簡易，清楚明白，昭著於事實，不容多餘的思索與多餘的議論。言即事實，事實即言。相反，朱子運用智巧，議論太多，文辭繁茂但不得其實。因而，朱子所得並不是「正理」，他的意見只是「邪意見」，他的議論只是「閑議論」，那麼朱子之學，自然也不是所謂「正學」，而算是「異端」了。象山曾評論朱子：「朱元晦泰山喬岳，可惜學不見道，枉費精神，遂自耽擱。」[26]

　　那麼，象山所謂的「未知者，學問思辨以求之」是什麼意思呢？他所謂的「正學」，與朱子這樣的講學「異端」有什麼不一樣呢？

　　象山寫給朱子的信中曾說：「向在南康，論兄所解『告子不得於言勿求於心』一章非是，兄令某平心觀之。某嘗答曰：『甲與乙辯，方各是其說，甲則曰願某乙平心也，乙亦曰願某甲平心也，平心之說，恐難明白，不若據事論理可也。』」[27]可見二人的異見不能統一，也各不心服對方。

　　象山在評價告子和孟子「不動心」時，說告子之「不得於言，勿求於心」，「是外面硬把捉的」，而孟子之「不動心」，「則是涵養成就者，故曰：『是集義之所生者』」。[28]則「集義」變成了「涵養」、「此心」的意思。「集」有集聚、積累的意思，由少而多；而「涵養」有培養、修養的意思，由淺而深；從字義上說，將「集」理解為「涵養」，似乎說得通。從義理上說，象山明白「理之所在，固不外乎人也。而人之生，亦豈能遠明此理而盡之哉？」因此，「涵養」的意義，其實是逐漸將「此心」固有之「理」發明以至於盡。既然「理之所在，不外乎人」，那麼，象山認為告子所謂的「不得於言，勿求於心」，則受制於外在的「言」，而不明白「此理」固已經在人心中，不待外求，因此他謂告子之「不動心」是「從外面硬把捉的」。象山《文集》中還有一處提到孟子和告子之別，他說：「人不自知其為私意、私說，而反至疑於知學之士，亦其勢然也。人誠知止，即有守論，靜安慮得，乃必然之勢，非可強致之也。此集義所生與義襲而取之者之所由辨，由仁義行與行仁義之所由分；而曾子、子夏之勇，孟子、告子之不動心，所以背而馳者也。」[29]如上文所述，象山把那些不以「端緒之知」為本的高論意見，均視為「私意」和「私說」，因而追逐「私意」和「私說」，即是「無守論」，易喪「本心」。此處，象山把那些追逐「私意」、「私說」而不知道「知止」的人，歸為與「告子」一類，而那些懂得「知止」、「有守」的歸為與「孟子」一類，則象山認為告子之弊病在溺於言

25　（宋）陸九淵：〈與朱元晦（二）〉，《陸九淵集》北京：中華書局，1980年，頁27。

26　〈語錄（上）〉，《陸九淵集》北京：中華書局，1980年，頁414。

27　（宋）陸九淵：〈與朱元晦〉，《陸九淵集》北京：中華書局，1980年，頁25。

28　〈語錄（下）〉，《陸九淵集》北京：中華書局，1980年，頁445。

29　（宋）陸九淵：〈與鄧文范〉，《陸九淵集》北京：中華書局，1980年，頁11。

語而「外義」可無疑也。如孟子則不然，他懂得「知止」，明白「義」不在外而在內，因此守「本心」以「靜安慮得」，如此則是「集義」，則是「涵養」。「義」不必外求，講學、言語均為外在的工夫而不足慕，象山提倡的是「涵養此心」的內在工夫。人心中固有「已知」之理，然而也固有所「未知」，象山所謂「涵養」，或說「集義」，區別於「講學」的非常重要的一點是，「涵養」必以「已知」，即「端緒之知」，作為求得「未知」的基礎和起點。

其實，朱子在《大學章句‧格物補傳》中，亦承認人心之初已有知，且為窮理的基礎。他說：「所謂致知在格物者，言欲致吾之知，在即物而窮其理也。蓋人心之靈莫不有知，而天下之物莫不有理，惟於理有所未窮，故其知有不盡也。是以《大學》始教，必使學者即凡天下之物，莫不因已知之理而益窮之，以求至乎其極。至於用力之久，而一旦豁然貫通焉，則眾物之表裡精粗無不到，而吾心之全體大用無不明矣。此謂物格，此謂知之至也。」[30]值得注意的是，朱子所謂的「未知」，指的是於「眾物之表裡精粗」人之知所未至未盡的地方，即物理（事理）的表象、實質、大體、細節等各方面，人所未知之處。

如他解「君子喻於義，小人喻於利」一章時，尤其注重一個「喻」字。他非常讚成呂大臨（1044-1091）的解釋。呂曰：「喻者，聞見而心解通達者也。」[31]朱熹謂：「蓋心解通達，則其幾微曲折無不盡矣。」[32]這種「心解通達」的程度，與他在〈格物補傳〉中所言的：「一旦豁然貫通焉，則眾物之表裡精粗無不到，而吾心之全體大用無不明矣」是一致的。[33]「表裡精粗無不到」，實是「幾微曲折無不盡」的另一種說法。「或問：『「理之表裡精粗無不盡，而吾心之分別取捨無不切。」既有個定理，如何又有表裡精粗？』曰：『理固自有表裡精粗，人見亦自有高低深淺。有人只理會得下面許多，都不見得上面一截，這喚作知得表，知得粗。又有人合下便看得大體，都不就中間細下工夫，這喚作知得裡，知得精。二者都是偏，故《大學》必欲格物致知。到物格知致，則表裡精粗無不盡。』」[34]朱熹認為，「『君子喻於義，小人喻於利』，只是一事上。君子於此一事只見得是義，小人只見得是利。且如有白金遺道中，君子過之，曰：『此他人物，不可妄取。』小人過之，則便以為利而取之矣。」[35]同時，「君子之於義，見得委

30　（宋）朱熹：《大學章句‧格物補傳》，《四書章句集註》北京：中華書局，2012年，頁7。

31　（宋）朱熹：《論孟精義》，《朱子全書》上海：上海古籍出版社，2010年，7冊，頁156。

32　（宋）朱熹：《四書或問》，《朱子全書》上海：上海古籍出版社，2010年，6冊，頁693-694。

33　（宋）朱熹：《大學章句》，《四書章句集注》北京：中華書局，1983年版，頁7。

34　（宋）黎靖德：《朱子語類‧大學三‧傳五章釋格物致知》，《朱子語類》北京：中華書局，1986年，第2冊，頁325。

35　（宋）黎靖德：《朱子語類‧論語九‧里仁篇下》，《朱子語類》北京：中華書局，1986年，2冊，頁702。

屈透澈，故自樂為。小人於利，亦是於曲折纖悉間都理會得，故亦深好之也。」[36]無論君子還是小人，只要能「喻」，則必然是「於曲折纖悉間都理會得」的，不過區別在「君子之於事，見得是合如此處，處得其宜，則自無不利矣，但只是理會個義，卻不曾理會下面一截利。小人卻見得下面一截利，卻不理會事之所宜。」但以朱熹的意思，要成為君子，無論如何都需要「格物」的一番功夫，才能理會得「義」，且唯有理會得「委曲透澈」，在踐行上才能樂為，即程頤所謂「惟其深喻，是以篤好」。[37]朱子對「觀書」的看重，亦與「窮理」有關。天下萬事萬物，即便要窮理，又如何下手？他說：「但如今下手，且須從近處做去。若幽奧紛挐，卻留向後面做。所以先要讀書，理會道理。蓋先學得在這裡，到臨時應事接物，撞著便有用處。」[38]理會事理的表裡精粗，是為了應事接物。

　　朱子所謂「喻」，異於象山所謂「喻」。象山說的「未喻」，或「未知」，指的是指「此心之理」所未能在日用常行中「力行」者，如一書中的道理，乍看之下甚淺顯明白，但人未能在日用實行中奉行和貫徹這個道理，那麼就這個道理就不算「已知」。比如他曾對學生傅子淵說：「夫子言：『君子喻於義，小人喻於利。』孟子謂：『欲知舜與蹠之分，無他，利與善之間也。』讀書者多忽此，謂為易曉，故躐等凌節，所談益高，而無補於實行。」[39]書中的文義確實「易曉」，但讀書者在實行上卻無法做到真的「曉得」，象山以為這是因為他們「躐等凌節」，事奉空言而缺乏力行的工夫。

　　在「力行」之前，象山也認為「此理」要先「講明」，而後才能「踐履」，但他對「講明」的理解需要特別注意。他說：

> 為學有講明，有踐履。《大學》致知、格物，《中庸》博學、審問、慎思、明辯，《孟子》始條理者智之事，此講明也。《大學》修身、正心，《中庸》篤行之，《孟子》終條理者聖之事，此踐履也。「物有本末，事有終始，知所先後，則近道矣。」「欲修其身，先正其心；欲正其心者，先誠其意；先誠其意者，先致其知；致知在格物。」自《大學》言之，固先乎講明矣。自《中庸》言之：「學之弗能，問之弗知，思之弗得，辯之弗明，則亦何所行哉？」未嘗學思問辯，而曰吾唯篤行之而已，是冥行者也。……[40]

但是，象山接著又說，他所謂「講明」，指「然必一意實學，不事空言，然後可以謂之

36　同上註。

37　同上註，頁703。

38　（宋）黎靖德：《朱子語類・論語一・語孟綱領》，《朱子語類》北京：中華書局，1986年，2冊，頁440-441。

39　（宋）陸九淵：〈與傅子淵〉，《陸九淵集》北京：中華書局，1980年，頁76。

40　（宋）陸九淵：〈與趙詠道（二）〉，《陸九淵集》北京：中華書局，1980年，頁160。

講明。若謂口耳之學為講明，則又非聖人之徒矣。」[41]所謂的「不事空言」，則要求「言」與「行」必要「合一」，而不偏重在窮究物理。

如上述所論，象山既反對告子從外邊求取「義」，再加上他也激烈批評他同時代講學家的「學問思辨」說，因此他所說的「學問思辨」並不是「觀書博識」、留情傳註、糾結文字的意思。恰恰相反，他主張看書，不能「凌節躐等」，要從最能切己的簡單易曉處開始，「且讀文義分明、事節易曉者，優游諷詠，使之浹洽，與日用相協，非但空言虛說，則向來疑惑處，自當渙然冰釋矣。縱有未解，固當候之，不可強探力索，久當自通。所通必真，與私意揣度者天淵不足喻其遠也。」[42]；「讀書不必窮索，平易讀之，識其可識者，久將自明，毋恥不知。今之讀書談經者，歷敘數十家之旨，而以己意終之，開辟反覆，自謂究竟精微。然識探其實，固未之得也。」[43]學，則從切己易曉，書旨明白處開始；思，則不必強索，優游諷詠，與日用相協就可；辨，則久當自明，又所辨必真，區別於私意揣度所得。象山主張讀書從簡單、切己、易曉的地方開始，而這些「文義分明、事節易曉者」，又必要「與日用相協」，即「言論」必見於「事實」。比如他對傅子淵說：「以朋友講習而說，有朋字遠方來而樂，不可以泛觀料想而解，當有事實。吾人不幸生於後世，不得親見聖人而師承之，故氣血向衰而後至此。」[44]要明白夫子所講的「悅」與「樂」，必要有事實以親身體會，不能靠想像而得。

他又特別反對脫離事實的苦思冥想，對書中難以明白的地方，象山並不主張窮究。他對門人邵中孚說：「大抵讀書，訓詁既通之後，但平心讀之，不必強加揣量，則無非浸灌、培益、鞭策、磨礪之功。惑有未通曉處，姑缺之無害。且以其明白昭晰者日家涵泳，則自然日充日明。後日本源深厚，則向來未曉者將亦有渙然冰釋者矣。」[45]由此觀之，象山所謂的「學問思辨」，雖然也看書（其實象山說他只看古註，而不看今人的許多傳註），但重點並不在探究書中的文字、言語和議論，而只是拿書中自己能看懂的道理到日常生活中去實行，然後「優游諷詠，存久自明」，且所明者是實得於己的道理。比如《告子》一篇，他說：「自『牛山之木嘗美矣』以下可常讀之，其浸灌、培植之益，當日新日固也。其卷首與告子論性處，卻不必深考，恐其力量未到，則反惑亂精神，後日不患不通也。」[46]

基於對「言」與「行」合一的重視，象山在講學（朋友切磋、師生講論）中，尤其重視所論有無實事的根據，而反對脫離自身理會水平的虛論。比如他提點門人曹挺之

41 同上註。

42 （宋）陸九淵：〈與朱濟道（二）〉，《陸九淵集》北京：中華書局，1980年，頁143。

43 此對門人詹阜民說，見〈語錄（下）〉，《陸九淵集》北京：中華書局，1980年，頁471。

44 （宋）陸九淵：〈與傅子淵〉，《陸九淵集》北京：中華書局，1980年，頁184。

45 （宋）陸九淵：〈與邵中孚〉，《陸九淵集》北京：中華書局，1980年，頁92。

46 同上註。

說：「若有事役，未得讀書，未得親師友，亦可隨處用力檢點，見善則遷，有過則改，所謂『心誠求之，不中不遠』。若事役有暇，便可親書冊。看挺之未曾如此著實作工夫，何遽論到一貫多學處？此等議論可且放下，且本分隨自己日用中猛省，自知愧怍，自知下手處也。既著實作工夫，後來遇師友，卻有日用中著實事可商量，不至為此等虛論也。」[47]夫子所謂「吾道一以貫之」，實非初學者可以理會明白，如硬要講論則必是料想和虛論，因而象山讓他且放下，從能在日用中著實理會的地方下功夫做起，見善則遷，有過則改。「學問不實，與朋友切磋不能中的。每發一論，無非泛說。內無益於己，外無益於人。此皆己之不實，不知要領所在。」[48]如此，「學思問辨」和「講學」的前提，則必要有「著實理會」而得的事實經驗為基礎，方可發意見和議論。那麼，象山在講學中主張談論的不是苦思冥想而得的意見，也不是脫離事實經驗的議論，更不是書中的文字訓詁和章句異同，而是以「本心」為基礎的、又「言」「實」合一的，即知行合一的事實經驗。

譬如象山在白鹿洞講解「君子喻於義」章時，並沒有著眼於字詞文句，他說「辭旨」已非常清楚且容易明白了，大概不必花功夫在訓詁、義理的箋註上。他對學者們所講的，只是「平日之所感」，即平時讀書和日用踐行中的心得體會。[49]他之所以如此選擇，是與他一貫讀書的態度和方法相一致的。象山說：「某讀書只看古註，聖人之言自明白。且如『弟子入則孝，出則弟』，是分明說與你入便孝，出便悌，何須得傳註？學者疲精神於此，是以擔子越重。到某這裡，只是與他減擔，只此便是格物。」[50]他不是不看註，而是不如其餘學者，尤以朱熹為顯例，花費大量的時間和精力在研讀、體會不同人的傳、註、疏上，他以為那是給自己增加負擔。相比於傳、註，他重視的是切實地按照聖賢的話語去行動，入便孝，出便悌，在踐履的過程中發明自己的本心，而此過程即為他所理解的「格物」。他對學者所講的話，誠然是自《論語》中來，然而卻不是從對不同傳註疏解的分析和理解中來，而是從個人的踐履中體悟而來。

所以，雖然象山和朱子一樣認為，知在先，行在後，但他求知的工夫，即所謂「學問思辨」到底還是偏重在「切己反省」，及在日用中「改過遷善」的意思，有別於朱子的「格物窮理」。就如有學生問他：「先生之學當自何而入？」他說：「不過切己反省，改過遷善。」[51]於是乎，他也說，「集義」就是「積善」。

47　（宋）陸九淵：〈與曹挺之〉，《陸九淵集》北京：中華書局，1980年，頁38-39。
48　（宋）陸九淵：〈語錄（下）〉，《陸九淵集》北京：中華書局，1980年，頁477-478。
49　同上註。
50　（宋）陸九淵：《陸九淵集》，卷32，〈學問求放心〉。
51　（宋）陸九淵：〈白鹿洞書院論語講義〉，《陸九淵集》北京：中華書局，1980年，頁275。

# 三　餘論

　　錢穆先生在《朱子新學案‧朱子象山學術異同》一文中，用朱子《文集》中〈答項平父書〉八篇，來討論朱子與象山自白鹿洞約講別後，至〈曹立之墓表〉之前這段時間的學術異同。[52]其實，第一、二書、第四、五、六、七書，均談及象山學術之弊端，且與上述「辨志」、「集義」說相關，主要分歧仍舊在「意見」、「議論」、「文字」這三事上。現就朱子書信，簡單分析朱子不同意於象山的地方及原因。

　　首先，象山將「意見」、「議論」均視為「害義」的「私說」，又稱之為「私智」，並對此大加撻伐，所謂的「辨義利之志」，其主要目的之一便是讓人早早認清「私說」之何以為「私」，「私說」之如何害「本心」，從而懂得在義利之間做出正確的選擇，進而務修返本之學，「先立乎其大者」。

　　再者，他又認為，要立「大本」，則需「涵養此心」，也就是做孟子所說的「集義」工夫。據孟子和告子之別，象山以「意見」和「議論」，均屬於「外」而不是「內」，於是，他認為涵養包括二事：對心中已知之「理」，只需力行即可，如此不需要「意見」和「議論」。對心中未知之「理」，亦不需要什麼「高論」，也不需要執著在書本的文字和言語上，而只需認取書中義理分明、事節易曉的話，去優游諷詠，使之與日用中的行為不相違背，見善則遷，有過則改。

　　對於第一點，象山之所以認為「意見」和「議論」為「私」，是因為「此理」是「易知」和「易從」的，一問本心便知，因此不需要「意見」和「議論」，並且只有停止「私智」，「本心」才能明白顯露。

　　但朱子卻在〈答項〉第五書中說：「此心此理雖本完具，卻為氣質之稟不能無偏，若不講明體察，極精極密，往往隨其所偏，墮於物欲之私而不知。是以聖賢教人，雖以恭敬持守為先，而於其中又必使之即事即物，考古驗今，體會推尋，內外參合。蓋必如此，然後見得此心之真，此理之正，而於世間萬事，一切言語，無不洞然了其白黑。《大學》所謂知至意誠，孟子所謂知言養氣，正此謂也。若如來喻，是乃合下只守此心，全不窮理，故此心雖似明白，然卻不能應事，此固已失之矣。」[53]

　　朱子同意象山的地方在，「此心此理」本來就是「完具」的，因此聖賢教人，確實「以恭敬持守為先」，但朱子與象山不同，他認為「理氣不二」，即便心中「此理」本來「完具」，但「此心」仍舊為「氣質之稟」，有清有濁，因而不能沒有人欲，不能沒有偏弊。又朱子以為，「此理」和「氣質」（人欲）之間的區辨，並不是燦然分明的。若「此理」不能講明體察，則其與人欲之間的精微之別，是不得而知的。比如，「義」和

52 錢穆：〈朱子象山學術異同〉，《朱子新學案》臺北：聯經出版事業公司，1994年，3冊，頁424-425。
53 同上註，頁429。

「利」之間的界限，朱子不認為如象山想像中那樣的直截分明。據前文所論，象山一直以「順理」與否來作為判別「義利」的標準，但象山又不主張「窮理」，因此朱子擔憂象山在所謂的「義利」精微之處並不能明辨，反而有把「人欲」錯認成「天理」的情況，他說：「此心固是聖賢本領，然學未講，理未明，亦有錯認人欲作天理處，不可不察。」[54]

　　對於第二點，朱子解「告子不得於言，勿求於心」一章，與象山截然不同。象山以為告子是從外求「義」的，要「必得於言」，再求於「心」，因此說他是「硬把捉的」。朱子也說告子是「硬把捉，」但卻說他是「不理會言」，而「只就心上理會」。他說：「陸子靜卻說告子只靠外面語言，更不去管內面。以某看，告子只是守著內面，更不去管外面。」朱子認為告子「不得於言」是「失於言」的意思，所謂「不得於言，勿求於心」，是說「有失於其言，則曰無害於心。但心不動，言雖失，不必問也。」告子不明白「心」與「言」的關係，以為「心」與「言」不相涉，但如孟子所說，「言有所不能知，正以心有所不明，故『不得於言，勿求於心，不可』。其不得於心，固當求之心」。但「求之於心」的方法卻又是「知言」，也就是還得問「言」之是非。朱子解「知言」為「知理」，又說：「知言正是格物、致知。苟不知言，則不能辨天下許多淫、邪、詖、遁。將以為仁，不知其非仁；將以為義，不知其非義，則將何以集義而生此浩然之氣？……今人心中才有歉愧，則此氣自然消餒，作事更無勇銳。……告子『不得於言，勿求於心；不得於心，勿求於氣』，只是一味勃然不顧義理。如此養氣，則應事接物皆去不得。」[55]朱子批評告子，與批評象山類似，如上引〈答項〉第五書「若如來喻，是乃合下只守此心，全不窮理，故此心雖似明白，然卻不能應事，此固已失之矣。」，「所謂『心無不體之物，物無不至之心』，又只是移出向來所守之心，便就日間所接事物上比較，其於古今聖賢指示剖析，細密精微之蘊，又未嘗入思議也。其所是非取捨，亦據己見為定耳，又何以察夫氣質之偏，物欲之蔽，而得其本心正理之全耶？」[56]

　　因此，朱子說象山似告子，只知持守內在而不知窮理，不即事、即物，不能考古驗今，內外參合，所持只是「己之是非」，難察「義理之精微」、「氣質之偏蔽」，會有「以人欲作天理」的危險；如此不能察、不能擇，亦不能應事和應物，處得其宜。

---

54　（宋）朱熹：〈答項第一書〉，同上註，頁425。

55　（宋）黎靖德：《朱子語類‧孟子二‧公孫丑上之上》，《朱子語類》北京：中華書局，1986年，4冊，頁1261。

56　錢穆：〈朱子象山學術異同〉，《朱子新學案》臺北：聯經出版事業公司，1994年，3冊，頁430。

# 論明初太學教育之「不務辭章」

崔振鵬

北京師範大學文學院

　　元明鼎革的歷史轉折改變了中國文化的進路。這不是一次尋常的王朝興替：明王朝不斷強調這是一次治統、道統的全面「復位」，並以新的思路和制度改變文化教育格局。在明初文教中，學校教育占據了舉足輕重的地位。洪武時期，朱元璋對學校教育的重視貫穿始終，希望以其作育人材、轉移士風、化民成俗。以學校為主幹的官學教育，在此時達到了前所未有的規模[1]。而「廟學一體」的文化空間，又使學校教育擔負起推廣官方思想、表彰正統文化的特殊使命[2]。學校作為兼有多項重任的文化場域，其教育活動對明初文學的影響不容小覷。

　　在明初龐大的學校體系中，以建於都城南京的太學[3]地位最高，規模最盛，影響最巨。作為「禮義所由出、人材所由興」的最高學府，太學亦最能代表官學教育的意志與精神。鑒於學界對明初學校與文學的關係研究極少[4]，本文擬以太學為視窗，探討明初學校中辭章教育的位置、特徵及其背後的歷史邏輯，以期從新的角度思考明初文學發展的文化背景。

## 一　不務辭章：明初太學的教育格局

　　太學教育中與文學直接相關的，首先是其文學教育活動，即有關文學知識、文學思維、文學表達等事項的教學[5]。其中，有關文學表達的學問與古代所謂「辭章之學」的

---

1　參見郭培貴：《明史選舉志考論》北京：中華書局，2006年，頁1-4。

2　如朱元璋在敕諭中曾指出：「文廟所以尊先師也，因之而國學建焉。古先哲王必選名儒為之師表，以教國子與公卿大夫之子及民間之俊秀。其任甚不輕也。」這段話已透露出「廟學一體」的文化意義。《明太祖實錄》，卷一百二十三，臺北：中央研究院歷史語言研究所，1962年，頁1984。

3　「太學」或「國學」是用來指稱官方最高學校的通名，在明代，官方最高學校的專名在洪武十五年（1382）以前稱「國子學」，是年三月以後改稱「國子監」。為了行文統一簡便，本文遂以通名「太學」指稱研究對象。

4　如郭培貴：《明史選舉志考論》（北京：中華書局，2006年）、趙子富：《明代學校與科舉制度研究》（北京：北京燕山出版社，2008年）、宗韓主編：《中國教育通史（明代卷）》（北京：北京師範大學出版社，2013年），等著作對明代學校制度多有探討，但並未涉及其文學教育或與文學之關係的研究。

5　郭英德主編：《中國古代文學與教育之關係研究》北京：北京大學出版社，2012年，頁1。

範疇大致相當，它聚焦於語言藝術，重視詩文寫作中修辭、聲律、風格等藝術要素[6]，是文學教育中最能突出文學特性的部分。但在明初太學的課程布局中，辭章之學處在十分邊緣的位置。

在明初，太學課程存在一個變化發展的過程。明代太學的歷史可追溯到元至正二十五年（1365）。是年九月，朱元璋將過去的集慶路府學改造為國子學，是為明太學的前身。由於史料缺乏，此時國子學的課程設置已不可稽考。但在開國之後，朱元璋對太學課業設置的調整歷程是較為明晰的。現將《明太祖實錄》中有關太學課業的記載編制為下表：

### 表一　《明太祖實錄》所載有關太學課程的論述

| 時間 | 內容 |
| --- | --- |
| 洪武二年（1369）六月 | 上召國子生問曰：「爾等讀書之餘，習騎射否？」對曰：「皆習。」曰：「習熟否？」對曰：「未。」乃諭之曰：「古之學者，文足以經邦，武足以戡亂，故能出入將相，安定社稷。**今天下承平，爾等雖專務文學，亦豈可忘武事？**《詩》曰：『文武吉甫，萬邦為憲。』惟其有文武之才，則萬邦以之為法矣。爾等宜勉之。」（卷四十三） |
| 洪武二年（1369）十月 | 命郡縣立學校詔曰：「……今雖內設國子監，恐不足以盡延天下之俊秀。其令天下郡縣並建學校，以作養士類。……**學者專治一經，以禮、樂、射、御、書、數設科分教，務求實才。**頑不率教者黜之。」（卷四十六） |
| 洪武十四年（1381）四月 | 命國子生兼讀劉向《說苑》及律令。上諭祭酒李敬曰：「士之為學，貴於知古今，窮物理。聖經賢傳，學者所必習。若《說苑》一書，劉向之所論次，多載前言往行，善善惡惡，昭然於方冊之間。朕嘗於暇時觀之，深有勸戒。至於律令，載國家法制，參酌古今之宜，觀之者亦可以遠刑辟。**卿以朕命，導諸生讀經史之暇，兼讀《說苑》，講律令，必有所益。**」（卷一百三十七） |
| 洪武十九年（1386）正月 | **以《御制大誥》頒賜國子監生及天下府州縣學生。**（卷一百七十七） |
| 洪武十九年（1386）十月 | **頒《志戒錄》。**其書采輯秦、漢、唐、宋為臣悖逆者，凡百有餘事，賜群臣及教官諸生講誦，使知所鑒戒。（卷一百七十九） |
| 洪武二十四年（1391）十一月 | **命禮部諭天下學校生員兼讀誥律。**（卷二百十四） |

6　如張志公〈談「辭章之學」〉指出：「傳統的所謂辭章之學這個概念，從前人所談的有關辭章的各種具體問題來看，包括的範圍相當廣泛。可以說，凡是寫作（作詩和作文）中的語言運用問題，無論是關乎語法修辭的，關乎諧音聲律的，還是關乎體裁風格的，都屬於辭章之學。」《新聞業務》，1962年第6期。

| 時間 | 內容 |
|---|---|
| 洪武三十年（1397）七月 | 申明學規教條：「……諸生每三日一背書，日讀《御制大誥》及本經、四書各一百字，熟記文詞，精解理義。或有疑難，則謙恭質問，務求明白。不許淩慢師長。若疑問未通，闕疑勿辨，升堂背書，必依班次序立以俟，不許擾越。每月作本經、四書義各二道，詔誥、章表、策論、判語內科二道。每日習仿書一幅，二百餘字，以羲、獻、智永、歐、虞、顏、柳等帖為法，各專一家，必務端楷。」（卷二百五十四） |

　　由《實錄》可知，明初太學課業涉及的門類十分豐富。在經史之外，還牽涉包括禮樂射御書數的「六藝」之學、以《大誥》為代表的律令之學，以及《說苑》、《志戒錄》與「詔誥、章表、策論、判語」的書寫等內容。這些課業有的自前代制度損益而來（如對經史的修習長期以來都是學校學習的重點）；但如「六藝」和律令成為學校教育的重點，則是朱元璋的有意增加。至於《說苑》、《志戒錄》等著作進入太學教育範圍，更是與朱元璋的個人好尚有關。通觀這些課業，與辭章之學相關的，惟有三十年（1397）學規中強調的每月作「詔誥、章表、策論、判語內科二道」一項。而關於這種公文寫作訓練是否選用教本、如何講授等歷史細節，則在《實錄》等史志中並無明文。在公文寫作之外，如詩賦、古文等文學性更強的文體訓練，也難覓其蹤跡。不難看出，辭章之學在此時的課業中不被重視。

　　若將明初太學課業與元代作一比較，其辭章教育邊緣化的特點就更加突顯了。元世祖至元二十四年（1287），元廷於元大都北城之東新設國子學，元代國子學的體制從此初步確定[7]。在此年規定的課業中，除了四書五經等儒家經典的教學，「對屬、詩章、經解、史評」也作為日常課業，由「博士出題，生員具稿，先呈助教，俟博士既定，始錄附課簿，以憑考校」[8]。其中，「對屬、詩章」顯然屬於辭章之學的範圍，是詩賦等文體寫作的基礎訓練，能夠直接鍛煉生員的辭章寫作能力。元仁宗延祐二年（1315），國子學始用「升齋積分」之法，在國子學內設置六齋，分為三級。生員須在考試積分後次第升齋：「六齋東西相向，下兩齋左曰遊藝，右曰依仁，凡誦書講說、小學屬對者隸焉；中兩齋左曰據德，右曰志道，講說《四書》、課肆詩律者隸焉；上兩齋左曰時習，右曰日新，講說《易》、《書》、《詩》、《春秋》科，習明經義等程文者隸焉。」[9]其中，下兩齋內有「屬對」之課，而中兩齋內有「詩律」之課，都將辭章教育納入課業之中。在元代，國子學制度雖亦因時而變，但如上文《元史·選舉志》中記載的課業設置，實可代表有元一代之國子學教育制度。明初詔修《元史》，以為「紀一代以為書，史法相沿於

---

7　李國鈞、王炳照總主編，喬衛平著：《中國教育制度通史（第1卷）》，2000年，頁497-498。

8　（明）宋濂等：《元史》，志第三十一〈選舉一〉，北京：中華書局，1976年，頁2029。

9　同上註，頁2030。

遷、固，考前王之成憲，周家有監於夏、殷，蓋因已往之廢興，堪作將來之法戒」[10]。既然修史以考成憲、觀興廢為重要目的，那麼明初太學制度設計中較元代的損益之處，就尤其值得注意。元代國子學中重視的屬對、詩律修習，卻在明初太學課業中漸至於湮沒，這更說明辭章之學在教育中被邊緣化了。

在有關明初太學制度的史志文獻中，作為課業的辭章教育難以尋見。但在別集等文獻中，仍可發現一些有關太學與辭章教育的零星記載，能夠讓我們從側面認識明初的文學教育。

其一，朱元璋曾令人從太學生中選拔人材，進行專門的文學培養。據宋濂〈送王文冏序〉：

> 上既立太學以育才俊士，六七年間，奇能足用之人駢興錯出，布列乎內外，為政咸有可稱。已而慮文學之臣未多見也，乃詔丞相、御史大夫擇弟子員質美而能文者，得三十有五人，命博士躬與之講說，日程其業，而歲望其功。丞相召諸生喻上旨，以為「古之有文學者，若游、夏以降，漢之司馬遷、班固，唐之韓愈，宋之歐陽修、蘇軾，皆傑然自立於世，後世從而師之，至今不衰。諸生何異於斯人哉？烏可以不勉？」皆謝而退，莫不思自奮拔以稱上意。[11]

據《南雍志》，這次選拔事在洪武七年（1374）春，與宋濂所謂「六七年間」相合。此時太學人材已經駢興錯出、布列中外，但卻缺少「文學之臣」。在上旨中，明廷以韓愈、歐陽修、蘇軾作為唐宋時期文學之士的三位代表，並希望諸生以這些人物自勉，可以看出明廷此次所要專門培養的「文學之臣」很大程度上就是「辭章之臣」。這次小規模的專門培養仍由太學博士負責，以講說和功課並濟，並擔負了明廷的厚望，實是明初文學教育史中值得留意的事件。

其二，曾有非太學生身分之人入太學，跟隨太學學官修習古文。貝瓊在明初曾任國子助教，其為馮忠所作〈歐陽先生文衡序〉中說：

> 金華馮忠者，學精而志堅。洪武五年薦於春官，以少不更事，俾居成均卒學，而余亦被召為助教，遂從余學古文。時天朝方鏟時之陋習，將一變而至於古，則不可不取法文忠公矣。忠肄業之暇，錄其文之粹者凡一百七十二篇，類為六卷。題曰《文衡》，謂法之所在也。[12]

---

10　（明）宋濂著，黃靈庚編輯校點：《宋濂全集》，卷二，〈進元史表〉，北京：人民文學出版社，2014年，頁46。

11　（明）宋濂著，黃靈庚編輯校點：《宋濂全集》，卷三十一，〈送王文冏序〉，頁665。

12　（明）貝瓊：《清江文集》，卷十九，〈歐陽先生文衡序〉，《景印文淵閣四庫全書》，臺北：臺灣商務印書館，1986年，1228冊，頁411。

馮忠於洪武五年（1372）薦於禮部，卻因少不更事被移諸太學進修，並跟隨助教貝瓊學習古文。《歐陽先生文衡》一書，就是馮忠在學業之暇編纂的成果。在序中，貝瓊認為歐文「不見雕琢之巧而至巧寓焉」，「雖有負奇好勝，欲進於先秦兩漢者，亦無以過之矣」，符合明廷「一變而至於古」的文化追求[13]。歐陽修之文，正是貝、馮之間古文授受的重要內容。

其三，別集中也記載了一些太學師生論及詩文辭章的事例。譬如蘇轍的九世孫蘇伯衡在明初曾任國子學錄、學正，他在為林敬伯《古詩選唐》所作的序言中，談到林敬伯之所以編選此書，很大程度上是源於對楊士弘《唐音》的不滿。《唐音》成書後影響很大，但它分類時「以體裁論而不以世變論」，極重音律修辭，也由此引來了許多爭議。林敬伯接觸《唐音》時，亦不無疑惑，「及游國學，質諸博士貝廷琚、劉子憲，而知《唐音》去取，出其嗜好也」，遂產生了重選唐詩之意。等到林敬伯作蒙陰縣簿時，「暇日乃更選焉，非有風雅騷些之遺韻者不取也」，終於完成了《古詩選唐》的編纂。蘇伯衡評論說：「奈何律詩出而聲律對偶章句拘拘之甚也，詩之所以為詩者，至是盡廢矣」[14]，亦對《唐音》頗為不滿。我們由此可知，太學中一些學官持有類似的詩論。而論詩，也是太學師生交流的一個話題。又如蘇伯衡在追憶太學生李維的學習經歷時說：

> 已而就傅國子監，受小學、四書、六經正文日千餘言即能了其習，作字不待提教而得筆法。朝夕諸生從博士、助教問難，維輒趨而拱聽焉，於其旨歸豁然也。博士、助教若趙俶、錢宰、劉紹先諸公甚愛之，試以詩課，隨口回應，若不經意而出人意表，莫不嘖嘖歎賞，以為叔荊有子。[15]

李維是太學學官李叔荊的兒子，聰慧勤學卻英年早逝，令人惋惜。作為李叔荊的同僚和看著李維長大的長輩，蘇伯衡在回憶李維時道出了當時太學的主要課業，即小學、四書、六經、作字等。李維總能出色地完成它們，而趙俶、錢宰等學官又「試以詩課」，頗有長輩愛才而課外加試的意味。在這裡，「詩課」出現於四書、六經等常規課業之後，類乎一種補充。對李維以詩試才，其原因不止在於他出色完成了課業，更在於學官們對他的熟悉與喜愛。在元代教育中成長起來的趙俶、錢宰等學官仍相信詩是可以試才的，但這在明初太學教育中只能看作變例，而非制度運行中的常例。

以上這些事例說明，明初太學師生關於辭章的討論乃至講授，都是存在的。但這些事例都是非常態和具有偶然性的，正從側面反映出太學辭章教育的有限。例如洪武七年（1374），朱元璋發現太學生卒業者中「文學之臣未多見也」，但他無意於調整太學課業

13 關於明人之復古理想，可參見劉毓慶：〈「前後七子」的詩文復古與明代文化復古思潮〉，《山西大學學報（哲學社會科學版）》，2004年第5期。

14 （明）蘇伯衡：〈古詩選唐序〉，《蘇平仲文集》，《四部叢刊》影印明正統本，卷四，頁20a-20b。

15 （明）蘇伯衡：〈李維壙銘〉，《蘇平仲文集》，卷十三，頁29a。

和增加辭章教育，而是選拔少量「質美而能文者」進行專門訓練。且在此次選拔後，洪武一朝幾乎再無類似的詔選，這都說明辭章教育在彼時太學中是十分邊緣的。另外，從馮忠以非太學生身分而入太學修習古文、林敬伯在太學中請教詩論、李維在太學被試以詩課等事例來看，這些辭章教育都是非常態化的，具有很大的偶然性。而林敬伯的《古詩選唐》是在太學卒業之後才得暇料理編選，不也透露出在太學的常規課業內，辭章修習不能占有很多時間嗎？

因此，「不務辭章」才是明初太學課業的顯著特徵。早在洪武二年（1369），朱元璋就對孔克仁等學官強調，教學「當以正心為本」，「卿等宜輔以實學，毋徒效文士記誦詞章而已」[16] 洪武十五年（1382），吳顒就任祭酒，朱元璋也在上諭中強調：「卿宜崇重道義，正身率下，俾諸生有所模範。若徒以文辭為務，記誦為能，則非所以為教矣。」[17] 辭章、記誦在朱元璋看來，無關「正學」「實學」，不應被給予重視，這代表了洪武一朝對太學教育中辭章之學的基本態度。

## 二　明體適用：人材觀與貶抑辭章之學的理據

在明初，太學教育中辭章之學的邊緣化並非偶然，而是明初教育指向的一重表現。換言之，在「不務辭章」的課業格局背後，存在一整套教育理想，使這種貶抑辭章之學的教育模式成為可能。那此時明廷的育人目標與人材觀念是怎樣的呢？

明初的育人目標和人材觀念，概括起來，可以「明體適用」名之。「明體適用」是典型的宋學邏輯，它牽涉著洪武一朝對理想人材為何、如何培養這種人材等問題的解答。所謂「明體適用」，又作「明體達用」，是後世儒家對宋初大儒胡瑗教育思想的概括。史載胡瑗曾在蘇州、湖州等地授徒，後又任國子監直講，教導太學生，一時「禮部所得士，瑗弟子十常居四五，隨材高下，喜自修飭，衣服容止，往往相類，人遇之雖不識，皆知其瑗弟子也」[18]。胡瑗的教學實踐無疑是成功的，但在胡瑗的時代，「明體適用」並未成為一種內涵明確周詳的教育理論。隨著理學的發展，「明體適用」被後世儒者不斷闡釋和利用，成為一種話語資源[19]。本節試圖綜合元明之際人們對「明體適用」及相關問題的言說，論析這一觀念的內在邏輯。

儘管「明體適用」這一提法至明代始進入官方話語，但至少在元中後期，一些儒者即有意強調「明體適用」的人材觀，如危素作於元末的〈送湖州吳教授詩敘〉說：「世

---

16　《明太祖實錄》，卷四十一，頁817。

17　《明太祖實錄》，卷一百四十四，頁2269。

18　（元）脫脫等：《宋史》，列傳第一百九十一〈儒林二〉，北京：中華書局，1985年，頁12837。

19　無論「明體適用」還是「明體達用」，都在人們的言說中不斷被賦予時代思想。參見周揚波：〈胡瑗「明體達用」辨〉，《孔子研究》，2013年第6期。

之學幾與古異，局於章句文詞之末，究其歸不足以明體而適用，聖人之道微矣。」[20]就
是以「明體適用」的標準來抨擊當世教育。元中後期的衰敗和動亂沒能給官方以「明體
適用」作育人材的機會，待明初弦歌重奏之時，這種提法最終進入了官方話語，例如：

> （洪武十年三月）己卯朔，國子助教錢宰以年老乞致仕，上許之，敕授文林郎國
> 子博士致仕。敕曰：「朕昔戡定四方，即開學校，延師儒，俾勳賢之子弟、凡民
> 之俊秀莫不從學，教以經史六藝，**明體適用**，布列中外，以共保太平於無
> 窮。……」
>
> ——《明太祖實錄》卷一百十一

> （洪武十五年五月）庚午，命禮部頒學規於國子監，俾師生遵守：「……博士、
> 助教、學正、學錄職專訓教生員講讀經史，**明體適用**，以待任使。有不遵師教，
> 廢業者，罰之。
>
> ——《明太祖實錄》卷一百四十五

> （洪武二十四年五月）乙卯，敕禮部侍郎張智等曰：「古之儒者，務學以**明體適**
> **用**。窮則忠信篤敬以淑諸人，達則忠君愛國而澤被天下。……」
>
> ——《明太祖實錄》卷二百八

　　在明廷的官方話語中，「明體適用」被塑造為古之儒者的求學目標，也是學官教授
生員的培養目標。它的一端牽涉著「經史六藝」，關乎明體；它的另一端直指「以待任
使」以至「忠君愛國而澤被天下」，關乎適用。「明體適用」是宋學邏輯在明初育人觀念
中發生作用的集中展現。

　　如果綜合辨析明初有關教育的主張，可知此時標榜「明體適用」的育人理念至少包
含以下幾重內涵：

　　第一，「明體適用」的邏輯起點在於人性之善，這是「明體」具有可能性的內在基
礎。「性善」這一承自前代儒家的人性論觀點，在明初依然是教育論中的重要命題。洪
武十四年（1381），朱元璋頒五經四書於北方學校，稱：「北方自喪亂以來經籍殘缺，學
者雖有美質，無所講明，何由知道？」[21]「文質之辨」是孔子首先拋出的話題，在這一
對概念中，「質」較「文」無疑更先天。後世重質輕文的觀點，也就往往包含著對先天
之善的肯定。朱元璋承認學者的「美質」，也即肯定學者們具有知「道」的可能。無獨
有偶，太學助教貝瓊在〈約牖軒記〉中也說：

---

20　（元）危素：《危學士全集》，卷五，〈送湖州吳教授詩敘〉，見沈乃文主編：《明別集叢刊》，所收清
　　乾隆二十三年（1758）芳樹園刻本，合肥：黃山書社，2013年，第1輯第3冊，頁90。
21　《明太祖實錄》，卷一百三十六，頁2154。

文有餘而質不足，曷若質有餘而文不足也？代之悅春華而忘秋實者，古今所同。
此浮華多合，而恭謹之士恒屈矣。立本信能守其質而一於誠，可以處險而無咎，
是亦約牖之一說，尚勖之哉。[22]

明初教育者在「質」和「文」中更傾向於「質」，是一種普遍現象。同時，久居太學的
貝瓊有〈學校論〉一篇，其中也涉及對生員之性的討論：

因其性而為教也。性之出於天者本一，則無不可學而至，惡有過不及之相遠哉？
苟棄而不教，則剛也、邪也、鈍也、昏也、戇也，囿於氣質之偏，一定而不移
也。此聖人之所深憂，而學校之設其亦有所不能已，豈非為政之急且重者乎？[23]

貝瓊肯定了生員的性出於天，具有先天的合理性。他認為，所謂教育，應順應人的自天
之性，扶植鞏固它，而防於氣質之偏。這種自天所得的「性」，很大程度上即是「質」，
也是所要明的「體」。既然性本自天然，一個自然的推論就是教育不必外求，其目標最
終是向內的人格實現和對「道」「體」的發現。

第二，「明體適用」得以實現的途徑是讀經史之書和習六藝之學。儘管肯定人的性
善和教育的不必外求，但教育的實現途徑在這一時期尚不推崇靜悟等功夫，而是來自讀
書和實踐。

一方面，讀經史之書（尤其是經書）是實現「明體適用」的一種途徑。正如前文引
述，雖然朱元璋等人相信人之質美，但若不講讀經書，則「無所講明，何由知道？」，
「五經載聖人之道者也。譬之菽粟布帛，家不可無，人非菽粟布帛則無以為衣食，非五
經四書則無由知道理。」[24]五經四書作為古聖之書，是幫助後人發明道體的徑由。但要
特別說明的是，它更多被視作必要條件，而非充分條件。如貝瓊指出：「嗚呼！書之所
存，道之所存也。求道之要，舍書何以哉？若其在於心而不在書者，學者又當默識
云。」[25]讀書是求道的必由之徑，但尚有在於心而不在於書者。只讀書，不足以盡道；
不讀書，則更無由知道。因此，正如國子助教吳伯宗說，生員們「宜深究聖經賢傳之
旨，而明其體，適其用，正其心，修其身，以上應朝廷教育之盛心」[26]——以聖經賢傳
為敲門磚，涵養琢磨，直至打破自己與道體之間的壁壘，才實現了明體適用。

另一方面，對六藝之學（即禮、樂、射、御、書、數）的實踐，是與讀書相配合的
另一種「明體適用」實現手段。朱元璋很重視「六藝」，所謂「教以經史六藝，明體適

---

22　（明）貝瓊：《清江文集》，卷十五，〈約牖軒記〉，頁389。

23　（明）貝瓊：《清江文集》，卷二十三，〈學校論〉，頁443。

24　《明太祖實錄》，卷一百三十六，頁2154。

25　（明）貝瓊：《清江文集》，卷四〈松江府儒學藏書記〉，頁318。

26　（明）吳伯宗：《榮進集》，《景印文淵閣四庫全書》，第1233冊，卷四，〈送太學生何端歸省序〉，頁
258。

用，布列中外，以共保太平於無窮」[27]，即以「經史」和「六藝」相提並論。六藝和「明體」之間有著怎樣的關聯呢？洪武時期的名祭酒宋訥曾論述六藝之一的「射」：

> 竊嘗即射而考焉，《周禮·大司徒》教萬民而賓興者有六藝，以射繼禮樂。又古禮，男子始生，秉桑弧蓬矢，以示四方之志，則射豈學者可一日廢哉？故〈車攻〉美「舍矢如破」，〈吉日〉歌「殪此大兕」，〈行葦〉言「以祈爾爵」，是古人於射習而有常如此。自後世六藝教廢，學者不知射為治心修身之道，舍而不習，則序賓以賢、序賓以不侮者，不可得而見矣。[28]

宋訥推崇修習「射」的理論依據在於《周禮》和《詩經》等經典文獻中對射的書寫。他認為在古聖的思想中，「射」即關乎禮和志，是「治心修身」之道，是由來有自的「觀德之道」。因此，射不僅是武事，更與「道」「體」相涉：

> 爰設學校擇民之秀俊以教之，雖開以六藝，亦莫不因其固有之善而發明之，未始有務於外也。[29]

因為六藝與人性的固有之善關聯、習六藝之學也就是幫助人發明本性的過程，那麼六藝之學的功用和經書實際有很大的相通性。只不過前者從實踐來，後者從誦讀講授來。簡言之，鑽研經書和修習六藝被認為是兩種向內「明體」的手段。

但這種向內的「明體」卻排斥了辭章之學。正如「質」與「文」之間的張力，如果說經書六藝之「文」尚是「文質彬彬」的「文」，而辭章之文就往往是「害質之文」了。錢宰〈白賁齋記〉說：

> 而天下之文始侈靡潰爛，汗漫不可止約，而忘其性命之真矣。是故聖人出而化天下，將以復其淳焉，大禮必簡，大樂必易，大圭不琢，大羹不和，尊之尚玄酒也，俎之尚生魚也。[30]

洪武時人傾向於「質」，同時也對「文」保持著警戒的態度。要使性命之真不被遮蔽，就要遠離過分的文飾，這很大程度上從理論上給與了限制辭章的依據。在人材培養中，辭章之學若與不待外求的「明體」無涉，就已經失去了教學的必要；而它主於「文」甚至可能遮蔽「質」，容易使人墮落其中、專務於「外」，那它簡直是損害人材精力的虛學，有必要加以貶抑和抵制了。所以貝瓊論學說：

---

27　《明太祖實錄》，卷一百十一，頁1848。

28　（明）宋訥：《西隱集》，卷五，〈觀德亭記〉，《景印文淵閣四庫全書》，1225冊，頁845。

29　（明）宋訥：《西隱集》，卷五，〈滑縣重修廟學記〉，頁850。

30　（明）錢宰：《臨安集》，卷四，〈白賁齋記〉，《景印文淵閣四庫全書》，1229冊，頁546-547。

　　　　然有本有末。詞章之工也，訓詁之習也，非二子之學聖人者也。詞章訓詁之學，
　　　　蘄入其門，登其堂者，吾恐旁立而竊笑者必眾，卒亦莫能至也。[31]

被認為無助於「明體」的辭章之學與訓詁之學，遂一起被拋棄在教育範圍之外了。

　　第三，「明體適用」還暗示著「明體」自然可以「適用」，「明體」也終歸要走向
「適用」。朱元璋興建太學自然不是無功利目的的，他最終是要將人材用於政事，以
「共保太平於無窮」。更直白地說，就是「講讀經史，明體適用，以待任使」[32]。而在
當時的教育者們開來，從「明體」到「適用」是自然而然的，其間毫無曲折：

　　　　一理既明，求人之理不異於己，參物之理不異於人。養之深，積之厚，由是，形
　　　　諸身見諸事者莫非此理。流行貫徹，心不待操而存，義不待索而精矣。[33]

既然如宋代理學鼓吹的那樣，理明之後就貫通無礙，生員的精力聚焦於明理（也即「明
體」）即可了。同時，明體不但「可以」適用，而且被認為「必然」要適用。「適用」是
「明體」的目的和歸宿。如宋訥所說：

　　　　嗚呼！建學立師非但發明前聖之道，實所以作養當代之材。為師為弟子者，使學
　　　　問見之於踐履，文章施之於政事，則聖賢明體適用之學於是乎在。而文風丕變，
　　　　人材輩出，起而輔一代雍熙之治，亦豈外是而他求？[34]

作為太學學官的宋訥指出，太學的興建不但是為了「明體」，更是為了「適用」，這二者
相輔相成並最後是要見於政事，方才是將「明體適用」落到了實處。值得注意的是，此
段中的「文章」是與「學問」相同的，指的是儒家典籍，也即子游、子夏之「文學」，
而非今之文學。在宋訥的「明體適用」理念中，幾無文學的位置。

　　既然文學與直接能夠「適用」的「明體」之學無關，那對它的教學也顯得多餘。富
於文學性的文章被教育者們認為效用很小，所謂「百家之說雖多而皆不及孔子、孟子，
唐宋之文雖盛而皆不及程子、朱子，豈徒資其文辭以極波瀾百態誇耀於世為工哉？」[35]
文辭之盛是不被重視的，相反六經之文才被認為是「文之至者」。

　　經過以上對「明體適用」理念進行的三重辨析，不難發現這種人材觀念與辭章之學
中間的隔閡。其實，如果回到胡瑗興教的時代，便可知道「明體適用」從一開始就是與
辭章之學相對立的。《宋史‧選舉志》載：

---

31　（明）貝瓊：《清江文集》，卷十九，〈送鄭士衡序〉，頁412。

32　《明太祖實錄》，卷一百四十五，頁2279。

33　（明）宋訥：《西隱集》，卷五，〈清豐縣重修廟學記〉，頁855。

34　（明）宋訥：《西隱集》，卷五，〈滑縣重修廟學記〉，頁851。

35　（明）貝瓊：《清江文集》，卷二十六，〈活水軒記〉，頁467。

安定胡瑗設教蘇、湖二十餘年，世方尚詞賦，湖學獨立經義治事齋，以敦實學。皇祐末，召瑗為國子監直講。數年，進天章閣侍講，猶兼學正。其初，人未信服，謗議蜂起。瑗強力不倦，卒以有立。……士或不遠數千里來就師之，皆中心悅服。[36]

於此可知，胡瑗的教育主張很大程度上就是針對時人推崇辭章之學的風氣而來。洪武時期，明廷將「明體適用」納入官方話語，實際也有與辭章風氣對抗的隱含語境。

綜合以上，明初朝廷對人材的期待是「明體適用」，它以人性的善美為基礎，通過經書學習和六藝修習實現「明體」，並自然地收效「適用」，以期有功於現實政事。辭章之學的學習在「明體適用」的觀念下並無位置：它更像指向「外」而不是「內」的技藝，其「適用」之功效幾乎不值一提，而其引人入勝的特點還可能妨害「明體」。太學作為「所以興禮樂明教化，賢人君子之所自出」[37]的重要所在，辭章之學既被目為「末技」，就自然被排斥於課業之外了。在「明體適用」的邏輯內，貶抑辭章教育甚至被視作一種功績。儒者唐桂芳〈送俞子常舉教官序〉對教育活動進行了歷時的總結：

古之為教皆適實用，後之為教類涉虛文，所以風俗人心殆不古若也。論者以孔子申明教條，為師萬世。原其始祖契教人倫，夫子亦曰：「某殷人也。」然當時伯夷之典禮，夔之典樂，皋陶之明刑，莫非教也。隋唐以來，詞章取士，浸失古法。宋元設科明經，而宋署題破碎經文、各務己意而侮聖言尤甚，元於四書五經疑義之外，雜以古賦，未免詞章舊習。聖朝武定區宇，廷臣建言學校置禮樂、書律兩科，用式諸生。睿衷獨斷，巍然超軼往古，以成一代之制，匪虛文乃遷乎實用也。[38]

在這篇贈序中，隋唐以來的諸代被認為進入了追求虛文而「浸失古法」的歧途岔路；只有新建的大明超軼往古，守住了實學的底線。唐桂芳的評騭妥當與否是另一話題，但洪武一朝的教育較歷代更有意貶抑辭章之學卻是實情，並且，這種貶抑被明廷和儒者們認為是教育史上的突破和功績。一如宋訥所說：「聖天子世丕基崇正，學以六經孔孟氏之書引拔髦士，本德行，末文藝之典。」[39]「末文藝之典」在「明體適用」的人材觀念下，本身也被視作「丕基崇正」的舉措。太學中辭章之學的教育就這樣在明初消歇下來了。

36　（元）脫脫等：《宋史》，志第一百一十〈選舉三〉，北京：中華書局，1985年，頁3659。

37　《明太祖實錄》，卷四十，頁812。

38　（明）唐桂芳：《唐氏三先生集·白雲文稿》，卷十八，〈送俞子常舉教官序〉，見沈乃文主編：《明別集叢刊》，所收明正德十三年（1518）張芹刻本，第1輯第5冊，頁265。

39　（明）宋訥：《西隱集》，卷七，〈浚縣重修學碑〉，頁906。

# 三　洪武時期的教育復古與昌明道統

「明體適用」作為一種人材觀念，絕非是孤立的。我們要繼續追問，這一觀念背後的文化背景又是怎樣的呢？貶抑辭章的教育體系背後，是否還有更深層的文化邏輯呢？

從字面就可以知道，「明體適用」是典型的儒家教育理念——其所明之「體」是儒家的道體，其指向的境界也是儒家的聖賢之域。同時，「明體適用」往往具有鮮明的復古色彩。無論是元中後期危素說「後世之學，幾與古異，局於章句文詞之末，究其歸不足以明體而適用」[40]，還是入明以後朱元璋說「古之儒者，務學以明體適用」[41]，都蘊含著古今之辨。

在中國古代，標榜復古是新思想、新主張面世的一種方式。洪武時期，有關復古的言說同樣存在於社會的多個方面，而教育領域的復古色彩尤其濃厚。其原因在於，反對「胡俗」、建立新禮樂是明初朝廷的一項重要工作，其中隱含著論證道統合理性的內容[42]。而學校作為「興教化」之地，與儒家道統息息相關。明廷嚴辨教育的古今之異，實際在強調自己才是古之道統、古之文化的接續者。如朱元璋論立學時說：

> 古昔帝王育人材，正風俗，莫先於學校。自胡元入主中國，夷狄腥膻，污染華夏，學校廢弛，人紀蕩然。加以兵亂以來，人習鬥爭，鮮知禮義。今朕一統天下，復我中國先王之治，宜大振華風以興治教。[43]

儘管元朝統治中國的歷史不能被朱元璋否認，但其在道統上的地位卻沒有被承認，「學校廢弛」、「人紀蕩然」就是儒家道統不在元的證據。在朱元璋看來，「復我中國先王之治」、「大振華風以興治教」的復古使命正在明廷。

為了推行復古式的教育，朱元璋不僅像許多帝王一樣祀孔、重學，而且尤其強調要以原汁原味的孔子之學教授諸生。洪武十五年（1382），太學新校舍築成，他親往釋菜，御聆講筵，並議論說：

> 中正之道，無踰於儒。上古聖人不以儒名，而德行實儒。後世儒之名立，雖有儒名，或無其實。孔子生於周末，身儒道，行儒行，立儒教，率天下後世之人皆欲其中正，惜乎魯國君臣無能用之者。當時獨一公父文伯之母知其賢，責其子之不能從，則一國之君臣可愧矣。卿等為師表，正當以孔子之道為教，使諸生咸趨於

---

40　（元）危素：《危學士全集》，卷五，〈送湖州吳教授詩敘〉，見沈乃文主編：《明別集叢刊》，所收清乾隆二十三年（1758）芳樹園刻本，第1輯第3冊，頁90。

41　《明太祖實錄》，卷二百八，頁3106。

42　關於「反『胡俗』與明初新朝政權建立之關係」，參見彭秋溪：〈明太祖反「胡俗」及其與明初戲曲發展之關係〉，《文學遺產》，2019年第5期。

43　《明太祖實錄》，卷四十六，頁925。

正，則朝廷得人矣。[44]

朱元璋在「名實之辯」中占據了制高點——他提出，名為儒者未必為儒，惟能有儒行者，方為真儒。太學的設立也是要以真正的「孔子之教」訓導生員，這才是有功於儒教。相反，即便有儒名而不能行儒行，則非真儒，其道統自然非真道統。朱元璋強調以真正的「孔子之教」教學並非口號，而確實在明初太學中得到一定程度的推行。據貝瓊回憶：

> 今年春，予與會稽趙俶、錢宰、金華鄭濤同被召至京師，授國子助教。秋八月望，預朝奉天殿。詔臣俶等至御前，命之曰：「汝壹以孔子所定書誨諸生，若蘇秦、張儀，縱戰國尚詐，故得行其說，宜戒勿讀。……」此上之命臣俶者，將一洗天下之習，而復乎三代之淳大哉。[45]

朱元璋要求學官在太學中必須以孔子所定之書傳授生員，嚴守儒學與其他家學說之間的分別。這一舉措可以在學校教育的知識結構上維護儒家思想的地位和純度，因而被一些儒者看作是使文教「復乎三代之淳大」的契機。

明廷教育復古的觀念，還在學校教育強調「修習六藝」的課程設置中得到體現。「禮樂射御書數」作為古之六藝，本身就具有象徵意義。在明代開國以前，朱元璋論科舉時說：

> 古者，人生八歲，學禮、樂、射、御、書、數之文；十五，學修身、齊家、治國、平天下之道。是以周官選舉之制曰六德、六行、六藝，文武兼用，賢能並舉，此三代治化所以盛隆也。茲欲上稽古制，設文武二科，以廣求天下之賢。[46]

六藝之學是古制，朱元璋興六藝之學即是「上稽古制」，也被認為是再現「三代治化之盛隆」的途徑之一。在明初學官的論述中，古之六藝的象徵意義是顯而易見的。如宋訥說：「聖天子既家六合，詔天下郡縣立學官，置訓導，設弟子員，以六藝為教，命部使考核之，蓋復唐虞三代之制。」[47]又云：「復古六藝，學兼武律，立考試法，中式入胄館，用隨材器，大小靡遺，三代以下所未有也。」[48]宋訥以為，六藝是虞夏三代之制，但在後代卻未被納入官方教育之中，只有大明的太學重教六藝，則其文教傳統上接三代，而遠超近古了。因此，若以執行儒家之教的程度來看，宋訥自然認為三代以下、迄於明代之前的文教都不合格。正如另一位學官蘇伯衡所問：

44　《明太祖實錄》，卷一百四十五，頁2278。

45　（明）貝瓊：《清江文集》，卷二十，〈送周遜學赴長洲儒學教論序〉，頁418-419。

46　《明太祖實錄》，卷二十二，頁323。

47　（明）宋訥：《西隱集》，卷五，〈觀德亭記〉，頁845。

48　（明）宋訥：《西隱集》，卷五，〈清豐縣重修廟學記〉，頁854。

則兵豈非亦學士之所當知歟？後世何以忌諱而弗談歟？所言者無非天人性命之理
而指六藝為器之末，所習者無過記誦詞章之間，而視六德、六行為空言。後世之
學校，果三代之學校歟？[49]

在朱元璋及部分儒者的眼中，前代教育由於背離古道，已經十分偏頗。只有堅持以經書
的鑽研和六藝的修習為本位，才能在復古中合乎古道；也只有如此，今之學校才能果如
「三代之學校」。

　　當所標榜的復古式教育在明初開展時，明廷作為儒家傳統保護者和道統捍衛者的身
分具有了相當的合理性。正所謂「天子者不以道與儒而有間也」[50]，在儒家的道統一系
上，朱元璋也在理論上具有了比古之帝王更高的地位。如胡翰〈送許祭酒還京師序〉曰：

漢高帝以馬上取天下，若無事吾儒者；唐太宗雖從事吾儒，求其經緯天人之故，
培植國家之本，若房、魏諸臣豈嘗庶幾成周之風乎？皇帝監觀古今，當四方用武
之日，即以教國胄子為先務。先生在皇宮歷年既久，啟迪多至於今茲，遂長成
均。優渥之恩，特達之遇，人皆知先生之才、之學足以致之，而無忝也。[51]

在文中，胡翰認為朱元璋較漢唐的帝王不僅更親近「吾儒」，而且在文教事業上庶幾「成
周之風」。新王朝在道統上的合理性因此加強了，它較其他王朝的優越性也得到強調。

　　因此，從洪武時期的歷史背景來看，本文第二節所論述的「明體適用」代表的整套
人材觀念就不是孤立的，而與文教標榜復古的大勢相呼應。這種「古」雖然在很大程度
上是由宋元以來的儒者建構出來的，但卻因與道統等問題聯繫在一起，而具有神聖性。
太學教育中貶抑辭章之學的格局，由是很難被改變。

　　值得注意的是，朱元璋在教育方面宣揚復古、標榜「明體適用」，肯定了儒家思想
的地位，但同時也提高了對儒者們的要求。就像「明體適用」理論所標舉的那樣，「明
體」是足以「適用」的，而且可堪大用。朱元璋曾對學成得官的太學生說「朕所以用卿
等，冀儒術之有異於常人也」[52]，就是這種期待心理。當然，這種心理的形成及對「明
體適用」人材觀的採用，實與儒者的宣傳關係不小。如宋濂論讀經的作用：

學經而止為文章之美，亦何用於經乎？以文章視諸經，宜乎陷溺於彼者之眾也。
吾所謂學經者，上可以為聖，次可以為賢，以臨大政則斷，以處富貴則固，以行
貧賤則樂，以居患難則安。窮足以為來世法，達足以為生民准，豈特學其文章而

---

49　（明）蘇伯衡：《蘇平仲文集》，卷二，〈國學公試策題八首〉，頁19a-19b。

50　（明）宋訥：《西隱集》，卷六，〈送代祀道人王默淵還京序〉，頁873。

51　（明）胡翰：《胡仲子集》，卷五，〈送許祭酒還京師序〉，《景印文淵閣四庫全書》，1229冊，頁61。

52　《明太祖實錄》，卷一百三十五，頁2140。

已乎？[53]

「上可以為聖，次可以為賢」，這是儒者們鼓吹的讀經功效，也即明體之後自能適用的
理想境界。期望越高，自然也容易失望越大。更緊迫的是，朱元璋不僅對後來即將「明
體適用」的生員予以了很高的期待，同時也對眼前以學官為代表的教育者們提出了更高
的要求。

朱元璋對教育者們的要求，在邏輯上是不難理解的：「師表」在能引導生員「明體
適用」之前首先自己足以致之。朱元璋對學官的要求很高：

> 文廟所以尊先師也，因之而國學建焉。古先哲王必選名儒為之師表，以教國子與
> 公卿大夫之子及民間之俊秀，其任甚不輕也。[54]

國學與文廟是一體的，學官也被認為是先師與生員之間的橋樑；先師是學官的模範，而
學官又是生員的師表。在先師—學官—生員的授受中，學官因「師道」而被嚴格地要求
和束縛。洪武時期的太學教育嚴肅而嚴格，這既與朱元璋對太學教育的認識有關，也在
於他相信「師嚴則道尊，道尊則德立，昔胡翼之（胡瑗）為太學師，嚴條約，以身先
之，此最可法」[55]。樹立起師道尊嚴是生員成材的前提，而師道的樹立又要學官們效法
古聖，模範諸生。但學官們畢竟不能都如胡瑗、都似聖賢，而太學也須經歷規範化的過
程。直至洪武十年（1377）左右，太學助教貝瓊感於太學的諸種弊病，仍以重立「師
道」為重點呼籲學校革新[56]。其實，幾乎除了宋訥擔任祭酒的七八年間朱元璋對太學教
育較為滿意外，他時常譴責「師道不立」。聲稱師道不立與不斷要求師道，成為洪武時
期教育界長期存在的話題。

面對朱元璋對學校教育的重視和對師道的要求，學官們自然只能盡力使自己符合師
道，而其文學家的一面漸漸退場。元明之際的士大夫同中國古代歷史上其他許多時期一
樣，往往兼具儒者、官員和文學家等多重身分：他們信奉儒家學說，並一面投身政務，
一面在公共空間或私人空間進行文學創作。學官，是士大夫中具有較多文教知識的一部
分人。隨著明王朝建立及鞏固，朱元璋力圖昌明道統，愈強調教育的復古特點和「明體
適用」的人材觀念，愈強調學官們的師道尊嚴，學官們的形象就越被要求固定化。學官
們因為身分的特殊性，在文教復古的風氣中要更接近傳統的儒者，強化傳道者和衛道士
的身分。而如辭章之學，本已與「明體適用」的內涵相悖。既然生員們不應該在太學學

---

53 （明）宋濂著，黃靈庚編輯校點：《宋濂全集》，卷十二，〈經畬堂記〉，頁225。
54 《明太祖實錄》，卷一百二十三，頁1984。
55 《明太祖實錄》，卷二百四十五，頁3554。
56 （明）貝瓊《清江貝先生文集》，卷二十三〈學校論〉：「抑閭之子弟之趨向在於師，師不尊則教不
　行，教不行則道不明，必擇專學潔修之士以為儀表焉。余承乏助教五年，睹其得失，故為說以責其
　下而重於得師如此。作而新之，正在於今日。」頁441。

習中關注辭章之學，學官的文學家身分一面也不宜過於彰顯。朱元璋曾直接提醒學官不要重辭章，實際也宣告了學官這一身分不甚與辭章創作相容。例如，洪武十五年（1382），吳顒擔任祭酒，朱元璋與其論師道：

> 國學者，天下賢材所萃，而四方之所取正。必師道嚴，而後模範正。師道不立，則教化不行，天下四方何所取則？卿宜崇重道義，正身率下，俾諸生有所模範。若徒以文辭為務，記誦為能，則非所以為教矣。夫鐘鼓揚則聞於遠，德義著則人樂從。爾其慎之，勉副朕意。[57]

在朱元璋看來，身為學官就要首先放下「文辭」和「記誦」，成為諸生的模範。而不引領好尚辭章的風氣，亦為學官職守的應有之義。再如朱元璋晚年與禮部官員論太學人材「稱其任而卒少見」的原因，稱：「由師道不立，故成材罕聞。爾禮部宜以朕言論天下，俾凡為儒者必恪遵先聖賢之道，以修己教人，毋徒尚文藝云。」[58]他在回顧辦學經驗時將「師道不立」與「尚文藝」關聯起來，諭令「凡為儒者必恪遵先聖賢之道」、「毋徒尚文藝」，也將學官不宜突顯「文藝」作為師道的題中之義。與朱元璋這一觀點相配合，臣下們也或主動、或被動地主張，身為學官不應重辭章之學。如宋濂在〈送翁好古教授廣州序〉結尾時勸勉說：「毋徒泥訓故之繁文為也，毋徒溺藻麗之詞章為也。好古勖哉。」[59]從其言論中亦可以推知，學官身分與辭章好尚在此時是存在衝突的，學官們實不宜以文學家的身分示人。辭章之學與學官身分的疏離，也是明初學校教育中的一個現象。可以說，洪武時期的文化教育氛圍中，道學更加走向前臺，辭章則呈隱退狀。辭章之學在學校教育的退場，也折射出一代學官和學子精神世界較前代的轉變。

## 四　結語

　　在文學教育發展史上，明初是一個特別的歷史時期。以「不務辭章」為突出特點的太學教育，直接反映出官方的文學觀念。這種教育從根源上說是明初經濟社會發展的產物，與易代之後明王朝的經濟、政治政策相適應；從較直接的原因來說，又與此時的思想文化密切相關。在它背後，是「明體適用」的育人目標和人材理念，以及明廷意欲昌明道統、以復古求開新的深層的文教語境。這種教育格局雖不至使太學中的文學活動絕跡，但卻切實引導和規訓著太學師生的文學思想；它雖然存在於太學之內，但其作為一種文化現象，影響又遠在學校之外。而這種影響，則要在之後的文學發展史中得以充分

---

57　《明太祖實錄》，卷一百四十四，頁2269。

58　《明太祖實錄》，卷二百八，頁3107。

59　（明）宋濂著，黃靈庚編輯校點：《宋濂全集》，卷二十七，〈送翁好古教授廣州序〉，頁569。

顯現。元明之際的文苑大老們謝世之後，文壇漸漸寥落，不能不說與太學所代表的官方教育有意貶抑辭章之學關係密切。

# 明代徭役制度之初建
## ── 以江西為中心

### 張偉保

澳門大學教育學院

## 一　引言

　　有明一代的役法，大致可分為前後兩期。前期以朱元璋在建國初期所製訂的里甲制為基礎，輔以具職役性質的糧長制度[1]，對明代賦役徵發作出較全面的安排。然而，朱元璋以自然經濟為治國的大方向，強調社會秩序的穩定，對人戶的管理極之嚴酷，尤以限制人民的改變戶籍[2]、職業和遷徙等，故在安排上極具保守性。因此，明初役法在永樂、宣德之後便陸逐出現變更役法的要求，最後形成了嘉靖、隆慶年間的一條鞭法的推行。考察明代役法的演變趨勢，需要首先明瞭明代初期役法的安排及其缺點。其中，江西省是明代經濟比較先進的區域，其遞法變革往往領先於全國，可作為觀察此重要課題的基點。

## 二　明代徭役之特質與類別

　　明朝的徭役制度，在洪武十四年以後，基本上以里甲制為基礎。它以一百一室戶為里，推丁糧多者十人為長，餘百戶為十甲，甲凡十人，歲役里長十人、甲首十人，管攝一里之事，十年一周。一歲之役，由里長一人並屬於一甲之丁當其事，此可稱為里甲承包制度。[3]這種承包制度，在國初頗稱簡便。但是由於每年歲役並非相同，因此各里負擔便有輕重之別，由所謂公平的原則而論，不能不受到批評。[4]更重要的，是這種方式後來產生極大的弊端。原來，明代中央政府本著任土作貢的原則，每年向地方索要一些特別的土產。通常的方法是由地方官吏依據一縣的里甲數目，分別向各縣徵收。而每里

---

1　梁方仲：《明代糧長制度》上海：上海人民出版社，1957年。

2　按：朱元璋把全國人戶分為軍戶、民戶、匠戶和鹽戶四大類別，嚴禁變更戶籍。人民出行必須通行證件，並對商業活動加以打擊。

3　吳兆莘：《中國稅制史》臺北：臺灣商務印書館，1973年，上冊，頁142-143。

4　吳兆莘：《中國稅制史》臺北：臺灣商務印書館，1973年，上冊，頁143。

之現年里長，便在承包的精神下，出資購買和上納。這種土貢的方式，其原來的意義是象徵性較大的。可是，到了後來，土貢的數量逐漸增加，形成里甲人戶的一項沉重負擔。這種上供物料的膨脹，對里甲制度的運作，構成嚴重的影響。所以，到了嘉靖中葉以後，里甲項下的坐派、歲派和加派，都改為攤入秋糧中附帶徵收。[5]

除了上供物料外，里甲人戶後來還要負擔地方衙門公費的大部分開支。原來，里甲正役的主要職能為管攝一里之事，彈性很大。而地方衙門的支費，本來由政府負責的，但由於明太祖把官員的薪俸訂得太低，[6]又沒有寬裕的行政經費，官吏便傾向於役里甲人戶來負擔衙門之公費。由於衙門公費的不斷增加，里甲人戶的負擔便愈來愈重。

里甲人戶要負擔上供物料的衙門公費的支出，是里甲正役的附加項目。基本上可視為中央政府對人戶的兩種附加稅項，不能計算在力役之徵的範疇內。可是，當我們研究明代徭役的特殊性後，覺得把它們放在徭役制下，一併討論，是有一定的實際意義。理由有二：一、明代稅項，除占比例很少的商稅、魚課等雜稅外，主要分為田賦和戶役二大類。《昭代王章》卷一，〈戶律、戶役、賦役不均〉條「辨疑」說：「驗戶口者，役之出於力者也。驗田糧者，役之出於賦者也。然役之出於賦為多，故總謂之賦役。」[7]足見賦與役二者之滲雜情況，已經形成。又同書對戶役，作以下的解說：「戶役曰役，人戶也；曰役，差役也；田產曰賦，人丁曰役，計家而言謂之戶，計人而言謂之口。」[8]可見，以明代的準則而論，對於人戶之直接科派，如里甲人戶之負擔上供物料與公費者，當屬於戶役之範疇，若把甲里人戶所負擔之公費與物料排除明代徭役之外，則里甲正役之內容，實所餘無幾。對我們研究明代徭役的重要組成部分——甲里正役——的討論，便無法作出較全面的分析和評價。

基於以上兩點理由，我們把物料和公費的支出，都加以討論，以符合明代徭役制度之實際情況。但是，我們必須清楚地知道，這兩項只是力役之徵之附加項目，而不是徭役的主幹。

除了里甲正役外，其他各項徭役總稱為雜泛差役，簡稱曰雜役。雜役的範疇非常龐雜，而且各地因其特殊之需要，役目十分參差不齊，極難統一。以江西而論，雜役的項目後來分化為三大類：均徭、驛傳、民壯。這三大類別，主要是把驛傳，民壯這兩種役目看做特殊從雜役中別擇出來的，不屬於這兩種的雜役稱為均徭。如把均徭、驛傳、民

5　《萬曆南昌府志》（據明萬曆十六年刻本影印，臺灣中央圖書館藏），卷八，〈差役〉，頁10。

6　趙翼：《廿二史劄記》臺北：洪氏出版社，1974年，卷三十二，〈明官俸最薄〉條，頁473-474。

7　熊鳴岐：《昭代王章》，《玄覽堂叢書》，第1輯，臺北：正中書局影印，1981年，卷一，〈戶律、戶役、賦役不均〉條，頁407。

8　熊鳴岐：《昭代王章》，卷一，〈戶律、戶役、賦役不均〉條，頁398；又章璜：《圖書編》（《欽定四庫全書珍本》五集），卷九十，〈江西差役事宜〉，頁58載：「國朝洪武十四年創賦役黃冊……今諸上供、公費出於田賦之外者，皆目之曰里甲，蓋言闔縣里甲所當任也。」

壯三項，加上里甲正役，就是「四差」[9]。「四差」說最先出現的地方是江西。在萬曆初年，江西的官員實行一條鞭法時，曾編成《四差成則》一書，以為派編徭役之指南。[10]到了萬曆三十九年（1611），江西刊行《江西賦役全書》，各項稅目，盡數編入《全書》之內，「務使民之所輸者，一毫盡載於冊之內，官之所科者，一毫無溢於冊之外」，以防吏胥作弊。「並將易知單式，附載其後」，「使鄉市細民，咸知賦役之多寡，徵收之緩急」。[11]至此，江西一條鞭法之推行，遂十分成熟。

## 三　明初的徭役制度──均工夫役、雜役和里甲正役

洪武一朝的役法，大致可分為三大類：均工夫役、雜役和里甲正役。據《明史》記載，明代的役法建立於洪武元年（1368）。[12]明政府在建國不久，立即制訂徵發徭役的方法，《明太祖實錄》記載了明初君臣討論訂立役制的經過。太祖認為：「立國之處，經營興作，必資民力」，為免「役及貧民」，於是便下令中書省[13]「驗田出夫」，中書省臣經過討論後，建議「田一頃，出丁夫一人，不及頃者，以別田足之」的原則，並稱之為「均工夫」[14]。大臣們可能根據他們手頭上的田地資料[15]，計算出「直隸應天十八府及江西饒州、九江、南康三府計田三五七，二六九頃」，據上述田一頃出丁夫一人的原則，這個田地數便會有三五七，二六九個丁夫可用，當「遇有興作，於農隙用之」。[16]

到了洪武三年（1370）七月，太祖對「均工夫」制有進一步規定，以期對徭役的徵發及管理能夠加強。《明太祖實錄》載：

> 命編置直隸應天等十八府州及江西九江、饒州、南康三府均工夫圖冊。每歲農

---

9　岩見宏：〈均徭法、九等法和均徭事例〉，載於《明清史國際學術論壇會論文集》天津：天津人民出版社，1982年，頁448。

10　《萬曆江西省大志》，萬曆二十五年（1597）刻本，臺灣中央圖書館藏，卷一〈賦書〉引，頁1。（按：《四差成則》一書已逸，但其內容保存於《萬曆江西省大志》內，見〈賦書〉引。）

11　以上引文，俱見《江西賦役全書》臺灣學生書局影印明萬曆三十九年江西布政司刊本，1970年，冊1，總頁2-4。

12　《明史》，卷78，〈食貨二〉，頁825。

13　明初，承元制，設中書省。洪武十三年，以胡惟庸案，罷之。胡惟庸事件見《明太祖實錄》（黃彰健校，臺北：中央研究院歷史語言研究所校印明抄本，1961-1966年），卷一二八，總頁2043-2046，「洪武十三年正月甲午」條。

14　《明太祖實錄》，卷三十，「洪武元年二月乙丑」條，總頁530-531。

15　以明初湖州府六個屬縣為例，有明確記載元朝田額的有烏程、歸安二縣。其餘長興、康武、德清明確地指出因元季兵役，「版籍殘毀，無所稽考」。安吉縣則缺載。不論安吉縣的情況如何，整個湖州府的田地數字，有一半或以上是「毀失」的。可見當時中書省的田土資料，殘缺甚多。詳見《永樂大典》，卷二二七七，〈湖州府三〉。

16　《明太祖實錄》，卷三十，「洪武元年二月乙丑」條，總頁531-532。

　　隙，其夫赴京供役，歲率三十日遣歸。[17]

　　一般認為，「均工夫」只在南直隸、江西實施，它的性質屬於京役，即供役京師。但是據資料顯示，其他地方亦有以「均工夫」制來徵發民力築城，如山西[18]、陝西[19]等。同時，地方雜役的分派，也有依照此法而行的，如松江府[20]。但是否通行全國各地，因史料缺乏，就不知道了。

　　關於這次整理役制的效果，太祖在洪武八年（1375）二月再「詔計均工夫役」的文告中，指出這種安排使「役民咸便」。因此，太祖「復命戶部計田多寡之數，工部定其役，每歲冬農隙再京應役一月」。戶部「撿覆直隸應天等十七府、江西所屬十三府，為田540,523頃，出夫540,523人」[21]。這次的範圍擴展至江西全部十三個府。由於太祖嚴格遵守只在農隙時候徵發人民「至京應役」，使不阻礙其本業，故不致對明初農業生產造成嚴重的影響。

　　由於在洪武十四年（1381）明政府正式推行里甲制度，「均工夫役」在洪武中葉以後，重要性減低，尤其是永樂十九年遷都北京後，南京的地位便下降，而「均工夫役」為南京附近的一項特殊役目，對全國徭役的發展，已沒有多少影響。

　　除了「均工夫」制外，明初還有雜役。雜役是雜泛差役。一般的簽發方式，是以稅糧的數目作為依據。這種制度，直至洪武十八年（1385）才有重大的轉變。原來以稅糧為簽充的標準改為以戶等為標準，[22]把明初雜役納入黃冊制度內。[23]今以《大明令》、《明太祖實錄》、《萬曆大明會典》、《永樂湖州府志》等書，勾稽明初雜役之運作過程，以為研究明代中、後期徭役制度之依據。

　　首先，《大明令》〈兵令〉規定了各府州設立「祇候、禁子、弓兵、水夫、鋪司兵」的數目及簽點方式。它規定的人數及稅糧額見下表。

---

17　《明太祖實錄》，卷五十四，「洪武三年七月辛卯」條，總頁1060。

18　《明太祖實錄》，卷六十一，「洪武四年二月丙辰」條，總頁1183；「洪武四年二月戊午」條，總頁1184。

19　《明太祖實錄》，卷八十三，「洪武六年六月丙寅」條，總頁1490。

20　《天下郡國利病書》（《四部叢刊》三編）原冊六，〈蘇松〉，頁六十三引《松江府志》。

21　《明太祖實錄》，卷八十九，「洪武八年三月壬戌」條，總頁1670-1671。

22　《明太祖實錄》，卷一六四，「洪武十七年八月壬辰」條，總頁2538。

23　太祖初時的決定，是府州縣另編賦役黃冊的，但到了洪武二十三年八月，戶部奏重造黃冊，擬定「其上中下三等人戶，亦依原定編類，不需更改」（見《明太祖實錄》，卷二〇三，「洪武二十三年八月丙寅」條，總頁3043-3044），把賦役冊的系統完全納入黃冊制度內，但馬戶的簽派仍獨立進行，日後且演變為糧簽馬戶和市民馬戶兩種。

## 明初簽發雜役之糧額與編制表

| 役目 | 稅糧額 | 應天府 | 各府秋糧額 | | | 各州縣秋糧額 | | | 州縣 | 沿江 |
|---|---|---|---|---|---|---|---|---|---|---|
| | | | 二十萬石以上 | 十一～二十萬石 | 十萬石以下 | 十萬石以上 | 五～十萬石以下 | 五萬石以下 | 巡檢司 | 巡檢司 |
| 祗候 | 二～三石 | 二十 | 二十 | 十八 | 十五 | 十五 | 十三 | 十 | | |
| 禁子 | 二～三石 | 三十 | 十五 | 十三 | 十二 | 十 | 八 | 七 | | |
| 弓兵 | 二～三石 | | | | | 三十 | 三十 | 三十 | 三十 | 一百 |
| 水夫[24] | 五～十石 | | | | | | | | | |
| 鋪司兵[25] | 一點二～二石* | | | | | | | | | |

資料來源：《大明令》〈兵令〉，收於楊一凡點校《皇明制書》（全四冊）北京：社會科學文獻出版
　　　　　社，2013年，第1冊，頁26-27。

*文中註明另有「丁力」之條件，為其他役目所無。

根據上表，府的一級設置祗候和禁子。祗候是負責在官府衙門作庶務，禁子是看守牢獄
和犯人的。弓兵負責地方治安，在府一級是不另設。每個州、縣和巡檢司，都設置祗
候、禁子、弓兵。它們的數目都有嚴格的規定，一般情況必須依例執行。[26]這些雜役的
簽點，都是在規定的糧額「人戶內差點」的，政府明文規定承充者「除納稅糧外，與免
雜泛差役，毋將糧多人戶差占」。[27]以上三種役目，應當的人是否需要自備工具，《大明
令》沒有作出特別說明。但若要充當水夫和鋪司兵的，就有清楚的規定。[28]

　　岩見宏曾經指出，《大明令》〈兵令〉中不曾列出當時另一項重要的雜役役目——馬
驛——是一項嚴重遺漏。他並隨即指出《明太祖實錄》卷二十九，「洪武元年正月庚
子」條，便記載了各處水馬、遞運所、急遞鋪的詳細制度。[29]

　　無論是水馬驛站、水陸遞運所，在明代都被視為大役，因為應當者需要負擔購備馬

---

24　〈兵令〉載：「凡水站，使客通行正路，每站設船十一隻。使客分行偏路，每站設船五隻。每船一
　　隻，設水夫一十名。」楊一凡點校：《皇明制書》（全四冊）北京：社會科學文獻出版社，2013年，
　　第1冊，頁26-27。
25　〈兵令〉載：「凡急遞鋪，每一十五里設置一所。每鋪設鋪兵四人。」
26　明初湖州府就嚴格遵守這個規定，毫釐不差。見《永樂大典》，卷二二七七。
27　《大明令》〈兵令〉。楊一凡點校：《皇明制書》（全四冊）北京：社會科學文獻出版社，2013年，第1
　　冊，頁26-27。
28　明代在水陸驛道上，設置驛站。水站後改稱水驛，相對而言有馬驛。水馬驛遍及全國，是明朝驛傳
　　制度的基幹。它的功能是負責遞送使客，飛報軍籍和轉運軍需物資。
29　見岩見宏：《明代徭役制度の研究》京都：同朋書舍，1986年，頁11。

匹、船隻、牛隻等，如有倒斃破損，均須買補。承充者又要負責館舍的設備、使客往來的伙食供應和差夫，尤其是在那些衝繁地區擔當馬夫、水夫的，更使當役者不勝負荷，家道驟衰。明太祖為了減輕他們的負擔，曾採取三個步驟：一、嚴禁濫用；[30]二、減免應役者田賦，作為補償；[31]三、增加所簽馬戶的糧額。[32]

由於明初驛遞的要求不斷膨脹，官吏濫役的情況亦一再出現，以致民力困弊。[33]明太祖有時候給寶鈔以補助之，[34]或把貧乏者更換[35]和減省遞運所防夫數目。[36]洪武二十三年（1390），太祖更「命兵部清理驛傳符驗」，以禁止「官吏不分事緩急，動輒乘驛，或假以營私，致驛夫勞弊，尰馬損乏」[37]等情況。可是馬戶疲乏以至破家的情形仍不斷發生。到了洪武二十七年（1394），江西饒州府民方處漸要求把驛遞附入里甲制內，使人戶輪流應當。[38]書奏，引起了太祖的重視，乃命戶部集百官議之。會議的結果是：

> 天下水馬驛、遞運所夫，其役至重。雖蠲免其稅，而欠不得代，困乏之故，皆由於此。今後不須免糧，但于各布政司所屬境內，計水馬驛、遞運所船馬車牛之數，以所隸之民戶田糧，照依舊簽糧額加倍均派，不分軍匠，依次輪充周而復始。[39]

太祖認為「若依舊例糧數止加一倍，恐不足以蘇民力，命增至五倍。」[40]

太祖這種以擴大糧簽額的方式去改善驛遞的方法，使每個人的負擔量降低。實行這方式，對減輕驛遞人戶的困苦，是直接而有效的。[41]由於糧簽額擴充至五百石，一般大戶亦罕單獨應當。因此，便有馬頭和貼戶的分別，《萬曆大明會典》載：

> 永樂二年（1404），令僉江西八府充馬戶。每五百石僉上馬一匹。如一戶糧不及

---

30　《明太祖實錄》，卷七十六，總頁1401-1402，「洪武五年九月丁酉」條。

31　《明太祖實錄》，卷九十八，「洪武八年三月乙酉」條，總頁1677。

32　《明太祖實錄》，卷一五六，「洪武十六年八月庚子」條，總頁2427；卷一八六，「洪武二十年十月壬戌」條，總頁2788。

33　《明太祖實錄》，卷一二九，「洪武十三年正月甲午」條，總頁2044；卷一九七，「洪武二十二年八月丙辰」條，總頁2954-2955。

34　《明太祖實錄》，卷一九六，「洪武二十二年四月乙巳」條，總頁2942；卷二〇六，「洪武二十三年十一月庚辰」條，總頁3076；「洪武二十二年十一月戊子」條，總頁3077。

35　《明太祖實錄》，卷一九三，「洪武二十一年八月甲寅」條，總頁2896。

36　《明太祖實錄》，卷一一八，「洪武十年九月庚辰」條，總頁1883。

37　《明太祖實錄》，卷二〇三，「洪武二十三年七月甲戌」條，總頁3045-3046。

38　《明太祖實錄》，卷二三一，「洪武二十七年正月丁亥」條，總頁3381-3382。

39　《明太祖實錄》，卷二三一，「洪武二十七年正月丁亥」條，總頁3381-3382。

40　《明太祖實錄》，卷二三一，「洪武二十七年正月丁亥」條，總頁3381-3382。

41　參考蘇同炳：《明代驛遞制度》臺灣中華叢書編審委員會，1969年，頁267。

> 數，許併戶僉充。糧多者充馬頭，責令集價買馬。[42]

除了以糧額簽充馬戶外，明初還有「市民馬戶」。所謂「市民馬戶」，是指以城市居民為簽充馬戶之對象，其法是令若干戶合共出資購備馬匹以充役。[43]

明初與馬匹有關的雜役，除糧簽馬戶和市民馬戶外，還有專門負責照顧官府馬匹[44]或畜養孳生種馬[45]的養馬戶。明初原來的辦法是「凡民間蓄養官馬者，每一匹免輸田租五石。」[46]因為照顧馬匹草料的費用甚巨，免輸五石的稅糧作為供養馬匹的代價，只能勉強應付飼料方面開支的一部分，再考慮官吏虐使馬匹、使之倒死，要由養馬戶出資賠補得，[47]故此，養馬戶的負擔是不輕的。這種以免田糧的方法，隨著役制的轉變，改為朋戶充當。[48]由於役制之轉變，曾經出現至少兩次混淆的情況，需由中央政府裁決的。[49]

最後，明初雜役的種類還有負責迎接詔敕、進賀表箋、春秋祭祀的儀仗戶，[50]專門在京倉搬運的倉腳夫，[51]在京諸司應役的民充皂隸[52]與及陵戶[53]和茶戶[54]，因資料有限和人數不多，為免篇幅過度，就不再細表了。又如一些地方性的雜役，因一時的需要而役使人民修築橋樑[55]、公廨[56]、修葺水利設施[57]等項，因為多屬臨時性的地方安排，沒有形成制度，故也不詳細輪及。

洪武十四年推行的里甲制度，是明代役法的主流。其中，里長之職責計有「催辦稅

---

42　《萬曆大明會典》，卷一四八，〈驛傳四〉、〈驛例事例〉，總頁2061。

43　《明太祖實錄》，卷一八二，「洪武二十年五月辛亥」條，總頁2751；卷一八六，「洪武二十年十月乙丑」條，總頁2788-2789；卷一八九，「洪武二十一年三月壬辰」條，總頁2856和《萬曆大明會典》，卷一四八，總頁2061。

44　《明太祖實錄》，卷二〇八，「洪武二十四年五月丁亥」條，總頁3103。

45　《明太祖實錄》，卷一九九，「洪武二十三年正月癸巳」條，總頁2991。

46　《明太祖實錄》，卷八十六，「洪武六年十一月癸丑」條，總頁1526。

47　《明太祖實錄》，卷二四二，「洪武二十八年九月辛亥」條，總頁3523載：「上謂兵部臣曰：江淮養馬之民，遇有馬死，有司令其買補，乃去家離業，購於遠方，至有歷年不返，斃于道路者。朕甚憫之。其令太僕寺，凡缺馬者，免其償。」可知從前馬匹倒死，俱要養馬戶賠償。

48　《明太祖實錄》，卷一九九，「洪武二十三年正月癸丑」條，總頁2991。

49　《明太祖實錄》，卷二三三，「洪武二十七年五月癸卯」條，總頁3411；卷二三七，「洪武二十八年三月戊午」條，總頁3462-3463和卷二〇八，「洪武二十四年五月丁亥」條，總頁3103。

50　《明太祖實錄》，卷一八八，「洪武二十一年正月丁巳」條，總頁2821。

51　《明太祖實錄》，卷二四三，「洪武二十八年十一月甲子」條，總頁3527-3528。

52　《明太祖實錄》，卷二〇八，「洪武二十四年四月戊寅」條，總頁3102。

53　《明太祖實錄》，卷一〇八，「洪武九年八月巳酉」條，總頁1800-1801。

54　《明太祖實錄》，卷二一二，「洪武二十四年九月庚子」條，總頁3143。

55　《明太祖實錄》，卷一六二，「洪武十七年五月丁丑」條，總頁2518。

56　《明太祖實錄》，卷五十四，「洪武三年七月丁酉」條，總頁1062。

57　《永樂大典》，卷二二七七，〈湖州府〉，頁4。

糧軍需」[58]，協助覆實田土[59]，勸農[60]等等，這些職責是「里甲正役」主要內容。相對於明代中、後期里甲負擔的冗濫龐雜，明初的「里甲正役」，無疑是較為清簡的。《明太祖實錄》記載了洪武十四年正月推行里甲制度的內容，其中一段說：

> 一里之中，推丁糧多者十人為長，餘百戶為十甲，甲凡十人。[61]

這條史料曾引起兩位明史專家的討論。梁方仲先生根據《後湖志》和《大明會典》諸書，認為里甲制初訂時，是以丁數多寡為序。[62]王毓銓先生則據《永樂大典》和其他文獻的記載認為梁氏的判斷是錯誤的。[63]

筆者查閱《諸司職掌》、《後湖志》、《正德明會典》[64]、《萬曆大明會典》諸書，發現《諸司職掌》一書並沒有記載洪武十四年實施里甲制度的詔令。因此，正德本和萬曆本《大明會典》有關之記錄，其資料來源並不是出自《諸司職掌》一書，又《後湖志》有關記錄亦只是根據《正德明會典》而不是《諸司職掌》。因此，筆者認為王氏主張洪武十四年的里甲制度，以「丁糧」數為編排里甲先後的準則，較為合理。

到了洪武十八年，明政府為了革除吏書作弊的機會，命令把人戶分為上、中、下三等，編成賦役冊，作為安排雜役的依據。[65]這種安排，是試圖把明初的雜役，大部分融入黃冊制度內。

最後，明政府總結了兩次編訂賦役黃冊的經驗，在洪武二十六年（1393）規定日後管理人戶與差役的方法。其文云：

> 凡各處戶口，每歲取勘明白，分豁舊管、新收、開除、實在總數，縣報於州，州類總報之於府，府類總報之於布政司，布政司類總呈達本部（按：指戶部），立案以憑稽考。仍每十年，本部具奏行移各布政司、府、州、縣，攢造黃冊，編排

---

58 《永樂大典》，卷2277，頁5-6。

59 《蘇仲平文集》（商務印書館影印《西部叢刊‧初編》本，1973年），卷六，〈覈田記〉。

60 清高宗敕編：《明臣奏議》（商務印書館影印，1935年），1冊，卷一，葉伯巨：〈應求直言詔上書〉，頁6。

61 《明太祖實錄》，卷一三五，頁2143-2144，「洪武十四年正月」條。

62 見〈輪明代里甲法和均徭法的關係〉，載於梁方仲：《梁方仲經濟史論文集》（中華書局，1989年），頁597。

63 王毓銓：〈《明實錄》、《明會典》一事異書互有得失舉例〉，載於《鄭天挺紀念論文集》（中書華局，1990年），頁474-475。

64 各書的版本如下：《諸司職掌》，《玄覽堂叢書》，第一輯影印明刊本，臺北：正中書局重印，1981年；又《皇明制書》日本：古典研究會影印明刊本，1966年；《後湖志》，微形膠卷，R503，天啓增補本，新亞研究所藏；《正德明會典》，臺灣商務印書館影印文淵閣四庫全書本，1983年，617-618冊。

65 《萬曆大明會典》，卷二十，〈戶部七〉，〈賦役〉，總頁361。

里甲分豁上、中、下三等人戶，遇有差役（按：專指雜泛差役，有別於里甲正役的），以憑點差。[66]

由於一般規定「排年里長，仍照黃冊內原定人戶應當」和「上、中、下、三等人戶，照原定編排，不許更改。」[67]缺乏彈性。加上雜泛差役，乃是臨時編僉，完全由官府的意旨為增減，既無定制，又無定額，弊孔極多。[68]

## 四　小結

綜合而言，在明初無論是里甲正役或雜泛差役，制度上都存在極大的漏洞。明代役法改革之所以引人注目，就是它涉及地方管治的最基層組織，而制度上之缺陷又逼使有責任感的地方官吏作出調整，以避免整個統治架構之全部崩潰。明代中後期的均瑤法和一條鞭法，便是朝著這個方向展開的。

---

66　《諸司職掌》〈戶部職掌〉（《皇明制書》上卷），總頁222。

67　《萬曆大明會典》，卷二十，〈黃冊〉，總頁357。

68　梁方仲：〈一條鞭法〉，載於《梁方仲經濟史論文集》，頁46。

# 浙西詞派與「詞綜」系列的關係

張燕珠

香港公開大學教育及語文學院

　　在文學發展歷程上，文化精英為了形成、發展、推翻或鞏固某些思想或風氣，編纂選本指導時代思想、策動群體或成立流派，改變當代文人的文學趣味。在此基礎上，選本具備存作家存作品、闡釋理論、指導後學等目的，是文學流派發展歷程上的重要一環。浙西詞派選擇以詞選本實踐去經典、創造經典與重塑經典詞學，是中國詞學史上持久地編纂選本的文學流派，又以此發展詞學思想。這種舉措超越單一目的性去發展流派模式的選本，層層疊起南宋詞、雅詞、詠物詞、慢詞等概念。康熙年間（1662-1722），朱彝尊等人聚結同鄉的力量，合刻《浙西六家詞》，附失傳百年的張炎《山中白雲詞》於後，標誌南宋詠物詞及其詞風的誕生。朱彝尊與汪森為了扭轉頹靡的明詞，澈底否定《草堂詩餘》，重塑新的唐宋詞選本《詞綜》，樹立醇雅詞典範。嘉慶（1796-1820）、同治（1862-1874）、光緒（1877-1908）年間，王昶、黃燮清、丁紹儀等人，先後承接《詞綜》的編輯宗旨，編纂明代與當代詞選本，計有《明詞綜》、《國朝詞綜》、《國朝詞綜二集》、《國朝詞綜續編》及《國朝詞綜補》，形成「詞綜」系列。浙西詞派模式的詞選本，涉及唐代至清代的詞選，強化選本的當代社會與文學功能。選本這種文學批評方式，具有連結知識與權力的複雜歷史過程，就是在文學活動範圍內，編選家堅持審美標準，確定錄選的群體與作品，從群體內部擴大創造力與影響力，吸納新的追隨者。選本是一種語言活動，強調選本的存在方式的多樣性，又強調選本功能中的以言行事。在中斷與創造選本的過程中，浙西詞派的詞學領袖，以詞選本推動流派的發展，既提升詞選本的原始價值，且轉移詞學理論或思想到詞選本身上，賦予詞選本時代生命。「詞綜」系列，跨越不同帝朝，不斷在浙西詞派的詞學體系中，注入時代氣息，幾乎與當代詞壇劃上等號，緊密聯繫流派的命脈。

　　本文以此為據，重新解讀浙西詞派編選家編輯「詞綜」系列的言說意圖，考察詞學知識、編選目的及流派升降的互動關係。在創造「詞綜」的過程中，詞學領袖運用當代詞選淨化詞學思想，統整詞學活動，開啟階段性的美學實踐，確立領導地位。在流派的發展過程中，詞選本具有非續性的特點，後繼領袖在編選詞選時，往往中斷原有的編輯意圖及實際意義，使異質的思想理論介入原有的詞選本。這裡所指的異質思理論，很大程度上是編選家的審美情趣、詞學理論與文人的文學趣味，更多的是時代的審美傾向及社會的需要，建立開創、鞏固與拯救流派的三個階段。

# 一　詞選本的概念

　　在中國詞學史上，清代文人編纂的詞選本，有助我們把握整體詞學發展的脈絡，呈現那些被編選家篩選、分配與重組的文學原則。從內容上看，有歷代合選本，如題為卓人月彙選《古今詞統》；有斷代詞選本，如朱、汪輯錄唐宋詞選的《詞綜》；有當代詞選本，如王昶編輯《國朝詞綜》，都是整理一代詞文獻。從理論上看，詞選弘揚編選家的詞學知識與審美觀念，作為開宗立派的先聲。朱、汪編輯《詞綜》，倡導南宋醇雅詞，成立浙西詞派。張惠言編輯《詞選》，重提比興寄託，創立常州詞派。二派以唐宋詞選指導清詞的發展，重新界定詠物詞，給予南宋名賢新的歷史意義，轉移當朝詞風，具備獨特的歷史和藝術價值。

　　歷代文人往往能夠精確演繹選詞與詞選的概念。選詞是過程，詞選是結果，兩者使編選家的詞學知識有機地序列，建構詞學秩序，淨化編選家的編選意圖。淨化，原是古希臘美學術語，指藝術對人的審美作用的一個本質。[1]亞里斯多德在《詩學》中，指出悲劇的淨化作用，人們詮釋為淨化激情，或擺脫激情。古典主義的理論家從唯理主義的觀點出發，高乃依認為悲劇通過表現激情，將人們引向不幸，迫使人用理智去遏制激情。歌德認為淨化是藉助藝術恢復人已被破壞的精神與心靈和諧的過程。本文借用悲劇的淨化作用，引領至詞選本的概念上，認為編選家以詞選本表現創作，引向當代詞人至自身流派之中，遏制不符合編選家或流派的審美標準的作品，使詞選與選本傾向清晰或單一的編輯方向。

　　自南宋起，編選家展開討論編選的意圖。南宋周密指出選張樞詞的原因，是「嘗度《依聲集》百闋，音韻諧美，真承平佳公子也」，[2]明代毛晉論高觀國詞選時，指出「《草堂集》不多選，選入如《玉蝴蝶》，坊刻竟逸去」，[3]編選家掌控錄選權，會因不同因素決定作品的去或留。清初沈雄認為詞選編排不必拘泥於一格，「選一家詞，而以小令始，以長調終者，非通論也」，[4]況且很難符合選家的旨趣，「既不得各人面目，復不合選家旨趣，一成變體，殊為恨事」。[5]清人胡應宸在編選明代詞作時，指出「采選之難，自古為然」，[6]認為選詞之難在於捨棄作品，「大抵詞不難於取而難於去，不難於多

---

1　董學文、江溶主編：《當代世界美學藝術學辭典》南京：江蘇文藝出版社，1990年，頁398-399。

2　（宋）周密：《浩然齋詞話》，載屈興國編：《詞話叢編二編》杭州：浙江古籍出版社，2013年，頁249。

3　（明）毛晉：《汲古閣詞話》，載屈興國編：《詞話叢編二編》，頁307。

4　（清）沈雄：《柳塘詞話》，卷二，載屈興國編：《詞話叢編二編》，頁521。

5　（清）沈雄：《柳塘詞話》，卷二，載屈興國編：《詞話叢編二編》，頁521。

6　（清）胡應宸：〈蘭皋明詞彙選序〉，載顧璟芳、李葵生、胡應宸編選，曾昭岷審訂，王兆鵬校點：《蘭皋明詞彙選》（附《蘭皋詩近選》）瀋陽：遼寧教育出版社，1998年，頁3。

而難於少，去斯精，少斯當，此餘輩彙選之意也」。[7]他們稱編選者為「選者」或「選家」，呈現在編選過程中「選」的獨特性，而不是放眼於「編」，強調人的作用與本質。文化精英一直掌控詞選本，如上述的文人，具有編選知識與鑑賞能力。詞人或詞作選與不選，以及所選的數量多寡，都是歷代編選家的討論對象。「選詞之目的有四：一曰便歌，二曰傳人，三曰開宗，四曰尊體；前二者依他，後二者為我」，[8]編選家掌控選詞的目的，或因當時社會環境的需要，選出符合時代文化風尚的詞選。從讀者的角度來看，讀者選擇閱讀別集、總集或選集，獲取知識。閱讀別集是欣賞某個作家的氣質，了解一家之言。閱讀總集是欲了解時代文學的書寫特質。而讀者願意閱讀選本，是認同編選家的審美標準。編選家的編選態度與價值十分重要，「由是而治詞學者，讀集既不易，讀選本又恐迷方。持兩執中，重新估定各本之價值，而為後來操選政者，略貢一得之愚。」[9]清人包世臣在〈秋蓮子詞稿跋〉中曾表明，「吾人詩文有由選本得者，有由全集得者。由選本得者途徑窄而詞句淨，由全集得者，詞句雜而途徑寬。倚聲之道如是也。」[10]別集、總集或選集，各有長短處。編選家會參考它們的價值，以輯錄選本，淨化作品，創造規範性的作品，間接收縮後學的學習途徑。在選錄作品的同時，編選家需要決定淘汰某些作品，至於錄與不錄作品，也沒有一定的標準，所錄的作品也沒有好或壞之分。編選家往往主導選本的品質與數量，影響前賢或時賢作品的傳播，決定後學接受作品的類型。詞選本是編選家行使知識與權力的工具，由精英主義下控制話語的傳播與接受，也是時代產物。

## 二　《詞綜》開創流派

　　浙西詞派萌芽期，朱彝尊、汪森編纂《詞綜》，為清初詞壇注入醇雅的詞風，改變明詞柔靡的局面。這是流派明顯地淨化南北宋詞選，開宗立派的意識強烈。近年研究《詞綜》成果不俗，從文獻角度看，闡釋其編纂意圖及其價值、[11]文獻價值、[12]與康乾

7　（清）胡應宸：〈蘭皋明詞彙選序〉，載顧璟芳、李葵生、胡應宸編選，曾昭岷審訂，王兆鵬校點：《蘭皋明詞彙選》（附《蘭皋詩近選》），頁4。

8　龍沐勳：〈選詞標準論〉，見《詞學季刊》，第1卷第2號，載張璋、職承讓、張驊、張博寧編纂：《歷代詞話續編》鄭州：大象出版社，2005年，頁1004。

9　龍沐勳：〈選詞標準論〉，見《詞學季刊》，第1卷第2號，載張璋、職承讓、張驊、張博寧編纂：《歷代詞話續編》，頁1004。

10　馮乾編校：《清詞序跋彙編》，南京：鳳凰出版社，2013年，2冊，頁895。

11　諸葛憶兵：〈《詞綜》編纂意圖及其價值〉，《江海學刊》，2001年第2期，頁160-164。

12　于翠玲：〈論朱彝尊《詞綜》的文獻價值〉，《古籍整理研究學刊》，2005年第5期，頁24-31。李程：〈朱彝尊藏書與《詞綜》的文獻采摭〉，《國學學刊》，2018年第4期，頁112-120。

時期官方詞籍整理的格局，[13]也從清詞發展角度，析論其與《浙西六家詞》及浙西詞派成形的關係、[14]與清詞復興的關係，[15]等等。

《詞綜》三十六卷，是康熙年間一部大型的唐宋詞選本，是朱、汪詞學思想及浙西派詞學宗旨的重要依據。這些依據，見於汪森的序文與朱彝尊的發凡，說明編選的目的、經過、準則等。《詞綜》的編纂目的，是要完全否定《草堂詩餘》，以去經典詞選本，繼而標舉姜夔等人詞的醇雅。朱、汪突顯《詞綜》的編選特色，完全以學人之詞選推倒唱人之詞選，是中國詞學史上罕有地以他者眼光排斥異己，又以群體力量操控詞選本的接受與傳播。「余惟詞學在廢興間者數百年，良以表章無人，整齊莫自，故散而無統」，[16]說明詞學百廢待興，編纂工作艱鉅，激發編纂者趨向編輯符合學人之詞的詞選本。從選本的角度考慮，朱、汪說明編纂《詞綜》來取代《草堂詩餘》，拒斥他們心目中的俗詞，重新創造新的經典雅詞選本，選編《詞綜》為唐宋詞選本的新典範。朱彝尊強調「藏書家編目錄，詞集多不見收」、「舊本散失，未經寓目，或詩集雖在，而詞則闕如，僅於選本中錄其一二」。[17]從唐宋詞選的傳播來看，朱、汪藉著編纂《詞綜》重新建構唐宋詞選本的範式，起存人存詞的先導作用，有助保存作品較少的作家。存人存詞，含因人存詞及因詞存人。

好的選本需要經得起時代的考驗而成為經典。經典的形成，很大程度上是要得到主流社會、政治體制、著名文人等認可與推崇，又以群體審美選擇作為指導準則。在經典的構成過程中，選本有意無意滲入集體意識形態，反映某些群體的利益，或在當中浮現與另一群體的矛盾現象。作品一旦成為編選家的選擇對象，其支配權與行使權就由作者推移到編選家身上。浙西詞派領袖按照雅正的標準編選詞選本，有權操控作品的質素與數量。《詞綜》始於昭宗皇帝終於張雨，再現雅詞，讓文人重新獲得創作泉源，是必讀的選本。「清人選宋詞博而且精者，無過朱竹垞《詞綜》一書。此與萬紅友《詞律》、戈順卿《詞林正韻》，皆詞家必備之書也」。[18]從歷史的角度來看，唐宋金元詞產自詞學頂盛的時期，因《草堂詩餘》的廣泛流傳，湮沒不少曾在歷史中出現過的作品，刊刻《詞綜》具有劃時代的意義，減低《草堂詩餘》的餘威。從傳承的角度來看，以《詞綜》推動清詞向前發展，有系統地結集散逸的作品，如姜夔當時僅存的二十三首詞曾失傳一

---

13　于翠玲：〈論朱彝尊《詞綜》與康乾時期官方詞籍整理〉，《海南大學學報人文社會科學版》，2005年第1期，頁83-89。

14　于翠玲：〈《浙西六家詞》與《詞綜》的關係——兼論浙西詞派形成的綜合因素〉，《嘉興學院學報》，2005年第4期，頁16-20。

15　張宏生：〈統序觀與明清詞學的遞嬗——從《古今詞統》到《詞綜》〉，《文學遺產》，2010年第1期，頁87-93。

16　（清）柯崇樸：〈詞綜後序〉，載朱彝尊、汪森編：《詞綜》上海；上海古籍出版社，1978年，頁3。

17　（清）朱彝尊：〈詞綜發凡〉，載朱彝尊、汪森編：《詞綜》，頁10。

18　蔣兆蘭：《詞說》，見《詞學》，載張璋、職承讓、張驊、張博寧編纂：《歷代詞話續編》，頁538。

時，因朱、汪的搜羅而不致散佚。從讀者的角度來看，朱、汪以列陣方式推尊南宋諸名家詞，名賢仿如跨越時空來到明代遺民的眼前，作品就是文人深隱的民族情懷。汪森指出姜夔詞因醇雅而可取，並擴充醇雅詞人陣營，史達祖與高觀國是姜夔的羽翼，張輯與吳文英也曾師從之，趙以夫、蔣捷、周密、陳允平、王沂孫、張炎、張翥則緊隨其後，由姜夔的騷雅詞轉化為南宋諸名賢的醇雅詞風。這種列陣方式，陳述不同文人心目中的雅正意義，以醇雅論取代張炎的騷雅論，藉助諸南宋名家的力量，轉換雅正詞人群，創造新的陣勢。在這個體系內，「醇雅」成為諸南宋名賢的總詞風，是流派的權力來源，展開清初文人新的審美情趣。同時，它隔絕所謂的俗詞，是透視性的詞學體系。在這個構成過程中，選本滲透流派的雅正話語，隨即分化雅詞和俗詞。雅正即純正典雅，具備審音協律的特質。「詞欲雅而正，志之所之，一為情所役，則失其雅正之音」，[19] 雅、正與志不可分割，不忘志之所之，不為情所役，糾正言情的俚俗，使之向言志靠攏，同時糾正過度抒懷，使詞不忘本位，恪守緣情，又不會蕩進詩文裡。汪森以醇雅補充朱彝尊的雅正論，「鄱陽姜夔出，句琢字煉，歸於醇雅」，[20] 確立姜夔的詞文學地位。醇雅，意指淳厚雅正。從文學選本角度來看，《詞綜》發凡與序文闡釋詞學中的雅俗觀念，以奠定唐宋詞選在當代詞壇的發展基礎，並引出流派的發展方向。在《詞綜》的編纂目的、考證文獻的編纂過程、選取南宋雅詞的準則與分布情況，朱、汪轉化張炎的騷雅詞學觀念，提出醇雅詞學觀念，洗脫《草堂詩餘》的陋風，為清初詞壇帶來新景象，也是復雅的徵兆。清初文人於是配合清廷的尚雅文化政策，過渡或適應新的詞學秩序。

　　編選家的審美傾向，直接判定作者及其作品的命運。朱、汪編輯《詞綜》，推崇姜夔詞及排斥馬洪詞，造就二人往後完全不同的文學地位，姜夔自此聲名更響亮並流芳百世，馬洪因此為文人所不屑而湮沒於歷史洪流之中。朱彝尊以別有懷抱的他者眼光褒貶詞家詞作，以利己方式傾向並評價某詞家，就是以自身的知識操控已逝去作者的命運。文學經典有時不限於作品，人物也可以成為經典。經典人物往往是從後人的尺度量度前人的形象、命運、作品等，作為諸方面的參照，通過不斷轉述、評論、轉化等行為，後人不斷解讀其作品，在讚揚某人的作品之際，同時也意味著抑制另一人的作品，這種行為隱然是個人的心理使然。為了創造新的力量，後人把諸前人放在競爭的舞臺上，開放或遮蔽某些話語，讓他們在當前的時空中，由強而有力的文學領袖直接參與批評，引導追隨者轉移原有的思想或行為。這種淨化舉措可以推出新的經典人物，直至符合當時的社會文化風尚為止。而文學領袖則在新經典中獲取利益，如地位、名望、權威等。《詞綜》的出現，標誌著《草堂詩餘》在詞學發展過程中所經歷的斷裂，是唱人之詞的選本的終結，又是學人之詞的選本的開端，標誌著能夠建構詞學知識的唐宋詞選本，其編選過程中具有相似性的原則，很大程度上卻被文人以詞樂同一與差異的美學原則所取代，

---

19　（宋）張炎：《詞源》，卷下，載唐圭璋編：《詞話叢編》北京：中華書局，1986年，頁266。

20　（清）汪森：〈詞綜序〉，載朱彝尊、汪森編：《詞綜》，頁1。

標誌著唱人之詞的選本被學人之詞的選本所取代，標誌著唐宋詞選本與雅俗觀念從詞樂同一走向分裂的局面，即詞不再是結合音樂而歌唱的載體，而只是作為純文學樣式走入清代詞壇。這些修正舉動，淨化詞學與文人之間的關係，往後的詞學道路遂呈現經典化現象，惟傾向比較單一的發展軌跡。

## 三　《明詞綜》、《國朝詞綜》、《國朝詞綜二集》鞏固流派

流派中期，王昶編纂明代至當代詞選本，以《明詞綜》、《國朝詞綜》及《國朝詞綜二集》壯大流派中期的聲勢，有機完善流派以詞選本為中心的特點，流派進入全盛時期。流派以深化雅正的思想來淨化明清詞選，試圖鞏固流派的領導地位。王昶恪守以姜夔與張炎為始祖的原則，規劃比較單一而完整的雅正詞學體系或觀念，淨化詞選本的效用，包含超越單一目的性的詞籍整理。於此，經典化的形成，是需要經過淨化的階段，在選與汰之間，傳世作品才有機會進入經典化的機制。

王昶繼承《詞綜》的宗旨編輯《明詞綜》，完成朱彝尊的遺願，「汪氏晉賢刻之，為後世言詞者之準則，予尚以其不及明詞為憾」。[21]百年之後，王昶遠追朱彝尊的遺志，輯印明詞成書，「蘭泉寇承金風亭長之後，輯《明詞綜》十二卷，蓋以亭長舊稿，合諸平生所搜輯者，彙而梓之」（趙尊嶽語）。[22]近年研究《明詞綜》，學者主要指出王昶選詞經常擅改原作，有時整句整闋易改；[23]或論證王昶根據不同的表現與目的擅改原作，篡改原作數量達一半以上、修改字詞以求雍容格調、添刪字詞以符合詞律、擅自變更小令為長調及刪掉標題及詞序；[24]或考察《明詞綜》原本編纂者為汪森及隔了百年才重刊刻《明詞綜》的原因。[25]另外，學者也關注《明詞綜》的成書過程、選編特色、缺點與不足及影響；[26]《明詞綜》的特色，[27]等等。事實上，《明詞綜》是王昶編纂《國朝詞

---

21　（清）王昶：〈序〉，載《明詞綜》臺北：商務印書館，1937年，頁1。

22　王兆鵬：〈附錄一：跋〉，載王昶輯，王兆鵬校點：《明詞綜》瀋陽：遼寧教育出版社，1997年，頁196。

23　王兆鵬舉出卷十陸釋麟〈八聲甘州〉據《歷代詩餘》錄入，而結句四字全部改易。卷十梁希聲〈浣溪沙〉詞從《草堂詩餘新集》，卷十錄入，原詞過片二句為「到處芳園聞笑語，偶來荒塚聽啼聲」，被改作「日午繡簾酣睡燕，雨餘芳樹囀流鶯」。卷十一顧若璞〈長相思〉詞與《林下詞選》等相互比較，除首三句文字基本相同外，其餘全部改篡，等於王昶改作。王兆鵬：〈出版說明〉，載王昶輯，王兆鵬校點：《明詞綜》，頁碼從缺。

24　葉曄：〈清代詞選集中的擅改原作現象——以《明詞綜》為中心的考察〉，《中國文化研究》，2006年春之卷，頁110-112。

25　陳水雲：〈《明詞綜》編纂考〉，《文獻雙月刊》，2014年第5期，頁162-166。

26　張仲謀：〈《明詞綜》研究〉，載朱萬曙編《明代文學與地域文化研究》合肥：黃山書社，2005年，頁579-589。

27　張燕珠：〈《明詞綜》的特色〉，載中國明代文學學會（籌）編：《2019年明代文學國際學術研討會論文集》（詩文研究卷·下）深圳：深圳大學，2019年，頁1158-1166。

綜》及二集的過渡期，連接浙西詞派模式的選本，也是鞏固流派地位的先聲。

　　《明詞綜》十二卷，始於仁宗皇帝終於王秋英，選三百九十家家詞，選錄僅一首作品者達三百一十二人，共五百九十九首詞，博覽集成，存人存詞。《明詞綜》沿襲《詞綜》以人存詞的方法編排目錄，以作者時代次序排列，由皇帝到一般詞人再到閨秀妓女，成書體例上吸收《詞綜》的長處，附有作者小傳及若干明清人的評論，吸收前代詩詞選集之長。王昶以知人論世的傳統思想與地緣譜系關係，作為選汰作品的準則。一是收錄重要的詞學家，如楊慎（11首）、沈謙（11首）、王世貞（8首）等。二是收錄高尚情操的詞家，如陳子龍（17首）、夏完淳（5首）。陳子龍的十七首詞都是宗南唐及北宋詞風的小令，大多屬於豔麗言情之作，如〈望江南〉（思往事）、〈如夢令〉（紅燭逢迎何處）、〈浣溪沙〉（半枕輕寒淚暗流）等，大抵傾向南唐及北宋詞風，兼喜歡創作小令、中調，反映明代詞風的特色。三是重視地緣譜系關係，保存同鄉人的詞作，如邵梅芳（12首）、施紹莘（8首）。《明詞綜》選錄不少女詞人的作品，達八十四家一〇五首詞，見於第十一及第十二卷。她們都是出身名門，如葉小鸞（8首）、沈宜修（5首）、顧文婉（3首）等，又有名妓，如王微（3首）、楊宛（2首）等。明代女性詞學的特色，已經受到清人的關注。這是王昶獨具慧眼的選汰準則，保存明代女性詞人的特殊現象，繼承《蘭皋明詞彙選》的宗旨，「言情之作，半出名閨，風雅盡然，于詞何獨不可爾」。[28]

　　至於，朱彝尊的舊稿，相信可閱覽者不多。王昶隨意注入自己獨特的審美標準，控制錄選作品的質與量。王昶編輯《明詞綜》的目的，是要保存明代詞作，但因他處處流露流派的美學意識，每遇不合意的地方，就動手改動作品，無復作品的原貌。王昶大量篡改作品的字眼、用語甚至是內容，明顯地運用編選家的知識與權力，對流派來說是創造行為，但對作者來說就是破壞行為，也改寫明詞的命運。讀者不知底蘊，接受他的詞選本，即接受流派的編選意圖與美學標準。從傳承流派的詞學思想來看，王昶重現中斷百年的明詞，保留斷代詞選，別具歷史意義，實踐詞選本的文學功能。

　　其後面世的《國朝詞綜》四十八卷及《國朝詞綜二集》八卷，則比較有系統地編選當代詞作。有關的研究較少，如論《國朝詞綜》及二集傾向浙西詞派詞學等。[29]二書是王昶鞏固流派地位的體現。王昶挑選每朝詞家的經典作品，保留《詞綜》以人編次的準則。二集的書卷首列總目錄，而每卷前又有分目錄，標明每位詞人入選詞作的數量。《國朝詞綜》始於李元鼎終於何月兒，錄清初至嘉慶年間七二四位詞家，共二四一三首詞。王昶仿《明詞綜》編排，卷一至卷四十六為男性詞人共六百九十九家，達二三一二首詞，卷四十七至四十八為女性詞人共五十五家，有一〇一首詞，僅錄一首詞的達四百

---

28 王兆鵬：〈例言十三則〉，載顧璟芳、李葵生、胡應宸編選，曾昭岷審訂，王兆鵬校點：《蘭皋明詞彙選》（附《蘭皋詩近選》），頁6。

29 龍野：〈論《國朝詞綜》的浙派詞學傾向及其影響〉，《中國韻文學刊》，2017年第3期，頁86-94。

六十家，博覽集成，存人存詞。《國朝詞綜》選錄比較多的為朱彝尊（65首）、厲鶚（54首）、趙文哲（46首）與王時翔（45首）詞，尤其重視朱、厲詞，把他們的作品獨立成卷。全書收錄清代離世詞人的作品，因存人而存詞，或因存詞而存人，「後恐其散佚湮沒，遂取已逝者，擇而鈔之為」，[30]繼承《詞綜》的編輯宗旨。

《國朝詞綜二集》始於錢大昕終於王紹成，遺錄乾隆、嘉慶年間的六十一家男性詞人，達四百三十二首詞，僅錄一首詞的只有九家。因為《國朝詞綜》已經吸納大部分離世的詞家，《國朝詞綜二集》則主要錄選在世詞人，「擇其尤者」、「其取舍大旨，仍以太史為宗」。[31]全書選錄最多的是吳錫麒（36首）、楊揆（24首）、楊芳燦（19首）與凌廷堪（19首）詞，銳意引入新秀，延長流派的生命力。王昶有機地完善浙西詞派唐宋以降的詞選本，著力強化詞選本的文學功能，凝聚文人的創作力量，實現以詞選本延續流派命脈的社會功能，鞏固流派的領導地位。如此，流派的詞學理論或思想，超越時代，指導時代。這是詞選的淨化舉措，引領作家或作品走向經典系列的過程。

## 四　《國朝詞綜續編》與《國朝詞綜補》拯救流派

流派晚期，王昶嗣後黃燮清編輯《國朝詞綜續編》二十四卷，丁紹儀輯《國朝詞綜補編》五十八卷，續補八卷，拯救不振的流派。《國朝詞綜續編》製作精密，採集五百多家詞，由黃燮清編纂，結合潘介繁襄校、徐慶銓編次、張炳坒增訂、諸可寶校勘與胡鳳丹監刊之力，最後由黃燮清婿宗景藩校刊，歷時十多年而成書。宗景藩憶述，黃燮清曾向他提及編纂的動機，「乾嘉以降，詞人輩出，余采得六百家，披吟抉擇抄撮成編，將欲繼竹垞、蘭泉兩先生《詞綜》之選，傳其詞並傳其人，悴心力於茲者已十年矣」，[32]致力存詞人詞作，編輯人員用心考訂，「使其詞傳，其人亦傳」。[33]潘曾瑩說明續編《國朝詞綜》的目的，補充《國朝詞綜》沒有收錄的近世詞選，因為百年以來「海內詞人鱗集麟萃，尚少續刊善本」，[34]乾隆、嘉慶以來，詞家輩出，總會遺錄。張炳坒讚揚王昶編輯的《國朝詞綜》及《明詞綜》的刊選要旨，以朱彝尊為宗，因成書晚於《四庫全

---

30　（清）王昶：〈國朝詞綜序〉，見《國朝詞綜》，載王昶、黃燮清、丁紹儀撰：《清詞綜》北京：北京圖書館出版社，2006年，頁4-5。

31　（清）王紹成〈國朝詞綜二集序〉，見《國朝詞綜二集》，載王昶、黃燮清、丁紹儀撰：《清詞綜》，頁321。

32　（清）宗景藩：〈國朝詞綜續編跋〉，見《國朝詞綜續編》，載王昶、黃燮清、丁紹儀撰：《清詞綜》，頁363。

33　（清）宗景藩：〈國朝詞綜續編跋〉，見《國朝詞綜續編》，載王昶、黃燮清、丁紹儀撰：《清詞綜》，頁365。

34　（清）潘曾瑩：〈國朝詞綜續編序〉，見《國朝詞綜續編》，載王昶、黃燮清、丁紹儀撰：《清詞綜》，頁3。

書》而未能被收錄，間接道出續編是延續其精要。他說明續編主要收錄嘉慶、道光以來的詞人詞作，「近世倚聲家之奉為準則，則一如檢討之書，顧自嘉道以還，詞人輩出，名章儁句流播旗亭，而未有薈萃之本」，[35]因為黃燮清病中編輯，延誤采集、篩選、研究和博覽群書的工作。胡鳳丹說明《國朝詞綜續編》是補錄王昶的《國朝詞綜》遺錄詞，自順治至咸豐年間的遺錄詞，也應「旁搜博采」。[36]最後，潘曾瑩總結當代詞作遠遠超越詩賦的成就，「我朝文治蒸蒸，經術詩賦而外，詩餘一家，亦實能超軼」，[37]聯繫尊詞體，詞能夠直接抒發潛藏的幽思，求詞學詞者不絕。他們間接歸功於王昶的編輯建樹，是當代詞學鼎盛的原因。「詞綜」系列成書於不同時期，歷多朝文人搜輯、考訂、校正等編纂之力，為保留一致性，後繼者會仿先賢所制定的體例，各書以作者時代為序，附以作者小傳及若干清人的評論。編輯人員按黃燮清的遺稿整理此書，由於是其手稿，並標明「黃韻甫云」或「黃韻甫曰」的評語，故具備史料價值。

　　《國朝詞綜續編》以作者時代為序，附以作者小傳及若干自撰或其他清人的評論。每卷卷前又有分目錄，標明每位元詞人入選詞作的數量。《國朝詞綜續編》始於李昌垣終於吳小荷，卷一續錄王昶在《國朝詞綜》遺錄的四十七家，大都是清初至嘉慶年間詞人，卷二至卷二十四續錄嘉慶到咸豐（1850-1861）年間遺錄五百多家。

　　全書承接《國朝詞綜》續編，補人不補詞，共得五百八十七家詞，達一千六百七十四首詞。卷一至卷二十一錄男性詞人四百九十六家，卷二十二至卷二十四錄女性詞人九十一人。全書選錄比較多的為項鴻祚（64首）、張金鏞（39首）、朱綬（37首）、吳承勳（36首）、周之琦（34首）與曹言純（31首）詞。另有二百六十九人只錄一首詞作，保留大量寂寂無聞的詞人及其作品。黃燮清又上溯周密《絕妙好詞》與黃升《花庵詞選》的體例，集中收錄嘉慶、道光年間的詞家五百八十六家，詞人姓氏已經載前編者，一概不再重錄，只會補人而不會補詞。因當時詞學頂盛，以防湮沒，「是編所錄，悉以雅麗蘊藉為準，求合乎無邪之旨」，[38]說明流派的雅麗蘊藉的宗旨。張炳堃交代選汰過程，「澄汰一踵前規，以繼侍郎者、繼檢討，遂以集千古詞學之大成」。[39]同時，他稱許黃燮清篤學好古，自少時飲譽文壇，尤工詞，詞風窮極窈窕幽眇，撰寫的詩古文辭及其他

35　（清）張炳堃：〈國朝詞綜續編序〉，見《國朝詞綜續編》，載王昶、黃燮清、丁紹儀撰：《清詞綜》，頁8。
36　（清）胡鳳丹：〈國朝詞綜續編序〉，見《國朝詞綜續編》，載王昶、黃燮清、丁紹儀撰：《清詞綜》，頁11。
37　（清）潘曾瑩：〈國朝詞綜續編序〉，見《國朝詞綜續編》，載王昶、黃燮清、丁紹儀撰：《清詞綜》，頁4。
38　（清）潘曾瑩：〈國朝詞綜續編序〉，見《國朝詞綜續編》，載王昶、黃燮清、丁紹儀撰：《清詞綜》，頁4。
39　（清）張炳堃：〈國朝詞綜續編序〉，見《國朝詞綜續編》，載王昶、黃燮清、丁紹儀撰：《清詞綜》，頁8。

著述不計其數，博大精深，具學者風範。諸可寶、遲鞠甫說明續編的特色，就是「悉祛五蔽」，[40]復歸《詩經・國風》的本色、《楚辭》的緣情風貌，保存「雅音」及排除「哇響」。「悉祛五蔽」，即除去豔情、偽豪放、靡音、虛清及琢刻的作品，回復詞的原來面貌，淨化詞選。宗景藩說明保留原稿作者小傳，包括詞人姓氏、籍貫、故里等，事隔二十年也不敢改動有關生平事蹟，「特以是編之所由，始與其所由成，殆有數為之者，謹述其略如此」。[41]

光緒九年（1883），丁紹儀續補《國朝詞綜》，名為《國朝詞綜補》，補《國朝詞綜》，收錄嘉慶以前遺漏詞選，嘉慶以後的則放在續編。編輯隊伍完備，計有申保齡、葛其龍、余一鼇、胡鑒衡等人。《國朝詞綜補》始於蘊端終於樊增祥，續錄王昶與黃燮清遺錄的一千五百三十七家詞，多為零散單闋，錄存較寬，道光（1821-1850）年間因刊鈔較多，遴選則稍嚴，僅見一、二首詞，也編入以存其名。全書橫跨清初至咸豐年間男性詞人，補人又補詞，達三千三百六十四首詞，選錄比較多的有蔣春霖（20首）、宋志沂（18首）、陳元鼎（16首）、周閑（16首）、蔣敦復（16首）與王壽庭（16首）詞，而只錄一首詞作達九百六十九人，占總收錄詞家一半以上，博覽成書。全書以作者時代為序，附以作者小傳。書卷首列總目錄，每卷前又有分目錄，標明每位詞人入選詞作的數量。丁紹儀同樣以存人以存詞或存詞以存人為編纂目的，但相對王、黃而言，他的編選方針偏向寬鬆，因為部分詞人只賦數首詞，只要不失雅也會錄選。「綜一代人詞而薈纂之，或以人存，或以詞存，或以所詠之事存，或以調僻而存。苟無疵類，即應甄錄，以待後人簡擇，非若選家。宜別宗派，擷精華，嚴於去取，庶足以昭軌式」。[42]入選的豪放類的詞家，他們的作品卻傾向婉約風格。陳維崧入選的三十首詞，屬於傷春悲秋的類型，如〈極相思・思夢〉、〈醉落魄・春夜微雪〉、〈愁春未醒・春曉〉等，排除雄壯詞風如〈賀新郎・縴夫詞〉。常州詞派領軍人物入選的數量則非常少，如張惠言（《國朝詞綜續編》3首、《國朝詞綜補》4首）、張琦（《國朝詞綜續編》1首、《國朝詞綜補》7首）、周濟（《國朝詞綜補》10首）等。流派以詞選本壯大自身的聲勢之餘，更遏止其他流派的詞作的傳播，相對地居於主導的位置，以群體壓倒另一個群體。

在選汰過程中，丁紹儀繼承流派先賢選詞，捨棄俚俗及不合音律之詞，「意近淺率，語涉纖佻，逞粗獷為雄放，誤鄙俚為清真，體物而太膚泛，言情而墮褻昵，以及漫

---

40　（清）諸可寶、遲鞠甫：〈國朝詞綜續編序〉，見《國朝詞綜續編》，載王昶、黃燮清、丁紹儀撰：《清詞綜》，頁17。

41　（清）宗景藩：〈國朝詞綜續編跋後〉，見《國朝詞綜續編》，載王昶、黃燮清、丁紹儀撰：《清詞綜》，頁366。

42　（清）丁紹儀：〈國朝詞綜補例言〉，見《國朝詞綜續補》，載王昶、黃燮清、丁紹儀撰：《清詞綜》，頁370。

無寄託，不合格律，各詞均不敢濫登」，[43]一律否定淺率、纖佻、狂放、俚俗、膚淺、褻瀆、無寄託及不符合格律的詞，可視之為對雅正詞的理解。在編輯體例上，丁紹儀仿照黃燮清續編的體例，選錄已歿詞人，不收錄在世作品，以防標榜之嫌，「素未與當世士大夫遊，又僻寄海隅，於當代詞人存歿，莫由諗悉，曷敢臆斷？」[44]知有其人才慎錄其詞，但因卷帙過繁，或誤以前代人詞為近人作，或誤以為是王昶與黃燮清漏錄，故復補其人。在校訂修改上，丁紹儀編補此書時，聘請陳叔安就入選詞作進行修改。陳叔安「工倚聲，審律尤細，為周保緒教授入室弟子，承費半歲，力一詞一句，稍有未協，黏籤商榷」。[45]選本多處經過陳叔安改動，一切以協律為先，又獲周星詒勘讎，「抉擇精嚴，胥歸雅正」，[46]滲入諸人的詞學認識與理解，糅雜多方面的思想。編校對隊伍陣容鼎盛，但修訂後的作品需要符合丁紹儀的審美標準，包含「似此較善原本處」與「抉胥歸雅正」的標準，失去作品的原貌，偏離存人不存詞的原旨。這種做法往往是編選家與校對者，利用自身的詞學知識，改動原作直至協律為止，反映詞選本總是由少數人操縱的時代產物，是權力的核心表現。丁紹儀長婿胡鑒衡稱讚全書去取符合正音之道，「昭代詞人超越前軌，顒門哲匠薈萃，裒編雅調，應乎升平正音，屏其綺麗滴粉，搓酥之制，甄錄偏多，然脂弄墨之才，傳鈔不少」，[47]意圖回復盛世之音，發揮自身精研協律之長，博選詞選之廣，搜集嘉慶、道光以前的遺錄，又補咸豐、同治的新選，別裁偽體，綜合各家所長，輯錄成書。丁紹儀貫徹流派的婉約詞風，回應時代的聲音，選擇性收錄憤慨激昂的豪放詞作。承平時期流派的正體詞風，不能夠滿足新時代及社會的需要，文人的文學趣味已經發生了根本的變化，即使是詠物詞也不期然滲入憂患意識，重返南宋末及明末的亡國哀音，著重勾勒詞的本質，即比興寄託。《國朝詞綜補》選錄詞人或詞作時，沒法迴避悲壯激昂的詞風，試圖為處於頹勢的流派尋找新的發展方向。在平衡婉約與豪放詞風的新路向上，丁紹儀重新建構變雅詞選本的關係圖譜，反映時代的

---

43　（清）丁紹儀：〈國朝詞綜補例言〉，見《國朝詞綜補》，載王昶、黃燮清、丁紹儀撰：《清詞綜》，頁370。

44　（清）丁紹儀：〈國朝詞綜補例言〉，見《國朝詞綜補》，載王昶、黃燮清、丁紹儀撰：《清詞綜》，頁375。

45　（清）丁紹儀舉了一些例子說明他們的修改方法。董基誠的〈金縷曲〉前結：「望極目暮雲亂」，「望」字宜平聲，且「極目」即「望」，故改為「纏」字。又柴源的〈百字令〉後結：「催人橋上」題句，嫌與前結「驢背」句意思重複，故改為「暗香催拍」新句。又吳會的〈青玉案〉後段：「瘦碧空蒼渺何許」，「渺」字應用去聲，故改為「頓」字。又孫麟趾的〈西子妝〉前段：「忍教拋故園尊俎」，改「教」為「輕」字，以免詰屈聱牙。（清）丁紹儀：〈國朝詞綜補例言〉，見《國朝詞綜補》，載王昶、黃燮清、丁紹儀撰：《清詞綜》，頁372-373。

46　（清）丁紹儀：〈國朝詞綜補例言〉，見《國朝詞綜補》，載王昶、黃燮清、丁紹儀撰：《清詞綜》，頁372-373。

47　（清）胡鑒衡：〈國朝詞綜補後序〉，見《國朝詞綜補》，載王昶、黃燮清、丁紹儀撰：《清詞綜》，頁377。

聲音，或是時代的需要載入詞選本當中。

## 五　「詞綜」系列得失

　　浙西詞派領袖編選「詞綜」系列，是唐代至清代的詞範本，貫徹流派的宗旨，在流派發展過程中，呈現完整性和動態性的文學思潮。譚獻弟子徐珂論述由《詞綜》南宋詞的正宗為去取之旨，到「詞綜」系列為《詞綜》之旨所籠罩而牽制其編選方針，譏評「以詞綜續詞綜之撰錄為過濫」。[48] 從讀者的角度來看，每朝再現《詞綜》模式的選本，淨化時代的詞選，具有歷史性的經典意義。流派編選家挑選與補遺當代詞家及其作品，文人自然關心自己的作品會否被錄選，重視詞選本的發行就是重視自己的作品的流通面，特別是針對產量不多，或位處三、四線的詞人而言。「填詞之學，既始於讀詞，則所讀之選本宜審矣」，[49] 讀者往往通過選本接觸和認識作家或作品。從歷史的角度來看，「詞綜」系列具有劃時代的意義，入選作品就是當朝的詞家的經典作品，影響力橫跨數個帝朝，編輯工作需要歷朝文人的付出。從傳承的角度來看，「詞綜」系列推動流派連綿不斷的發展，流派不會在某個時期中斷，是持續性發展的流派，在不同時期招徠時賢加入流派，建立關係圖譜。「詞綜」系列以複製模式編輯詞選本，形成鏈條關係，履行著相同的詞學功能，占據當代詞壇頗長時期，無限延伸流派的雅正思想或理論，由浙西擴散到浙東再到京城，招攬新血，又延續南宋詞並有新變，操縱當代詞壇。「因為連續性先於時間。連續性是時間的條件。而歷史在與時間的關係中只是起否定作用：歷史或者挑選一個存在並讓它續存，或者忽視它並讓它消亡。」[50] 換言之，王昶就是連續性的「詞綜」系列的標誌，承先啟後，揭示「詞綜」系列的基礎，又返回「詞綜」系列的源頭，淨化詞學活動，指導創作思想。王昶編選當代詞選本，推動浙西詞派中期的發展，尤其是推衍至士層，流派因此不會在某個階層中斷，帶出強者運用權力意志自如。詞選本成為力量關係，編選家操控選與不選的權力，控制入選的作品、數量、優次等，構成複雜的網狀關係。詞人就在當中交錯往來。於此，詞選本的原本用途、實際應用和原有的目的也被倒置過來，漸次成為少數當權的文化精英，操縱詞壇的時代產物。

　　浙西詞派通過考察、篩選和調配詞家及詞作，操控詞壇，也通過編選唐宋至當代的詞選本，實踐詞學理論，又在詞籍中題序跋表述詞學主張，建立南宋雅正論的規律性，確立有清一代的詞學秩序。一代的文學會有一代的選本，一代的選本促成一代的文風，或因有一代的文風衍生一代的選本，創造一代的文學，相互為因果。而編選家就是連接

---

48　（清）徐珂：《清代詞學概論》太原：山西人民出版社，2015年，頁15。

49　蔣兆蘭：《詞說》，見《詞學》，載張璋、職承讓、張驊、張博寧編纂：《歷代詞話續編》，頁538。

50　米歇爾‧福柯著，莫偉民譯：《詞與物——人文科學考古學》上海：三聯書店，2012年，頁207。

一代文學和一代文風的橋樑，不是由經典所選，而是由他選擇經典。歷任編選家編選詞選本，發揮流派的影響力及反影響力，鞏固流派及自身的文學地位，集話語、知識與權力於一身，操控歷朝的詞壇詞風。編選家從中滲入微權力，形成力量關係。這種關係又構成網狀關係，而詞學、詞風與詞論話語就在當中往返不斷，最後形成文學經典。文學經典的形成、發展、中斷、消失或更換等現象，總是連結少數當權者的話語，並固定在特定的社會環境及文人趣味之中。文學經典擺脫所有前代強者的影響陰影，由後來強者使它重新具有傳播的價值，包括文學趣味、創作焦慮、文人競爭及實際影響，並且在特定的群體中，使其所有的價值建立新的意義，包括發行文集、編選作品、名賢序跋等最終目的。文學經典，中斷一些不符合當權者的美學、尺度或不利流派的因素，並表現比較單一或逆向發展，這種語言的法則或文學的秩序，是與大眾的話語相反，讓當權者眼中的文學經典得以存活。可以說，文學經典的選汰過程，是一場淨化運動。所謂文學經典，只是在歷史長河之中的自我回歸，似乎文學的話語所能具有的內容，就只能表現符合社會預期的特有形式，或者返回自我的創作領域，或者設法在文學思潮中重新把握經典作品，延續文學的本質。

# 賈府女僕的惡行與治理
## ——《紅樓夢》中主僕兩個世界的交錯

魏倩倩

新加坡國立大學文學院

## 一 引言

　　《紅樓夢》中描寫女僕的筆墨遠大於男僕，作者塑造的眾多女僕形象比男僕更鮮明、更立體。書中構建了一個具有完整體系的女僕世界，由不同等級、不同職責、不同年齡層的女僕組成。賈府的女僕可分為三大類：婆子媳婦（管家媳婦、太太的陪房、主子的乳母、粗使婆子）、丫鬟（貼身丫鬟、二等丫鬟、粗使丫鬟）、戲子（戲班解散後分到不同主子房裡）。女僕世界的運作與主子們的生活和命運息息相關。

　　《紅樓夢》對賈府主子與僕人兩個世界的書寫都側重於女性，對僕人的管理幾乎全由家裡的女性做主。關於男主子管治男僕，書中僅展現了冰山一角，正面描寫只有第八十八回賈珍聽到鮑二和周瑞的乾兒子何三打架，鞭打他們並逐出，為後文何三引狼入室盜取賈母遺物的情節做鋪墊。而書中著力描寫的是女僕中的種種糾紛、惡行及女主子們對其的治理。本文主要分析《紅樓夢》中賈府女僕的惡行和主子的治理，從中探討主僕兩個世界之間的互動關係。

　　上世紀七〇年代以來，學界對《紅樓夢》賈府女僕的研究大多從貴族與奴隸之間的階級矛盾及階級鬥爭這一立場出發，在分析中偏向於批判賈府主子對女僕的壓迫、支持女奴抗爭，而忽略了《紅樓夢》中對女僕本身種種過失的描寫。學界前輩有針對賈府女僕等級的研究[1]，卻尚無針對女僕的惡行與治理及主僕關係的深入分析。筆者認為《紅樓夢》中女僕世界的惡行對於主子的世界有著映射意義和實際影響，值得探討。

## 二 賈府女僕世界中的惡行

　　本文討論的女僕「惡行」是指《紅樓夢》中描寫的違背當時社會價值觀及賈府規矩的不良行為。惡行是失當的，但未必是罪大惡極的。比如，未婚女僕與男子私定終身、

---

[1]　楊麗：〈試論《紅樓夢》奴婢中的媳婦婆子世界〉，《紅樓夢學刊》，1991年第1期，頁89-101。這篇論文主要分析了賈府已婚女僕中的等級層次和生活狀態。

私傳淫穢物件繡春囊，以現代價值觀來看可能算不上惡行，但在當時人們眼中女子失節事大，可謂德行有虧，因此本文將其歸為「姦淫」類的惡行。又如，婆子在主子房裡肆意打罵女兒或乾女兒是不合賈府規矩的，據第五十八回麝月所言，丫頭們分了房後，一概由主子或大丫鬟管教，娘親不得私自打罵。

　　文本將賈府女僕世界中的惡行分為六類：姦淫、偷盜、聚賭、私鬥、惡語、誹謗。女僕所犯惡行的類別與她們的身份類別有關：犯姦淫的有丫鬟和年輕媳婦；偷盜的有丫鬟和婆子；聚賭的是婆子們；私鬥通常發生在婆子與乾女兒（丫鬟或戲子）之間，惡語和誹謗出自婆子之口。賈府女僕不同類別的惡行總結如下：

### 表一　賈府女僕世界中的惡行

| 惡行類別 | 女僕身份 | 具體事件 | 事發地點 | 事發章回 | 曝光章回 | 如何曝光或隱匿 | 結果如何 |
|---|---|---|---|---|---|---|---|
| 姦淫 | 多姑娘（廚子「多渾蟲」的媳婦） | 與賈璉偷情[2] | 「多渾蟲」屋裡[3] | 第二十一回 | 無 | 平兒發現賈璉枕套中的一綹青絲，但幫他瞞著鳳姐 | 未被揭發 |
| 姦淫 | 鮑二家的（鮑二媳婦） | 趁鳳姐過生日與賈璉偷情；咒鳳姐早死 | 賈璉屋裡 | 第四十四回 | 第四十四回 | 被鳳姐當場抓住 | 被鳳姐撕打，上吊自殺 |
| 姦淫 | 司棋（迎春的丫鬟，王善保家的外孫女） | 與表弟潘又安私通，遺落繡春囊 | 大觀園的山石後 | 第七十一回 | 第七十三～七十四回 | 鴛鴦當場撞破但隱瞞[4]，後因繡春囊被撿到而引發抄檢大觀園，私通信物被搜出 | 被逐出，後來殉情 |

---

2　《紅樓夢》中描寫多姑娘「生性輕薄，最喜拈花惹草」，「寧榮二府之人，都得入手」，不止與賈璉一人有姦情。見（清）曹雪芹、高鶚著：《紅樓夢》（底本：程乙本）北京：人民文學出版社，2018年，頁253。下文簡稱此書為程乙本。

3　《紅樓夢》中直寫的那次通姦並非發生在賈璉房裡，而是約好趁多渾蟲醉倒在炕，賈璉溜進來相會，「自此後，遂成相契」。同上書，頁254。然而，平兒是從賈璉枕套裡發現的一綹青絲，可見他們偷情不止一次，多姑娘極可能來過賈璉住處私會。

4　鴛鴦認為司棋與表弟私通事關重大，心想「若說出來，好盜相連，關係人命，還保不住帶累了旁人」，可見她內心把司棋這件事定性為「奸」，其嚴重程度不言而喻。同上書，頁965。

| 惡行類別 | 女僕身份 | 具體事件 | 事發地點 | 事發章回 | 曝光章回 | 如何曝光或隱匿 | 結果如何 |
|---|---|---|---|---|---|---|---|
| 偷盜 | 良兒（寶玉房裡的小丫鬟） | 「那一年有一個良兒偷玉」 | 不明 | 沒有正面描寫 | 第五十二回 | 沒有正面描寫 | 未知，很可能被逐出 |
| 偷盜 | 墜兒（寶玉房裡的小丫鬟） | 趁眾人吃鹿肉時偷平兒的蝦鬚鐲 | 大觀園內蘆雪庭 | 第四十九回（平兒丟鐲，沒有正面描寫偷盜過程或偷盜者） | 第五十二回 | 寶玉房裡的宋媽發現，拿了鐲子去回平兒，平兒來告訴麝月並想要瞞下，卻被寶玉偷聽到，告訴了晴雯 | 被晴雯拿簪子戳手，逐出 |
| 偷盜 | 彩雲（王夫人房裡的丫鬟） | 應趙姨娘所求偷王夫人的玫瑰露給賈環 | 王夫人的耳房 | 沒有正面描寫 | 第六十一回 | 平兒向玉釧兒要玫瑰露，發現失露，林之孝家的誤拿柳五兒，彩雲原本反咬玉釧兒，後經平兒勸說承認了 | 寶玉替她遮掩，未被懲罰 |
| 偷盜 | 迎春乳母婆子 | 偷金鳳拿去抵賭債 | 大觀園內迎春房裡 | 沒有正面描寫 | 第七十三回 | 繡橘發現累金鳳不見了，兒媳王住兒媳婦承認是她婆婆拿的 | 平兒命媳婦贖回金鳳便不上報 |
| 偷盜 | 未查明 | 邢岫煙丟了一件舊了的紅小襖 | 大觀園內邢岫煙屋裡 | 沒有正面描寫 | 第九十回 | 鳳姐在紫菱洲畔聽到一個婆子叫嚷，說邢岫煙的丫頭懷疑她們偷了東西 | 邢岫煙向鳳姐求情，饒了叫嚷的婆子，失竊真相不明 |
| 聚賭 | 婆子媳婦們（為首三人：林之孝家的兩個姨親家，廚房柳家媳婦之 | 開賭局，有三個大頭家，八個小頭家，聚賭者多達二十 | 大觀園內 | 沒有正面描寫 | 第七十三回 | 由探春向賈母揭發，園內小賭一直存在，鳳姐生病後發展為聚賭，半個月前就 | 賈母下令將為首者每人打四十大板，攆出去； |

| 惡行類別 | 女僕身份 | 具體事件 | 事發地點 | 事發章回 | 曝光章回 | 如何曝光或隱匿 | 結果如何 |
|---|---|---|---|---|---|---|---|
| | 妹，迎春乳母） | 多人，三十吊五十吊的大輸贏，引發爭鬥 | | | | 發生聚賭打鬥，但因太太事多，且連日不在，沒有及時回明 | 從者每人打二十大板，革去三月月錢，撥入圍廁行 |
| 私鬥 | 何婆和乾女兒芳官 | 何婆要她親女兒先洗頭，芳官不願用剩水洗，與乾娘爭辯被打 | 大觀園寶玉房裡 | 第五十八回 | 無 | 襲人聽到她們吵鬧，打發人去制止無果 | 麝月震懾何婆不能在主子屋裡教訓女兒，寶玉怒罵婆子鐵石心腸 |
| 私鬥 | 春燕的姑媽、親媽何婆與春燕（寶玉丫鬟）、鶯兒（寶釵丫鬟）、蕊官、藕官 | 鶯兒折柳條編籃子，藕官等採花，春燕姑媽見了打春燕出氣，親媽也來打春燕 | 大觀園內柳葉渚 | 第五十九回 | 無 | 無 | 春燕回去告訴寶玉，寶玉警告何婆再鬧就攆出去 |
| 私鬥 | 芳官、蕊官、藕官、葵官、荳官（與趙姨娘[5]） | 芳官用茉莉粉替代薔薇硝給賈環，趙姨娘得知來打芳官，蕊官等四人趕來撕打趙姨娘 | 大觀園寶玉房裡 | 第六十回 | 無 | 無 | 探春勸走趙姨娘，命人調查是誰調唆她的，艾官舉報夏婆，探春認為一黨之詞不可為據，不了了之 |

---

5　趙姨娘雖然算是主子，但在賈府的地位如同賤婢，戲子們居然敢打她，並且沒有受到懲罰。趙姨娘的卑微地位可謂源自她的不自重，她的粗鄙言行與婆子們如出一轍，口出惡語辱罵芳官，甚至羞辱自己的親女兒探春，時常自取其辱。

| 惡行類別 | 女僕身份 | 具體事件 | 事發地點 | 事發章回 | 曝光章回 | 如何曝光或隱匿 | 結果如何 |
|---|---|---|---|---|---|---|---|
| 私鬥 | 司棋與園內廚房柳家的 | 司棋讓蓮花兒向廚房要燉雞蛋不得，帶小丫頭們大鬧廚房 | 大觀園廚房內 | 第六十一回 | 無 | 無 | 柳家得罪了司棋、蓮花兒等丫鬟 |
| 惡語 | 一個媳婦（惜春小丫鬟彩兒的娘，在園內伺候） | 探春正在下棋，林之孝家的來報告這個媳婦嘴很不好 | 大觀園內寶玉生辰宴 | 第六十二回（沒有正面描寫事發過程） | 第六十二回 | 林之孝家的聽到這個媳婦口出惡語，抓來向探春揭發 | 探春下令先攆出去，等太太回來再定奪，後文未交代 |
| 誹謗 | 王善保家的（邢夫人的陪房） | 向王夫人誹謗晴雯輕薄妖嬌，調唆王夫人傳她來問話 | 王熙鳳屋裡 | 第七十四回 | 無 | 無 | 王夫人聽信讒言，傳晴雯訓話，後逐出晴雯 |

　　姦淫類的三次惡行性質有所不同。前兩次都是已婚媳婦收了賈璉的財物而與他通姦：多姑娘「久有意於賈璉」，加上賈璉「許以金帛」，她便應允；鮑二媳婦收了賈璉的「兩塊銀子，還有兩隻簪子，兩匹緞子」，便來幽會。[6] 她們肉體上的淫欲和物質上的貪欲是分不開的，對賈府的男性人盡可夫。而第三次是未婚丫鬟司棋與表弟私通，她是出於真情且忠於一人的，由情至淫，並非貪圖財物或肉體享樂。第七十四回抄檢大觀園時，搜到司棋所藏的違禁物品除了男子的鞋襪，只有一個同心如意和大紅雙喜箋帖，庚辰本夾批「紙就好，余為司棋心動」[7]，帖上提到的所贈之物只有香袋兩個和香珠一串，皆是傳情物件而非貴重物品，可見司棋絕非貪圖財物。余英時（1978）指出司棋和表弟尚未發生關係，而且司棋是深愛表弟的，這種世俗不諒的「姦情」未必算是罪惡。[8]

　　然而，司棋和表弟的私通與小紅和賈芸的兩情相悅性質也不同，前者私傳繡春囊有意行淫，而後者雖手帕傳情卻未有淫行，因此本文將前者歸為當時社會價值觀所不容的

---

6　程乙本，頁254、557。

7　曹雪芹著、脂硯齋評：《脂硯齋重評石頭記庚辰校本》北京：作家出版社，2006年，頁1286。下文簡稱此書為庚辰本。

8　余英時：《紅樓夢的兩個世界》臺北：聯經出版事業公司，1978年，頁54。

惡行，而後者不算在惡行之內。作者通過對這兩組不同性質的男女私情的描寫展現了女僕世界「情」的兩種不同發展走向：司棋因情生淫，被賈府逐出，結局慘烈；小紅則發乎情止乎禮，後來在賈府頗得志。

前兩次女僕通姦的對象是賈府內的男主子，發生在大觀園外，而司棋私通的對象是從賈府外溜進大觀園的（司棋買通了守門的婆子），並帶進了淫穢物件，暗示外界入侵大觀園的隱患。鴛鴦撞見司棋私通後，認為「姦盜相連，關係人命」，此事關乎大觀園的門禁安全和園內女兒們的名節，連帶影響遠大於前兩次。

三次姦淫事件的共同之處在於牽涉的男性皆被塑造為懦夫的形象，多渾蟲、鮑二、賈璉皆是懼內的，司棋表弟在被鴛鴦撞見後便逃走了，留她獨自面對。多姑娘與榮、寧二府眾多男性有染，作者看似是寫女僕之淫，實則映射賈府男性世界的骯髒。鮑二媳婦偷情敗露後上吊，令人聯想到秦可卿亦是吊死，賈蓉也像鮑二一樣似乎對妻子是否因偷情之事敗露而死漠不在乎，續娶了事，而賈珍則像賈璉一樣好色，造成惡果之後卻苟且偷生。這兩件事頗有照應之處，作者直筆書寫賈璉與女僕偷情的過程，卻隱去了賈珍與秦氏偷情的情節，大概是出於維護女性主子名節的考慮。

在偷盜類的惡行中，前幾次的失竊物品是玉、蝦鬚鐲、金鳳、稀有玫瑰露這樣的奢侈品，而最後一次卻是舊棉衣這樣普通的必需品，側面反映出賈府的衰落。偷平兒金鐲子的是寶玉房裡的小丫鬟墜兒，諧音「罪兒」，平兒說一兩年前寶玉房中曾發生「良兒偷玉」事件，如今又出現墜兒偷金。「良兒」與「罪兒」之名相對，反諷不良行為。庚辰本脂批指出兩次小竊皆出自寶玉房中大有深意，然而並未點明其中深意何在。賈府人人傳說金玉良緣，寶玉房裡卻出現墜兒、良兒偷金盜玉，可能暗示所謂金玉良緣並不像人們認定的那樣寓意吉祥，並非天作之合而是摻雜了人為的心機。寶玉一向最關照丫鬟，認為未婚女兒都是好的，婆子都是壞的，偏偏兩次盜竊者都是他房中的丫鬟，也可謂是對寶玉之偏見的反諷。

關於主子指使女僕偷東西，除了趙姨娘指使彩雲偷玫瑰露，還有賈璉央求鴛鴦偷運一箱賈母查不著的金銀傢伙來，暫押幾千兩銀子應付家用。[9] 不同的是，庚辰本中平兒說「鴛鴦雖應名是他私情，其實他是回過老太太的」[10]，可見鴛鴦並非真的偷拿賈母的財物給賈璉夫婦。面對賈府入不敷出的財政窘境，賈璉並沒有從開源節流上想辦法，而是拆東牆補西牆。這件事之後緊接著就發生了抄檢大觀園，預示賈府搖搖欲墜。

關於聚賭，賈母的一番話道出了種種惡行之間的關聯，她說賭錢不僅會引發爭鬥，更要緊的是吃酒免不得門戶任意開鎖，夜裡容易引奸引盜，賊盜事小，若沾污了園內女子的名節事大，因此聚賭不可輕恕。諷刺的是，第七十三回剛處治了聚賭的婆子們，第

9　程乙本，第72回，頁969。

10　庚辰本，第74回，頁1274。程乙本中無此細節，沒有寫明鴛鴦請示過賈母才拿來。

七十五回又出現寧國府男主子們的聚賭，賈珍賈蓉以習射為名瞞過賈赦賈政，夜設賭局，聚集外來的富家公子，還有孌童服侍，期間言行污穢不堪。作者並沒有直寫婆子們聚賭的場面，卻借尤氏偷看偷聽到的場景寫出了賈珍等聚賭時的醜態。作者接連安排女僕聚賭與男主子聚賭的情節用意或許是說明儘管女主子可以懲治女僕的惡行，目睹男主子的惡行卻無能為力。

　　關於私鬥，大觀園內雖住著清淨女兒們，女僕的世界卻不清靜，園內女僕的人數多過主子，自從第五十八回戲班解散後戲子們分配到大觀園中各房後，與園內的婆子們衝突不斷。此時園內的「鬧」與賈府沒落後大觀園的寂寥無人對比鮮明。書中年紀大的婆子們明顯比年輕丫頭更貪財重利、趨炎附勢，還時常羞辱打罵丫頭，粗俗不堪，以何婆為代表的婆子們連自己的親女兒都會侮辱打罵，對名義上的乾女兒更是只當作謀利的工具，等著將來把她們許人，收取銀錢。這大概是寶玉對已婚女人頗多微辭的主要原因。女僕們的言行滲透到了主子的生活中，可以對年幼主子價值觀的形成產生重大影響。相似地，趙姨娘善妒好鬥的脾性對幼子賈環產生了不良影響，使他從小就妒忌、加害寶玉。

　　女僕間的私鬥結仇進而激發內心的邪念，通過告密、誹謗等手段報復。比如，廚房柳家得罪了丫鬟司棋和蓮花兒，緊接著林之孝家的[11]調查玫瑰露失竊時，蓮花兒就告密說在柳家廚房裡看到過，導致柳五兒被冤。這裡林之孝家的處理方式也體現了另一重私心之「惡」，她並不是抱著查明真相的態度辦事，只想拿了「贓證」儘快向鳳姐交差，至於是否冤枉則絲毫不理。王善保家的向王夫人誹謗晴雯，致使她厭惡並逐出晴雯。在主子世界也有類似的照應：賈環向賈政誹謗寶玉想要強姦金釧，導致寶玉挨打。王夫人傾向於認定女僕勾引寶玉，賈政傾向於認定寶玉調戲女僕，而他們都同樣輕信讒言，產生偏見，不能明察。

　　在敘事手法上，作者通常在描寫主子世界熱鬧歡慶的場面之中或之後描寫女僕惡行的發生，比如鳳姐生日宴後回家撞見鮑二媳婦與賈璉偷情，寶玉生日宴後林之孝家的壓來一個媳婦告發她口出惡語，眾人歡聚吃鹿肉時平兒的鐲子丟了等。用這種筆法反襯賈府繁華背後的陰暗面，預示樂極生悲、盛極必衰的趨勢。此外，庚辰本脂批說第七十三回是一篇「奸盜淫邪」文字（針對女僕世界而言），卻用《四書》、《五經》、秦漢諸作起，以《太上感應篇》結（針對主子世界而言），亦可見主僕兩個世界的反襯筆法。

　　另外，作者通過女僕的惡行影射主子的為人和寧府的污濁，一樁樁不同類型的醜事都與邢夫人有著種種關聯：傻大姐撿到繡春囊先交給邢夫人，由她寄給王夫人；邢夫人乳母誹謗晴雯、煽動抄檢大觀園發現司棋私通；迎春乳母聚賭、偷金鳳；邢大舅參與聚賭；邢岫煙棉衣失竊生活窘迫，作者用曲筆諷刺邢夫人的昏庸無能和自私刻薄，暗示賈

---

11 依《紅樓夢》書中的特定稱謂「林之孝家的」即指林之孝媳婦。下文皆採用原文中的稱謂，例如，用「王善保家的」來指稱王善保媳婦。

府衰敗的根源是從污濁的寧府開始的。然而，在如此污濁的環境中，卻出現邢岫煙這一股清流，表現出作者對女兒的同情和憐惜。作者對女性的態度和寶玉較吻合，他塑造的邢岫煙如同潔淨的珍珠，邢夫人卻像死氣沉沉的魚眼睛。

賈府主僕世界在惡行中是有所交錯、互相映襯的，作者通過姦淫類惡行反映賈府男性主子的淫亂和懦弱；通過偷盜的物件暗示主子世界的盛衰及主子的命運；通過聚賭、誹謗映射男性主子世界類似的惡行。如上文所述，男主子們或成為女僕惡行的直接參與者（賈璉通姦），或在另外的時空有著相似的惡行（賈珍賈蓉聚賭、賈環誹謗）。而女主子們（和寶玉）則以管理者或受害者的身份出現，如王熙鳳是賈璉與女僕通姦的受害者，女僕偷盜的受害者有寶玉、王夫人、迎春、邢岫煙、平兒。平兒雖是女僕，但可代表王熙鳳行使一定的理事權力，對於級別較低的丫鬟婆子來說可算半個主子。下文將分析賈府主子們（主要是女性主子）對女僕惡行的治理原則及方式。

# 三　主子對女僕惡行的評判標準與治理方式

賈府主子對女僕惡行的評判和治理歸為下表：

### 表二　賈府主子對女僕惡行的評判和治理

| 原則 | 主子 | 對惡行的容忍度及評判 | 治理方式 | 效果 |
|---|---|---|---|---|
| 前期：立威<br>後期：自保 | 王熙鳳 | 前期：容忍度低，判罰嚴苛（前五十五回）；後期：得過且過 | 前期：法家手段，把僕人分組，連坐問責 | 前期的高壓治理使僕人積怨而不敢爆發 |
| 公利 | 探　春 | 取決於是否危害賈府的集體利益 | 積極改革，力求物盡其用 | 婆子們肯為園子出力，但發生利益糾紛 |
| 護子 | 王夫人 | 取決於是否對寶玉有不良影響 | 大搜檢，清理門戶 | 寶玉房裡的丫鬟人人自危 |
| 護花 | 寶　玉 | 取決於女僕的年齡、婚姻狀態、能否引起他的同情 | 偏袒、庇護丫頭，教訓婆子 | 婆子更加記恨年輕丫鬟、戲子 |
| 「無為」 | 迎　春 | 容忍度極高 | 不聞不問，自己讀《太上感應篇》 | 反被欺壓，乳母和丫鬟屢生事端 |
| 自保 | 邢夫人、李紈、寶釵、惜春 | 取決於是否有損自身名節或聲譽 | 恪守禮教，與一切可能有損自身名譽的人事劃清界限 | 不一，僕人多抱怨邢夫人吝苛，稱李紈寶釵寬厚 |

　　《紅樓夢》中女僕惡行的潛伏或爆發與主子的治理方式有直接關係。以第五十五回王熙鳳小月落病為分水嶺，前期賈府由王熙鳳理家，她採取殺一儆百、連坐問責等手段整治違規犯事者。王熙鳳前期治理僕人的手段具有法家精神，頗得賈母賞識。第七十三回賈母處理聚賭一事時下令知情舉報者賞、知情不報者罰，亦是法家的精神，可見賈母年輕時的治家手法可能和王熙鳳相似，是殺伐決斷極厲害的人物。第五十五回以前，女僕們畏懼王熙鳳的威嚴，內心積怨但不敢爆發，期間僅有個別惡行出現，可謂惡行的潛伏期；第五十五回以後，王熙鳳長期臥病，女僕們以為理家的李紈、探春、寶釵性子好，便肆無忌憚，惡行全面爆發。惡行有兩次集中爆發的高潮，一是第五十八回至六十二回：第五十八回老太妃薨逝，賈母和邢、王夫人入朝隨祭，一個月間家中無主，大觀園內接連發生了四次私鬥事件，緊接著玫瑰露失竊、柳五兒被冤，環環相扣；二是第七十一至七十四回：惡行的程度和規模再次升級，大觀園內出現了前所未有的淫穢物件和大規模聚賭。

　　王熙鳳在管治賈府僕人方面從前期事事強出頭到後期退居幕後、消極自保的轉變不僅是因為操勞過度、身體抱恙，背後更深層的原因是心理上遭受打擊。一個關鍵的事件是賈璉與鮑二媳婦通姦，這件事對她的打擊不單是丈夫的背叛，更大的刺激是聽到鮑二媳婦在賈璉面前咒她早死，希望扶正平兒（程乙本後四十回續書中應了此讖，鳳姐去世，賈璉被平兒的善良感動，扶她為正主）。這件事說明下人對王熙鳳怨恨頗深，而寬以待人的平兒卻在下人眼中有潛質成為一個不錯的主子。此處看似是寫通姦，實則反映出賈璉、鳳姐和平兒主僕間微妙的關係，鳳姐對溫順美貌的平兒難免猜忌，不想讓賈璉接近她，卻又離不開她這個得力助手。這件事讓鳳姐開始意識到女人太強勢並非好事，擔心自己對下人太過嚴苛引發眾怒，難以自保，從此開始放手，許多事都交給平兒代理。鳳姐在婚姻中對待賈璉的態度亦有轉變，由強勢變為陰柔，在發現賈璉偷娶尤二姐之後，雖然憤怒，卻不再明著與賈璉鬧翻，而是背後暗算。

　　平兒代表鳳姐行權，身份可謂出於主子和女僕之間，她的處事原則是「得饒人處且饒人」，處置犯事女僕時顧及主子的顏面，有些事並不上報給鳳姐，比如為顧全寶玉的面子而不追究偷她鐲子的墜兒，命迎春乳母兒媳贖回金鳳便不追究，擔心揭發趙姨娘指使彩雲偷玫瑰露有損探春的名聲，但並沒有因此讓柳五兒蒙冤。她雖對鳳姐有所隱瞞，但皆是出於善意，一則希望大事化小，家宅和睦，二則不想讓鳳姐動氣添病。對比鳳姐的從嚴治下，平兒則有「親親相隱」的人情味。然而，從人情而非公理出發的治理方式可能縱容了徇私庇護之風，不利於惡行的禁止。第五十九回，平兒說「各屋裡大小人等都作起反來了，一處不了又一處，叫我不知管那一處是」，「這三四日的工夫，一共大小出了八九件呢」，可見鳳姐不親自理事後，府上的惡行一發不可收拾，平兒處理起來十分棘手，除了由於她的身份壓不住人，也與她過於溫和的性情和行事方式有關。[12]

---

12 程乙本，頁785-786。

探春擔起理家的責任後，不同於其他抱著自保的態度的女主子，她以賈府命運為己任，積極改革。第五十六回，探春主張開源節流，試圖解決賈府入不敷出的財政危機。她開源的方法是通過積極調動女僕世界的勞動力、開發利用大觀園的自然資源來創造收入。她的改革使婆子們得以在園內發揮重要作用，可以將自己負責種植的作物賣錢，上交一部分給賈府，自己也可從中獲利，乃是互利之事。然而，改革之後卻緊接著出現了一波私鬥類惡行的高潮，究其原因，「物盡其用」過於強調一草一木的金錢價值，「使之以利」雖可使婆子們盡責，卻難免激發她們的私心，使她們更加愛財如命。婆子們看到丫頭們在園中採花折柳即心生怨恨，引發糾紛、私鬥。可見，從「利」與「用」著手的治理措施是有弊端的，加劇了女僕間的利益紛爭與矛盾。而主子們處理私鬥事件時通常告誡幾句即不了了之，無人因此受到實際的處罰。

另外，女僕的言行是否屬「惡」及如何判罰很大程度是由主子的主觀意識決定的，而不同主子有著不同的價值觀和衡量標準，典型的代表是王夫人和寶玉這對母子。寶玉認為身邊的年輕女兒是最純潔可愛的，喜歡和丫鬟們嬉鬧，而王夫人卻認為是她們帶有心機地勾引寶玉。這一衝突造成了寶玉房裡金釧、晴雯、四兒的悲劇命運，寶玉對她們的親近反害了她們。在王夫人的眼裡，所謂「嬌妝豔飾」、「語薄言輕」[13]、賣弄聰明即是「惡」。王善保家的誹謗晴雯的描述正符合這個評判標準，勾起了王夫人的怒火，她對女僕的判罰被情緒和偏見左右，在治理過程中造成了另一重「惡」，以欲加之罪使晴雯擔了虛名。從客觀事實來看，襲人才是實際和寶玉發生過關係的，但王夫人最信任她，認為她賢慧守禮，把她默許給寶玉。可見，女僕中誰擔惡名有時並不取決於客觀事實，而取決於主子的主觀標準。

寶玉的偏見則是女兒都是好的，嫁人後沾染了男人的濁氣就變壞。他關照丫鬟、厭惡婆子，當他看到藕官在園內違規燒紙被婆子抓住，在不知事情原由的情況下就袒護藕官，幫她脫罪；他常把自己的點心留給丫鬟們吃，而得知乳母李嬤嬤吃了他的楓露茶就氣得要攆走她，可見他對女僕的評判存在雙重標準。而他雙重標準的形成可能是源於從小生活中對女僕世界的長期觀察，賈府的婆子們的確惡行多端，寶玉見得多了自然形成對已婚女人的偏見。

賈府主子們對女僕的評判往往帶有個人感情色彩或人情連帶關係的考量，治理過程中標準不一，有偏私庇護或懲罰過重的情況。而賈府長輩在管治賈家子弟時也有類似的情況，比如賈政和賈母在對寶玉的管教上觀念不一致，賈政聽了賈環的誹謗一氣之下痛打寶玉，懲罰過重，而賈母趕來袒護寶玉，他們同樣被自己的情緒左右，沒有問清事情的真相。

---

13　庚辰本，第74回，頁1279。

# 四　結語

　　作者通過描寫賈府女僕世界的惡行和主子的治理展現出主僕兩個世界複雜的互動關係。從個人命運來講，女僕的言行可能暗含關於主子命運的讖語，寶玉房裡的墜兒良兒偷金盜玉暗示金玉良緣不得善終；鮑二媳婦咒鳳姐早死，平兒扶正，一語成讖。從賈府命運來講，以第五十五回鳳姐病倒退居幕後為分界，女僕的惡行由潛伏期進入爆發期，標誌著賈府由盛轉衰。男主子們或直接參與女僕的惡行，或在另外的時空有著相似的惡行，映射出賈府男性的不肖，他們應為賈府的衰敗承擔主要責任；而女性主子通常以惡行的受害者、旁觀者或管理者的身份出現，她們儘管嘗試了不同的治理方法，卻無力扭轉賈府衰敗的趨勢。女僕的言行可以對主子們價值觀的形成和治理方式產生重大影響，而反過來，主子們各自的評判標準和治理方式又左右著女僕的命運。

　　此外，值得注意的是作者對平兒和趙姨娘這兩位身份介於女僕和主子邊緣的人物的塑造。趙姨娘雖是主子，卻指使或參與女僕的惡行，她的不自重導致她在賈府的地位反不如平兒；平兒雖是女僕，卻有權協助鳳姐理事，在惡行頻發的大環境中保持閃閃發光的善心。程乙本後四十回的續書作者強化了善惡的報應，作惡的趙姨娘慘死，行善的平兒被扶正成為了主子。平兒成為賈府唯一從女僕轉成正夫人的人物絕非偶然，她的身份轉變是以行善為途徑順理成章的。作者借此說明主僕在府上的實際地位和影響力並非完全固定的，她們的善惡和能力有可能改變自己的地位和命運。這是在賈府悲劇的大背景下尚存的一絲希望和生機。

# 讜論七言律詩中的分承句法

劉梓秋

北京　中國人民大學國學院

## 一　引言

　　「分承」一詞最早由楊樹達先生在《古書疑義舉例續補》[1]中提出，用以指稱我國古代散文中一種「兩詞分承上下文」的語法現象，如《戰國策·秦策三》：「箕子、接輿，漆身而為厲，被髮而為狂，無益於殷楚。」[2]其中「箕子」分承下文「漆身」與「殷」之描述，而「接輿」則分承「被髮」與「楚」之描述。其後楊先生又將其作為一種修辭辭格移入《中國修辭學》[3]中，改稱「合敘」。楊先生後，分承作為一種修辭方式多為語言學家關注，但相關討論人都從古代散文中搜尋例證，鮮涉詩歌分承現象。

　　馮振先生《七言律髓》所舉第二至四種句法，所引律詩都包含兩組或兩組以上相對出現的事或物，每組事物在詩中都呈現出前後相承的狀態。如第二法引沈佺期〈龍池篇〉[4]（標記線為筆者所加，下同）：

　　　龍池躍龍龍已飛，龍德先天天不違。池開天漢分黃道，龍向天門入紫微。
　　　邸臺樓閣多氣色，君王鳧雁有光輝。為報襄中百川水，來朝此地莫東歸。
　　　案：三四兩句分頂龍池二字，蘇東坡〈和子由澠池懷舊〉詩，正用此法。

第三法引黃庭堅〈和答孫不愚見贈〉[5]：

　　　詩比淮南似小山，酒名曲米出雲安。且憑詩酒勤春事，莫愛兒郎做好官。
　　　薄領侵尋臺相筆，風埃蓬勃使星鞍。小臣才力堪為掾，敢學前人便掛冠。
　　　案：首二句以「詩酒」二字分領，第三句乃合詩酒言之。

第四法引高適〈送李少府貶峽中王少府貶長沙〉[6]：

---

1　楊樹達：《楊樹達文集·古書疑義舉例續補》上海：上海古籍出版社，2013年，頁244。

2　（漢）劉向：《戰國策·秦策三》上海：上海古籍出版社，2008年，頁88。

3　楊樹達：《中國修辭學》上海：上海古籍出版社，2012年，頁141。

4　馮振：《詩詞作法舉隅·七言律髓》北京：中央文獻出版社，2005年，頁264、265。

5　同上註，頁267。

6　同上註，頁272。

　　嗟君此別意何如，駐馬銜杯問謫居。<u>巫峽</u>啼猿數行淚，<u>衡陽</u>歸雁幾封書。
　　<u>青楓江上</u>秋天遠，<u>白帝城邊</u>古木疏。聖代即今多雨露，暫時分手莫躊躇。
　　案：三六兩句皆言峽中，四五兩句皆言長沙。

三法之引詩雖有先總後分、先分後合或兩兩相承等細節差異，但始終核心都在分承的兩組事物之上。儘管馮先生並未統一以「分承」名其句法，但所論其實就是詩歌的分承現象。除此以外，即便是專論詩歌修辭的著作文章都很少談及分承，可見相關研究之慘淡。

　　在古代散文中分承是一種古老且出現頻率極高的語法現象，《七言律髓》的引詩也為我們提供了大量詩歌分承實例，種種證據都表明，古代詩歌尤其是七言律詩中的分承句法，理應也是豐富且常見的，只是冰山潛于海平面下，世人少有留心。故而本文受馮先生啟發，試圖對七言律詩中的分承句法進行研究。

## 二　七律分承句法淵源初探

　　宗廷虎、陳光磊主編之《中國修辭史》認為六朝詩中出現了一種新的「特殊連貫句」，特點是「前兩句敘述兩件事，後兩句與前兩句的敘述相呼應，但呼應的順序與前兩句敘述的順序恰好相反」[7]，並引詩為證：

　　一、<u>潛虯</u>媚幽姿，<u>飛鴻</u>響遠音。薄霄愧雲浮，棲川慚淵沉。

　　　　　　　　　　　　　　　　　　　　　　　　——謝靈運〈登池上樓〉

　　二、悲歌渡燕水，弇節出陽關。<u>李陵</u>從此去，<u>荊卿</u>不復還。

　　　　　　　　　　　　　　　　　　　　　　　　——庾信〈擬詠懷〉

詩例一第三句敘述承接第二句「飛鴻」，第四句敘述承接第一句「潛虯」；詩例二，二、三句用漢代李陵、蘇武事典，一、四句則言荊軻刺秦事。可以發現，無論書中總結的句法呼應、前後敘述相承、連貫等特點，還是具體引證之詩，都指向這種所謂六朝新出現的特殊形式連貫句法，就是分承句法。換言之，根據該書提供的信息，分承句法在詩歌中的淵源至少可上溯至六朝。

　　但該書不僅將「分承」錯解為「連貫」，更未看到六朝以前其實已有詩歌分承句法的應用。古代散文中分承辭格早見於先秦，詩歌分承句法的出現也不晚於此時。戰國時期屈原《離騷》[8]即有：

---

7　宗廷虎、陳光磊主編、段曹林、張春泉著：《中國修辭史》（上）長春：吉林教育出版社，2006年，頁494。

8　（戰國）屈原：〈離騷〉，（漢）王逸撰，黃靈庚點校：《楚辭章句》上海：上海古籍出版社，2017年，頁28、29。

> 余以蘭為何恃兮，羌無實而容長。委厥美以從俗兮，苟得列乎眾芳。
>
> 椒專佞以慢慆兮，樧又欲充夫佩幃。既干進而務入兮，又何芳之能祗。
>
> 固時俗之流從兮，又孰能無變化。覽椒蘭其若茲兮，又況揭車與江離。

詩中「蘭」、「椒」先分提再合敘，就是明顯的分承句法。不過《離騷》中的分承句法還比較直白，前後項的邏輯關係只是簡單的分述與總結。

到漢代樂府詩及文人五言詩中的分承句法，複雜程度就更進一層。如〈十五從軍征〉（又名〈紫騮馬歌辭〉）[9]有：

> 春穀持作飯，采葵持作羹。羹飯一時熟，不知貽阿誰。

〈孔雀東南飛〉（又名〈焦仲卿妻〉）[10]有：

> 君當作磐石，妾當作蒲葦。蒲葦紉如絲，磐石無轉移。

《古詩十九首·冉冉孤生竹》[11]有：

> 與君為新婚，菟絲附女蘿。菟絲生有時，夫婦會有宜。

三詩分承的前後項間除了詞面復現外，更出現了詩意上的順接而下，亦即宗、陳所言的「連貫」效果，且分承結構也從簡單的分提合敘拓展出兩兩交錯分承的情況，與前引六朝詩的分承句法已經十分相似，只不過六朝詩的分承項詞面比之先秦兩漢詩，又更委婉靈活一些。

從《離騷》到漢樂府、《古詩十九首》再到六朝詩歌，古詩分承句法的運用不斷發展，至隋唐以後，古體詩中的分承句法就已俯拾皆是了。如盧照鄰〈長安古意〉[12]一詩運用了四處分承句法：

> 一、得成比目何辭死，願作鴛鴦不羨仙。比目鴛鴦真可羨，雙來雙去君不見。
>
> 二、生憎帳額繡孤鸞，好取門簾帖雙燕。雙燕雙飛繞畫梁，羅幃翠被鬱金香。
>
> 三、北堂夜夜人如月，南陌朝朝騎似雲。南陌北堂連北里，五劇三條控三市。
>
> 四、意氣由來排灌夫，專權判不容蕭相。專權意氣本豪雄，青虬紫燕坐春風。

又如李白〈月下獨酌〉[13]，四首中三首都有分承句法的運用，尤其「花間一壺酒」

---

9　（宋）郭茂倩：《樂府詩集》（上）上海：上海古籍出版社，2016年，〈紫騮馬歌詞〉，頁343。

10　（宋）郭茂倩：《樂府詩集》（下），〈焦仲卿妻〉，頁887。

11　隋樹森集釋：《古詩十九首集釋》北京：中華書局，2018年，〈冉冉孤生竹〉，頁31。

12　（唐）盧照鄰：〈長安古意〉，李雲逸校註：《盧照鄰集校註》北京：中華書局，1998年，頁78-83。

13　李白：〈月下獨酌四首〉，瞿蛻園、朱金城校註：《李白集校註》上海：上海古籍出版社，2018年，頁1570-1575。

一首，更是全詩章法布局皆按「月」、「影」分承而展開：

> 花間一壺酒，獨酌無相親。舉杯邀明月，對影成三人。月既不解飲，
> 影徒隨我身。暫伴月將影，行樂須及春。我歌月徘徊，我舞影零亂。
> 醒時同交歡，醉後各分散。永結無情遊，相期邈雲漢。

從盧、李兩人詩中大量分承句法的使用，可一窺當時古體詩中分承句法之流行。其實《中國修辭史》一書也並非對詩歌分承現象一無所察，其論元曲中的列舉分承句法時就說到「這種句法對於體現敘述或描繪的條理性頗為有效，使用此一句法能夠與元曲比肩的詩詞，只有古體詩」[14]，顯然是注意到了古體詩中豐富多樣的分承句法，只可惜書中不曾展開詳述。

　　而與古體詩分承句法走向繁盛同時的，正是近體詩的興起與成熟。唐代眾多詩家都是古、近體兼擅，在創作近體詩時，便也自然而然地將風靡於古體的分承句法融入七律等近體詩的句法結構之中。

## 三　七律分承句法分類

　　馮先生《七言律髓》第二至四法中所引詩例，經梳理歸納可發現已基本涵蓋了七律分承句法的各個類型。因此，本文主要以《七言律髓》（下簡稱《七》）相關引詩為例，參考前人對古代散文分承辭格的分類模式，將七律分承句法作如下分類：

### （一）從分承順序歸類，七律的分承句法可分為順序分承和逆序分承兩類

#### 1　順序分承

　　順序分承是指「下文中的兩個後項依次承接上文中的兩個前項」[15]的句法。如《七》第四法引張謂〈別韋郎中〉[16]：

> 星軺計日赴岷峨，雲樹連天阻笑歌。南入洞庭隨雁去，西過巫峽聽猿多。
> 崢嶸洲上飛黃葉，灩澦堆邊起白波。不醉郎中桑落酒，教人無奈別離何。
> 沈歸愚云：應是己適楚，韋適蜀，故中二聯分寫。三四寫情，五六寫景，不嫌
> 其複。

---

14　宗廷虎、陳光磊主編、段曹林、張春泉著：《中國修辭史》（上），頁557。

15　張博：〈古漢語「分承」的特殊形態〉，《修辭學習》，1997年第3期，頁30。

16　馮振：《詩詞作法舉隅・七言律髓》，頁272。

該詩五、六句順序分承三、四句。崢嶸洲，在今湖北省黃岡市西北長江中[17]，古時與洞庭湖（在今湖南省岳陽市）同屬荊楚之地；灩澦堆即灩澦灘，俗稱「燕窩石」，在今四川省奉節縣東五公里處的瞿塘峽口[18]，古時與巫峽（在今四川省）同屬蜀地。

## 2　逆序分承

逆序分承也被稱為「逆反分承」，是指「兩個後項逆序承接兩個前項，即後項第二詞語承接前項一詞語，後項第一詞語承接前項第二詞語」[19]的句法。如《七》第二法引蘇軾〈和子由澠池懷舊〉[20]：

> 人生到處知何似，應似飛鴻踏雪泥。泥上偶然留指爪，鴻飛那復計東西。
> 老僧已死成新塔，壞壁無由見舊題。往日崎嶇還記否，路長人困蹇驢嘶。
> 紀曉嵐云：前四句單行入律，唐人舊格，而意境恣逸，則東坡本色。渾不及崔司勛黃鶴樓詩，而撒手游行之妙，則不減義山杜司勛一首。

該詩第二句先言「飛鴻踏雪泥」，而三四句分承時有意顛倒次序，第三句承接「雪泥」，第四句才承接「飛鴻」。

## （二）從分承項數量歸類，可分為兩項分承和多項分承兩類

## 1　兩項分承

兩項分承也被稱為「雙提分承」，是指「前項和後項各有兩個詞語」[21]的句法。如《七》第二法引劉基〈二月二十三日自黃岡還杭途中作〉[22]：

> 日照江邊春樹林，繁花亂葉感人心。花間蛺蝶漫多事，葉底杜鵑非好音。
> 舉目山川成皓首，側身天地一沾襟。解愁唯有樽中酒，疾病年來已厭斟。
> 案：次句花葉雙提，三四分承。

該詩分承項為「花」、「葉」兩項，頷聯三、四句順序分承首聯次句之「繁花亂葉」。

---

17　辭海編輯委員會：《辭海・地理分冊・歷史地理》上海：上海辭書出版社，1982年，頁190。

18　政協奉節縣委員會：《奉節文史資料選輯・第8輯》，重慶：政協奉節縣委員會，2001年，頁259。

19　張博：《古漢語「分承」的特殊形態》，頁31。

20　馮振：《詩詞作法舉隅・七言律髓》，頁265。

21　張博：《古漢語「分承」的特殊形態》，頁31。

22　馮振：《詩詞作法舉隅・七言律髓》，頁265。

## 2　多項分承

相承接的前、後項所含詞語超過兩項的句法，本文歸之為與兩項分承相對的「多項分承」。如《七》第三法引江湜〈有友人不見數日云閉戶飲酒已盡四大罍蓋數千杯矣詩以美之〉[23]：

> 聞君閉戶半旬內，酣飲俄空酒數罍。罍臥君齋同醉倒，君遊酒國以仙明。
> 杯中自達桃源路，眼底誰看草澤清。正使腐腸休怕死，吾今難再醒而生。
> 案：三四具承首句，故均疊「君」字；分承次句，故或疊「罍」字，或疊「酒」
> 　　字。

該詩的分承項為「君」、「酒」、「罍」三項。

又如第三法另引宋聚業〈題南陽旅壁〉[24]：

> 真人白水生文叔，名士青山臥武侯。水自奔騰趨漢口，山猶層疊枕城頭。
> 時來一夕收銅馬，事去經年運木牛。歎息興亡千載上，荒村野廟總悠悠。
> 沈歸愚云：三四承山水言之，五六又載文叔武侯言之，格律一新。

該詩分承項共有四項，分別為「水」、「山」和「文叔」、「武侯」兩組。首聯二句四項連提，分承時頷聯第三句承接首聯上句「白水」，第四句承接首聯下句「青山」；頸聯第五句「收銅馬」承接首聯上句「文叔」，指漢光武帝劉秀收服銅馬軍之事，第六句「運木牛」承接首聯下句「武侯」，用諸葛亮「木牛流馬」之典。

## （三）從分承次數歸類，可分為一次分承和多次分承兩類

## 1　一次分承

一次分承是指兩個後項分別只承接兩個前項一次的句法。如《七》第二法引杜甫〈吹笛〉[25]：

> 吹笛秋山風月清，誰家巧做斷腸聲。風飄律呂相和切，月傍關山幾處明。
> 胡騎中宵堪北走，武陵一曲想南征。故園楊柳今搖落，何得愁中卻盡生。
> 案：首句以「風月」二字領起，三四分承，與沈雲卿《龍池》篇略似。

該詩三、四句順序分承首句「風」、「月」二字。上述三種歸類方式中，順序分承、兩項

---

23　同上註，頁268。

24　同上註，頁270。

25　馮振：《詩詞作法舉隅・七言律髓》，頁264。

分承和一次分承都可看作是七律分承的基礎句法，而其他類型的分承句法為其變格。

## 2　多次分承

　　多次分承是指每組分承項的分承次數在兩次及以上的句法。以二次分承為例，句法表現為「兩個中項分別承接兩個前項，兩個後項再分別承接兩個前項和中項」[26]。如《七》第四法引鄺露〈蒼梧訪太真綠珠遺跡〉[27]：

> 清溪曲曲抱仙源，錦石虛凝翠黛存。雲裡玉環妃子井，綠蘿金谷懊儂村。
> 霓裳忽散華清舞，玉笛難招博白魂。最是劍門秋雨後，落花如見墮樓痕。
> 案：三五兩句皆言太真，四六兩句皆言綠珠。

馮先生認為該詩只有一次分承，但考詩意，「妃子井」、「華清舞」、「劍門」都與楊玉環相關，妃子井即楊妃井，是位於廣西容州縣的一處楊妃遺跡，華清舞為楊妃所擅之舞，劍門暗指馬嵬坡之死；「金谷懊儂村」、「博白魂」、「墮樓」則與綠珠相關，金谷園為綠珠墜樓自盡之地，〈懊儂歌〉被認為是綠珠所作，而廣西博白相傳為綠珠故里。因此該詩實際共有分別與楊玉環、綠珠相關的兩個分承項組，在分承時五、七句承接第三句，六、八句承接第四句，為二次分承。

　　上引鄺詩所採用的兩項多次分承句法，容易與多項分承中一種連綴而下的變式句法相混淆。試看《七》第三法引祁雋藻〈正月晦日（自註：季弟諱日）有感〉[28]：

> 城南臥病將三歲，江上愁心已四年。歲歲春消殘雪裏，年年淚落早花前。
> 花飛尚有成陰日，雪盡還逢作雨天。天若有情人不老，何為此日獨潸然。
> 案：三四分承一二，五六又分承三四，七八又分承五六，連綴而下，格調猶別。

該詩分承項為四項，分別是「歲」、「年」、「雪」、「花」。分承時三、四句順序分承一、二句之「歲」、「年」，五、六句又逆序分承三、四句之「雪」、「花」，句法錯綜多變。馮先生認為七、八句也屬分承，本文則以為不然。分承句法的前後項間應有聯繫，而此詩第七句「天若有情」之「天」與第六句「雨天」所指明顯截然二物，第八句「此日」指詩題中作者自註之季弟諱日，與第五句「成陰日」也無關礙。只能說尾聯復用「天」、「日」字眼或許是詩人有意安排，但這種文字重複並不屬於分承。

　　對比該詩與鄺露〈蒼梧訪太真綠珠遺跡事〉詩，可以發現兩詩都採用了連綴式的句法，中聯分承上聯，下聯分承中聯，且分承項的情況也都比較複雜，尤其是鄺詩，分承前後項間以內在邏輯聯繫而字面上毫不重疊。但鄺詩為兩項多次分承，祁詩為多項分

---

26　張博：《古漢語「分承」的特殊形態》，頁31。

27　馮振：《詩詞作法舉隅・七言律髓》，頁272、273。

28　馮振：《詩詞作法舉隅・七言律髓》，頁270。

承，區別就在於酈詩的諸多分承項組成了兩個自成體系的分承項組，因此仍算是兩項分承，只不過每項分承的次數較多；而祁詩的分承項間是各自獨立的，所以儘管同為連綴而下，但兩層分承互不干聯，只能算特殊形式的多項一次分承。

## （四）從分承結構歸類，可以分為先總領後分承、先分領後合敘、總領分承再總言、兩兩分承四類

### 1　先總領後分承

「先總領後分承」句法表現為前項的兩個詞語合並敘述，到後項時再分承。如《七》第二法引杜甫〈立春〉[29]：

> 春日春盤細生菜，忽憶西京梅發時。盤出高門行白玉，菜傳纖手送青絲。
> 巫峽寒江那對眼，杜陵遠客不勝悲。此身未知歸定處，呼兒覓紙壹題詩。
> 案：首句以「盤菜」二字領起，三四分承，與〈野望〉、〈吹笛〉二首皆同法。

這首詩的首句合敘「盤」、「菜」而後三、四句分承。

### 2　先分領後合敘

「先分領後合敘」句法與前類正好相反，是前項分提，後項合並敘述。如《七》第三法引江湜〈為人題松菊圖〉[30]：

> 不扶自直松多節，得氣雖遲菊有芳。松菊生來各天性，丹青寫出共秋光。
> 我愁破宅成荒徑，心喜貞姿到草堂。題就卷還應嘆息，何年拓地種成行。
> 案：壹二松菊分提，三句疊「松菊」二字，以下總承。

這首詩首聯分提「松」、「菊」，至第三句合敘。

### 3　總領分承再合敘

「總領分承再合敘」句法表現為前項合並敘述，中項分承，後項再度合並，這種句法只在多次分承的情況下出現。如《七》第四法引朱克生〈送陳子壽往河南〉[31]：

> 匹馬遊梁出帝鄉，贈鞭重集酒爐旁。那堪旅社逢離別，正值家園作戰場。
> 汴水月明沙雁過，薊門霜動夜砧涼。傷心去住同搖落，不獨悲秋淚滿裳。

---

29　同上註，頁264。

30　馮振：《詩詞作法舉隅‧七言律髓》，頁267。

31　同上註，頁277。

> 沈歸愚云：分寫河南薊北，而末以壹語總承，格律甚嚴。
>
> 案：帝鄉旅舍薊門俱屬薊北，梁及家園汴水俱屬河南，而以去住二字總收。

這首詩與上述多次分承的酈露〈蒼梧訪太真綠珠遺跡事〉詩一樣，也是兩個分承項組，分別為與薊北與河南有關的兩組地名。首聯上句以「遊梁出帝鄉」合提兩地，三、六兩句分承首句之「梁」，四、五兩句分承首句之「帝鄉」，第七句「去住」至由薊北去往京城，再次合敘兩分承項。

須要辨析的一例是第四法引的另一詩，為王禹偁〈詩酒〉[32]：

> 白頭郎吏合歸耕，尤戀君恩典郡城。已覺功名乖素志，只憑詩酒送浮生。
>
> 剛腸減後微微諷，病眼昏來細細傾。尊杓不空編集滿，未能將此換公卿。
>
> 案：第四句總言詩酒，五六兩句分承，第七句又總言之。

馮先生認為該詩第七句為「總言」，亦即這首詩也應屬「總領分承再合敘」的句法。但細究第七句就會發現，盡管第七句確實提到了「尊杓」和「編集」兩個分承項，但兩項實際是並列呈現，而非綜合，「尊杓不空」與「編集滿」只是單純地陳列兩分承項狀態。所以該詩的第七句仍是特殊形態的分承，而非合敘。

### 4　兩兩分承

「兩兩分承」句法表現為前項和後項的兩個詞語各自相承。如《七》第四法引王世貞〈姚匡叔以道術為用晦諸王上客攜其書來訪倦倦七子之盛感而有贈〉[33]：

> 握手相知奈何晚，且將魚素慰蹉跎。淮南道術實初盛，鄴下風流事已過。
>
> 見數八公君第幾，空傳七子世無多。春來社酒能從否，莫道閉門雀可羅。
>
> 案：五六分承三四。

淮南道術，指西漢淮南王劉安喜好文學、方術，多招攬道士門客之事；八公即淮南八公，是劉安門下著名的八位門客，道家著作以為此八人為神仙道士。鄴下風流，指建安時期以曹操父子為中心的文學集團在鄴城進行的文化活動，七子即建安七子。這首詩的五、六兩句分承三、四兩句，為各分承項兩兩分承的句法。

## 四　七律分承句法的效用

語言學家一般認為分承辭格可使行文緊湊，句法結構嚴密整齊，不過在內容表達上

---

32　同上註，頁280、281。

33　馮振：《詩詞作法舉隅‧七言律髓》，頁273。

卻不夠暢達明快，容易致人誤解[34]，但這主要是從古代散文的分承用例中總結出來的。詩歌與散文的文體差異，尤其是律詩詩體的限制，要求必須在有限的字數和固定的格式中凝練及傳達詩意，這就使得內容表達不僅不成為詩歌分承句法的短板，反而更如前述《中國修辭學》所言，分承句法「對於體現敘述或描繪的條理性頗為有效」[35]，詩歌能夠通過分承項的邏輯關聯，將原本複雜的事件、畫面、道理或情感表達得清晰、鮮明且靈活。如前引張謂〈別韋郎中〉和蘇軾〈與子由澠池懷舊詩〉詩，張詩須同時敘述「己適楚」而韋郎中「適蜀」兩個事件，借用分承句法「花開兩朵，各表一枝」便可使詩歌章法及表意都更加清楚明白；蘇詩說理，拆分喻體展開描述也使得「雪泥鴻爪」背後的深刻寓意更易為讀者理解和接受。

除了輔助表意，分承句法更直接的作用表現在增強詩歌的節奏感上：順序分承及兩兩分承句式工整，內容對稱，給人以齊整之感；逆序分承使詩歌句式錯綜，在律詩嚴格的對仗要求下增加詩歌節奏的彈性，若是使用名詞複指形式進行分承，通過語序變化還可起到類似頂真、回環辭格的效果，使詩歌節奏一氣貫通，也強化詩歌的韻律感。而且七律中的分承句法運用，並不局限於單一句法，而往往是多種分承句法的綜合，如前引祁寯藻〈正月晦日有感〉詩，「歲」、「年」、「雪」、「花」兩組四個分承項先順承，後錯綜，連綴而下，句法尤為靈動。

頗值得玩味的是，分承句法前後分承項在詞面及內涵上的重複或呼應，與格律詩力避重複的要求似乎是相斥的，然而這一句法卻並未隨著格律規則的日漸謹嚴而從七律中隱退，前引詩例可證，明清時期仍存在著大量運用分承句法的七律。對此本文以為，這是因為分承句法的結構特性，實際上是與七律章法相契合的。

不論是先總領後分承還是先分提後合敘，亦或是兩兩分承，分承句法的內在行文邏輯，其實都可用於七律「起承轉合」的章法鋪排。如「先總領後分承」形式多見於七律的首二聯，詩人利用分承句法的「合—分」順承邏輯以安排詩歌首二聯的「起—承」展開，前引沈佺期〈龍池篇〉、劉基〈二月二十三日自黃岡還杭途中作〉、杜甫〈吹笛〉、〈立春〉等詩皆是如此。「兩兩分承」形式則有助於全詩章法的構思，一方面，兩兩分承的對稱結構非常適應律詩上下句相對且中二聯對仗的句式要求；另一方面，兩兩分承只須各分承前後項間有所「勾連」，而「勾連」邏輯可承可轉並無限制，也就是說這種分承句法既能給予詩人建構全詩框架的思路，又為詩人留下了足夠自由的發揮空間。而「總領分承再總言」形式，更是幾乎完全符合「起承轉合」模式，如前引朱克生〈送陳子壽往河南〉，就是使用「總領分承再總言」的分承句法直接成詩。

---

34 參見徐志奇：〈論「分承」的形成和運用〉，《西南師範大學學報（哲學社會科學版）》，1995年第2期，頁61；蘭和群：〈古漢語修辭格式及藝術分析〉，《信陽農業高等專科學校學報》，2006年第1期，頁68。

35 宗廷虎、陳光磊主編、段曹林、張春泉著：《中國修辭史》（上），頁557。

　　可見，分承句法用諸七律至少能起到三重作用：其一是使詩意表達靈活清晰，更具條理；其二是豐富詩歌的句法形式，增強詩歌的節奏感和韻律感；其三是有助於七律章法結構的鋪排。最後一點利用分承句法安排七律章法，對成熟的詩人來說或許只是增加一種可供選擇的行文思路，然而對初學者而言，卻無疑是一條切實可循的作詩門徑。

# 五　結語

　　總的來看，分承句法早在先秦之時就已為詩歌所運用，經過漢魏六朝而發展成古詩的常用句法，後又自古詩移入逐漸興起的近體詩歌之中，成為七言律詩所用句法之一。七言律詩中的分承句法種類豐富，形式多樣，在提高七律詩歌表意的條理性、增強句法的節奏感及輔助章法結構的鋪排上都能起到獨特的作用。受篇幅及筆者學力所限，本文僅是對七言律詩的分承句法作一粗淺探討，以期「拋磚引玉」之效，並見教於方家。

# 今古漢語句中補語之比較闡析

## 馬顯慈

香港公開大學教育及語文學院

## 一　引言

從語法角度來說，一個句子中的組成部分可以加以拆分理解，當中之組成單位又稱句子成分。一般而言，句子成分大致可以分為主語、謂語、賓語、定語、狀語、補語六大類型，其中主語、謂語、賓語三項是主要成分。所謂補語，是指位於動詞或形容詞後而起補充說明作用的成分。現代漢語常見補語有結果補語、程度補語、可能補語、狀態補語、數量補語、趨向補語等幾類。[1]古代漢語文獻中也有不少補語的結構成分，本文試通過古今語例（包括若干粵語例子）之比較分析，探討兩者之語言特點。

## 二　現代漢語補語類別

以下試以現代漢語書面語例子分項立說，並輔以粵方言例子於後作對應補充（粵語例子以楷體表示）[2]：

### （一）結果補語

以補充式語詞表示動作或變化而出現的結果，例子：

---

1 本文關於現代漢語語例及補語之分析，參考：一、林杏光等主編：《現代漢語辭海》北京：人民中國出版社，1994年。二、李子云著：《漢語句法規則》合肥：安徽教育出版社，1994年。三、朱德熙著：《語法講義》北京：商務印書館，1982年。四、邢福義著：《漢語語法學》長春：東北師範大學出版社，1998年。五、馬慶株主編：《現代漢語》北京：中國社會科學出版社，2010年版。六、力量著：《近代漢語語法研究》南京：南京大學出版社，2016年。七、張斌主編：《新編現代漢語》（第二版）上海：復旦大學出版社，2018年。

2 本文所論有關粵語法及語句詞語例，參考：一、詹伯慧主編：《廣東粵方言概要》廣州：暨南大學出版社，2002年。二、石定栩等編著：《港式中文與標準中文的比較》香港：香港教育圖書有限公司，2006年。三、張洪年著：《香港粵語語法的研究》（增訂版）香港：香港中文大學出版社，2014年。四、鄧思穎著：《粵語語法講義》香港：商務印書館，2015年。五、侯興泉、吳南開著：《信息處理用粵方言字詞規範研究》廣州：廣東人民出版社，2017年。六、饒秉才等著：《廣州話方言詞典》香港：商務印書館，2017年。

①我剛<u>看完</u>這套電視連續劇。

②你打的電話暫時未能<u>接通</u>。

③快把房間<u>打掃乾淨</u>。

④這件貨已經<u>打了八折</u>。

「完」、「通」都是表示動詞「看」、「接」之有關活動的結果,「乾淨」是一個雙音節形容詞,補述雙音節動詞「打掃」的結果。「打了八折」是將「打折」作離合式處理,「八」是數詞補述所「折」是多少。以上各句動詞如欠缺補語就難以成句,單憑表示動態之詞「看」、「接」、「打掃」、「打」不能把句意交待清楚。

❶用力壓扁<u>佢</u>。

❷點都搞唔<u>掂</u>。

❸又將個花樽<u>擺歪</u>。

❹你<u>整爛</u>咗部手機。

上述為粵語句例,情況與書面語相近。「扁」、「掂」、「歪」、「爛」都是表示動詞「壓」、「搞」、「擺」、「整」之有關活動的結果,「唔」是否定副詞,表示動作行為不能如期完成。「咗」是助詞,用在動詞後,表示動作的完成,與現代漢語「了」之功能及用法相同。以上各句動詞如欠缺補語就難表述清楚有關行動的具體情況,也難以成為語意通達句子。

## （二）程度補語

以補充詞語對謂詞內容作出程度上的補述,例子:

①天氣<u>熱得厲害</u>。

②真給他<u>笑死了</u>。

③你看小貓<u>餓極了</u>。

④衣服<u>濕透了</u>。

「熱」、「濕」都是形容詞充當句中謂語,其後所附之「厲害」、「透」是作程度上之補充,讓人對有關內容有更清晰的了解。「得」則是助詞,亦有語法結構作用。「笑」、「餓」是動詞,「死」、「極」則用作補充有關動作行為之發展程度。①④不用程度補語仍可通,②③補上程度補語能進一步發揮語意的深層意義。

以下是粵語例:

❶咁樣好<u>好多</u>。

❷佢好討厭，衰到死。

❸呢個人衰嘢做盡。

❹真係講唔晒咁多。

上述例子與書面語相近。「好」、「衰」、「做」、「講」都是謂語，「好」、「衰」是形容詞充當謂語，「好多」、「到死」是具結構式的程度補語，補充有關情況的發展程度活動。「唔」是否定副詞，「晒」是動態助詞，表示動作、變化完成，與現代漢語「了」之功能及用法相若，也可等同動詞「完」來解。「盡」是副詞作補充、「咁多」則是以形容詞作補語。❶❷單以句中謂詞表述，句意仍通；❸❹之補語部分比較重要，欠缺則不能明白所傳達之訊息。

## （三）可能補語

　　表示在主觀或客觀條件下，是否容許某種結果、趨向或動作之發生的補語。一般可分作肯定和否定兩種形式，很多時會加上助詞「得」以表示其可能之語義特色。例如：

①這件事我辦不得。

②用力就可以扭開瓶蓋。

③我看得見。

④他站不起來。

「辦」、「扭」、「看」、「站」都是動詞用作句中謂語，其後所附之「不得」、「開」、「得見」、「不起」皆為表示行動可能性之補語，目的是讓人對其行動發生之可能性有所關了解。①③皆有「得」為句中結構，前者為動詞，後為助詞。②④不用「得」，但同樣呈示出可能補語之特點，後者則為否定式。

　　以下是粵語例子：

❶呢次真係唔走唔得。

❷佢份工睇嚟做得過。

❸咁樣擺實跌番落嚟。

❹佢地可能會返轉頭。

「走」、「做」、「跌」、「返」都是動詞充當作句中謂語，其後所附之「唔得」、「得過」、「落」、「轉」皆為表示行動可能性之動態補語詞，表示對有關思想、行動進一步發展之可能情狀。❶❷皆有「得」分別作句中補語動詞、結構詞，同樣表示對有關動作、行為趨向實現。❸❹不用「得」字結構，補語部分以趨向動詞充當。

## （四）狀態補語

指補充說明所述內容之性質、情狀、形態等內容，這類補語有時會借助「得」、「個」等助詞。例子：

①一見面就說個沒完。

②這件襯衣潔白得新的一樣。

③北風吹得正猛。

④寫得誰也看不懂。

「說」、「吹」、「寫」都是謂語動詞，其後所附之「沒完」、「猛」、「看不懂」皆用作補語，進一步表示有關活動之情態、狀況。「潔白」為形容詞，於句中充當謂語，本句以「新的一樣」短語作補充說，亦是句中補語。②④有用「得」字作助詞，①「個」亦為助詞，同樣在句中有結構作用。③「正」為副詞，修飾句中動詞之時態。四例中②④兩句有比較含義。

以下是粵語例子：

❶你睇佢懶過隻豬。

❷零下三十幾度真係凍到震。

❸你食得太急啦。

❹呢條數諗到爆。

「懶」、「凍」是形容詞謂語，其後所附之「過」、「震」為補語之重心詞，表述有關事態、行為之狀況與進展。「食」、「諗」是動詞，充當句中謂語，句中「急」、「爆」作補充語詞，與前面之動詞構成補語。❸有「得」字作助詞，❶「過」為趨向動詞，於句中有引進比較之內容，成為比較句的重要關鍵詞。❷❹「到」本為動詞，於句中亦起連動作用，將前後兩類活動連接起來。

## （五）數量補語

在數量上對動作、行為或狀態作出補充說明，例子：

①老闆批准放假三天。

②這步棋想了四十分鐘。

③他用力敲打了三次也沒有人理會。

④又要我去一趟。

「三天」、「四十分鐘」、「三次」、「一趟」都是數量詞，表示時間、次頻的短語。①「放假」又是一個離合詞，本身是動賓式結構，為句中謂語動詞「批准」所支配，「三天」是補語。②「想」為謂語動詞，句中以數量詞「四十分鐘」作補充說明。③④分別以「敲打」、「去」為句中動詞，並以「三次」、「一趟」數量短語附於後作補語，交代有關行動之次頻。

以下是粵語例子：

❶ 落單！我要白飯兩碗。
❷ 忽然被人撞咗一下。
❸ 無端端俾人問候幾句。
❹ 佢身高邊有一米八？

「要」、「撞」、「問候」、「有」是句中謂語動詞，其後所附之「兩碗」、「一下」、「幾句」、「一米八」為數量詞，分別充當句中補語，表述有關動作、行為之進展情況。❶「兩碗」為賓語「白飯」之補語，交代出所要白飯之數量。❷❸為被動句，句中「撞」、「問候」皆是表示被施事者之動詞，「一下」、「幾句」用作補充語詞，句中動詞構成補語結構句式。❹為疑問句，「一米八」是補語，呈示關於「身高」的具體情況。

## （六）趨向補語

用表示趨向的動詞充當補語，說明動作活動的繼續發展或趨向情狀，很多時有連續之動作活動。例子：

①交來的信已寄出。
②狠狠的一拳打過去。
③登山止步，請勿爬越黃線。
④怎麼把錢包掉了下去！

「寄」、「打」、「爬」、「掉」都是動詞，表示具體的動作行為。①③動詞補語直接黏附於動詞之後，作「寄回」、「爬越」成為雙音節詞組，而動作本身具有連貫性，即是由「寄出」轉過來為「寄回」；向前「爬」而「越」過去，補充了動作的趨向發展。②「過去」描述了「打」的進行情態，在一定程度上交代了動作的延續性。④「下去」亦是，進一步補充了「掉」之向下情況，「了」作為時態助詞，建構成趨向補語之定式。

以下是粵語例子：

❶ 你地唔好再將野掟落街。

❷粒螺絲好難擰番出嚟。

❸佢一轉身就將個波抽過去。

❹佢叫我架車駛入去停車場。

「揿」、「擰」、「抽」、「駛」是句中動詞，其後所附之「落」、「出」、「過去」、「入去」為趨向動詞，分別充當句中補語，表述有關動作、行為之延續發進。「兩碗」為賓語「白飯」之補語，交代出所要白飯之數量。❶❹之動作活動有受詞，「街」、「停車場」皆是表示施事活動之去向，即是動詞之施動目的地點。❷❸兩例則沒有動作受詞，「出」、「過去」作趨向補語之後沒有受其動作支配之詞，即是只表述其句中動詞及構成趨向動詞之補語。

# 三　古代漢語句中補語

補語於漢語中淵源悠長，無論口語或書面語，於日常生活中皆經常出現。事實上，古代漢語（又稱文言）也有補語例子，可以從古代文獻中得以驗證。然而，基於部分文言句型與現代漢語之結構略有不同，有些古漢語例子不易為人察覺。據本文查考，不少文言補語也是置於動詞或謂語之後，以說明動作、行為或描述對象的有關情況、數量或結果，除動詞補語外，也有以形容詞、副詞、數詞來充當。以下略舉十例闡釋[3]：

①荊軻坐定，太子避席頓首曰……（《史記‧刺客列傳》）

「定」用於動詞「坐」後作助詞理解，表示行動進行的情況。「定」之本義為安定，《說文》解作「安也，从宀从正」。[4]朱駿聲《說文通訓定聲》謂「正亦聲」。[5]正於宀內，有安定，穩定之意。「坐定」即「坐好」，「定」充當補語。張相《詩詞曲語辭匯釋》卷三：「定，語助辭，猶了也，得也，著也，住也。」[6]宋趙汝鐩〈斷腸曲〉：「蜀羅一段茸五色，看定駕鴦繡不成。」（宋）朱敦儒《清平樂‧木犀》：「冷澹仙人偏得道，買定西

---

3　有關例子參考：一、《實用古代漢語大詞典》編委會編：《實用古代漢語大詞典》鄭州：河南人民出版社，1995年。二、中華書局編輯部：《中華古漢語詞典》香港：中華書局，2009年。三、李國英、李運富主編：《古代漢語教程》北京：北京師範大學出版社，2009年。四、沈祥主編：《古代漢語》武漢：武漢大學出版社，2010年。五、李載霖著：《古漢語語法學述略》長春：吉林大學出版社，2011年版。六、梅廣著：《上古漢語語法綱要》臺北：三民書局股份有公司，2015年。七、蔣冀騁主編：《古代漢語》（上下冊）長沙：湖南大學出版社，2015年。八、唐子恆主編：《古代漢語》北京：高等教育出版社，2016年。

4　（漢）許慎撰，（宋）徐鉉校定：《說文解字》香港：中華書局，1977年，頁150下。

5　（清）朱駿聲著：《說文通訓定聲》臺北：世界書局，1985年，下冊，頁774a。

6　張相著：《詩詞曲語辭匯釋》北京：中華書局，1970年，頁319。

風一笑。」[7]此等法亦作動詞補語用。粵方言中亦有「坐定」、「企定」、「講定」等說法。

②子墨子……行<u>十日十夜</u>而至於魯。(《墨子・公輸》)

上述句子講述墨子步行到魯國，句中「行」、「至」都是描述其行動之動詞，「至」於句中有表示趨向動詞結果之作用。「十日十夜」是一個聯合式詞組，強調其活動時間，置於動詞「行」後作補語，交待其行程之長久時間。此為以四字詞組作動補例。現實中，現代漢語口語、粵語亦有類近的講法，如「這次遠足要行兩日三夜才到終點」、「再煮三四分鐘就食得」。

③周道既廢，秦撥去古文，焚<u>滅</u>《詩》《書》。(《史記・太史公自序》)

「焚」「滅」皆為動詞，「焚」為燃燒，及物動詞，「滅」為描述燃燒之結果，亦及物動詞，此作動詞「焚」之補語，表示所燒之《詩》《書》皆被毀滅。《後漢書・董卓列傳》：「長安遭赤眉之亂，宮室營寺焚滅無餘。」[8]此句為被動句式，「焚滅」指「宮室營寺」，「焚」「滅」兩字組成動補結構，然而句末附以「無餘」作結果補語，強調其焚燒之結果。此處「焚滅」兩字亦可視之為雙音節合成詞。

④征和二年春，涿郡鐵官鑄鐵，鐵銷，皆<u>飛上去</u>。(《漢書・五行志》)

本句描述鑄鐵時鐵受高溫熔化，而變成煙灰飛上天去。末句「飛上去」之「飛」為動詞，其後之「上去」為雙趨向動詞補語，「上」指煙灰向上揚，「去」指煙灰上揚而散去，有描述其「飛」之動態接著之連貫變化。「上去」為兩個具動態關係之補語。現代漢語口語、粵語均有「飛上去」之用法，例如「佢隻紙鷂一放手就隨風飛上去」、「兩隻白鴿一齊拍翼飛上去」。

⑤孟嘗君固辭<u>不往也</u>。(《戰國策・齊策四》)

本句為補語中有否定副詞，按句子結構「不往」是補述其緊附之動詞「辭」，原句可語譯為「孟嘗君堅決推辭而不去魏國」。「辭」是指推卻魏惠王之聘請，「固辭」則是副詞＋動詞結構，強調推辭對方之決心。「辭」本為及物動詞，但此處沒有帶賓語。「不往」作補語並不是直接描述推辭的行動，而是補充孟嘗君辭卻對方之聘邀請後的情況。本句可作兩個部分理解：前者為「孟嘗君固辭」魏惠王之聘請，後者為孟嘗君決定「不往也」，兩者有因果先後之關連。粵語類似用法有「唔去」、「唔到」、「唔濟」，作補語用則較少見。

---

7　兩例皆見《詩詞曲語辭匯釋》，頁318-319，轉引。

8　(宋)范曄撰，(唐)李賢等注：《後漢書》北京：中華書局，1965年，頁2327。

⑥人窮則反本，故<u>勞苦倦極</u>，未嘗不呼天也。(《史記‧屈原賈生列傳》)

句子「<u>勞苦倦</u>」是三個字組成的中心詞，表示人當時正處於勞、苦、倦三種狀態，而句末之副詞「極」正是補述此等狀態之嚴峻程度，即是人之正是極勞、極苦、極倦之情狀，以此強調人所面對之窮困痛苦絕境。粵方言有以「極」作補語之詞或句型結構，如「此人壞極」、「衰極」、「好極有限」等。現代漢語亦有類近用法，如「好極了」、「忙極了」、「高興極了」等。

⑦與晉兵戰鄢陵，晉敗楚，<u>射中</u>共王目。(《史記‧楚世家》)

以「中」為補語，進一步表述動詞「射」之結果，「共王」之「目」是受動詞支配之賓語。「中」本為方位詞，金文有作 φ，[9]當中 o 表示「I」周圍所圈劃之範疇。如《後漢書‧張衡傳》：「中有都柱，旁行八道。」[10]「中」有獨立用作動詞，如《左傳‧成公十六年》：「呂錡夢射月，中之，退入于泥。」[11]此表明所射箭到達之位置，即射出之結果。歐陽修〈醉翁亭記〉「射者中」[12]則為主謂式短語，「中」為謂語動詞。「射中」於現代漢語、粵方言中為常見詞組，例子甚多，不贅引說。

⑧項王見秦宮室皆以<u>燒殘破</u>，又心懷思欲東歸。(《史記‧項羽本紀》)

句中「燒」為動詞，於此與介詞「以」構成被動句式，「燒」後之「殘破」為兩個單音節詞，補述秦宮室被燒之情況，即大火把宮室「燒」到「殘」、「破」。「殘破」兩字本為形容詞，此為以兩個單音節詞組成之雙音節形容詞作補語。粵語中亦有以「動／形」＋（到）「動／形」之實用口語結構，如「燒到燶」、「斷到正」、「壞到透」、「惡到死」、「打到飛起」等。

⑨不如待其來攻，<u>蹙著</u>泗水中。(《三國志‧魏書‧呂布傳》)

句中「蹙」解作窘逼，《說文》解作「迫也」。[13]《廣雅‧釋詁一》謂「急也」。[14]《說文》無「著」字。《廣韻‧御韻》有收，「著」釋作「成也」。[15]《禮記‧郊特牲》：「由主人之絜著此水也。」鄭玄注：「著，猶成也。言主人齊絜，此水乃成，可得也。」[16]

9　參考容庚編著、張振林、馬國權摹補：《金文編》北京：中華書局，1998年，頁30。

10　見《後漢書》，頁1909。

11　（晉）杜預注、（唐）孔穎達等疏：《春秋左傳正義》臺北：世界書局，1984年，頁16b。

12　（宋）歐陽修著：《歐陽修全集》北京：中華書局，2001年，頁576。

13　見《說文解字》，頁201上。

14　（清）王念孫撰：《廣雅疏證》南京：江蘇古籍出版社，2000年，頁34a。

15　余迺永校註：《新校互註宋本廣韻》香港：中文大學出版社，1993年，頁362，〈去聲‧九御〉。

16　（漢）鄭玄注、（唐）孔穎達疏：《禮記正義》北京：北京大學出版社，2000年，頁594。

由此可見，本句謂「戹著泗水中」，即將敵兵圍困於泗水之中。「戹著」之「著」為補語，補述動詞「戹」之窘迫情況。此處預設行動之可能發展境況，與現代漢語「著」之時態功能並不相同。粵語「著」之時態對應詞則為「緊」，如有「諗緊」、「食緊」、「睇緊」等。

　　⑩莫不大驚失色。(《資治通鑑·漢紀·赤壁之戰》)

句中「驚」為動詞，作為句中謂語。其語法與《史記·淮陰侯列傳》：「至拜大將，乃韓信也，一軍皆驚。」[17]《漢書·霍光傳》：「群臣皆驚愕失色，莫敢發言。」[18]陶潛〈桃花源記〉：「見漁人，乃大驚，問所從。」[19]相同。《漢書》之「驚愕」則為雙音節詞。《說文》「驚」釋作「馬駭也」[20]，引申為人之心理感受。「愕」《說文》未見，《廣韻·十九鐸》釋作「驚也」。[21]本句「莫不大驚」已交代所述對象因意料不到的事而心中震動之心理活動，句意已是十分完整。「失色」之附加於後，作用是補充其受驚之情態，指當事者不但「大驚」而且面色大變，失去原本之臉容色彩，作進一步的情態描述，此為狀態補語。「大驚失色」於現代漢語已成為常用四字成語，亦為粵語常見熟語。

　　基本而言，古代漢語與現代漢語之補語類型亦相當一致。事實上，除上述古典散文例子，古代漢語之韻文句子中也有不少補語，茲舉有關例子闡釋如下：

❶ 日出<u>有曜</u>。(《詩·檜風·羔裘》)

❷ 沾余襟之<u>浪浪</u>。(《楚辭·離騷》)

❸ 泣下<u>漣漣</u>。(《楚辭·九歎·憂苦》)

❹ 五馬立<u>踟躕</u>。(《古詩源·陌上桑》)

❺ 不惜歌者<u>苦</u>。(《古詩十九首·西北有高樓》)

❻ 進退<u>且徐徐</u>。(曹植〈仙人篇〉)

❼ 磨刀<u>霍霍</u>向豬羊。(〈木蘭辭〉)

❽ 旋駕悵<u>遲遲</u>。(陶潛〈於王撫軍座送客〉)

❾ 輕舟已過<u>萬重</u>山。(李白〈早發白帝城〉)

❿ 風急天高猿嘯<u>哀</u>。(杜甫〈登高〉)

⓫ 莫上孤峰<u>盡處</u>。(蘇軾〈滿庭芳〉)

⓬ 聯翩翩萬馬來<u>無數</u>。(辛棄疾〈菩薩蠻〉)

---

17　(漢)司馬遷撰，(宋)裴駰集解、(唐)司馬貞索隱、(唐)張守節正義：《史記》北京：中華書局，1975年，頁2611。

18　(漢)班固撰，(唐)顏師古注：《漢書》北京：中華書局，1983年，頁2937。

19　(晉)陶淵明著、逯欽立校注：《陶淵明集》北京：中華書局，2012年，頁165。

20　見《說文解字》，頁48上。

21　見《新校互註宋本廣韻》，頁506。

⓭梅蕊重重何俗<u>甚</u>。（李清照〈攤破浣溪沙〉）

⓮痛煞煞<u>教人捨不得</u>。（關漢卿《雙調・沉醉東風》）

⓯高哉<u>范蠡乘舟去</u>。（馬致遠《南呂・四塊玉》）

綜上各例而論，❶⓯可以視之為結果補語。「日出」是主謂式結構，「有曜」是交代太陽昇起後光輝閃耀，也理解為光芒閃閃的情狀。「范蠡乘舟去」是補述謂語「高哉」的結果，以人物之具體行動交代如何「高」（情操／洞識力／價值觀）的人生決定。⓫⓭⓮與程度範疇相關，「盡處」進一步指出是「孤峰」的位置，即是山峰之最高點。「俗」本已交代出「梅蕊重重」之主觀評論，副詞「甚」之補上，加強了對「俗」的批評程度。「煞煞」兩個疊詞用作對「痛」情狀補述，其後附上「教人捨不得」短語則以具體活動行為，進一步補充描述所謂「痛」之程度。「捨不得」也可視之為可能補語。短❾⓬為數量補語，「萬重山」補述行經的環境，以誇張的數據表示船行駛之快；「無數」是補述所謂馬匹奔騰的無可計算場面，以超乎極限副詞作進一步的闡釋。至於❷❸❻❼之例都是對有關行為、動作、情態等作補充說，「沾」、「下」、「進退」、「磨」是動詞，並以疊詞「浪浪」、「漣漣」、「徐徐」、「霍霍」附於後作狀態補語。❹以雙聲聯綿詞「踟躕」為補語，補述「立」之動態。❺以形容詞「苦」補述對「歌者」之感受。❽以疊詞「遲遲」補述形容詞「悵」之情態。❿「哀」為形容詞，以此補述於前動詞「嘯」的叫聲具有哀傷情感或令人聽到感到哀傷之情狀。

## 四　古今漢語介詞補語

此外，於語法結構而，有些補語是附有介詞，即是介詞結構作補語，可稱之為介詞補語。現代漢語有以介詞詞組充當補語，常見介詞有「在」、「向」、「自」、「於」等。例如[22]：

①希望的太陽永遠閃爍<u>在前方</u>。

②老頭兒就走<u>向蔚藍的大海</u>。

③這種桔子來<u>自廣東</u>。

④魯迅的文學活動開始<u>於本世紀初期</u>。

粵語也有相近的用法：

❶佢一早就企<u>喺前面</u>。

❷學生急急腳走<u>向小賣部</u>。

---

22　以下四例取自張松林著：《現代漢語語法表解》成都：四川科學技術出版社，1986年，頁149。

❸啲牛奶來自北海道。

❹呢單野應該發生喺上個禮拜。

然而，介詞補語的有說法尚有討論空間，其中動詞＋介詞如「走在」、「跑到」之處理，有時會涉及動詞帶動賓語或構詞成分的問題，這方面仍有待進一步研究。[23]至於古代漢語也有不少介詞為結構的補語，常見介詞有「於／于」、「以」、「自」等。例子如下：

①衡少善屬文，遊於三輔。（《後漢書・張衡傳》）

②鄭人擊簡子中肩，……太子救之以戈。（《左傳・哀公二年》）

③逢蒙學射於羿。（《孟子・離婁下》）

④子犯以璧授公子。（《左傳・僖公二十三年》）

⑤褒於道病死，上閔惜之。（《漢書・王褒傳》）

⑥子於是日哭，則不歌。（《論語・述而》）

⑦項伯乃夜馳之沛公軍，私見張良，具告以事。（《史記・項羽本紀》）

⑧乃取蒙衝鬥艦數十艘，實以薪草，膏油灌其中，裹以帷幕，上建牙旗。（《三國志・吳書・周瑜傳》）

綜上諸例，①「於」為介詞，介進動詞「遊」之地點「三輔」。②「戈」為拯救簡子之工具，此補述動詞「救」之具體情況。③以人名「羿」補述向誰學習射藝。以上諸項補語均能將語境內容、行為活動，清晰交代。④⑤⑥乃將補語前置於謂語動詞，「以璧」、「於道」、「於是日」之句型結構有人會視作為狀語，實則是補述動詞活動之位置或時間。其中④「璧」之補述比較關鍵，本句如只用動詞「授」則不能表達完整訊息。⑦⑧為省略賓語之補語結構，句中「告」、「實」、「裹」為施事動詞，「以事」、「以薪草」、「以帷幕」為補語，分別補述其所告者為「事」，所充實者為「薪草」，所包裹者為「帷幕」。然而，句中受事者省去，也即是省去了賓語代詞「之」。句中本意是⑦「具告之以事」，⑧「實之以薪草」、「裹之以帷幕」。

然而，有些文言語句中亦不用介詞之補語，例如：

⑨死馬且買之五百金。（《戰國策・燕策一》）

⑩將軍戰河北，臣戰河南。（《史記・項羽本紀》）

⑪信亡楚歸漢。（《漢書・韓信傳》）

⑫此其近者禍及身，遠者及其子孫。（《戰國策・趙策四》）

---

23 有關說法參考：一、張純鑒著：〈關於「介詞結構作補語」的幾個問題〉，二、宋玉柱著：〈評「介詞結構作補語」〉，北京語言學院語言教學研究所編：《現代漢語補語研究資料》北京：北京語言學院出版社，1992年版，頁304-311。

⑨「五百金」補述所買的價錢，詞組屬於數量類，重點是交代動詞「買」，「五百金」可視作狀態補語，表述所付出之不菲代價。⑩置於動詞後之「河北」、「河南」皆為地名，同是補述處所，「戰河南」即在河南開戰，不能視作受動詞支配之賓語。上述兩例句子若作「死馬且買之（以）五百金」，「將軍戰（於）河北，臣戰（於）河南」，亦無不可。⑪「亡」為動詞，「楚」之前省去介詞「自」，指韓信自楚逃亡而歸附於漢。⑫句中兩「及」皆為動詞，「身」、「其子孫」均為補語，同是省去介詞「於」。粵語中也有與之相近的不用介詞補語，如「呢件衫賣二百鈫」（這件衣服以二百元售賣）、「我住九龍城」（我住在九龍城）。

# 五　結語

　　補語的出現反映出人類語言表達的一種思維行為，現代漢語例子與粵語所見情況基本上相同，兩者都是切實及對應性記錄使用者的口語表達內容，在其使用過情中呈示出人的大腦思維與語言的相對關係。從補語的類別來看，所謂結果、程度、可能、狀態、數量、趨向等劃分，都是反映出人在使用語言時的具體情況，包括個人表述心理及其潛意識認為要照應的語境內容。補語的介入，大前提是補其不足，即是使用者在表述有關活動、行為時，自覺有所欠缺，或是針對未夠清晰具體，而緊接語句內容作出之語意補充。從句子成分結構來看，這些後補的內容就是補語。然而，就語法而論，有些補語是針對時態而作出補述，這種情況在現代漢語裡較明顯，古代漢語則少見，理由是文言所記錄的不一定是對應性的口頭話語。值得注意的是，古代漢語具介詞結構的補語比較常見，而補語前置一類卻另具特色。文言語句中有省略賓語的補語結構，現代漢語則視之為狀語結構。這正由於文言本來就有趨向精簡的特質，也因為文言本身不是完全對應口語的文本語體，它是經過歷代知識分子長期使用的高度優化書面語。相對來說，古代漢語之韻文較易發現補語，其類型也有不少，估計此應與該等韻文之靈活語序設置及句子平仄格律要求有關。

# 貌同心異
## ──基於「龍學」再議黃侃、姚永樸駢散之爭

### 李蘭芳
北京師範大學文學院

## 一　黃、姚駢散之爭（1914-1917）

　　一九一四至一九一七年，姚永樸與黃侃同在北京大學講授「辭章學」，分別撰寫了《文學研究法》和《文心雕龍札記》兩種講義（下文簡稱《研究法》和《札記》）。學界一般認為他們引發了一段散文史的學術公案。朱希祖是他們的同事，其日記記載了當時北大的三派文風：「黃君季剛（黃侃）與儀徵劉君申叔（劉師培）主駢文，……黃季剛則以音節為主，聞飭古字，不若劉之甚，此一派也。桐城姚君仲實（姚永樸），閩侯陳君石遺（陳衍）主散文，世所謂桐城派也。……。余則主駢散不分，與……章先生（太炎）議論相同，此又一派也。」[1]此觀點被後世周勳初等學者廣泛接受[2]，傾向於認為黃侃《札記》的誕生是為攻擊當時以姚永樸為代表的桐城派。由此，黃、姚持論之異也被放大了。二〇〇二年，汪春泓〈劉師培、黃侃與姚永樸之《文選》派與桐城派的紛爭〉在更深廣的學術史背景下再次作了清理，認為「就實際情形來看，所謂的《文選》、桐城兩派並沒有形成真正意義上的直接交鋒。」他還著力探討了姚與劉、黃論文的相合之處，認為姚結合《文心雕龍》（以下簡稱《文心》）為桐城派別開生面，「黃侃起而攻擊北大桐城派同事，在尚未知己知彼情況下，顯得無的放矢、捕風捉影，他對於姚永樸的批評是站不住腳的。」[3]總體而言，該文論述翔實，邏輯嚴密，所得結論也廣為後人接受，學界又傾向於黃、姚持論相合，黃、姚之爭漸被消弭。

---

1　司馬朝軍、王文暉合撰：《黃侃年譜》武漢：湖北人民出版社，2005年，頁117。原文「劉申教」、「共同體」、「兆浩」三處均有誤，本文引文已改為「劉申叔」、「黃季剛」、「兆洛」，並在「此又一派」前補出了逗號。

2　周勳初：〈論黃侃《文心雕龍札記》的學術淵源〉，載《文學遺產》，1987年第1期，頁110。文章認為，「民國初年的文壇上，有三個文學流派在相互爭競，一是以姚氏弟兄和林紓為代表的桐城派，二是以劉師培為代表的《文選》派，三是以章太炎為代表的樸學派，季剛先生因師承的緣故，和後面的兩派關係密切。」

3　汪春泓：〈論劉師培、黃侃與姚永樸之《文選》派與桐城派的紛爭〉，載《文學遺產》，2002年第4期，頁14、24-28。

　　如果剝去此段公案的意氣之爭，重新審視二人的文論，那《札記》和《研究法》究竟趨異還是趨同？在進入具體分析前，我們先來回顧歷史案始。據現存資料，明確指出二人發生論爭的說法，最早出於黃侃乃師章太炎之口。一九一八年十一月十三日，章太炎給吳承仕的信說：「往者季剛輩與桐城諸子爭辯駢散，僕甚謂不宜。」[4]但這有兩個疑點：章太炎一九一四至一九一七年間先後幽禁龍泉寺、游南洋、繼續議政[5]，並未執教北大，對現實情況瞭解可能不確。而當時黃侃、姚永樸的同事錢玄同、朱希祖等人，均未提及二人有正面交鋒，《黃侃日記》、《姚永樸文集》亦未載此事。黃、姚一是劉師培、章太炎的弟子，一為姚范後裔、桐城派殿軍，持論不同本應非常正常，不必引向學術論爭的泥潭。汪春泓說：「所謂的《文選》、桐城兩派並沒有形成真正意義上的直接交鋒」，是可信的。那退一步，姚、黃持論真的就像汪所說的那樣持論相合，姚永樸在《研究法》中引入《文心》真的是為使桐城派別開生面嗎？晚於姚永樸進入北大講授同一門課程的黃侃，其《札記》真如多數學者所論，只為攻擊同事姚永樸嗎？這些事實，本文將通過二人圍繞《文心》展開的具體論述來進行澄清。這些問題之所以重要，是因為黃、姚關涉到清中期以來的駢散之爭。也即從清中期桐城派姚鼐與阮元的駢散之爭開始，到姚永樸、黃侃真的走向了駢散合一的趨同嗎？

　　從行動上看，姚永樸確實有主動靠攏駢文理論的自覺性。他將《文心》提高到與桐城文論幾乎同等重要的位置，還較早在國內大學課堂摘段講解[6]，這引起了時人與後人的廣泛注意。《研究法》前有門人張瑋序，序稱該書「發凡起例，仿之《文心雕龍》」，並極稱《文心》「自上古有書契以來，論文要旨，略備於是，後有作者，蔑有尚之矣。」[7]這確實能給後人留下擯棄門戶之見、融合駢散的印象。汪春泓甚至認為，「姚氏以劉勰為凌駕於桐城派之上的文論宗師，而以《文心雕龍》為文論圭臬，也正體現姚氏借助《文心雕龍》來修正提升桐城文論的努力，所以是劉勰千百之下的知音。」[8]葉當前也認為，《研究法》「引《文心雕龍》共六十二條，從破除門戶之見角度看，意義尤顯重要」。但他通過姚永樸對《文心雕龍》具體的徵引，也指出了問題：「極易造成對原文的斷章取義，誤導讀者」。黃、姚都講《文心雕龍》，但側重點不一樣，前者重視註解梳通，後者重在為我所用，以引代著，進而闡發自己的文章學理論觀點。[9]同是以姚永樸

4　司馬朝軍、王文暉合撰：《黃侃年譜》武漢：湖北人民出版社，2005年，頁129。

5　湯志鈞：《章太炎年譜長編》北京：中華書局，2013年，頁754-788。

6　葉當前：〈姚永樸《文學研究法》徵引《文心雕龍》考〉，《古代文學理論研究（第四十一輯）——中國文論得詮釋學傳統》上海：華東師範大學出版社，頁55。

7　姚永樸：《文學研究法》序，頁3。

8　汪春泓：〈論劉師培、黃侃與姚永樸之《文選》派與桐城派的紛爭〉，載《文學遺產》，2002年第4期，頁12。

9　葉當前：〈姚永樸《文學研究法》徵引《文心雕龍》考〉，古代文學理論研究（第四十一輯）——中國文論得詮釋學傳統》上海：華東師範大學出版社，頁55、60-61。

對《文心雕龍》的接受為據，兩人卻得出不同的結論，這又引出了一個問題：姚永樸對《文心雕龍》的態度，究竟是奉之為圭臬還是為我所用？

考察汪、葉二文，結論不同乃因研究方法有異。葉當前將姚永樸《國文學》、《研究法》對《文心》、姚范等文論的徵引作了全面考察。汪春泓則比照了《研究法》與《文心》的體例，爬梳了姚、黃的學術淵源，認為「姚范就有漢學學風，姚鼐也有意靠攏漢學，到姚永樸時，其論文重視小學基礎，就幾乎與劉、黃如出一轍」，還在《研究法》其他未徵引《文心》的篇目中尋找到了漢學痕跡[10]。二文固已論述深細，但要準確揭示姚永樸對《文心》的態度，仍有未到之處，即汪文未對持論的重要證據「徵引」進行分析，葉文也主要是數據統計以及篇目對比。所以我們有必要深入分析姚永樸徵引《文心》的具體語境，比對原文與黃侃《札記》，才能切實地把握姚永樸、黃侃接受《文心》的程度、內容、動機、效果如何。

## 二　趨同：文章要素與文章風格

直接鈔引而不加分析，是姚氏接受《文心》的主要方式。《研究法》凡五十處直接引用《文心》，語涉二十九篇。其中十九篇，黃侃《札記》亦有相應討論[11]。綜觀二人態度，他們對所徵引的原文，除〈聲律〉篇外大多持肯定和汲取的態度，對文章的一些外緣問題確有共識。

其一，文章要素方面，擯棄了劉勰聲律說，主張聲律自然，隸事徵實。姚氏引〈聲律〉「凡聲有飛沈」至「不出茲論」，批判了這些引向聲病的言論，認可鍾嶸，並極力肯定韓愈以「氣盛言宜」拯救聲病之功。[12]黃侃也認可文章聲律應本於自然，「文章原於言語，疾徐高下，本自天倪」，認為鍾嶸「但令清濁通流，口吻調利」的說法於劉勰較優。[13]用事方面，姚氏引了《文心》「陳思〈報孔璋書〉」至「則改事失真」、「陳思〈武帝誄〉」至「不類甚矣」兩段話，對古人名篇難免失實的情況作了批判。[14]黃侃也認為文章不宜引事失實，「文章之功，莫切於事類」，喻人之文須以信為貴。[15]

其二，風格論方面，除陰陽剛柔之說矛盾難以調和外[16]，劉勰繁簡得當、執正馭奇、趨雅避俗等觀點均被二人吸取了。劉勰〈鎔裁〉重點論述了「規範本體謂之鎔，剪

---

10　汪春泓：〈論劉師培、黃侃與姚永樸之《文選》派與桐城派的紛爭〉，載《文學遺產》，2002年第4期，頁25-26。

11　〈物色〉篇為駱鴻凱所撰，故不予討論。

12　姚永樸：《文學研究法》南京：鳳凰出版社，2008年，頁94-96。

13　黃侃：《文心雕龍札記》北京：中華書局，2016年，頁104-105。

14　（清）姚永樸：《文學研究法》南京：鳳凰出版社，2008年，頁118。

15　黃侃：《文心雕龍札記》北京：中華書局，2016年，頁174、162-164。

16　周勳初：〈論黃侃《文心雕龍札記》的學術淵源〉，載《文學遺產》，1987年第1期，頁113。

截浮詞謂之裁」的寫作過程，尤其是情、事、辭的棄取標準，力求繁簡得當。[17]姚永樸《繁簡》篇也大幅徵引該文，從「規範本體謂之鎔」至「斧斤之斫削矣」，「凡思緒初發」至「駢贅必多」，「三准既定」至「可謂煉鎔裁而曉繁略矣」，以證其「無分於繁簡，惟得其宜」的文章觀。[18]黃侃此篇札記則進一步提出了本之於自然的命意修辭論，批評桐城元老「專以簡短為貴」。[19]至於奇正，姚永樸認為先守正後求奇，又引劉勰「舊煉之才」至「逐奇而失正」諷效奇取勢的這段話，以論初學尚奇的流弊。[20]對效奇取勢，黃侃也認為「不可為訓」[21]。雅俗方面，姚永樸引〈事類〉「夫姜桂因地」至「雖美少功」[22]，主張續學以求雅避俗。黃侃也強調博學，初學為文時宜「摹雅以定習」[23]。

　　清代樸學風氣，已使隸事徵實的觀念深入人心，黃、姚二人持論相同自在情理之中。但駢文派是素來注重聲律的，如果說黃侃的聲律自然說可視為由駢而散的調整，那麼姚永樸不再拘泥於元老們的「雅潔」說，亦不可否認其借駢文派調適了桐城文論。此外，姚氏〈派別〉篇認為「用奇與用偶，其流異，其源同」，破除了世人「桐城派」古文家、「陽湖派」古文家、「不立宗派古文家」的說法。[24]黃侃〈麗辭〉也肯定了劉勰奇偶適變、迭用奇偶之說，稱其「真可以息兩家之紛難，總殊軌而齊歸者矣。」[25]可見，他們不再爭奇偶駢散，文體論方面二人亦看似相通。

　　姚永樸、黃侃討論的內容如此大面積重合，他們都對廣泛汲取了《文心》的內容，觀點甚至有相通之處。那麼我們一方面仍可認為姚永樸努力借《文心》以使桐城派別開新面，姚、黃均主張駢散不分。但若仔細考察姚永樸接受《文心》的內容和方式，尤其是與劉勰、黃侃所論相對照，其實還有可商榷之處。就二人對《文心》相同篇章進行的徵引和論述來看，姚、黃的文體論和創作論貌同心異，分歧較大。

## 三　趨異：文體論

　　實質上，二人以上觀點多為謹守家法、師法基礎上的互相承認，他們在文事內核的

---

17　（南朝梁）劉勰著，范文瀾註：《文心雕龍注》北京：人民文學出版社，2017年，頁543-544。

18　（清）姚永樸：《文學研究法》南京：鳳凰出版社，2008年，頁114。

19　黃侃：《文心雕龍札記》北京：中華書局，2016年，頁101。

20　（清）姚永樸：《文學研究法》南京：鳳凰出版社，2008年，頁106。

21　黃侃：《文心雕龍札記》北京：中華書局，2016年，頁96。

22　（清）姚永樸：《文學研究法》南京：鳳凰出版社，2008年，頁110。

23　黃侃：《文心雕龍札記》北京：中華書局，2016年，頁172。又〈體性〉劄記謂，「求其無弊，惟有專練雅文，此定習之正術」。頁86。

24　（清）姚永樸：《文學研究法》南京：鳳凰出版社，2008年，頁46-47。

25　黃侃：《文心雕龍札記》北京：中華書局，2016年，頁141-142。

文體論、創作論上仍難以融通。這可從他們解讀《文心》的歧見中見出。文體論的差異
體現在文章是否有體格，各類文體的內涵、範圍、代表作、學習方法等方面的不同認識。

　　姚永樸徵引《文心》最廣泛的是文體論，分散在〈門類〉、〈著述〉、〈格律〉三篇。
前兩篇主要闡述姚鼐提出的十三類文體，引《文心》以釋名。〈格律〉強調「文章一類
有一類之格」，前引〈定勢〉「章表奏議」至「從事乎巧艷」，後近三分之一由《文心》
十二種「無韻之筆」的論述構成[26]。這些都成為了姚永樸注重體格的註腳，但劉勰的這
一部分，恰是黃侃批判的。

　　〈定勢〉篇札記首先破除了古今文勢說，尤其是剛柔陰陽之分，指出劉勰「篇中所
言，則皆言勢之無定也」。繼而逐段解讀原文，指出劉勰「勢不自成，隨體而成」、「文
勢無定，不可執一」、「體勢相須」的觀點。[27]由此反觀姚永樸的徵引，不難看出他們理
解原文的不同方式和接受的深淺。黃侃通觀全局，更接近劉勰本意，而姚則僅取其中一
點，用以構築自己的文論大廈。黃侃批評那些「專標文勢妄分條品者」，「矜言文勢，拘
執虛名，而不究實義，以出於己為是，以守舊為非者」，與劉勰相比「相去乃不可以道
里計」[28]，並非捕風捉影之言。

　　至於劉勰〈辨騷〉、〈詮賦〉、〈頌贊〉、〈議對〉、〈書記〉這五篇均論及的具體文體，
對《文心》的接受仍大有不同。

　　先說無韻之文。姚永樸〈格律〉篇體格部分幾乎全照搬《文心》的定義，引用〈議
對〉、〈書記〉之語即出在其中。前者為「夫動先擬議」至「此綱領之大要也」，「夫駁議
偏辨」至「王庭之美對也」；後者為「詳總書體」，至「蓋箋記之分也」[29]。而黃侃只選
擇〈議對〉和〈書記〉兩篇無韻之文，原因恰是深知「文體多名，難可拘滯，有沿古以
為號，有隨宜以立稱，有因舊名而質與古異，有創新號而實與古同」，所以最好的處理
辦法是推其本原，診求旨趣，收以簡馭繁之功[30]。他指出，議對為「論事之泛稱」[31]，
「書記之科，所包至廣」[32]，推原二種，便可對非常廣泛的應用之文收以簡馭繁之效。
而且他還駁斥紀昀想要刪除劉勰〈書記〉所錄的「繁文」（按，指譜、簿等23種雜體），
是「有意狹小文辭之封域」[33]，並未知劉勰本意。文之無定體、體之無定名，可謂黃侃
對文體總的看法。其消解對應用文體進行繁復分類的意義，模糊文體界限之舉，實際比
姚永樸包容了更多的文體，更接近於中國古代傳統寬泛的「文章」概念。

---

26　（清）姚永樸：《文學研究法》南京：鳳凰出版社，2008年，頁86-88。

27　黃侃：《文心雕龍札記》北京：中華書局，2016年，頁95-96。

28　同上註，頁95-97。

29　（清）姚永樸：《文學研究法》南京：鳳凰出版社，2008年，頁88。

30　黃侃：《文心雕龍札記》北京：中華書局，2016年，頁60。

31　同上註，頁65。

32　同上註，頁71。

33　同上註，頁72。

　　再說有韻之文。對於〈辨騷〉，黃侃和姚永樸都以「騷」為辭賦的一體，並高度認可《楚辭》中屈、宋之作，以真實為本，以華文為末，肯定後世學其真實之處，比如枚乘〈七發〉。姚永樸謂之屈、宋「清真古樸」，黃侃也認為「其實屈、宋之辭，辭華者其表儀，真實者其骨幹」。但學習方法不同，姚認為辭賦創作的學習，也和其他體類一樣，應遵循「命意、布局、行氣、遣詞」的通用原則，黃侃則認為應當工於變化，反對遺神取貌，徒學聲調和藻採。[34]

　　對《詮賦》則都認可班固「賦者，古詩之流」的源流說，也認可劉勰麗詞雅義，符採相勝的賦體論。至於賦史，雖都以張惠言〈七十家賦鈔序〉為說，認為賦體窮於庾信之時，但對此後的賦史則看法不一。黃侃沿乃師章太炎之說，認為「賦至唐而遂絕」[35]，姚永樸則以韓愈為賦體新變。而關於唐前賦體作品的評騭，他們也針鋒相對。姚永樸稱引洪邁《容齋隨筆》之說，「東方朔〈答客難〉，自是文中傑出。揚雄擬之為〈解嘲〉，尚有馳騁自得之妙」，認為他們是後世學楚騷中能「歸於清真古樸」者[36]。但黃侃所引章太炎〈國故論衡辨詩篇〉卻說用賦體自述的〈答客〉、〈解嘲〉，其「文辭之緜，賦值末尾流爾也」[37]。

　　對於〈頌贊〉，姚永樸所引為「原夫頌惟典雅」至「如斯而已」，「事生獎嘆」至「其頌家之細條乎」[38]，但未作進一步解讀。所引的這兩段釋名之語，「敷寫似賦」、「敬慎如銘」諸語並不能讓讀者明白「頌」體為何，而從「事生獎嘆」開始引，又易給讀者傳達出「贊」體只有褒揚之義。詳參《札記》對全文的串講，指出「頌」為「誦」的借字，該文體「廣之則籠罩成韻之文，狹之則唯取頌美功德」，也揭出了劉勰認為「贊」之本義為明、助的看法，糾正了後世對「贊」為贊美的誤解，並特意在「獎嘆」之下註說「獎嘆即托贊褒貶，非必純為贊美」[39]。由此，廓清了時人以頌贊為褒揚的誤讀。

　　由以上不難見出，雖然共研《文心》，姚永樸大談無韻之筆，黃侃著力於有韻之文，但黃侃所認可的文體範圍比姚永樸更廣，處理方式更靈活，深得劉勰文體論的要義。

## 四　趨異：創作論

　　自姚鼐在〈《古文辭類纂》序目〉提出了神、理、氣、味、格、律、聲、色文章八

---

34　（清）姚永樸：《文學研究法》南京：鳳凰出版社，2008年，頁50-52。黃侃：《文心雕龍札記》北京：中華書局，2016年，頁23。

35　黃侃：《文心雕龍札記》北京：中華書局，2016年，頁52。

36　（清）姚永樸：《文學研究法》南京：鳳凰出版社，2008年，頁50-51。

37　黃侃：《文心雕龍札記》北京：中華書局，2016年，頁53。

38　（清）姚永樸：《文學研究法》南京：鳳凰出版社，2008年，頁87。

39　黃侃：《文心雕龍札記》北京：中華書局，2016年，頁61-64。

事論[40]，也隨著該書的廣泛傳揚而影響至遠。但實際上，除〈序目〉外，姚鼐並未對此論作其他具體闡述。後人對此八事的理解，仍多各執己見。姚永樸《研究法》首次對文章八事作系統闡發，廣泛地取資於《文心》，成為《研究法》創作論的重要部分，這不失為對桐城文論的一大發展。如果說於文體論姚永樸仍謹守家法，對《文心》警惕較高，那作為尚有較大自主闡發空間的創作論是否就與《文心》深度融合了呢？下面仍將通過姚、黃對劉的相關解讀來分析。

　　《研究法》卷三〈性情〉、〈狀態〉、〈神理〉、〈氣味〉、〈格律〉、〈聲色〉六篇，除更近於風格論的〈狀態〉篇外，其他更近於創作論的五篇均廣泛徵引了《文心》，涉及《附會》等十篇[41]。奇妙的是，黃侃也對這十篇均作了相應的解讀，但齟齬之處甚多。

　　其一，才能論。姚氏〈性情〉有兩處徵引《文心》。其一論文章須見性情，引〈情采〉「夫鉛黛所以飾容」至「言與志反，文豈足徵」[42]。文章以性情為質，也是姚永樸所論文章可觀人的功效之一。所引劉勰此段，主要是強調文章寫作須以情理為本，譏刺為文造情、言與志反。黃侃也承認了〈情采〉一文「所譏獨在採溢於情」，但他揭出了劉勰所論的時代原因──齊梁之世文體趨於縟麗，還指出其本意是文質相宜，如果劉勰生活於質勝於文之世，則「其所譏當又在此（按，指質）而不在彼（按，指文）」了。所以他繼續批評，那些忽略劉勰發論的具體背景，「引前修以自張，背文質之定律，目質野為醇古」的言論，則又墮入了偏見。雖然黃侃繼續申論「為文造情」至「言與志反」時，從「博弈飲酒而高言性道」至「行才中人而力肩道統」一連串的諷刺已近於謾罵，但他提出的「救質者不得不多其文」、「文採則不宜去」、「樸陋則不足多」[43]，不僅補善了劉勰提出的文質相宜論，放在文衰而質勝的清末民初，不無很強的救弊意義。反觀姚永樸固守情理本質一端，並直接抬出劉勰，以之張本而不顧時局，似有刻舟求劍之嫌。其二論文學家獨有資稟，引〈體性〉「功以學成」至「才氣之大略」[44]。劉勰此段話強調作家才氣對創作整體風格的決定作用。對於這點，姚、黃均認可也都認可文章可觀人的功效。所不同者是，於創作天才論外，姚永樸更加註重超越個人的時代因素，說「至於時世所值，與文章更有莫大之關係。凡切於時世者，其文乃為不可少之文；若不切者，雖工亦可不作。」[45]可見，他雖一面汲取《文心》的天才局限論，一面又更警惕地謹守家法，力求突破個人局限，關注時會際運。而黃侃認為突破先天局限，則承沿劉

---

40 （清）姚鼐評選，吳孟復、蔣立甫評註：《古文辭類纂評註》合肥：安徽教育出版社，2012年，頁18。

41 該十篇為〈附會〉、〈情采〉、〈體性〉、〈神思〉、〈風骨〉、〈養氣〉、〈隱秀〉、〈聲律〉、〈煉字〉、〈麗辭〉。

42 （清）姚永樸：《文學研究法》南京：鳳凰出版社，2008年，頁68。

43 黃侃：《文心雕龍札記》北京：中華書局，2016年，頁98-99。

44 （清）姚永樸：《文學研究法》南京：鳳凰出版社，2008年，頁68。

45 同上註，頁68-69。

勰的途徑，轉向了習於雅文以養情性[46]。回歸民初動蕩的時代語境，姚氏觀點又似略勝一籌。

其二，構思論。〈神思〉為劉勰最重要的篇目之一，是構思過程的揭秘，論及儲學、命意、臨文結撰諸事。姚永樸〈神理〉篇引用了「行在江海之上」至「窺意象而運斤」、「臨篇綴慮」至「其微矣乎」，幾近全文一半。但其用途僅用於證明命意與行文的關係是：「意在筆先」、「意在筆外」[47]，並未作進一步解讀。相較而言，黃侃的闡發則極為精彩。對劉勰的這兩段話，黃侃延伸了兩點要義。一是以博學為基礎的構思論。黃侃在論文時非常善於引向治學。〈神思〉開篇「行在江海之上」至「其思理之致乎」主要講思維的想象作用，而黃侃則作了進一步補充，人可以「憑心構象」外還可以「感物造端」，文章的構思也形成了緣此即彼、即異求同兩條路徑，而這兩條路徑，他認為也是「以馭萬理」的學術之原。再如，解釋「積學以儲寶」、張衡遲而左思快時，也凸顯了劉勰以學問為基礎的構思論。[48]這就將容易蹈虛的「神思」引向實學。而姚永樸〈神理〉篇僅用以證明「意在筆先」、「意在筆外」，不僅未充分展開論述，且其前文論述「神妙」、「神化」時，視之為難以達到的境界，構思之初須「神到機到」，也甚為虛玄[49]。二是揭出行文的命意修辭論。劉勰「臨篇綴慮」至「其微矣乎」大抵講構思之後撰寫文章之事，容易存在「理貧」和「辭溺」之弊，即命意和修辭兩端。黃侃在解讀時也拈出「博而能一」、「杼軸獻功」兩端以拯之。所謂「博而能一」即在博學的基礎上，臨篇綴文時修整命意，使其前後一貫。「杼軸獻功」則指「文貴修飾潤色」，才能避免義巧而辭拙、意新而事庸的尷尬。[50]而這些，姚永樸只述未論，難彰劉勰的精義。

具體在謀篇布局方面，二人觀點也不同。姚永樸注重單篇格局，〈格律〉篇引《附會》「凡大體文章」至「此命篇之經略也」，以明謀篇必先制局立格[51]。黃侃還是注重命意修辭的一貫性，以理循之，將綴文之術總結為六方面：「章句長短，必有所詮，所詮必一」，「凡一所詮，待眾所詮」，「此眾所詮對一所詮而為兩端」，「思有恆數，苟知致一，則眾義部次，不憂凌雜」，「文有定法，曉術易成」，「雖有定理，而無定式，循理為之，必無敗績失據之患」[52]。若與文體論合觀，姚永樸更加註重「無韻之文」的寫作，注重文體明辨、篇章布局，黃侃注重「有韻之文」，注重命意修辭的一貫，均有可取之處。

其三，文氣論。以氣論文，向來是個難題，以氣虛而無跡。《文心》中〈神思〉、〈養氣〉、〈體性〉、〈風骨〉諸篇之論「氣」有不同的層面，前兩篇為作家層面的性氣、

46 黃侃：《文心雕龍札記》北京：中華書局，2016年，頁86。

47 （清）姚永樸：《文學研究法》南京：鳳凰出版社，2008年，頁79。

48 黃侃：《文心雕龍札記》北京：中華書局，2016年，頁80-81。

49 （清）姚永樸：《文學研究法》南京：鳳凰出版社，2008年，頁77-78。

50 黃侃：《文心雕龍札記》北京：中華書局，2016年，頁82。對於「杼軸獻功」的理解，學界尚有歧見。

51 （清）姚永樸：《文學研究法》南京：鳳凰出版社，2008年，頁89。

52 黃侃：《文心雕龍札記》北京：中華書局，2016年，頁181。

精神，後兩篇指文本層面的文氣。這一點，黃侃曾多處進行了明辨。比如〈風骨〉篇中，他認為：「風即文意，骨即文辭」，劉勰「辭之待骨，如體之樹骸，情之含風，猶形之包氣」是說：「體恃骸以立，形恃氣以生；辭之於文，必如骨之於身，不然則不成為辭也，意之於文，必若氣之於形，不然則不成為意也。」[53]可見，〈風骨〉之「氣」為文章層面的氣，是文意、文情（即「風」）的來源。而〈養氣〉之「氣」則是作家層面的性氣、精神，他說：「養氣謂愛精自保，與〈風骨〉篇所雲諸氣字不同」[54]。姚永樸的文氣論集中於〈氣味〉中，該文開篇部分指出「夫人之氣，言語其著焉者也。文章又言語之精也，故以氣為重。……文章無氣無以行之」[55]，可見他是偏於把「氣」理解為文章層面的意涵。但全文徵引的內容卻十分雜糅，從物理形態之氣，到作家精神、文章命意、行文風格甚至語氣詞，只要語涉「氣」之一字均予鈔述。其中，《文心》的文氣論也被汲取了。所引〈風骨〉為「怊悵述情」至「則無風之驗也」，「夫翬翟備色」至「固文筆之鳴鳳」，用以明證氣之有關於文；又引〈養氣〉「夫學業在勤」至「斯亦衛氣之一方也」，傳養氣之法[56]。這兩段的前後為孟子、曹丕、顏之推、韓愈、蘇軾、劉大櫆等人的文氣論，只是在梳理「以氣論文」的線索，並未指出劉勰那兩段所論之「氣」為何。而就多處強調的孟子「養浩然之氣」來看，又似傾向於從作家層面來理解「氣」，這種含糊與雜糅表明，姚永樸並未準確、深刻地理解劉勰的文氣論。

其四，語言論。古文派和駢文派素來最顯著的差別是語言之樸與麗。姚永樸也有努力在文採方面借《文心》來改善桐城文論，但效果甚微。

姚氏〈聲色〉篇指出了煉字、造句、隸事三種增加文採的方法。姚、黃對煉字和造句的論述差異較大。字法方面，姚氏引〈煉字〉所論的避詭異、省聯邊、權重出、調單復之法，尤其推崇避免同字相犯。[57]這就將文章煉字之法歸到了換字一路。而劉勰該篇精義卻不在此。〈煉字〉篇先通過語言文字的變遷，揭示出「後世所同曉者，雖難斯異，時所共廢，雖易斯難」的規律，表明文字之難易，是由使用之興廢決定的。所以劉勰推崇寫作時選用能「該舊而知新」的文字，校正文字則須「依義棄奇」[58]。由此不難見到，姚永樸所述，已轉移並割裂了劉勰的重點。而這些重點，均已被黃侃重重揭出。《札記》還著力批評了四種用字法：是古非今、慕難賤易、崇雅鄙俗、趨奇厭常，主張「上宜明正名之學，下亦宜略知《說文》、《爾雅》之書」，「安其所習」、「取便於用」[59]，無

---

53　同上註，頁87。

54　同上註，頁177。

55　（清）姚永樸：《文學研究法》南京：鳳凰出版社，2008年，頁82。

56　同上註，頁82-83。

57　同上註，頁97。

58　（南朝梁）劉勰著，范文瀾註：《文心雕龍注》北京：人民文學出版社，2017年，頁624-625。

59　黃侃：《文心雕龍札記》北京：中華書局，2016年，頁168。

疑均與劉勰尚易、適時的觀念一脈相承。而反觀姚永樸繼續補充的字法，尤其是曾國藩指導後學說：「閣下現讀《通鑒》，即就《通鑒》異詁之字，偶一鈔記，他人視為常語，而己心意為異，則且鈔之；或明日視為常語，而今日以為異，亦姑鈔之」[60]，則徒以獵奇摘抄為務了。

　　句法方面姚永樸未引《文心》，而是謹守家法，以工於造句、氣勢雄奇的韓愈、注重字句音節的劉大櫆為尊。然《文心》之句法論——〈章句〉篇卻被黃侃認為最重要的篇章，該篇札記也最深入宏富。他說：「一切文辭學術，皆以章句未始基」[61]，指出「安章之法，要於句必比敘，義必關聯」[62]，無韻之文不一定以四六字為宜，但造句不宜過長，像曾鞏、歐陽修、蘇軾等奇長之語皆不可取。由此可見，其實姚永樸與黃侃之衝突，最根本的是不可能相融的句法論上。按黃侃所謂「句必比敘，義必關聯」，實與桐城派追認之祖方苞「言有物、言有序」之論別無二致，是後期桐城派已在句法之雄奇上愈走愈遠了。從這個意義上看，黃侃之重申以章句為根基的創作論，不僅推衍了劉勰的精義，更是桐城先祖之功臣。

## 五　錯位表達：以註代論與以述為論

　　由上可知，姚永樸與黃侃作為當時講授《文心》的先驅，雖有相通之處，但這些相通之處在當時多為與文事關係較遠的源流論、風格論上。而與文事密切相關的文體論、創作論卻較難相融，二人接受接受《文心》的動機、內容、方法、效果也極不相同。不可否認，姚永樸廣泛徵引《文心》，有以之為論文圭臬的動機，但與黃侃《札記》相比，實際並未能取得十分融通的接受效果。原因即在於接受內容、接受方法的不足。《札記》之誕生即基於在內容和方法對姚氏的撥正。

　　內容方面，姚永樸接受《文心》較深入的僅是文體論部分。創作論上雖也表現出融合《文心》中關乎性情、天賦、構思、文採的論述，但若取原文對照，可發現並未能貼合劉勰原意。尤其是對劉勰文氣論的認識，並不如黃侃明晰。在核心的創作觀念上，姚永樸依然謹慎地固守家法。而黃侃對於《文心》，並不如姚永樸那樣廣泛地直接徵引、為我所用，他採取的是回歸歷史語境、明斷是非後批判繼承的態度，對《文心》中不再適時的觀點並非一味認同。就同一文本的解讀尚且存在諸多齟齬，二人實為「貌同心異」。

　　《研究法》體仿《文心》，是桐城派作家系統闡述桐城文論的唯一專著[63]，也是桐

60　（清）姚永樸：《文學研究法》南京：鳳凰出版社，2008年，頁98。

61　黃侃：《文心雕龍札記》北京：中華書局，2016年，頁111。

62　同上註，頁125。

63　楊福生：〈姚永樸《文學研究法》述論〉，載《北京大學學報（哲學社會科學版）》，1998年第5期，頁3-5。

城派文章理論的結穴之作[64]，對桐城文論有較大發展。它廣泛吸收，融會貫通，論述體系，姚永樸也成為了近代高校講授《文心》的第一人。但因對《文心》的講解存在諸多不足，所以後人有再深入研究的必要。黃侃《札記》的誕生與之不無關係。黃氏《札記》不僅在內容、觀點進行補闕；選擇與系統論著相異的札記體，還起到了從方法論上擊破除陳說的效果。

　　著書立說與札記日鈔為中國古代兩種重要的學術表達方式。姚永樸在仿照《文心‧序志》的〈結論〉中說：「為諸君撰《文學研究法》二十四篇，於文章奧窔，言之亦略具矣。雖然，猶有一說焉。」[65]這表明，他是明確選擇了前種學術方式來論文，《研究法》由是而成。而黃侃之所以選擇札記，其實表達了對前一種方式的警惕，其〈題辭及略例〉說：「自愧迂謹，不敢肆為論文之言，用是依旁舊文，聊資啟發，雖無卓爾之美，庶幾以弗畔為賢」[66]。

　　著書立說，大多為論辯之文，要能成一家之言。姚永樸在〈著述〉篇已指出論辯之文本源於諸子之學，「欲求深入，最忌剽滑」，宜以《論語》、《孟子》為模範。〈格律〉篇引《文心》，也指出了論說文貴能「圓通」、「破理」。至於札記日鈔，則是從經學、史學衍生的，在宋代書院興起、至清代廣泛流行開來的學術表達方式。朱熹家書說：「日間思索有疑，用冊子隨手札記，候見質問，不得放過」[67]，可見學術札記從產生之初便有記疑求問的功能，具有隨書、零散、不確定的特質。黃侃自道：「依旁舊文，聊資啟發」，並加之以詮釋，亦隨古例。由此來看，著書立說無疑更接近現代追求創新、系統的學術表達。

　　但從姚、黃研治《文心》的效果來看，黃侃的《札記》在內容上更具創新性，堪稱劉勰的異代知音。後人甚至追認此書突破了箋註、評點等傳統讀經之法，是現代「龍學」的開端、「古代文論研究現代轉型」的關捩。[68]這種說法仍有可商榷之處。如果僅從突破傳統讀經之法、注重理論闡釋的角度而認定《札記》為古代文論的現代轉型，那麼更注重理論性和體系性的《研究法》亦足以當之，先於黃侃而在高校以《文心》為重要文論範本的《研究法》亦足稱「龍學」的開端。那《札記》對「龍學」的貢獻究竟在哪些方面呢？答曰「舊瓶裝新酒」。黃侃採用得較多的學術表達方式，比如《文心》用

---

64　慈波：〈《文學研究法》：桐城派文章理論的總結〉，載《江淮論壇》，2007年第5期，頁155。

65　（清）姚永樸：《文學研究法》南京：鳳凰出版社，2008年，頁131。

66　黃侃：《文心雕龍札記》北京：中華書局，2016年，頁2。

67　（宋）朱熹：《晦庵續集》，卷八，四部叢刊景明嘉靖本。

68　比如：李平、金玉生指出，《文心雕龍札記》「擺脫了前人以『讀經之法』研究《文心雕龍》的窠臼，標誌著現代『龍學』的誕生」，是「傳統文論研究向現代轉型的一個承前啟後的轉折點」。〈略論黃侃《文心雕龍札記》的學術地位和價值〉，《中國文論的古與今古代文學理論研究》，上海：華東師範大學出版，2017年，頁157-179。賀根民：〈《文心雕龍札記》：古代文論研究現代轉型的一個典型文本〉，載《北京科技大學學報（社會科學版）》，2013年第4期，頁69-73。

札記、《文選》用評點、《說文》有箋註、《日知錄》用校註，這些方式與傳統的學術表達實無二致，均以求「是」為尚，很難說突破了讀經之法。與姚永樸相比，他所突破的不是學術表達方式，而是內容和觀點，批判地吸收《文心》，並在多篇札記的箋註、解題中貫穿了文本自然、命意修辭、以章句論為始等思想。黃侃的學術表達，可以說是一種以註代論的方式。而《研究法》雖號為論著，煌煌四卷二十四篇，涵蓋了樞紐論、文體論、創作論、風格論四方面，體系完整，但實際對《文心》等舊說的新闡發甚是微薄，整體特徵僅是鈔撮徵引、為我所用。其學術表達方式又是另外一種，即以述代論。

　　姚永樸在形式上革新了傳統的桐城文論，不再以評點為言說方式，而代之以體系性的論著，但內容上尚難脫窠臼。黃侃則雖固守了傳統的樸學表達傳統，但已從內容上革除了歷來對《文心》的誤解，同時生長出新的文論觀點，這才是其堪稱古代文論的現代轉型之處。

# 論《國史大綱》與歷史發展

楊永漢

香港新亞文商書院

## 一　錢穆先生的歷史精神

　　民國二十六年（1937），抗日戰爭爆發，錢穆先生從北平撤退至西南大後方，此時是關乎中華民族生死存亡之時節，錢先生手頭資料不充足，地處僻陲的情況下完成《國史大綱》。時至今日，很多學者以「一生為故國招魂」來形容錢穆誓承接傳統文化的氣魄。筆者有幸畢業於錢穆先生開辦的新亞研究所，自涉獵中國歷史開始，已是以錢穆先生的作品作引導。本文不獨為錢先生搖旗吶喊，且滿懷對家國之感情，在這史學發展至歧路的情況下，再加思考。

　　《國史大綱》幾成為亡國者的作品，若說此書的重要，我會以司馬遷完成《史記》的心來形容此書：

> 蓋文王拘而演《周易》；仲尼厄而作《春秋》；屈原放逐，乃賦《離騷》；左丘失明，厥有《國語》；孫子臏腳，《兵法》修列；不韋遷蜀，世傳《呂覽》；韓非囚秦，〈說難〉、〈孤憤〉；《詩》三百篇，大底聖賢發憤之所為作也。此人皆意有所鬱結，不得通其道，故述往事、思來者。乃如左丘無目，孫子斷足，終不可用，退而論書策以舒其憤，思垂空文以自見。……欲以究天人之際，通古今之變，成一家之言。[1]

上列每部流傳後世巨著的作者都是處身憂患逆境中，幾置於喪命無助之境，才能完成偉業。錢先生處身的國家環境，正正是存亡之際。他寫《國史大綱》時的矛盾：

> 抑余又懼世之鄙斥國史與夫為割裂穿鑿之業者，必將執吾書之瑕疵，以苛其指摘，嚴其申斥，則吾書反將以張譏國史、薄通業者之燄，而為國史前途之罪人。抑思之又思之，斷斷無一國之人相率鄙棄其一國之史，而其國其族猶可以長存於天地之間者。[2]

---

1　（漢）司馬遷：〈報任安書〉，見（漢）班固：《漢書・司馬遷傳》，卷六十二，北京：中華書局排印本，1964年，頁2735。

2　錢穆：《國史大綱・引論》臺北：臺灣商務印書館，2006年，頁33。

　　錢先生希望振奮國人對國史的興趣，從中了解中國為何有當時的國勢及社會現象。他推崇司馬光，退而著作《資治通鑑》，司馬光政治上不能發展自己的抱負，就以著史將自己對家國的期望與見地，表達出來，可謂費盡心神，無非重新興起國人對國家的信心。錢先生說：「史學在中國，一向成為一支盛大光昌的學問，中國人一向看重史學，可謂僅次於經學。」[3]

　　幾千年的歷史，沒有間斷，《國史大綱》貫徹中國各方面整體的發展與變遷，中間闡述其變遷的原因，發展的利弊，可謂別具心得卓見。清代著名學者龔自珍說：

> 欲滅其國，必先去其史；隳人之枋，敗人之網紀，必先去其史；絕人之材，湮塞人之教，必先去其史；夷人之祖宗，必先去其史。[4]

國史之重要，關乎國亡家破，不可不慎。當年出版，遇到阻礙，有論者認為偏頗，偏重愛國思想，殊不知生死存亡之間，此種喚起國民對中國的信心，是難能可貴，是真知灼見。

　　王晴佳曾在《臺灣史學五十年》：

> 一九六〇年代以後，錢穆在臺灣學術界和史學界的影響也日漸顯著，其突出標誌就是錢穆的《國史大綱》，從那時以來常被各校歷史系用作大一的通史教材。對那些初入史學之門的莘莘學子來說，錢穆的文字顯得有些古奧，對書中所闡述的微言大義和時世背景也不甚了了，但作為他們進校以後所接觸的第一本專業歷史書籍，其思想影響可以說是潛移默化、細長久遠。

> 錢穆《國史大綱》成書於抗戰期間，自出版即佳評如潮，顧頡剛在《當代中國史學》中說此書是當時所有通史著作中創見最多的，一九四七年嚴耕望出版《治史答問》，在書中稱讚此書，「章節編製與一般通史書迥異，內容尤多警拔獨到處，往往能以幾句話籠照全局，精悍絕倫」，而此書在戰後臺灣的歷史系課程，特別是在中國通史課堂上，《國史大綱》仍是重量級的讀物，延續至今，依然如此。

　　《國史大綱》是臺灣入讀大學第一本對中國歷史全面介紹的書籍，嚴耕望先生稱贊是「內容尤多警拔獨到處，往往能以幾句話籠照全局，精悍絕倫」。錢先生曾擔憂中國歷史如何走下去？他曾問章太炎：「現在是廿五史，下邊該怎樣？」章太炎沒有答。錢先生說自《尚書》後有《春秋》，自《春秋》後過約一千年有《史記》，自《史記》後二千多年，從沒間斷，原因在哪？中國人！應好好思考此問題[5]。中國人歷史的路，又該

---

3　錢穆：《中國學術通義》臺北：學生書局，1977年，頁14。

4　（清）龔自珍：《定盦續集》（北京大學藏同治刻本，有錢塘吳煦序）卷二〈古史鉤沉論二〉，頁3。

5　錢穆：《中國史學名著》臺北：星星出版社，年缺，頁60-61。

如何走下去？

　　本文討論錢穆先生對中國歷史的信念，及闡釋錢先生所說政體三級演變：由封建而躋統一；由宗室、外戚、軍人所組的政府，而為士人的政府；由士族門第再變為科舉競選等三個方向討論中國歷史發展。此三項，實具中國歷史的發展獨特形式，亦是搏成現代中華民族的原因。

## 二　讀國史的信念與認知

　　錢先生說國人要對國家產生感情，首先必須認識本國歷史，因認識而產生感情：

> 一民族一國家歷史之演進，有其生力焉，亦有其病態焉。生力者，即其民族與國家歷史所由推進之根本動力也。病態者，即其歷史演進途中所時時不免遭遇之頓挫與波折也。[6]

　　我們對過往的光榮歷史，悲傷歷史要同樣有感覺，因為這是我們的國家。錢先生說：「歷史便即是人生，歷史是我們全部的人生，就是全部人生的經驗。歷史本身，就是我們人生整個已往經驗。」[7]因此，歷史就是生命，生命不可能由半中間切斷，我們的今天，必定與昨天有關。[8]沒有了歷史知識，就沒有了民族生命。

　　錢穆先生在《國史大綱》開宗明義說出國史的重要[9]：

> 一、當信任何一國之國民，尤其是自稱知識在水平線以上之國民，對其本國已往歷史，應該略有所知。（否則最多只算一有知識的人，不能算一有知識的國民。）
>
> 二、所謂對其本國已往歷史略有所知者，尤必附隨一種對其本國已往歷史之溫情與敬意。（否則只算知道了一些外國史，不得云對本國史有知識。）
>
> 三、所謂對其本國已往歷史有一種溫情與敬意者，至少不會對其本國已往歷史抱一種偏激的虛無主義，（即視本國已往歷史為無一點有價值，亦無一處足以使彼滿意。）亦至少不會感到現在我們是站在已往歷史最高之頂點，（此乃一種淺薄狂妄的進化觀。）而將我們當身種種罪惡與弱點，一切諉卸於古人。（此乃一種似是而非之文化自譴。）
>
> 四、當信每一國家必待其國民具備上列諸條件者比數漸多，其國家乃再有向前發

---

6　錢穆：《國史大綱・引論》，頁25。

7　錢穆：《中國歷史精神》香港：人生出版社，年缺，頁2。

8　同上註，頁5。

9　錢穆：《國史大綱》，頁1〈凡讀本書請先具下列諸信念〉。

展之希望。（否則其所改進，等於一個被征服國或次殖民地之改進，對其國家自身不發生關係。換言之，此種改進，無異是一種變相的文化征服，乃其文化自身之萎縮與消滅，並非其文化自身之轉變與發皇。）

　　錢穆先生鄭重的說，國人必須對國史有基本認識。讀中國歷史，要對國家歷史有溫情、有尊敬的心。每個歷史時期也可能出現暴政或外來民族的壓迫，都有著他的時代因素，我們不應因此而對中國幾千年文化而產生懷疑，甚至厭棄。現時處於弱勢的國家，不等於以往的歷史毫無價值，反之，要思考古往今來變遷的因素。不可因此而對古史譴責或自譴。倘國人對本國歷史有認識，這亦是國家興起之始。筆者自少聽老師說歷史故事，每每對古代聖賢悠然生尊敬之心。

　　其次，是要分清楚「歷史知識」與「歷史資料」的分別。民族國家已往全部之活動，是為歷史。記載此活動的材料是歷史的材料，而不是歷史的知識。錢先生強調：

> 材料累積而愈多，知識則與時以俱新。歷史知識，隨時變遷，應與當身現代種種問題，有親切之聯絡。歷史知識，貴能鑒古而知今。至於歷史材料，則為前人所記錄，前人不知後事，故其所記，未必一一有當於後人之所欲知。（見《國史大綱・引論》）

後來的學者必須從歷史材料中，尋求歷史知識，若放棄歷史材料，而妄稱史識，無疑癡人說夢。結論是「史識」必從「史料」始。讀歷史而沒有史識，若只在材料上打滾，是本末倒置。

　　錢穆先生分析中國歷史的特色：

> 中國為世界上歷史最完備之國家，舉其特點有三。一者「悠久」。從黃帝傳說以來約得四千六百餘年。從古竹書紀年以來，約得三千七百餘年。（夏四七二，殷四九六，周武王至幽王二五七，自此以下至民國紀元二六八一。）二者「無間斷」。自周共和行政以下，明白有年可稽。（史記十二諸侯年表從此始，下至民國紀元二七五二。）自魯隱公元年以下，明白有月日可詳。（春秋編年從此始，下至民國紀元二六三三。魯哀公卒，左傳終，中間六十五年史文稍殘缺。自周威烈王二十三年資治通鑒托始，至民國紀元凡二三一四年。）三者「詳密」。此指史書體裁言。要別有三：一曰編年，（此本春秋。）二曰紀傳，（此稱正史，本史記。）三曰紀事本末。（此本尚書。）其他不勝備舉。（可看四庫書目史部之分類。）又中國史所包地域最廣大，所含民族分子最復雜，因此益形成其繁富。若一民族文化之評價，與其歷史之悠久博大成正比，則我華夏文化，與并世固當首屈一指。[10]

---

10 錢穆：《國史大綱・引論》，頁1。

中國歷史特色有三：悠久、無間斷、詳密。這是本國史彌足珍貴之處，亦是有異於他國歷史的不凡處。故此，研究歷史是求其「異」及求其「同」。「求其異」是從歷史的狀態及特性而知道其變之所在，而看出整個文化的動態。再從此動態的暢遂與夭淤，而衡論其文化之為進退。「求其同」是尋找不同時代的「基相」。此各基相相銜接、相連貫而成一整面，此為全史之動態。[11]亦可謂民族發展的命脈。

中國歷史人事之間，以人為主，事為副，「未有不得其人而能得於其事者」[12]。人有賢奸，事有褒貶，褒貶乃中國歷史之要綱。撰寫歷史，就負起評定人物的責任，亦是定立民族道德方向的推動者。（宋）鄭樵撰《通志》要地下無冤人，（宋）歐陽修評馮道是「其可謂無廉恥者矣」等，都是為社會的道德要求作前導。

歸納學習歷史的重要性，最少有下列三種社會功效：

（一）崇敬本國歷史偉人。我們從歷史認識到偉大的思想家，孔子、孟子、老子、莊子、韓非子等等，他們的思想作品令人沈吟低思，開啟我們腦內多少疑難之門。看看百夷、叔齊，至死不食周粟，不是固執，而是我怎能原諒滅了我國家的民族？不管你的原因是如何的高遠，如何的「弔民伐罪」！單單這一節歷史，已是道德與現實之爭，這裡就是道德教育。刺秦荊軻、斷舌顏昕、碎齒張巡，還有上疏明世宗的海瑞，正氣直趨這墮落皇帝，不得不抱頭而痛。沈鍊當眾罵嚴世藩，雖然落得人亡家傾，但士人傲骨，處處可見。清代燒車御史謝振定，剛氣迫人，惠及子嗣。徐錫麟的剮心，秋瑾的斷頭，每個歷史故事都令我們低迴歎息，卻又重凜節氣。他們是我們的先輩，是我們民族的英雄。倘若這些前賢，是我們後輩的典範，又何愁不出現為國為民的來者。

（二）定立道德價值觀。傳統是「立德、立功、立言」。道德價值是全個民族的依持點，亦是民族精神靈魂的所在。立己立人，己欲達而達人，老吾老以及人之老等道德價值，把整個民族連繫，就是出於人與人之間的關懷。是否偉人？是考慮其行為影響之深、遠及廣。能否為大部份人謀取幸福，為百世定太平？歷史教學所選取人物的行為，就是教育整個民族道德價值的關鍵，不可輕忽。我們不能崇拜秦始皇，因為他的出發點不是民族，而是自己的家族千秋萬世的統治。鐵木真以屠城作掠奪城邑的恐嚇手段，以屠殺滿足自己的英雄感。這些人，能算是英雄嗎？

（三）為國家民族，因應時代變化，設定制度與改革。政制的改革、經濟的變遷、選仕的方式等等，若一成不變，就會出現鴉片戰爭後，國家受盡欺凌的情況出現。現代讀史者，必須「先天下之憂而憂」，為國家尋求可行的出路。

---

11 錢穆：《國史大綱·引論》，頁11。

12 錢穆：《現代中國學術論衡》北京：生活·讀書·新知三聯出版社，2002年，頁113。

## 三　由封建而躋統一

　　中國歷史自黃帝傳說始，有四千六百多年，當然可以用「悠久」來形容。由封建至統一，是趨勢。西周封建本是耕稼民族之拓展，與游牧民族本無衝突，因兼併出現，游牧民族承機侵擾。霸主之出現，除維護周天子顏面外，是穩定國與國之間的矛盾。宗法封建，漸漸趨向戰國時的新軍國，軍功亦代替貴族的專政。論者往往以「專制」評論中國政體，卻不知中國自秦漢以來乃非一家一姓之力能專制：

> 談者好以專制政體為中國政治詬病，不知中國自秦以來，立國規模，廣土眾民，乃非一姓一家之力所能專制。故秦始皇始一海內，而李斯、蒙恬之屬，皆以遊士擅政，秦之子弟宗戚，一無預焉。漢初若稍稍欲返古貴族分割宰製之遺意，然卒無奈潮流之趨勢何！故公孫弘以布衣為相封侯，遂破以軍功封侯拜相之成例，而變相之貴族擅權制，終以告歇。[13]

錢穆先生認為，秦以前，可以用「封建統一」來形容，而秦以後，可以說是「郡縣統一」。[14]政權開放，平民弟子可因才能、軍功，晉身統治階層。同樣，社會上的井田徵稅方法，轉為「履畝而稅」。春秋時期的出現，文化上是一大成就。外交上文雅風流，戰爭中仍重人道、講禮守信。儒、墨兩家之興起，影響深遠。孔子從歷史的觀念出發，追隨文王、周公的禮法。從人道的觀念出發，提出天命、性、仁、孝、忠恕等觀念。墨家在理念上是反對儒家的禮、樂奢侈觀念。同時，亦反對儒家的其他觀念，提出「兼愛」、「天志」等理論。根據錢先生的理解，「以下戰國學派，全逃不出儒、墨之範圍」[15]。

　　錢穆先生說此演變，於秦漢已完成。此統一大業，亦非常壯烈。見於春秋的國家名字約五十多國，若以左傳紀錄計算則約百七十國。從列國內亂，戎狄入侵，如此則各地戰爭是無時無刻的發生。從戰國七雄，至秦統一天下，整個民族多在水深火熱中。

　　戰國二百四、五十年的歷史，出現一次貴族統一局面，始皇二十六年（西元前221年）滅六國而統一。卻在短短十五年的統治期，由平民出身的漢高祖，開創史無前例的平民稱帝。西漢劉氏執政二百二十一年，新莽居攝十八年，再由劉氏掌政九十六年。

　　秦的統一，劃定了中國的基本版圖。其有功於後者，廢封建、行郡縣、墮城郭、夷險阻、築馳道、建長城。最重要是統整各地有異的制度、文化、風俗，使中華民族形成初步面貌。錢先生認為，秦乃貴族敗氣的延續，是進入平民治國的過渡期。[16]

　　漢之統一，制定稅、役、賦、貢的規模。農民出現土地所有權的觀念，繼而產生與

---

13　錢穆：《國史大綱・引論》，頁14。

14　錢穆：《中國歷史精神》，頁20。

15　錢穆：《國史大綱》，頁103。

16錢穆：《國史大綱》，頁127：「秦之統一與其失敗，只是貴族封建轉移到平民統一中間之一個過渡。」

統治者的臣屬關係，對國家又生義務感。

　　在此特別提出，封建至統一的歷程。封建，在中國歷史上最簡單的解釋是「封疆建土」，即分封。戰國時已出現郡縣制，秦統一，實行郡縣制。漢初立國，為便利統治，推行郡國制，文景以後，基本上地方封國已無實權。

　　試討論中西封建的不同。至於西方封建，主要分上古、中古和近代三時期。上古史是希臘和羅馬時期，中古史是封建時期，近代史是現代國家興起以後。部份學者很籠統的說中國是封建社會，錢穆先生曾撰文闡釋。「封建」是日本人用來譯"feudalism"的，是馬克思用"feudalism"描述中世紀的歐洲。若據此來描述中國社會的發展，未免不太準確，往後很多學者更改原始「封建」的含義來解釋中國社會，例如將戰國至清代全稱古代封建。錢先生在《國史大綱》再申明此謬誤：

> 有告之者曰：「中國自秦以來二千年，皆專制黑暗政體之歷史也。」則彼固已為共和政體下之自由民矣，無怪其掉頭而不肯顧。或告之曰：「中國自秦以來二千年，皆孔子、老子中古時期思想所支配下之歷史也。」則彼固呼吸於二十世紀新空氣之仙圄，於孔、老之為人與其所言，固久已鄙薄而弗睹，喑而無知，何願更為陳死人辨此宿案，亦無怪其奮步而不肯留。或告之曰：「我中國自秦以來二千年，皆封建社會之歷史耳，雖至今猶然，一切病痛盡在是矣。」於是有志於當身現實之革新，而求知國史已往之大體者，莫不動色稱道，雖牽鼻而從，有勿悔矣。然竟使此派論者有躊躇滿志之一日，則我國史仍將束高閣、覆醬瓶，而我國人仍將為無國史知識之民族也。[17]

　　錢穆先生認為中國古代社會可稱為「宗法社會、氏族社會，或四民社會」[18]，更闡明「中國自秦以下，即為中央統一之局，其下郡縣相遞轄，更無世襲之封君，此不足言『封建』」。[19]更實言中國行宗法社會氏族社會，數千年未變。西方近代是民主政治，中國自秦迄清是皇帝統治，若硬說這是「專制政治」，未免強將西洋人的分類，加入中國歷史內。[20]

　　筆者數十年前亦因錢穆先生之言，於報章撰文分析東西方封建之不同。所得結論是歐洲自封建後，歐洲大陸未見統一，單以日耳曼民族來說分別成為挪威人、丹麥人、瑞典人、冰島人、德意志人、奧地利人、瑞士人等等。但中國自秦漢以後，基本上是統一的國家，足以證明兩者的發展完全不同。中國史最突出的一點是，侵略中原的外族，漸漸融入中國，成為中國人。

---

17 錢穆：《國史大綱》，頁6。

18 錢穆：《現代中國學術論衡》臺北：東大出版社，2008年。

19 錢穆：《國史大綱》，頁21。

20 錢穆：《中國歷史精神》，頁26。

## 四　由宗室、外戚、軍人所組的政府，而為士人的政府

　　錢先生說士人政府完成於東漢，此自西漢中葉以下，迄於東漢完成之有關士人政府的建立可參看《國史大綱》〈第八章：統一政府文治的演進〉。秦、漢立國均以軍功為獎賞標準，成為政府的上層統治者。其次的官僚，多以郎、吏出任。無疑，新興的貴族階層仍是以出身為依據，有廕任，指二千石以上，視事三年可廕子一人為郎；貲選，指家貲滿五百萬，可為常侍郎；特殊技能，指戲車、善御、文章見用，其地位多不被重視。

　　漢代的文治思想肇端於賈誼，他提出闡揚文教，針對時弊施政。其議論是從法律刑賞而轉向禮樂教化，由法而轉向儒家思想。

　　漢武帝從董仲舒之議，「罷黜百家，獨尊儒術」，建立士人政府之方有五，一是立五經博士，令學者從方技雜流漸次轉向從事研究政治、歷史的方向。二是公孫弘議立博士弟子員，此開文學入仕的途徑。三是郡國長官察舉屬吏之制度實行，建立士人有機會進入中央體制之途。四是禁官吏營商，裁抑兼併。五是打破封侯拜相之例，減低由一階層獨占高位的局面[21]。自此以後，士人政府出現，公卿朝士，名儒輩出。錢先生對此現象的評價是「自此漢高祖以來一個代表一般平民社會的、素樸的農民政府，現在轉變為代表一般平民社會的、有教育的、有智識的士人政府，不可謂非當時的又一進步。」[22]錢先生對漢武帝定立的選舉制度，有如此的見解：

> 中國自漢武帝以後便變了。當時定制，太學畢業考試甲等的就得為郎，如是郎官裡面，便屬進了很多知識分子，知識分子卻不就是貴族子弟。至於考乙等的，回到本鄉地方政府充當吏職。[23]

漢代選舉之途，一是詔舉，當國家有特殊需要時，下詔命官吏推舉人才，如茂才異等、賢良方正等；二是舉孝廉，是由郡國向中央保薦當地的人才。應舉者，須參加中央考試，貴族與郡縣官吏均可推薦人材。如此，由中央至地方，均由知識分子治理，成就了士人政府，亦是大規模文人治國之始。

## 五　由士族門第再變為科舉競選

　　由士族門第變為科舉競選，錢先生認為此在隋、唐兩代完成之。秦漢以軍功為官，秦火後，平民任職政府，要以吏為師。漢代士人政府形成，是造就社會上以儒家道德為依歸的社會風氣。然而，此五經博士及博士弟子員之關係，逐漸建構出門第制度。錢先

---

21　錢穆：《國史大綱》，第八章〈統一政府文治之演進〉，頁144-147。

22　錢穆：《國史大綱》，頁149。

23　錢穆：《中國歷代政治得失》北京：生活・讀書・新知三聯書店，2004年，頁13。

生認為士人政府在社會上的勢力表現在「清議」外，更重要的是構成「門第」。經學入仕，造成累世公卿的出現，鞏固了士族的勢力。地方察舉失去客觀標準，容易營私，請託報恩，層出不窮。錢先生形容此情勢，為變相的封建。

魏晉時，因察舉制度之逆轉，取而代之是「九品官人法」。此法當為權宜之法，初行尚有可取處。地方士庶可直求出仕中央，升遷之權操於中正的「品狀」。門第之勢已成，再立九品中正制，造成「上品無寒門、下品無勢族」的現象。高門望族，歷世為高官，寒庶則無寸進之途。繼之而學校與考試制度頹廢，中央無任人之權，太學如何能進才。錢穆亦謂此時期是變相的封建勢力。然而，門第自身力弱，以南朝士族為例，既不能奮勇對抗異族入侵，也不能重整王朝，推陳出新。南朝侯景之亂，可謂盡掃門第之氣數。

科舉設於隋代，隋文帝於開皇七年命各州「歲貢三人」，應考「秀才」。隋煬帝再設「進士」和「明經」科，為後世所沿用。唐代選仕有三途：生徒、鄉貢、制舉。所謂「制舉」是無定期的，而州、縣貢舉卻每年一次，科目殊豐，除秀才、明經、進士外，又設明法、明算、一史、三史、開元禮等。由於科舉制影響中國往後過千年的選仕制度，故特補上定立制度時的資料說明，王定保《唐摭言》卷十五〈雜記〉記：

> 唐高祖武德四年（西元621年）四月十一日，敕諸州學士及白丁，有明經及秀才、俊士，明於理體，為鄉曲所稱者，委本縣考試，州長重覆，取上等人，每年十月隨物入貢。至五年十月，諸州共貢明經一百四十三人，秀才六人，俊士三十九人，進士三十人。十一月引見，敕付尚書省考試；十二月吏部奏付考功員外郎申世寧考試，秀才一人，俊士十四人，所試通，敕選與理入官；其下第人各賜絹五疋，充歸糧，各勤修業。自是考功之試，永為常式。[24]

所謂「貢舉」，指貢人與舉人二事。貢人指各州每年依規定貢上中央的應考者，即所謂「鄉貢」。舉人有兩種情形，一是別敕令舉，一是官學（包括中央的國子監與地方府州縣學）學生每年呈報尚書省應考者。一般來說，唐代科舉分常科、制科，常科每年舉行一次，制科是由皇帝決定舉行日期。這樣的選拔人才，錢先生認為此乃立國的大憲大法：

> 談者又疑中國政制無民權，無憲法。然民權亦各自有其所以表達之方式與機構，能遵循此種方式而保全其機構，此即立國之大憲大法，不必泥以求也。中國自秦以來，既為一廣土眾民之大邦，如歐西近代所運行民選代議士制度，乃為吾先民所弗能操縱。然誠使國家能歷年舉行考試，平均選拔各地優秀平民，使得有參政之機會；又立一客觀的服務成績規程，以為官位進退之準則，則下情上達，本非無路。晚清革命派，以民權憲法為推翻滿清政府之一種宣傳，固有效矣。若遂認

---

> 此為中國歷史真相，謂自秦以來，中國惟有專制黑暗，若謂「民無權，國無法」
> 者已二千年之久，則顯為不情不實之談。[25]

此制的用意，是以一客觀標準，挑選社會上的精英，參與國家的政治，消融社會上階級之存在，令社會文化向上。此制培植人民對政治的興味及提高其愛國心，成為一般平民出身及進入中央統治層面的制度。科舉制成隋唐至清代，公平選仕的制度。不受地方官吏限制：

> 此外則地方官不再加以限制，即申送中央，由尚書禮部舉行考試。考試合格，即
> 為進士及第。進士及第便有做官的資格了。至於實際分發任用，則須吏部之再考
> 試。[26]

黃仁宇稱科舉制度「這種公開考試足以打破過去的世族壟斷。」[27] 同時，亦是平民預政的制度。過去千多年的科舉中，出現狀元七百多人，進士超過十一萬，不問出身，只問成績，是客觀與公平的選仕制度。錢先生據此，認為中國秦漢以來就有民主精神：

> 在中國史上，當封建制度之舊一統時代，即西周時代（下及春秋），早已有一種
> 民主思想與民主精神，散見於群經諸子……，即秦漢時代，而中國人之民主思想
> 與民主精神乃次第實現而具體化，制度化，成為一種確定的政治標準。[28]

此論在當代確是駭俗（錢先生語），他詳細解釋，約有兩端。第一是秦漢時代，王室已與政府對立。天子是皇室代表，宰相是政府的領袖，行責任制。錢先生舉例至宋代，闡明皇室行使王權，幾乎必須得到政府首肯才能實施。其二是官員的來歷，大體而言，除元、清兩代外，官員大都來自民間，故政府人員與王室關係，殊不深密，由何來君主專制？因此，錢先生得出的結論是「中國傳統政治，既非君主專制，又非貴族政體，亦非軍人政府，同時亦非階級專政」[29]。錢穆先生指出：

> 故秦始皇始一海內，而李斯、蒙恬之屬，皆以遊士擅政，秦之子弟宗戚，一無預
> 焉。漢初若稍稍欲返古貴族分割宰制之遺意，然卒無奈潮流之趨勢何！故公孫弘
> 以布衣為相封侯，遂破以軍功封侯拜相之成例，而變相之貴族擅權制，終以告
> 歇。博士弟子，補郎、補吏，為入仕正軌，而世襲任蔭之恩亦替。自此以往，入
> 仕得官，遂有一公開客觀之標準。「王室」與政府逐步分離，「民眾」與「政府」

25 錢穆：《國史大綱・引論》，頁15。

26 錢穆：《中國歷代政治得失》，頁55。

27 黃仁宇：《中國大歷史》臺北：聯經出版事業公司，2000年，頁125。

28 錢穆：《文化與教育》臺北：東大圖書公司，1977年，頁108。

29 同上註，頁112。

則逐步接近。政權逐步解放，而國家疆域亦逐步擴大，社會文化亦逐步普及。[30]

　　自漢以後，以布衣入仕，官至丞相，實使民眾與政府逐漸接近。又補充說，由漢至唐，在選拔人才方面是平等公正，才能形成以民為主的國家。

> 試看漢代選舉，唐代考試，對全國各地人才，一律平等對待，各地均有人士平均參加政府。一應賦稅法律等，亦是全國平等。此等規模，豈能與現代西方帝國之殖民地統治相提並論？

科舉，是公平的考試，可惜明以後以「八股」形式進行，使士人思想陷入窠臼，甚至有學者認為明是亡於八股。然而，此論是集中其考試內容，而忽略了考試制度。就算是現代社會，較公平的考選，還是考試。中國的選仕制度，基本上是人人合資格即可應選，這是「天下為公」的概念，中國士子，自然而然產生愛護感。[31]

# 六　歷史發展與民族融和

　　中國以農立國，土地就是我國靈魂所在，中間包括倫理親情、慎終追遠、關懷桑梓等情操。周公立封建，在河南建東都，再向東發展，建齊、魯二國，使中原文化遠被。秦統一六國，派數十萬軍遠征南越，這些軍旅，混居於南方，成為客家人。東晉及南宋的北方文化南遷，摶成偉大的中華民族。我們經歷不同的朝代，不同的暴政，但不因此而失去作為中國人的資格。孫中山推翻的，不是滿洲文化，而是帝制。從北到南，融和著同一文化體系，這就是整個民族的血緣關係。

　　一個民族之擴展與摶成，期間經歷之過程是極之痛苦。當中涉及民族自尊、固有道德傳統、本土文化與外來文化之結合，種族的仇視與接納。記得若干年前，國內有學者提議將岳飛、文天祥等抗金、抗元之民族英雄剔出民族偉人之列。原因是他們妨礙了民族統一，很抱歉說一句，有這樣理論的人，誤盡蒼生。假若有一天，中國再受外國欺侮，我們反抗，就是妨礙地球統一大業嗎？，是歷史罪人嗎？那當年的抗日英雄，是否妨礙中日友好關係的罪人？當時的地域觀，國家觀及民族觀，與現代的觀念已有出入。假設這樣的理論成立，我們對抗日本的入侵，是否成了罪人？道德教育就在歷史教學。滿洲人入關時時嘉定三屠、揚州十日，不能說不是民族仇恨，但滿洲人完全融入漢族文化，共稱中國人。現在的漢滿關係與數百年前相比，不能同日而喻。

　　再討論民族的發展。商紂暴虐，武王弔民伐罪，史書譽之為義戰。可是，史遷將伯夷、叔齊列入列傳第一。商紂雖然暴虐，但外國入侵，也絕不可能接受，最後伯夷、叔

---

30 錢穆：《國史大綱·引論》，頁14。

31 錢穆：《國史大綱·引論》，頁14-15。

齊恥不食周粟，餓死於首陽山。太史公稱之為「義人」，並指出周是以暴易暴，不知其非。伯夷、叔齊就是以商為本位，周是侵略者，怎可以接受。

秦漢成大一統局面，張騫、班超經營西域。張騫成鑿空第一人，而班超領三十六人入鄯善國，用計擒殺匈奴使者，焚殺百餘人。又於疏勒國建立傀儡政權，使漢朝聲威遠播。史譽之為「不入虎穴，焉得虎子」，這亦是以漢人為本位所寫的歷史。倘以國際視野而言之，則班超的行為，無異於行刺使節，干涉他國內政。當時的國家地域觀念，會因時代進展與民族的融和，逐漸形成新的概念。

五胡亂華期間，五胡虐殺不少漢人，是漢人與外族的一次大衝突。石勒於平城殲晉軍十萬、劉曜入洛陽，殺宗室士兵三萬多人。大小戰爭中，常出現滅族行為，動輒殺人以十萬計，逼使大量北方人口南遷。這一次的南北融和，是以鮮血和生命所促成，可以說是痛史。此時期，當以晉室為本位，五胡是入侵。日後五胡與漢族混和，是歷史的發展趨勢。這就是逯耀東先生說五胡亂華，屠殺漢人，但入主中原後，外族來侵，他們也保衛長城。

現代中國有五十多個少數民族，由外族而至承認成為中國一份子，中間有幾多糾纏與戰爭。對國家產生感情，必先由認識開始，以國家為本位去看自己的歷史才引起感情。我們仰慕我國對外開墾者，我們崇敬抗拒外敵英雄烈士，我們景仰歷朝改革者，我們尊重道德學問舉足輕重的學者。

近人研究國史，必須重視歷史作品，讚揚有高度學術成就，影響深遠的著作及學者，如章太炎、梁啟超、柳詒徵、錢穆、傅斯年、顧頡剛諸先生等等，都是眾所周知的大歷史學家。原因何在？就是我們相信歷史能喚醒我們的民族自尊，可以從過往的歷史中找到一條適合中國去走的路。章太炎將之付諸行動，推翻滿清，「中華民國」的稱號就是出自先生手。其他學者的作品，別具深意，《中國歷史研究法》、《中國歷史精神》、《古史辨》等等，讀者都要細味。內裡是指出中國歷史的重心、意義、及從古史中以求真的態度作研究。背後是要國民莊敬自強，尊重本國文化，對民族未來要有信心。

歷史解釋因果關係，給人類啟示。大部份歷史學家都相信歷史是面鏡子，能看出國家發展的路向與艱險。可惜的是，歷史不斷重覆。防微杜漸，見微知著，歷代均有大學問家，大政治家，為何政權會走向滅亡？是執政者的愚昧與自私嗎？一涉個人私利，國家就漸向滅亡。

## 七　歷史教學與道德

歷史教學在道德教育層面的重要性，以秦始皇為例，始皇為人所稱道的政策改革，包括西元前二二一年，結束戰國，使中國進入統一時期，實行郡縣制；統一文字、貨幣、度量衡、道路系統等，整理經濟與交通；修築長城、運河、馳道等，貫通南北，方

便貿易運輸；擴大版圖，驅逐河套匈奴，南下平定百越，基本上完成中華民族的國家雛形，並以長城內外界定華夷之別。所以，有人認為，沒有秦始皇，就沒有後來的中國。

當然，沒有氣魄與幹勁，不能完成以上的功業。但一個偉大的領袖，是否只在於建設，而不是在於治國？一個偉大的領袖是否應帶領民眾安居樂業？始皇其他政績：統一後，每年徵發民夫四十萬修建長城；發民夫七十萬在渭河南岸興建阿房宮；《史記·秦始皇本紀》記載秦國有「關中計宮三百，關外四百餘」，還有是「咸陽之旁二百里內」，「宮觀二百七十」；建驪山陵墓，歷時三十多年，每年動用民夫七十萬。

據推算，秦滅六國後，人口約在三千萬左右。有學者認為，當時始皇推展規模空前的大型建設，造就不少就業機會，類似後世以基建推展經濟。請不要忘記，秦朝是以農立國，九成以上民眾是以農業為生。我們作個假設：三千萬人中一半是女性，即剩下的男性勞動主力餘一千五百萬，如三分一為老人，不用，三分一為小孩，不用，那餘下可供勞力建設者，只餘五百萬人。如果，幾項大型建設，包括陵墓、長城、阿房宮，每年已動用約一百八十萬人建設。剩餘的三百二十萬人，要養活三千萬人，平均約一個農民，要養活十個人。請問：這個國家如何維持下去？漢初建國，人口約一千五百萬人，短短二十年，中國人口少了一千五百萬人。能說始皇是偉大嗎？

孟子說：「雞鳴狗吠，達乎四境」，其實就是很普通，很普通的生活，有家禽家畜的聲音，境內安寧，得到飽足。而不是實踐一些自以為驚天動地，泣鬼神的狂人意願，死千多萬人去建立自己千秋萬世的功業。

據司馬遷《史記·蒙恬列傳》記載：「秦已並天下，乃使蒙恬將三十萬眾，北逐戎狄，收河南。築長城。因地形，用制險塞，起臨洮，至遼東，延袤萬餘里」[32]。這些是功業嗎？實在說，現在的八八五一點八公里的長城，大部份是明代建築。秦漢期間的長城，多隨時間湮滅。而明的長城，是由洪武至萬曆，經過二十多次的增建而成。不是個人好大喜功，無論死多少人都要在短時間內完成的殘暴行為。無論當時死傷多少，始皇的長城，都成廢業。蒙恬帶三十萬軍隊驅逐匈奴，蒙恬死後，匈奴又再次入境。一場大戰，竟然沒有理想的結果，政策之失誤，全由始皇一人所致。

史學家必然理解歷史趨勢，由封建至中央集權，是趨勢；由分治至統一，是趨勢。不管是秦始皇、趙武靈王、楚懷王等等，只要滅六國，就必然是大一統的王者，這也是趨勢。

柳詒徵說：「蓋嬴政稱皇帝之年，實前此二千數百年之結局，亦為後此二千數百年之起點，不可謂非歷史一大關鍵。惟秦雖有經營統一之功，而未能盡行其規劃一統之策。凡秦之政，皆待漢行之。秦人啟其端，漢人竟其緒。」[33]當然，我們不能否認，始

---

32　（漢）司馬遷：《史記·蒙恬傳》，卷八十八，北京：中華書局排印本，1963年，頁2565-2566。
33　柳詒徵：《中國文化史》。

皇為統一，建立規模。以國家長遠發展來說，功不可量，但他的出發點，不是國家，而是自己的家族。

# 八　結語

　　領袖應有元素：是帶領人民安居樂業，而不是一個狂妄建築家。若要給始皇下個結論，我只能說他是偉大的上市公司主席，偉大的家族領導人。他為自己的公司，不惜摧毀成千上萬的家庭，掠奪無數人的財產而自肥；他為自己的家族，不惜出賣上千萬的國民，維護本身家族利益，用現代用語，苟有利於其家族，不惜當漢奸；為求其家族千秋萬世，不惜殺上億中國人。很可笑是，中國部份嗜血歷史學者，發覺愈殺得人多，愈偉大，還可以找千種理由翻案！

　　賈誼說：「一夫作難而七廟墮，身死人手，為天下笑者，何也？仁義不施，而攻守之勢異也。」[34]始皇真是那麼偉大，又怎會是短命皇朝。

　　《史記》在二十四史中，被推為最偉大的歷史著作，司馬遷曾言：「且余嘗掌其官，廢明聖盛德不載，滅功臣、世家、賢大夫之不述，墮先人之言，罪莫大焉。」[35]。司馬遷認為史學家的職責是將歷代有功德於民族國家的人物記載下來，對道德高尚、學問淵深的聖賢學者，要留下他們的心跡，成為後世的楷模。倘失去此功能，則是史學家的大罪。《史記》在漢朝，不甚流行，沒有學者加以註釋闡述。原稿在西漢後期散佚，現存最早版本，應是六朝時期的殘卷，藏於日本。

　　班固評《史記》：「是非頗謬於聖人，論大道則先黃老而後六經，序游俠則退處士而進奸雄，述貨殖則崇勢利而羞賤貧，此其所蔽也。」[36]原因是《史記》不合當時政府所推的道德標準，不特別宣揚儒家思想，贊美崇尚正義的遊俠，欣賞工商業致富的奇才。因為不能成為當權者的宣傳品，這就被當時政府及士大夫所忽略。

　　中國古代政府非常害怕私人著述歷史，私人著史，隨時招致殺身之禍，因為私人著述會將當權的醜惡載於史冊。所以，我們看二十四史所記載的皇帝大都是天縱英明、智慧高超、道德無倫的聖人，每次看見歷代帝皇的廟號，我都有點「太過份」的感覺。

　　現代歷史教學，減弱了道德的元素，著重史事的正確性，再加以現代道德的評判。但無論歷史教學如何的變，也不可忘記史遷所說的史家責任。陳勝被列入世家，是平民反對暴政的首義，足法於後世；孔子列入世家，喻其萬代而不衰；呂后列入本紀，是明確了她的統治實權，諸事評論見於《太史公書義法》[37]。一褒一貶，皆有所據。往後的

---

34　（漢）司馬遷：《史記‧秦始皇本紀》，卷六，引〈過秦論〉，頁282。

35　（漢）司馬遷：《史記》，卷一三〇〈太史公書自序〉，頁3299。

36　（漢）班固：《漢書‧司馬遷傳》，卷六十二，頁2737-2738。

37　（清）孫德謙：《太史公書義法》，收入劉咸炘：《四史知意》臺北：鼎文書局，1976年。

正史中，誰人是循吏，誰人是酷吏，都反映當時對官員的要求。

北魏孝文帝漢化，使漢族與鮮卑融和，固然有益於民族統一，但相對於鮮卑文化，可以說是一次災劫。馮道歷五朝八姓十三君，被稱無恥，但他大規模官刻儒家經典，不過問財政軍事，又是另一個存著爭議的歷史評價問題。

歷史，第一考慮是史事內容正確與否，第二是歷史評價中肯度。評價是非常重要的，因為這反映了當時社會的道德標準，也看到普遍價值觀。同時，亦是政府推展社會道德趨向的工具。西漢流行五德終始說，王莽因勢居攝帝位。不論他的弊政如何，他曾是數十萬人擁戴的賢士，終生儉樸。假設王莽成功治國，又會是另一新局面。王莽被稱「篡漢」，並以「偽」稱其人，都與東漢崇尚節氣的社會氛圍有關，這些都歷史教學的難處。

再者，歷史編寫的一字一句，都可以具有巨大的意義與影響力，例如，是黃巢起義，抑或是黃巢之亂；是流寇之禍，並是流民之變。足以反映編寫者的取態或當權者所希望灌輸的概念。鄭樵曾說：「使樵直史苑，則地下無冤人」，說的就是真實地面對歷史。

歷史，不單重視史實，亦是道德教育。筆者感到憂慮的是，國人對道德的掌握與衡量，好像失去了標準。

# 劉復教授之一通佚文
## ——〈褚遂良《大唐三藏聖教序》題跋〉

### 何廣棪

香港新亞研究所

余性好輯佚，近且提倡利用拍賣公司出版之圖錄，以蒐集名家佚文；先後收得葉德輝、梁啟超、陳垣、朱自清、李滄萍、董作賓、羅香林、張舜徽等教授之佚文多通，後均撰成文章，發表於《文獻》、《國文天地》、《香江藝林》、《新亞論叢》、《華人文化研究》等期刊上。近日又購得《朵雲軒二〇一七春季藝術品拍賣會‧古籍碑版專場》，該書編號一四七九刊有〈劉半農題跋‧北宋拓本雁塔聖教序〉圖錄，亦即本文所指之劉氏親筆寫於其書首頁〈褚遂良《大唐三藏聖教序》題跋〉原件，斯乃半農教授之佚文也。茲謹將影本迻錄（見圖一、圖二，頁382、383），並釋文如下，以供讀者欣賞與研閱。

釋文：

> 褚遂良字登善，杭州錢唐人。太宗時，歷官諫議大夫，兼知起居事、中書令等。高宗封河南縣公，進郡公，人稱褚河南；後遷吏部尚書、尚書右僕射。因反對高宗立武則天為后，被貶愛州刺史。其書初學史陵、歐陽詢，繼學虞世南，終法二王，自創一格，與歐陽詢、虞世南、薛稷並稱為初唐四家。其〈大唐三藏聖教序〉，如美人嬋娟，不勝羅綺；又如孤鸞吐絲，文章俱在。
>
> 中華民國二十一年二月半農劉復

案：有關劉復生平，茲檢二〇〇七年河北人民出版社增訂版，徐友春主編《民國人物大辭典》頁二四五一「劉半農」條為介。惟該條文字頗冗贅，乃略作檢省，迻錄如下，以資研閱：

### 劉半農（1891-1934）

> 原名壽彭，改名復，字半農，號曲庵，江蘇江陰人，一八九一年七月三日（清光緒十七年五月二十七日）生。一九一七年，應陳獨秀之邀赴北京，任國立北京大學預科教員。一九二〇年九月，經北京政府教育部派遣赴歐洲留學，初至英國，入倫敦大學大學院。一九二一年夏，轉入法國巴黎大學，兼在法蘭西學院聽講。

一九二四年，獲博士學位，被巴黎語言學會推為會員；同年夏，又獲法蘭西研究
院之伏爾內語言學專獎；同年秋，回國。擔任國立北京大學中國文學系教授及研
究所國學門導師。一九二六年，任中法大學國文系主任，兼任國立北京師範大學
講師；同年，瑞典考古學者斯文赫定與中國學術團體組西北科學考察團，劉為該
團理事會常務理事。一九二八年春，南京國民政府任命為特約著述員和國立中央
研究院歷史語言研究所特約研究員，並在北京臨時文物維護會和古物保管委員會
任委員。一九二九年春，再任國立北大國文系教授；夏，兼任私立輔仁大學教務
長。一九三〇年五月，又兼任國立北平大學女子學院院長。一九三一年夏，專任
北大文學院研究教授，兼任研究院文史部主任。一九三四年六月，赴平綏線（今
京包線）調查方言；七月十日回北平。因感染回歸熱，於七月十四日逝世。著有
《我之文學改良觀》、《中國文法通論》、《漢語字聲實驗錄》（法文）等。

又案：劉半農之題跋，署年為「中華民國二十一年二月」，即西元一九三二年二月，核
其生平，劉氏其時正專任北京大學文學院研究教授，兼任研究院文史部主任，學術地位
殊隆。其題跋於褚遂良里籍、宦履、遭際等事考證頗詳悉；而於褚氏學習書藝從師先
後，述來亦具條貫；至品評褚氏法書地位及其所書〈大唐三藏聖教序〉之藝術成就，劉
氏褒譽亦高，既喻之為「美人嬋娟，不勝羅綺」；又謂「如孤蠶吐絲，文章俱在」，用譬
均甚貼切。至劉氏評述褚書所用撰寫方法，則頗效梁武帝〈古今書人優劣評〉論王羲
之，及唐人李嗣真《後書品》評虞世南。即劉氏書品亦效褚體，下筆甚灑脫流利也。

　　至半農題跋提及褚氏之師承，則謂「初學史陵、歐陽詢，繼學虞世南，終法二王，
自創一格」，茲擬依題跋所列之姓名為序，徵引河南美術出版社一九九一年七月刊行
《中國書法詞典》與浙江人民出版社刊行，由吳敫木主編之《中國古代書法家辭典》相
關條目而迻錄材料，藉供讀者知人論世。

> 史陵，隋人。善正書，筆法精妙，不減歐、虞。唐太宗與漢王李元昌、褚遂良等
> 皆受之于史陵。褚首師虞，後又學史。乃謂人曰：「此法更不可教人，是其妙處
> 也。」《書斷》云：「褚遂良嘗師史陵，蓋當時名筆也。然史亦有高古傷于疏
> 瘦。」

> ——見《中國書法詞典》，頁233。

> 歐陽詢（西元557-641年）（唐）字信本，潭州臨湘（今湖南長沙）人。詢敏悟絕
> 倫，博覽經史，尤精三史，仕隋為太常博士，入唐擢為給事中，貞觀初（西元
> 627年）歷太子率更令、弘文館學士，封渤海縣男，人稱歐陽率更。工書法，學
> 王羲之、王獻之及北齊三公郎中劉珉。八體盡能，尤工正、行。其正書纖濃得
> 中，剛勁不撓，勁險刻厲，平正中見險絕，規矩中見飄逸，硬朗堅挺，風骨峻

峭，又不失渾穆高簡之意志。正書自成面目，人稱歐體，為世所重。與虞世南、褚遂良、薛稷並列為唐初四大家。《新唐書・儒學本傳》云：「詢初仿王羲之書，後險勁過之，因自名其體；尺牘所傳，人以為法，高麗嘗遣使求之。」張懷瓘《書斷》云：「詢八體盡能，筆力勁險，篆體尤精，飛白冠絕，峻於古人，有龍蛇戰鬥之象，雲霧輕籠之勢，風旋電激，操舉若神。真、行之書，出於太令，別成一體，森森焉若武庫矛戟，風神嚴於智永，潤色寡於虞世南。其草書迭蕩流通，視之二王，可為動色，然驚奇跳駿，不避危險，傷於清雅之致。」《宣和書譜》云：「詢晚年筆力益剛勁，有執法面折庭諍之風。」又云：「詢正書為翰墨之冠。」存世書跡有《化度寺碑》、《九成宮醴泉銘》等。傳世墨跡有《夢奠帖》、《卜商帖》、《張翰帖》、《千字文》等。

——見《中國古代書法家辭典》，頁24。

**虞世南**（西元558-638年）（唐）字伯施，越州餘姚（今浙江餘姚市）人。少與兄世基同受學於顧野王，十年精思不懈，文章贍博。隋為秘書郎，入唐為員外散騎侍郎，弘文館學士。貞觀七年（西元633年）授秘書監，封永興縣子；次年進封縣公，世稱虞永興或虞秘監。世南貌儒謹而中抗烈，議論持正。唐太宗李世民重其才，稱其有五絕：德行、忠直、博學、文詞、書翰，卒贈禮部尚書，諡文懿。工書法，承王羲之七世孫僧智永傳授，勤於學。相傳其常臥於被中畫腹習書，盡得二王法。又結合隋人楷法、魏碑佳品，開創出更加接近晉人楷書之「唐楷」——唐人時代風格之代表作。其書筆致圓融遒麗，外柔內剛，尤精神內守，以韻取勝。初看似溫和有餘，再看則筋骨內含，是大楷書法藝術歷程上之進步。與歐陽詢同步書壇，並稱「歐、虞」，成為初唐楷書生力軍。後增褚遂良、薛稷為唐初四大家。李嗣真《書後品》云：「虞世南蕭散灑落，真草惟命，如羅綺嬌春，鵷鴻戲沼，故當子雲之上。」董其昌《畫禪室隨筆》云：「虞永興嘗自謂於『道』字有悟，蓋於書發筆處，出鋒如抽刀斷水，正與顏太師錐畫沙、屋漏痕同趣。」

包世臣《藝舟雙楫》云：「永興如白鶴翔雲，人仰丹頂。」著有《書旨述》、《觀學篇》、《筆髓論》，論述精到，尤為時人所重。傳世墨跡有《汝南公主墓志》、《摹王羲之蘭亭序》、《臨黃庭經》、《積年帖》、《枕臥帖》、《賢士帖》、《論道帖》、《前書帖》等。

——見《中國古代書法家辭典》，頁30。

**王羲之**（西元306-361年），（一作西元321-379年）（晉）字逸少，琅玡臨沂（今山東臨沂）人，徙居會稽山陰（今浙江紹興），王導從子，王曠子。官至右軍將軍、會稽內史，世稱王右軍。幼訥於言，及長辯贍，以骨鯁稱。臨池學書，池水

盡黑。草隸、八分、飛白、章行等諸體皆精，草隸為古今冠。其書早年從衛夫人（鑠）學，後於父曠處見前代名跡，遂改初學。博取眾長，草書法張芝，正書學鍾繇；後又遍習蔡邕、梁鵠、張昶等書；精研體勢，增損古法，一變漢、魏樸質書風，創妍美流便之體。與鍾繇並稱「鍾、王」，與其子王獻之并稱「二王」。於我國書法藝術史上具有繼往開來之功，貢獻甚大，後人以「書聖」譽之。其書法藝術對日本書壇亦有很大影響。梁武帝〈古今書人優劣評〉云：「王羲之書，字勢雄逸，如龍跳天門，虎臥鳳闕，故歷代寶之。」張懷瓘《書斷》云：「右軍開鑿通津，神模天巧，故能增損古法，裁成今體，進退憲章，耀文含質，推方履度，動必中庸，英氣絕倫，妙節孤峙。」所書《蘭亭序》被稱為天下行書第一。傳世墨跡有《蘭亭序》、《快雪時晴帖》、《奉橘帖》、《喪亂帖》、《上虞帖》等。

　　　　　　　　　　　　　　　　——見《中國古代書法家辭典》，頁6。

王獻之（西元344-386年）（晉）字子敬，小字官奴，琅玡臨沂（今山東臨沂）人，出生於會稽山陰（今浙江紹興），王羲之第七子。歷官建武將軍、吳興太守、中書令，人稱「王大令」，卒諡憲。少有盛名，高邁不羈，風流為一代之冠。工書，正、行、草書諸體兼擅，尤精行草，與其父並稱「二王」。梁武帝在〈古今書人優劣評〉云：「其書絕眾超群，無人可擬。」張懷瓘《書斷》云：「獻之幼學父書，次習於張（芝），後改變制度，別創其法，率爾師心，冥合天矩；至於行草興合，若孤峰四絕，迥出天外，其峭峻不可量也。」《文章志》云：「獻之變右軍法為今體，字畫秀媚，妙絕時倫。」《書議》云：「子敬才高識遠，行草之外，更開一門，非草非行，流便於草，開張於行，草又處其中間。無藉因循，寧拘制則，挺然秀出，務於簡易，情馳神縱，超逸優游，臨事制宜，從意適便，有若風行雨散，潤色開花，筆法體勢之中，最為風流者也。」傳世墨跡有《鴨頭丸帖》、《送梨帖》、《洛神賦十三行》、《地黃湯帖》、《中秋帖》等。

　　　　　　　　　　　　　　　　——見《中國古代書法家辭典》，頁4。

以上推介史陵、歐陽詢、虞世南、二王既已，翻看劉半農題跋中猶有「褚遂良與歐陽詢、虞世南、薛稷並稱初唐四家」一語，故又須補考薛稷事蹟如下：

薛稷（西元649-713年）唐蒲州汾陰（今山西寶鼎）人。字嗣通。睿宗時遷太常少卿，封晉國公，後歷太子少保、禮部尚書，人稱薛少保。好古博雅，於外祖魏徵家藏，見虞世南、褚遂良書，稷銳精臨摹，結體遒麗，遂以書名天下。時有「買褚得薛，不失其節」之說，尤工於隸書。《書斷》云：「薛稷書學褚公，尤尚綺麗、媚好。膚肉得師之半，可謂河南公（遂良）之高足。」李後主云：「薛稷得右軍（羲之）之清，而失於拘窘。」《廣川書跋》云：「至於用筆纖瘦，結字疏

通，又自別為一家。」康有為云：「薛稷得於《賀若誼碑》，而參用貝義淵恣肆之意。」傳世書跡有「慧普寺」三字及《升仙太子碑碑陰題名》、《信行禪師碑》等。

　　　　　　　　　　　　　　　　　　──見《中國書法詞典》，頁993。

讀以上迻錄資料後，讀者於史陵、歐陽詢、虞世南、王羲之父子及薛稷生平與書藝成就，當有所曉悉矣！

　　《朵雲軒二〇一七春季藝術品拍賣會‧古籍碑版專場》，其書編號一四七九有介紹文字，迻錄如下：

1479

------------------------------------

**劉半農題跋　北宋拓本雁塔聖教序**

紙本　線裝一冊

署年：民國珂羅版

款識：中華民國二十一年二月半農劉復

鈐印：趙氏崔琴珍藏記（朱）、江陰山人（朱）、
　　　　劉半農復（白）、假他人芒（白）

32x22.5cm.

RMB：5,000-6,000

據是則知，本文前頁所載劉復題跋圖錄，其署名下之二印，其一為「劉半農復」白文方印，其二為「江陰山人」朱文方印；而右上方，則有「假他人芒」白文長方印。至〈北宋拓本雁塔聖教序〉右下角圖錄，所蓋為「趙氏崔琴珍藏記」朱文長方印，其餘二印模糊不清，似被人刻意塗抹者。劉半農此題跋，內容、書藝俱佳。劉氏法書，其作品存世殊尠見，此次拍賣價僅為人民幣五千至六千元起價，殊匪昂也。特補述以告讀者。

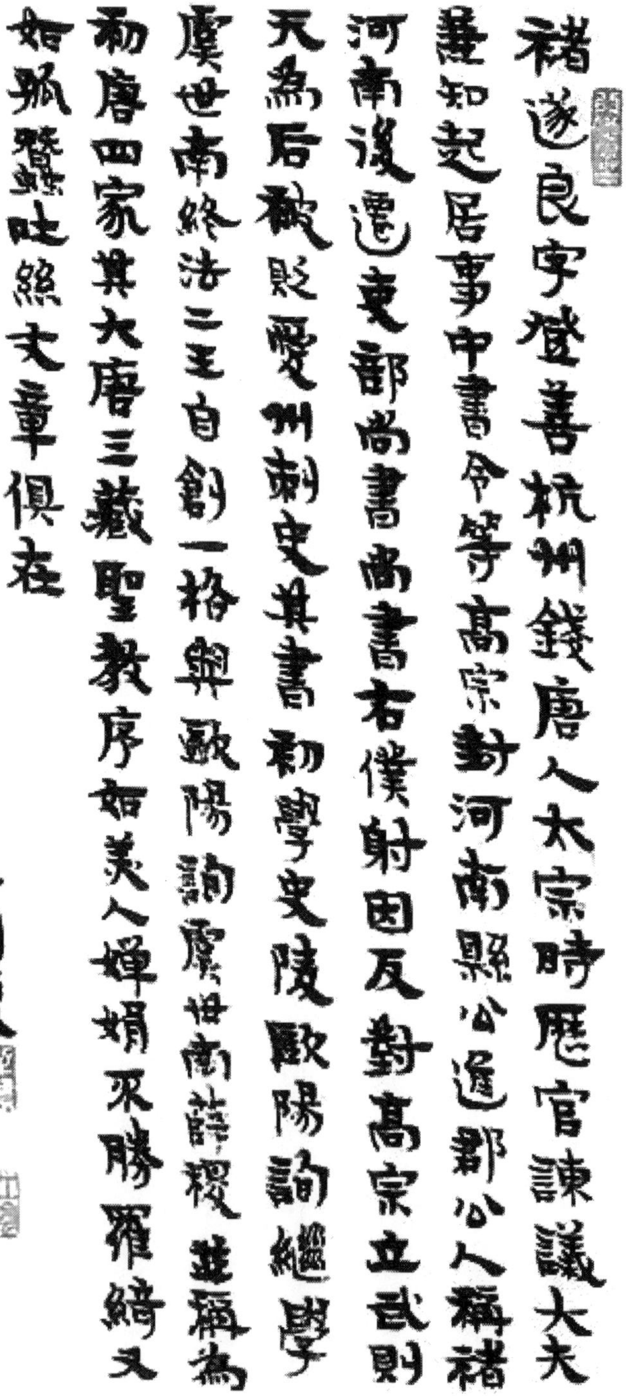

褚遂良字登善杭州錢唐人太宗時歷官諫議大夫
嘗知起居事中書令等高宗封河南縣公遷郡公人稱褚
河南後遷吏部尚書尚書右僕射因反對高宗立武則
天為后被貶愛州刺史其書初學史陵歐陽詢繼學
虞世南終法二王自創一格與歐陽詢虞世南薛稷並稱為
初唐四家其大唐三藏聖教序如美人嬋娟不勝羅綺又
如孤鸞姊吐絲文章俱在
中華民國二十二年二月半農劉復

圖一　劉復〈褚遂良《大唐三藏聖教序》題跋〉

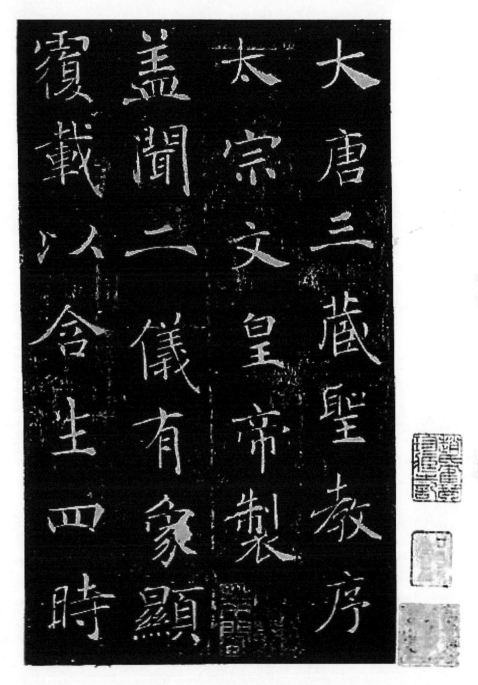

圖二　〈北宋拓本雁塔聖教序〉

# 唐君毅先生人文宗教的限制與發展

## 鄭祖基

澳門大學教育學院

　　本文設定唐君毅先生是肯定終極實在，人類與萬物皆有一超越的形上根源。但此超越根源究竟在唐先生的人文宗教思想中的地位如何，是否只是一被架空的存有？進一步言，體認此終極實在之內在動力是來自於何處，其超越的歸宿又何所落實？抑或只有內在的本心本性才是吾人可以依托的具有實存意義的價值源頭。本文將以天道與終極實在的關係，嘗試回答上述問題。

　　唐先生以人必有一超越的形上根源，對此根源，吾人可謂之為天、上帝。如來藏心或法界性起心。然而，唐先生認為當人出生於世間時，便會忘卻自身與此根源的關係，而有一生命之原始無明。但是唐先生以為此忘卻和隔離，是有積極意義的。因這忘卻與隔離，使生命存在具一先天的空寂性與純潔性，讓人無所依傍，以一赤裸裸的生命降世。此降生乃生命創生之事，其為「破空而出，無無而有」。破空而出即於空有所破，以否定成其肯定。無無即為使有得更成為有之根源，「故必無無，方助成有之創生，必破空，方助成生命之出。」[1]這就是說生命存在雖有其超越的形上根源，但由其破空而出，無無而有的有，更能成為其自身的有，而此自身的有是具理與道的。唐先生說：

> 唯依此理、此道，一生命存在，乃得由其根源而創生，以自有其所成之有，亦自有其生命之理之道，以為其性。而此理此道之意義，即更重要於此根源之為形上存在、及生命存在之為存在，一切生命存在，即當說直接依此理此道而生。此形上根源在中國儒家名之為天，而此理則為天理，此道為天道。吾人之生命存在具此理此道為性，為天性，亦人性。[2]

所以，若從創生義來說，形上實在雖為生命存在的終極根源，但因生命自身之破空而出，無無而有的理與道，其價值便次於它們。換言之，天理或天道比終極實在或天更能為吾人所證取。由於他們已內在為生命存在的性或天性或人性，故人只要盡性便能知天理或天道，也可在一定程度上知天。於此，天與天理或天道是有區別的，因天仍是有根於隱，而天理天道則直接內存於人性中。唐氏以知天之隱不是生命存在的最重要響往，

---

1　唐君毅：《生命存在與心靈境界（下）》臺北：學生書局，1986年全集校訂版，頁191。

2　唐君毅：《生命存在與心靈境界（下）》臺北：學生書局，1986年全集校訂版，頁193。

人只要盡其心知其性，便算事天。所以，生命的至要價值在盡心知性，而相對來說知天似不是生命存在實現自己的最高價值所在。若以上論，唐先生確有一種把天虛位化的傾向。只是他仍承認天為客觀超越的存在，又於非常時期，他亦首肯人可把事天知天放在首位。故可說，唐氏的人文宗教不是一個向天封閉的系統；天人關係不宜只理解為是向自己深心處交談，卻也能容納與天對話的維度，天人也不是絕對的同一性，其間是有差別的。不過，話說回來，唐先生所云的天人關係確實是有可能封閉在自家主體心性之內的。因天道既內在於人，以致人與天的溝通和對話可只停留在對自己心中之理或道的體會。唐先生亦曾以：

> 人之順其自命而行，即順此天命而行，人與天之交談，奉天之呼召，皆只是與自己之深心交談，愛自己深心所呼召，以順此天人不二之命，而自立此命、凝此命、正此命，是為乾道。[3]

所以，人文宗教能否發展成一個較具整全意義的宗教，其需突破的限制與發展的方向何如？筆者試從宗教的天人合一的角度論之。

　　若從西方基督宗教的神學傳統來作對比，似較可突顯人文宗教的特質與限制，並可能開展的方向。在西方傳統宗教神學裡，宗教的「天人合一」不必意味著對反於道德的「天人合一」，但宗教的「天人合一」又絕不等於道德的「天人合一」。對基督宗教而言，宗教的「天人合一」意謂源於人的法天敬天之心，含有自覺的和直接的天人聯繫。人心不單止於率性而行，也當超越於自家本性而自覺地上達於天，與天合一。[4]換言之，宗教的天人合一是以人該自覺地、直接地維持著一種天人關係；因宗教不單止承認人的實行道德義務便宛如遵行上天的命令，也在乎人直接的敬天、愛天、與天相交。所以，人自覺的率性以事天與自覺的報天、敬天、愛天，才是宗教「天人合一」的內核。

　　另外，在西方基督宗教的傳統中，與終極實在的上帝相交時，常有一種「神聖的經驗」。宗教學家奧托認為此「神聖的經驗」絕不是出於人在道德操守上追求完美的反射，卻是源於人對「神聖者」既畏懼又嚮往的感情之深刻體會。於此體會中迫現出一種「受造感」，而「受造感表達一種在宗教信仰者所經驗到的一客觀和外在於自我的更權威力量的在場的神聖經驗。這份受造感令宗教信仰者在神聖者面前產生虛無、卑微等感覺。」[5]由此，在人與神聖相遇的宗教經驗裡，人能重新經驗到與終極實在的契合，從而讓自己的生命重新回到萬物的本源中，繼而產生一種宗教學家施萊爾馬赫所說的「絕對依賴感」。[6]可見，對他們來說，宗教經驗絕不能化約成一種純粹的歷史社會現象或主

3　唐君毅：《生命存在與心靈境界（下）》臺北：學生書局，1986年全集校訂版，頁202。

4　周克勤：《道德觀要義（中冊）》臺北：臺灣商務印書館發行，1970年，頁317。

5　黎志添：《宗教研究與詮釋學——宗教學建立的思考》香港：中文大學出版社，2003年，頁15-16。

6　鄧安慶：《施萊爾馬赫》臺北：東大圖書公司，1999年，頁91。

體道德自我的感受，而取消宗教經驗裡的客觀與超越的神聖部分。宗教現象學家伊利亞德指出「宗教有屬於它自己的表現模態及特有內在的意義世界，而此意義世界是指向人與神聖相遇的一種經驗關係。」此關係代表著一種人類對自生生命的根本價值之尋覓。更且在此人神相遇中，吾人能重新經驗到與萬物的根源、終極的實在或神聖的他者連接與契合，讓一己的生命重回到生命本源的本體世界中，得享棲息。所以說，宗教經驗乃吾人與神聖世界相互的感通，以及一種肯定終極意義的啟悟經驗。[7]所以，對基督宗教來說，終極實在有他自己獨立、自主和整全的位格性。其對人的實在性乃在於吾人深心處與終極實在或神聖事物的相遇，以及在宗教信仰者身上所衍生的改變。故此，宗教經驗絕不是自己與自己的深心處交談，卻是與神聖存有的對話、感通和遇見，人從此中看見神聖存有的隱根處逐漸開顯。

再者，基督新教著名現代神學家潘霍華亦認定上帝跟人之間存在著「存有的差異（ontological difference）」。上帝乃是一個「異於自己的你（alien Thou）」；祂是有其「他者的他性」的。因著這他性，吾人的主體不能把此「客體的客體性」吞沒在主體裡面；主體不能內化他者為主體自己。同時，由於他者的抗拒被內化和要求被承認，這時雙方真正的主體才浮現出來。因為主體的責任就是承認這一有別於「我」的「你」。所以，人絕不能約化終極實在為吾人的主體意識；這會使自己陷入自困自閉的境況，以致誤以為與天相交便是與自己深心處的自己交談。換言之，主體若把終極實在的客體性吞沒，亦即把自己囚禁在自己裡面，是自己與自己的單子式獨白。[8]可見，人與終極實在的神聖上帝相遇，或與生命的本源、終極的實在感通時，能使人不再以自我主體為價值的中心。相反，人在與此超越自己的終極實在或神聖上帝的感通和遇見時，敬畏與虔信的情感體驗悠然而生。相對於無限與永恆的終極實在，讓人對自己和世間事物之性質的有限性、暫時性和不完滿性有更清楚的看見，從而叫人離開以自我為一切價值中心的單子式獨白，卻與信仰對象共同承載人生。正如宗教學學者李蘭芬所說：

> 宗教信仰本就是企圖在現實、具體的人生之外給人提供另外一種人生的意義和人的價值理想，改變既定的人生模式應該是宗教信仰給其信仰者提出的最基本要求。[9]

另外，前述所云宗教中「他者的他性」的獨特價值就是可以為吾人脫離人類中心主義，提供吾人一個更具宇宙人生全體的整合眼界。若從西方基督宗教的立場看，人與終

---

7　黎志添：《宗教研究與詮釋學——宗教學建立的思考》香港：中文大學出版社，2003年，頁17-23。

8　鄧紹光：〈孔孟、荀與潘霍華的群己觀：從成人之道著眼〉，刊於賴品超、李景雄編：《儒耶對話新里程》香港：中文大學崇基學院宗教與中國社會研究中心，2001年，頁232-237。

9　李蘭芬：〈析基督教視野中的信仰觀〉，刊於馮達文、張憲主編：《信仰、運思、悟道》，廣州：中山大學出版社，2003年，頁11。

極實在是有「存有的差異」，吾人絕不能把終極實在視為「另一個自我（alter ego）」，或以主體吞沒他者的「異在性（other-ness）」。當然，所謂終極實在的「異在性」或「他性」，絕不意味著終極實在是與人「無關係的他者」；他者不會因他的異在性而取消了與人和世界的關係，因他者仍是在一種關係範疇上而言。人與終極實在之「存有差異」只是否定終極實在與人之「同一性」的意圖；認定人是人而不是神，終極實在的「他者的他性」從不否定人神關係的建立。更且，信仰上帝就是意味著人與上帝之間的關係獲得和解，人與上帝恢復了自覺的溝通；人能重新傾聽神聖之言和向上帝祈禱。[10] 進而言之，人與終極實在相遇時，終極實在會對人有所呼召（calling）的，此呼召之內容會是出乎人的意料之外。是時，人會對本有的宇宙人生觀進行一種基於神聖呼召而來的解構（deconstruction）與重構（reconstruction）的工程，從而帶來一定程度的「自我轉化（self-transformation）」。[11] 在新約聖經中最重要的使徒保羅，因著與上帝的相遇而作出人生的激底改變。[12] 所以，人與神聖實在相遇時，會有一種強大的改變自身的知、情、意之力量出現，而此力量不是來源於自身的深心處，卻是一種強有力的神聖臨在之經歷，繼而產生親密的「我與你」關係。[13] 當代西方宗教現象學家伊利亞德認為當人與神聖存有相遇時，人便從凡俗的存在超越到與終極實在的本源契合，以致人不斷有新的開始與重生的活力呈現。所以，伊利亞德以宗教必然著重人類心靈的深心處與神聖存有感通的經驗及其在信仰者身上所衍生的影響意義。[14]

最後，從西方基督宗教的視域來看神聖存有或上帝時，上帝絕不會單被理解為萬物的本源、萬物發展成長的「根源推動力（power of being）」及人道德實踐的根據。更是被理解為是一個有情意、獨立意志和心靈性格的存有。上帝對宇宙萬物的運行及人生的際遇，皆從自身的心靈匠心設計著，而構成其「有意向的行動」。由於上帝具備獨立的意志與心靈，所以他與人的關係，也是一種主體與主體間的關係，或稱為一種「互為主體性（intersubjectivity）」的關係。[15] 當然，在這裡吾人可以質疑，若西方基督宗教給予上帝這麼多擬人化的形容，則上帝會否降格為存有物。進而言之，若任何存有物在其存在上仍需一個根源的話，則上帝便不能作為存有物的終極本源。為了不把上帝看為存有

---

10 曾慶豹：《上帝、關係與言說——邁向後自由的批判神學》，臺北：五南圖書公司，2000年，頁12-15。

11 溫偉耀：《從基督宗教人學反思中國文化的理想人格的追尋》，刊於卓新平、許志偉主編：《基督宗教研究（第五輯）》北京：宗教文化出版社，2002年，頁51-52。

12 《新約——使徒行傳》，第九章。

13 龔立人：〈宗教與道德：探討基督教倫理模式〉，刊於劉小楓主編：《道風——漢語神學學刊》香港，漢語基督教文化研究所，1999年，頁182-183。

14 黎志添：《宗教研究與詮釋學——宗教學建立的思考》香港：中文大學出版社，2003年，頁18-24。

15 溫偉耀：《「無限智心」是「谷魯」？基督宗教對牟宗三「道德論證」的判教》香港：中文大學崇基學院宗教與中國社會研究中心，2003年，頁20-22。

物，西方當代基督新教神學家田立克提出「上帝之上的上帝」這一概念，認定真正的上帝必然是超越於人類一切用以形容他的相對話言。吾人不能用公義、慈愛、誠實等屬性形容上帝，因它們只是相對於人間的不公義、不慈愛、不誠實而言。所以，用相對的公義、慈愛、誠實是不能形容絕對之上帝的，就是強為形容，也只是蒼白的和有限的。[16]不過，筆者認為縱然人間相對的說話不能全形容絕對的上帝，但「類比」的語言總可對上帝的屬性作出一定程度的描述。類比語言的基礎是建立在上帝與其受造物之間的同一相似性和差異性上的。從上帝與人的同一相似性來看，人對上帝能有一定程度的知，使人對上帝的描述和神學的知識成為可能，從而避免走向不可知論。從絕對的上帝與相對的人類的差異性來說，人對上帝的認知必有其限制；借助一切相對有限的概念來推論上帝的屬性，是不澈底亦不完善的。然而，類比的語言確實能給予人對上帝部分的認知，只是人要時刻醒覺不能把此部分的知視為全知，認識其中的限制，從而能從哲學家的上帝跳躍或走向至信仰的上帝，體認神人的關係與上帝的屬性。[17]所以，對上帝的認識，除理性的認知外，也在於與信仰中的上帝之一種密契體驗。正如舊約聖經偉人約伯所說：「我從前風聞有你，現在親眼看見你。」[18]信仰的上帝乃是以撒、雅各、亞伯拉罕的上帝，這是與哲學家憑理性推想而出的上帝有區別的。

宗教的天人合一強調人要自覺的事天、敬天與報天。人與神聖存有相契，在相契中，人體認到神聖存有對己之召命，以致自我轉化，相信生命的際遇，皆有神聖者的定意。人要憑信心走在神聖者的旨意中，懷著感恩的心，虔誠渡過每一天在世的生活。人唯有自覺的與天相交，才是有名有實的宗教天人合一。

總的而言，若從宗教天人合一為判斷基準，則唐先生的人文宗教似只屬於一種深具宗教性的道德與宗教思想，尚未能進入深度宗教體驗與神靈臨在的境地。然而，人文宗教思想亦絕不排斥宗教信仰，若能彼此欣賞與對話，則人文宗教有龐大的潛在因素向著一更成熟的宗教發展。

16 何光滬：〈使在、內在與超越──全球宗教哲學的本體論〉，刊於馮達文、張意主編：《信仰、運思、悟道》廣州：中山大學出版社，2003年，頁28-29。

17 樊志輝：《臺灣新士林哲學研究》哈爾濱：黑龍江人民出版社，2001年，頁105-114。

18 《舊約聖經‧約伯記》四十二章五節。

# 戰後香港佛教興辦教育（1945-1960 年）

## 李鈞杰

香港珠海學院佛學研究中心

　　研究香港宗教團體或者志願團體參與慈善公益事業碩果累累，對象包括有東華三院[1]、聖公會[2]、香港明愛[3]、地區組織等[4]。承接周永新教授過去的研究曾指出研究者應對本土志願團體作個案研究，尤其是小規模的互助組織如佛教徒的齋堂，顯然已指出一條需要補白香港複雜多元志願團體參與社會福利空白篇章的未來路向[5]。香港佛教也是社會上重要宗教組織以及非牟利團體，他們在戰後香港所做教育及社會福利事業成績有目共睹的，然而在過往歷史敘述話語權中成為缺席者與失語者。本論文旨在勾勒一九四五年至一九六〇年香港個別佛教團體興辦教育服務的歷史輪廓，達致以下三個論述意義：

一　審視宏觀層面和微觀層面之間的互動和制約，進而重新理解香港佛教在戰後的角色和定位。宏觀層面是析剖中國的因素對於香港社會的影響和香港宏觀環境變動，涵蓋政府推行教育和社會福利政策、人口流動、經濟和社會的變遷等；微觀層面則指不同佛教組織裡負責人包括法師或居士對於世俗社會的看法、慈悲概念落實於社會服務的承擔等；

二　填補因主體論述而被邊緣化法師和居士舉辦教育經歷，除有助於彌補以往研究的缺憾，以他們的獨特視角更有助於重新審視這段半個世紀香港教育史的空白，側面描寫香港作為一個中西文化薈萃、傳統與現代並融的中國的現代化城市的重大變化；

1　Elizabeth Sinn, "The Tung Wah Hospital Committee as the Local Elite", Edited by David Faure, *Hong Kong A Reader In Social History*, Hong Kong: Oxford University Press (China) 2003、劉潤和：《益善行道：東華三院135周年紀念專題文集》香港：三聯書店，2006年、丁新豹：《善與人同：與香港同步的東華三院（1870-1997）》香港：三聯書店，2010年。

2　何偉俊：《論戰後香港聖公會之教育》，香港中文大學歷史碩士論文（未出版），2008年。

3　蕭曉紅：《戰後香港天主教社會服務——以香港明愛為例》，香港中文大學歷史碩士論文（未出版），2008年。

4　Elizabeth Sinn, "A History of Regional Associations in Pre-war in Hong Kong", Edited by David Faure *Hong Kong A Reader In Social History* , Hong Kong: Oxford University Press (China) 2003.

5　周永新、林昭寰：〈政府與民間——回顧二次大戰後至1970年代香港社會福利理念的發展〉，《社會政策與社會工作學刊》，第2卷第2期，1998年12月，頁3-18。

三　重新理解香港佛教於戰後對於社會呈現功能和角色，藉以勾勒出傳統叢林制度下的佛教組織如何轉型至現代的慈善團體的歷史進程。

一九四五至一九六〇年合共十五年期間，是香港佛教復員與建設時期。香港佛教道場在戰後在不同地區已興辦義學，以及香港佛教聯合會營辦佛教黃鳳翎中學及佛教黃焯庵小學成立作結。推動這個時期的轉變主因來自香港人口的結構轉型，大量適齡學童需要讀書，而政府無法只靠自身來滿足這個龐大的教育需求。

# 一　一九四五年呈現大量失學兒童問題令香港政府焦頭爛額

一九四一至一九五〇年期間香港人口隨著時局的變化衍生巨幅的變動，以圖表按時序發展次序描述如下：[6]

## 表一　香港人口數目（1941-1950）

| 年份 | 人口數目 |
|---|---|
| 一九四一年（英治時期，日本占據以之前） | 1,600,000 |
| 一九四三年一月（日本占據時期） | 982,000 |
| 一九四五年八月（日本占據末期） | 750,000 |
| 一九四五年底（回復英治時期） | 1,600,000 |
| 一九四七年（中國國共內戰期間） | 1,800,000 |
| 一九五〇初 | 2,300,000[7] |

一九四五年八月十五日，日本無條件投降，香港重光。一九四五年底香港工商業陸續恢復，先是外移人口開始從內地向香港回流，及後緊接而來的國共內戰，內地人口遷港更是劇增，還有大量資金流入香港，除了部份用作正當的工商業投資外，部分則廣泛用於投機炒賣活動，股票、地產、黃金炒賣熾熱，誠為華南地區的冒險家樂園。一九五〇年韓戰爆發，美國和聯合國對中國實施禁運，美國凍結了中國的美元資產，令到香港與中國經濟息息相關的各行各業受到一定的衝擊。一九五一年香港的貿易總額銳減了一

---

6　*Annual Report on Hong Kong for the Year 1946*, Hong Kong, p.9; *Annual Report on Hong Kong for the Year 1947*, Hong Kong, p.9. CO129.591.4, Situations in Enemy Occupied Hong Kong, 1944, enclosure: "Far Eastern Weekly Intelligence Summary, Secret," p.39.CO129.592.24, Immigration Control Policy, 1945: enclosure "Extract from General Report on Hong Kong, Nov.2 1945p.23" 轉引自蔡榮芳：《香港人之香港史》香港：牛津出版社，2001年，頁272。

7　冼玉儀：〈社會組織及社會轉變〉，王賡武主編《香港史新編》香港：三聯書店，1997年5月，上冊，頁196。

百萬噸，經濟前景不明朗，商人進而大規模手作工業生產力求打開國際市場。[8]表二之一反映大量的人口湧入反映對社會福利有殷切的需求，當時香港教育體系才剛從淪陷中未能應付這突如其的教育需要，從上一章節我們知道開埠至戰前香港政府通過成立官立學校和資助教會學校提供以英文為教學語言的精英制教育，對於私立的中小學教育，香港政府並沒有總體的規劃和支持，為了解決香港教育發展的問題，香港政府邀請了英國曼徹斯特的首席教育官菲沙（Norman G. Fisher）來港視察香港教育的情況，並提出一系列的改革建議，香港政府接受《菲莎報告》的建議，在一九五一年至一九六一年間，政府小學由十一間增加至八十間，受資助學校亦由二七〇間增加至四六一間。五〇至六〇年代，夜校、半日制學校和天臺學校的盛行以滿足大量學額的需求，一九五四年香港教育司署訂定了《小學擴展的七年計畫》使小學生人數到一九六〇年三月升至五十萬人。鑒於大部份私立學校水準甚低，該報告建議，從長遠角度考慮，要所有私立學校的師資設備需要政府認可。統一受資助的模式，受資助學校的資助額不多於百分之五十，同時要提供不少於百分之二十五的免費或減免學費的學額。以上一切的報告建議均成為香港在五〇年代教育政策的計畫藍圖。

當時社會狀況百廢待興，香港戰後街頭巷尾孤兒流浪隨處可見，追溯此現象可推來日本投降前夕，一般人生活艱巨，增加學費導致中下級家庭子弟中途輟學，而且教育經費嚴重不足，教員待遇低下，香港教育已到了全面崩潰的邊緣。[9]接著中國內戰期間，數十萬農民、工人、商人、士兵和知識份子南來香港定居，嬰兒潮隨即來臨，過百萬兒童需要養育和入學。[10]香港自一九三一年以後再沒有做人口普查，經過戰亂和天翻地覆的人口遷徙，香港社會上沒有及時的人口資料，無從知道居民總數和各個年齡，更沒有一個可靠的方法估計對各級學額的需求。[11]關於失學兒童的數字亦眾說紛紜，一九四八年《星島日報》報導「本港復員後，失學兒童為數不下五萬人。」[12]，一九五〇年《華僑日報》謂「最近，更鑒於戰後失學兒童日增，為普遍救濟起見，特舉辦失學兒童登記。結果，登記數字達二萬餘名。」[13]同年《星島日報》云：「以月前本港教育舉的失學兒童登記，性質在調查登記，藉知本港失學兒童人數。現登記告一段落，統計港九兩地失學兒童，竟達二萬一千餘人。」[14]《菲莎報告》則指出一九五〇年在市區居住的五

---

8　同上書，頁196。

9　方駿、熊賢君：《香港教育史》長沙：湖南出版社，2010年，頁252-253。

10　陸鴻基：《從榕樹下到電腦前——香港教育的故事》香港：進一步多媒體公司，2003年，頁110。

11　同上書，頁113。

12　1948年4月21日《星島日報》。

13　1950年10月29日《華僑日報》。

14　1950年10月25日《星島日報》。

至十二歲兒童，約三萬名未曾上學校。[15]綜合上述不同資料來源關於失學兒童的數位由二萬一百至五萬人不等，這個數字可信性卻被質疑，宗教領袖如聖公會會督何明華和天主教華仁書院里安神父估計失學兒童應該有十五萬，[16]移民潮、嬰兒潮和大批戰時失學的超齡人士渴求入學，政府面臨校址及經費不足的困境，除了呼籲社團組織和慈善團體興辦的學校共同吸納失學兒童，利用其校址開辦夜校，待日後新設學日校再加以收容，而且若調查核實登記失學兒童家長經濟拮据，一律豁免入學兒童之學費。[17]辦學團體有各式各樣的志願團體，其中很多是教會或傳教士組織，也有慈善團體、同鄉會、政治團體、業務社團等社會組織。四〇至五〇年代香港政府每年財政預算約有百分之八至百分之十用於教育；除了建校開支之外，經常支出大半是撥給志願辦學團體的補助或津貼。[18]在戰前東蓮覺苑和香港佛學會等創辦義學的經驗借鑒的基礎上，[19]下文擷取不同佛教組織在香港、九龍及新界因目睹流失兒童孤苦無依，秉承慈悲喜捨的使命關注兒童權益及福利，依據自身團體的資源情況下興辦義學，有的由先辦孤兒院做起，進而提供讀書予失學兒童，有的直接興辦義學，藉以解決當時社會的問題。茲臚列不同佛教道場興辦義學按其年份的次序順序縷述如下：

---

15 Norman G. Fisher, *A Report on Government Expenditure on Education in Hong Kong*, 1950, Hong Kong: Noronhu, 1951, pp. 12.

16 Anthony Sweeting, *A Phoenix Transormed, The Reconstruction of Educaiton in Post-War Hong Kong*, Hong Kong: Oxford University Press, 1993, pp. 92.

17 1950年10月25《星島日報》曰：「記者為明真相，昨特向有關當局查詢。據其負責人語記者云：當局因鑒於本港失學兒童眾多，實與積極推進教育背道而馳，因而舉辦登記，以便設法予以救濟，自登記完畢，當局即詳為考慮救濟步驟，務使此等不幸之失學兒童，皆獲就讀機會。但由於校址及經費之不足，當局對大量增加新校以容納此等兒童，實感困難，乃決定分步施行。就該計畫所定，當局對大量增加新校以容納此等兒童，實感困難，乃決定分步施行。當局認為，一方對此輩失學者固不能不予理會；同時，以辦事困難，乃決定先行大量舉辦平價夜校，使此等失學者得教育之培養，以便日後正式學校如期開辦時，得各按其程度按步就班。因此，有關當局現已詳細擬計畫，去函港九各具規模之日校，徵求利用其校址開辦夜校。……就該負責人透露：倘此等夜校正式開辦，其入學之登記兒童，倘家長確屬勞苦大眾而經有關當局調查屬實，則當局對此輩入學兒童之學費，當一律豁免。該負責人並向記者透露：當局對失學兒童，決予救濟。目前因限於環境。故僅由夜校入手。但倘將來環境許可，當局可能使此輩失學兒童，大量由新設之日校收容。」

18 陸鴻基：《從榕樹下到電腦前——香港教育的故事》，頁116。從當時報章亦可以反映當時各式各樣的辦學團體辦學，諸如一九四八年四月二十一日《星島日報》報導華僑、聖公會、工聯會等籌設港九工人子弟學校管理委員會各自興建免費學校；一九四九年八月十五日《星島日報》報導孔聖會名譽會長胡文虎贊助一萬元複修大坑義學；一九四九年五月二十八日《文匯報》報導港九勞工教育促進會籌務經費創建勞工子弟學校。

19 永明法師：《香港佛教與佛寺》香港：寶蓮禪寺，1993年12月29日，頁50。評價東蓮覺苑創辦寶覺學校極高，他認為日後佛教團體興辦義學如大光義學、志蓮義學、青山義學等均以該學作為先驅。Wong, Lai-Kuen Betty, *Tung Lin Kok Yuen Buddhist reform in Pre-war Hong Kong*, unpublished HKU 1999 p.16 也承襲其說法。

## 二　香港佛教個別道場興辦的教育狀況

### （一）志蓮淨苑

　　一九三四年葦庵法師與其師覺一法師意願成立為一所女眾十方叢林，立志培訓人才，推動僧伽教育，得到藍昌源居士慷慨布施，並由陳七先生優惠地售房，本擬建造一所具傳統規模之寺院，後因大量移民湧至，附近人口高達四十多萬，遂暫停建寺計畫，而致力於社會福利及教育服務。一九三九年葦庵法師創立佛學班，並親自執教，時四方來參學者眾，一九四一年因戰亂而停辦。[20]一九四二年葦庵法師往生，一九四三年靄亭法師被推舉為方丈接任，一九四五年靄亭法師退任，宏智尼師接任為監院，一九四二至一九四五年日冶時期僧侶多返回內地避亂。[21]一九四六年靄亭法師協同維持委員會，正式確立淨苑為「女眾十方叢林」。[22]一九四七年淨苑第二任住持宏智尼師修繕屋宇興辦義學，身兼校長及教師兩職歷三年之久，為附近貧苦的失學兒童提供教育機會。據宏智尼師述及「四十年代之鑽石山區，一片荒涼，野草叢生，人口疏落，居民多以務農為業，村內兒童，失學者眾，因附近並無學校，上學要到較遠之九龍城，路途崎嶇，交通不便，且多屬私校，需繳交學費，非區內居民所能負擔。」[23]一九四八年，宏智尼師得到東蓮覺苑苑長林楞真居士協助向政府立案，並獲教育署批准正式成為志蓮義學，聘卓容珍和梁麗嫻女士為教師，暫供淨苑內兩佛堂上課，學生人數三十多人，堂費每學期二元四角。淨苑亦須向各方善信籌募經費支付教師薪金每月數十元。同年，該苑向政府註冊為有限公司。一九四九年，宏智尼師退任，由新任住持寬慧尼師繼任校長，學生漸多，班數增至四班，並得到校董陳靜濤、林楞真、王學仁等三位護法居士護持，自建校舍，設置課室六間，及資深教育界人士張致誠女士協助校務發展，令校務漸具規模，學生人數增加。[24]一九五〇年十二月義學獲教育司署批准成為津貼學校，學生人數遞增至二百多人。一九五一年寬慧尼師將擴建殿堂增建課室，將原來游池填平改建為新校舍操場。[25]一九五三年一位筆名曰貝葉曾參觀志蓮義學作出以下的評價：

　　　　寬慧師的前身，港九佛教人士都知道她是香港佛有緣素菜館主人的「六姑張慧炬」。她平時很用功，既有佛緣，又有人緣，所以一出家後，盡忠職責，略為奔走，擁護者多，就成為今日尼眾界的紅人了。她和六祖一樣，不多識字，但她有

---

20　〈志蓮淨苑大事年表〉《志蓮淨苑社會服務部年報1994年》，頁14。

21　同上註，頁14及監院釋瑞融：〈志蓮淨苑簡介〉《佛教志蓮學校四十周年紀念1948-1988》，頁23。

22　同上註。

23　〈志蓮淨苑大事年表〉《志蓮淨苑社會服務部年報1994年》，第14。

24　同上和監院釋瑞融：〈志蓮淨苑簡介〉。

25　〈志蓮淨苑大事年表〉，《志蓮淨苑社會服務部年報》，頁14-15。

一股熱烈的毅力，和精進勇孟的菩提心，所以她要做的事，要興建的房屋如大殿、普洞塔、地藏殿、觀音殿等都逐漸落成。……尤其難能的是她和張居士等努力的志蓮小學是頗有生氣一間佛教學校！現在港九之間的佛教學校，除了東蓮覺苑的寶覺學校，和大埔的大光學校，其他佛教學校的設備，恐怕都不及他（志蓮義學）完全了？本來在未接任之前，志蓮已有小學，不過是很小的，只有兩三班，學生亦不多，設備更簡陋；她接任不久，與學校當事諸人悉力合作，就將學校擴展，增加至五六年級。年前且得一位大護法張福明居士的資助，校舍已重建一新，因為辦得好，成績合格，亦獲得政府的津貼。現在不但各級校舍都是新的，且有學生課外運動等設置了。校中所授的功課，除了普通小學應授的課程外，加授佛學一課。據說以前是由繼航師擔任這課佛學，現在因繼師不在，已由胡仁偉居士擔任了。其他教師職員共有十數人，學生則有二百多人。教師既能戮力盡責，學生亦多勤學用功，所以辦得很有精神。[26]

依據貝葉的行文上文下理我們獲悉上述關於志蓮義學的狀況由知客師淨慧尼師提供，同時又知悉一位護法張福明居士財布施擴充新校和添置設備。在此略說明一九四八年以後，各方尼眾相繼回港，淨苑房舍破舊，殿宇傾頹，寬慧法師接任與同各尼眾除了在苑內種瓜種菜自力更生，更四出奔走向各方善信募捐，得虛雲老和尚弟子張寬明居士在經濟上護持，除了重建大殿外，更新築彌陀殿、觀音殿、地藏殿、報本堂、加修堂以及義學校舍等。[27]教導佛學成為佛教辦學團體一個重要的特色，我們知悉繼航法師曾擔任佛學導師，及後尼師往生後，由胡仁偉居士續任教授。一九六一年增班改制分為上下午共十二班，到一九七〇年班數仍然不變，全校人數五二四人，每月學費由二元四角減至一元，減輕清貧學生的壓力，同時為應付區內人口增加，計畫籌建新校舍擴充班額。[28]羅琦瑛女士（1961-1975）、趙立平先生（1975-1986）先後擔任校長一職，寬慧尼師轉為校監（1961-1965），陳靜濤居士（1965-1966）、繼航法師（1966-1978）、周君令居士（1978-？）等先後接任校監之職。[29]一九五二至一九八〇年二十九屆畢業學生人數總共一二五二人。[30]學生參加升中試歷屆成績優異，[31]戰後大量國內難民湧入香港，令香港人口急劇增加，獅子山腳下的黃大仙區在日占時期已遭遷拆，新移民在老虎岩、東頭村和鑽石山一帶搭建臨時木屋，令獅子山腳下形成一大片木屋區，該區位置偏遠於一九

---

26 貝葉：〈志蓮淨苑及其義學〉，《無盡燈》，第2卷第3期，1953年4月14日，頁34-35。

27 釋瑞融：《志蓮淨苑簡史》，頁23。

28 〈佛教志蓮學校籌新校減學費〉，《香港佛教》，第123期，1970年8月1日，頁32。

29 釋宏智：《志蓮學校簡史》，頁25。

30 歷屆畢業生名單刊載志蓮淨苑：《佛教志蓮學校四十周年紀念1948-1988》，頁50-51。

31 釋瑞融：《志蓮淨苑簡史》「本校學生參加升中試歷屆成績優異，本區居民多以入本校為榮。」，頁23。

六一年才建成龍翔道連貫東西九龍，[32]志蓮淨苑創辦義學無疑為解決該區居民孩童的上學需求，為當時九龍城和黃大仙區的唯一佛教學校作育英才。

## （二）青山寺

新界青山寺住持筏可法師在青山楊小坑複辦青山佛教學校，再次在極端艱難環境中續辦義學擴充校舍，增加設備，禮聘優秀教師如黃章及商靜波等任教，當時收生近八十名，學校績效優良，成為香港政府津貼經費的學校。後來更得到護法居士陳榮根、區碧茵夫婦之捐資三十萬港元重建新校舍。[33]一九六五年七月二十三日《工商日報》有下則關於青山佛教學校第六屆畢業禮的報導：

> 青山佛教學校，前日在該校舉行第六屆小學畢業典禮，首由校董主席筏可大和尚致訓詞，略述佛法與人生之關係，應依佛陀示做人道理，學佛次序，繼由校監陳靜濤詳述該校成立四十餘年歷史，全賴筏可大和尚之提挈，政府教育長官之指導，地方紳士及佛教四眾之護持，學生初期由四五十人擴至現在五百餘人，校舍由一間簡陋平房擴建至現在六幢標準課室，教務室、接應室、教員宿舍、操場、校園等，實賴於佛恩加被，眾緣成就所致。勸勉學生功報德，必須依照佛教報答四恩——佛恩、國恩、父母恩、眾生恩——的昭示，身體力行。陳校監對報佛恩報國恩闡發透闢，發人深省。……後由校長商靜波報告是屆畢業生共二十六人名單如下：葉小芹、馬愛卿、張悅天、李麗容、黃美珍、鄭佩松、楊炳森、曾維坤、譚瑞珍、岑玉萍、廖玉蘭、黃麗芳、吳華歡、賴向華、甘祝運、謝祥勳、陳玉珍、彭小薇、陳達強、王寶山、李有全、高金福、徐景然、顏家元、蔡盆山、蕭貴祥等二十六名。旋由筏可大和尚頒授畢業證書，再請湛生法師頒發獎品共一九六人。最後筏可大和尚又發起，在校園餘地增建大禮堂一座，約占地二千五百平方尺，預算需款五萬餘元，由筏可大和尚布施鉅款為之倡，並籲請佛教四眾捐助，樂觀厥成。[34]

因現存的闕乏可見資料，我們對於青山義學的課程科目及學制、興辦多少屆及畢業生數

---

32 游子安主編、張瑞威、卜永堅編撰：《黃大仙區風物志》香港：黃大仙區議會，2003年，頁50-51、80。

33 于淩波：〈香港大嶼山寶蓮寺釋筏可傳〉，《民國高僧傳三編》臺北：慧明文化，頁224，惟于文說筏可法師創辦一所青山佛教義學的說法值得商榷，如按照本文描述青山義學的創立來龍去脈，較準確的說法是筏可法師續辦青山義學。另《香港佛教》香港：佛教雜誌社，第54期，1964年9月記載，因筆者無法找到該期刊物，無法知悉內容，遂轉引鄧家宙：《二十世紀香港佛教之發展》，頁39。

34 1965年7月23日《香港工商日報》。

目等詳細具體資料均未能按圖索驥，僅憑上述報導內容拼湊出下則一麟半爪的訊息，我們可以知道的是學生人數於一九六五年已達五百餘人，數目甚為可觀，學校的硬體亦由一座簡陋平房擴充至六幢標準課室、教務室、接應室、教員宿舍、操場、校園，硬體設備可謂齊全，青山寺住持筏可大和尚亦打算增建占地二千五百平方尺的大禮堂，由此可以反映校董會主席筏可大和尚暨校董會等人為興辦義學一事全力以赴、鞠躬盡瘁，令學校設備煥然一新。

## （三）哆哆佛學社

永利威老酒行東主黃篠煒居士早年皈依印光老法師，他與李亦梅、譚榮光等人於一九二八在九龍浦崗村創辦哆哆佛學社，並出任副社長一職，一九五三年將該社遷入大埔其別墅半春園內。一九五〇年末，黃篠煒居士與佛學社社長李亦梅目睹九龍城附近貧兒失學者眾，有感於教育的重要而亟謀救濟之方，他建議以位於九龍聯合道二十二、二十四號兩幢地層私邸，臨時以該兩層作小型免費義學，而自負其經費。校名謂為耀山紀念其先父黃耀山，李亦梅代進行註冊開始招生，僅歷數時，即告滿額。然而校址偏小只得課室四所，僅容學生百餘，故第一年先開一、二、三、四年級四班；越二年，始繼開五至六年級。每年班次遞為增減。直至一九五四年畢業六年級已有兩期。該社為擴大救濟失學，遂向當局撥地建校，政府答允並撥出嘉林邊道公地一段凡一萬六千八百尺俾建新舍。一九五三年希士倫則師曾憲鴻氏幫助繪圖，協昌建築公司屈武圻樂助減低建築費用，歷時經年新舍落成。黃篠煒居士獨力承擔二十萬元建築費和校具費用，並移交哆哆佛學社辦理。新校舍有課室六所，每室可容四十五人，共二七〇人；分上下午兩校，共可收容五四〇人。另有校長室、教務室、音樂室、教員休息室各一所，露天及有蓋大小運動場各一處。熱心公益之社會人士亦先後捐贈鋼筆、電鐘、風扇、銅鐘、時鐘、大鐘、教具等珍貴用品。一九五四年九月十四日，學校正式開課，上午校設第一、二年級各兩班；三、四、五年級各一級；七班學生均已足額。第二、三、四、五、六年級尚有少數學額，仍續招生。除了六個課室外，暫以音樂室成為第七個課室，作為第六年級學生的課室，因為該級學生較少，不足四十五人。九月二十八日舉行新校舍開幕典禮，由署理教育司毛勤先生主持啟鑰禮，到場觀禮者冠蓋雲集，有高級教育官袁國煊、何艾齡博士、羅宗熊、學校醫官王鶴年及紳商學界名流李葆葵、馬敘朝、李頌青、劉子平、王學仁、陳靜濤、陳步煒、倪士欽、潘振明、鄧桂芬、顧超文、梁浩然、王兆騏、葉不秋、屈武圻、曾憲鴻、關祖蔭、張耀、張錫、張成和校董、佛學社員、學生家長等數百人。為了減輕黃氏每年負擔龐大的學校經費及為維持久遠，上午校學費由佛社自理，政府不予津貼。每生每月酌收十二元，只交十個月份，即全年交一二〇元。下午校由政府津貼辦理，學費每月收四元。下午校有十分之一的學生可獲免費獎勵學額；其確實清貧

者，尚有請求酌量給予免費或半費讀書。校長龐承紹經驗豐富，歷任官立皇仁書院高級教員、視學官、紅磡公立校長等教職，上下午兩校各有教員約共十人，均為政府認可之合格教員。[35]

## （四）香海蓮社

一九三三年，由寧波四明觀宗寺方丈寶靜法師領導，曾璧山、李公達、周佛慧等居士於跑馬地組織香海蓮社，乃弘揚淨土提倡念佛的居士道場，積極參與社會福利及教育事業。一九四九年該社向高等法院註冊成為合法組織之有限責任社團，[36]同年創辦香海蓮社義學，為失學兒童豁免全部學費，送給書本，以女學童為主，[37]並由曾璧山任校長，義學只在下午授課，維持到一九六〇年間才告停辦。其後蓮社陸續申請向政府撥地及津貼，開辦共三間小學總容納學額四千二百個，計有一九六〇年在牛頭角佐郭穀新區的佛教念慈學校容納學額一千一百名、一九六二年的佛教慈恩學校容納學額一千六百名在九龍廣利道及一九六三年在九龍東頭新區興建佛教寶靜學校容納學額一千五百名。[38]由此可見該社辦學成績超卓，與當初創辦義學已不可同日而語。值得一提的是曾璧山居士，她曾受學康有為弟子陳榮袞（字子褒，號崇蘭），陳子褒先生在傳統私塾的教育之上引進不少創新的教育理念，把香港教育介乎中西和新舊的特質加以融合。他是最先提倡開辦男女同校的教育家，也是在初級學校採用白話課本取代傳統啟蒙課本和儒家經典的教師，並倡議女子的教育權利，專為婦女編著課本及教授讀書寫字。曾璧山於一九二三年為紀念師恩亦在跑馬地開辦崇蘭女子學校，作育英才。[39]曾璧山長年信佛，曾皈依禪宗大德虛雲老和尚及天臺宗大德諦閑法師，又親近寶靜法師，在創辦香海蓮社期間禮請寶靜法師領導住持。一九四〇年，寶靜法師圓寂，曾氏長期負責會務領導社友多次組

---

35　1954年9月23日《華僑日報》和1954年9月29日《華僑日報》。鄧家宙：《二十世紀香港佛教之發展》頁39言創立義學年份是一九四八顯然是錯誤的。張雪松：《法雨靈巖——中國佛教現代化歷史進程中的印光法師研究》臺北：法鼓文化事業公司，2011年6月。該書第三章〈印光在國佛教近代轉型中的歷史地位和頁獻〉，頁240-253談及黃德煒（即黃篠煒）與其皈依師印光法師把哆哆佛學社的由原來的神祇黃大仙信仰轉化為佛教淨土宗，同時又將印光法師舍利移師到東林念佛堂的來龍去脈遂一勾陳。張氏梳理陳劍鍠、范純武、游子安等學術討論的基礎上加上自己的看法，值得有興趣的學仁進一步探索。

36　〈香海蓮社組織簡史〉，《香海蓮社半春園紀念堂特刊》，1970年。高永霄：〈從悼念慈祥法師的示寂——談香港佛教義學的始終〉謂香海蓮社成立年份是一九三二年，鄧家宙：《二十世紀香港佛教之發展》及《香海蓮社半春園紀念堂特刊》均云一九三三年，後者似乎比較正確。

37　〈學務發展〉，《香海蓮社半春園紀念堂特刊》。

38　高永霄：〈從悼念慈祥法師的示寂——談香港佛教義學的始終〉，「善佛教」網址：〈https://www.liaotuo.com/fjrw/jsrw/gyx1/62816.html〉，瀏覽日期：2020年11月1日。

39　陸鴻基：《從榕樹下到電腦前——香港教育的故事》，頁90-94。

織于在冬季施賑寒衣，響應濟貧助學贈醫施藥等慈善活動。[40]一九六四年被香港政府肯定其對教育和慈善的貢獻，獲英女皇頒贈英帝國員佐勳章（M.B.E）表揚，成為本港最早獲此殊榮的佛教人士。[41]

## （五）道慈佛社

楊日霖居士創辦之道慈佛社於一九四四年，原址乃位於中環永吉街其店鋪友生公司布綢鋪，是念佛誦之所。一九四七年再遷至永吉街「聯興號」鋪後，一九五二年，政府鑒於該佛社是慈善團體，乃於西環域多利街撥山地予以設社。一九五四年，政府興建宿舍收回部份地，佛社再遷往至現址。一九五二年，該社於西環堅尼地城有鑒於失學兒童問題嚴重，依照小學課程開辦義學，收容附近乃至上環地區失學兒童約六十人，每晚更為學生提供晚膳，於念佛後至晚上九時才放學。根據一位曾讀於義學的畢業生郭太口述訪問表示，所有教學活動均是在該寺佛堂舉行，大雄寶殿變成校長室，課室以木板隔間，每年級只有一班，高班人數比初班人數略少，約十餘人，上課科目包括中文、英文、算術、美術、佛學等，學費全免，堂費亦獲該社津貼，上課時間由上午八時至下午三時，課程節數為八節，一節課約四十分鐘，設有休息和午飯時間。一九六三年，首創招待街童共度元旦，其以後續有舉辦多年。至一九六七年佛社正式開辦學校，原有義學遷往西環，名為「大慈學苑」，位於西環北街某幢大廈第九層，其後搬往九龍東頭村，後來更陸續建校多所於港九新界各區，尤其牛頭角、黃大仙等地區徙置大廈或在天臺上建立學校或在地下設學為各區學童提供教育服務，其中似以九龍東頭村徙置大廈地下建立一所收容千餘學生的學校為最大。[42]

---

40 《香海蓮社半春園紀念堂特刊》慈善工作圖片。

41 鄧家宙：《二十世紀香港佛教之發展》，頁102。根據維基百科描述大英帝國勳章：「大英帝國最優秀勳章由英皇喬治五世於一九一七年六月四日創立。勳章分民事和軍事兩類，共設五種級別，分別為爵級大十字勳章（GBE）、爵級司令勳章KBE（男性）DBE（女性）、司令勳章CBE、官佐勳章OBE、員佐勳章MBE。」，〈http://zh.wikipedia.org/wiki/%E5%A4%A7%E8%8B%B1%E5%B8%9D%E5%9C%8B%E5%8B%B3%E7%AB%A0〉，瀏覽日期：2020年。

42 綜合以下四處資料來源修訂：一、二〇一四年四月十三日道慈佛社義學畢業生郭太口述訪問；二、危丁明執行編輯、梁嘉賓、朱慶舜助理編輯：《香江梵宇》，香港《香江梵宇》出版委員會，1999年，頁66；三、高永霄：〈從悼念慈祥法師的示寂——談香港佛教義學的始終〉；四、〈道慈佛社慶祝母親節大會盛況〉《香港佛教》，第14期，1961年7月1日封底曾提及九龍東頭村徙置大廈地下，成立學校一所，可容學生千餘人。

## 三　戰後香港佛教團體辦學的貢獻

綜上所述，不同佛教道場最初創辦的義學的組織形式比較簡陋，管理形式相對簡單。隨著時間推移，佛教道場負責人以辦學團體的身份，累積豐富營運學校的管理經驗，辦學形式漸漸具規模。適值政府的教育政策亦有改變，在五〇至六〇年代香港因大量內地移民湧入導致擴充學額吸納適齡學童，政府於六〇年代初推行十年教育計畫，撥款補助私立義學而成為政府津貼小學，政府在每年的財政預算約有百分之八至百分之十用於教育；除了建校開支外，經常支出用作發給志願辦學團體的補助或津貼，最常見合作的模式乃政府策劃和建築校舍，建成後交給志願團體辦理津貼學校，也有私立不牟利學校符合政府的準則，被政府納入津貼制度的。不同佛教道場配合政府的教育政策，也是依循著這個兩個方向：前者如香港佛教聯合會的中華佛教學校，後者如大光園創辦中學小和志蓮淨苑創辦小學等，並且開始學習以現代方法來管理，包括以有限公司的組織來營運。政府當時香港學校有「官、津、補、私」四種不同類型的經費來源，戰後津貼學校成為教育主流，這個教育體系優點是讓很多互不統屬的非政府團體參與辦學，相容不同世俗和宗教價值蘊藏的多元化教育意念和實踐在社會當中，同時也令辦學團體減低財政上的巨大壓力。[43] 陳慎慶提出體制性引導（institutional channeling）的概念涵蓋這種合作模式，此概念指陳政府利用現成的各種法律、政策、條例、稅項優惠、財政津貼去制約和引導社會組織依循政府所制訂的發展藍圖而運作。[44] 儘管陳慎慶論述社會組織的主體是基督教教會組織，仍不失有助於理解香港佛教團體在戰後與政府之間的關係及在教育扮演社會角色和功能。香港佛教團體參與教育領域雖然接受政府津貼資助，仍然保留較大的自主權，除了要教授世俗的知識外，佛教辦學團體可以傳授佛教教義和宗教倫理予學生，潛移默化地影響處於人生觀和世界觀尚未成形的青少年，塑造及規範他們的道德觀念，還可以自由地進行皈依儀式、慶祝佛誕活動、集會念誦佛教經文或佛號等。故此，佛教辦學團體開始成為政府心目中可靠的合作夥伴，乃至一九七〇年代以後隨著政府在一九七一年實施九年免費教育之際，教育事業發展更日益千里，究其原因是在這個時期佛教團體進行鋪墊性的工作。

---

43　陸鴻基：〈從榕樹下到電腦前──香港教育的故事〉，頁110、116、吳倫霓霞：〈香港教育發展的歷程〉，顧明遠、杜祖貽主編：《香港教育的過去與未來》北京：人民教育出版社，2000年，頁702-704。

44　陳慎慶：〈香港政教關係發展的前景〉，黃美玉主編：《基督教信仰與香港社會發展》香港：香港基督教學會，1995年，頁142。

# 中國的希望在教育
## ──客家儒商田家炳先生的辦學思想及實踐[*]

區志堅

香港樹仁大學歷史系

# 一　引言

　　國家長遠發展有賴教育的開拓，所謂十年樹木百年樹人，然而，在國家發展起步之初，也有賴商人無條件的貢獻及支持，同心同德。在八十年代的中國情況而言，國家改革開放之初，不少國內的高等院校及中小學教育，仍有依靠愛國商人資助建設教育，而談及為整個國家建設校舍，推動地區中小學教育，改善教育設施及引進教學科技的重要商人，一定要談及「儒商」田家炳先生（以下或稱家炳公）。依近代學者依杜維明《儒家文化第三期發展》、余英時《新教倫理與資本主精神》，多指出：「儒商」者，是以商人的身份，以儒家思想指導經商策略及從事慈惠事業，如修橋、修路、助學、捐棺、救濟等又以儒家思想指導企業管理。再依，金耀基《中國的現代轉向》、杜贊奇（Prasenjit Duara）*The Crisis of Global Modernity*、王賡武《東南亞與華人》等學者指出，若說二十世紀末是多元的現代化，或另類有別於歐美的現代化，這樣應重視儒家文化與亞洲各地域現代化的關係，在亞洲地區華人的企業精神與儒家文化的關係，曾奉為香港、星加坡、南韓、臺灣「亞洲四小龍」，同時以上學者著作也指出可以多注意亞洲地區的「儒商（Confucian businessman）」「儒商文化（Confucian Business Culture）」。[1]本文以梅州大埔客家籍的「儒商」田家炳先生（1919-2018）為考察對像，以見「儒商」的教育理想，也注意教學理想是否可以實踐。還有，田先生於二〇〇二年十一月二十三日在香港大學教育學院畢業典禮上演講辭中曾以「中國的希望在教育」，總結二十多年捐款辦學的目的，就是辦教育，故研究田先生的辦學理想的內容及實踐的情況是怎樣？田先生怎

---

*　十分感謝「田家炳基金會」資助香港樹仁大學進行「儒商田家炳先生資料庫研究計劃」，本論文是本研究計劃的階段性成果，特此致謝！

1　杜維明：《儒家文化第三期發展》、余英時：《新教倫理與資本主精神》、金耀基：《中國的現代轉向》、杜贊奇（Prasenjit Duara）, *The Crisis of Global Modernity* (Cambridge: Cambridge University Press, 2014)、王賡武：《東南亞與華人》北京：中華書局，2018年，以上學者的觀點，參區志堅：〈仁商典範：田家炳先生之研究〉，於嶺南大學、香港理工大學於二〇一九年十一月十五日，舉辦「第四屆大灣區中國歷史文化教育研討會」（宣讀論文）。

樣表述傳統道德教育在當代的意義？談及田先生教育理想的實踐課題，不可不注意受惠於田先生捐助教育的學術機構內受惠者的表述文字，但也要注意華人常談及儒家文化的特色為修身、齊家、治國、平天下，由成就個人，治理家庭，再向外推，由是本文也從家炳公的子女表述故事，以見家炳公的教導對家人日常生活的啟迪，在走向二十一世紀的多元化史學研究而言，學者已提出要從情感史及家庭史的角度，要檢視家人感受的情話，肯定家人自我表述文字的價值，以見家人傳承家炳公身教及言教之處。[2]

## 二　田家炳先生指出「中國的希望在教育」

田先生於廣東梅州大埔縣，客家人，香港企業家和慈善家。一九三五年，由於父親田玉瑚去世之故，未足十六歲的家炳先生從此負上養家的責任，其最初在越南以販運家鄉的瓷土而創下一翻事業，善用遠方的家鄉資源為自己創造優勢。[3] 雖然家炳先生後來遠赴印尼創下非凡的橡膠工業王國，但他心繫孩子的教育，他認為自己的成就是源自中華文化教育，故他毅然放棄印尼的龐大事業，更決定遠走至香港此中西文化合璧的寶地。[4] 教育於田家炳先生的眼中是改變社會的途徑，亦為逆轉貧苦學子命運的良方，心繫祖國的他於一九八二年創立「田家炳基金會」，更以「安老扶幼，興教育才，推廣文教，造福人群，回饋社會，貢獻國家」為宗旨，自此家炳先生專注在推動中國教育，尤重視中華文化和德育培養。[5] 家炳先生於二〇〇二年十一月二十三日在香港大學教育學院畢業典禮上，以〈中國的希望在教育〉為題致辭，[6]他認為「環顧世界各國，不拘它們的天然條件怎樣，地理一環境好壞，教育發達的地區，人民生活水平必然好；教育不發達的地區，縱有豐富的資源，肥沃的土地，良好的氣候，人民的生活水平也不會好到哪裡」，教育是為改變社會民生及人們生活水平的必要條件，家炳先生更以二〇〇二年前後國家人口的統計數字指出，國家已有十三億人口，但文盲、半文盲的數字還以億計，貧民因為缺乏謀生技能，長期處於貧困狀態，若能提高貧困戶的接受教育的水平，「使他們能自食其力，各有專長，人口包袱自然可以變為可創造財富的人力資源」，田先生一再說明以上就是他力言「中國的希望在教育」的原因：「這是我二十餘年來致力資助五十餘所大學及八十餘所中學教育的主要原因，更每以『中國的希望在教育』的口

---

2　Robin L. Bennett, Robin, *Practical Guide to the Genetic Family History* (Hoboken: Wiley, 2010), pp.5-12. 參涂豐恩：〈感覺的歷史：理論與實踐〉，收入蔣竹山主編：《當代歷史新趨勢》臺北：聯經出版事業公司，2019，頁29-56。王晴佳：〈為什麼情感史研究是當代史學的「中國」新方向〉，蔣竹山主編：《當代歷史學新趨勢》臺北：聯經出版事業公司，2019年，頁29-56、頁57-70。

3　田家炳：《我的幸福人生》香港：田家炳基金會，2017年，頁54-63。

4　同上註，頁88-90。

5　同上註，頁128。

6　〈中國的希望在教育〉，頁489。

號，呼吁大家共同重視教育」。

此外，田先生也很重視除了知識教育以外，更重視道德教育，他說：「一位成功的教師除了要具備教學上的學問知識外，更重要的是具有高尚的人格，處事處世優雅的風範」，因為現代社會存在有不良的風氣，愈來愈重視物質，追求不應得的虛假名利，不計較品位高低，只知道隨俗浮沉，或尋求一些短暫的刺激而「自甘墮落，冒犯法紀」，故要改變一時風尚，營造一個良好的社會大環境，「尤其是做老師的更應深知已立立人的真諦，為人師表的重要性，以自己的純潔人格和愛心去薰陶學生，使他們深知育德比育才更重要」，同學們畢業後，邯水豐厚，物質享受是有形的，工作上的成就及在工作外能為他人多做些好事，「提高自己的完美人生，這才是最具意義和永恒難得的價值」，所以教育也重要在建立人生的德行，「大家知道教育是百年樹人大業，提高人民的智力，素質全靠教育；增加人民求生存的有利條件，也是靠教育。教育提高後一切問題都可以解決，這說明了振興教育是當務之急」，他更勉勵嘉應師專及廣東教育學院培訓的老師，「聘請一位在文本上有學問的教師易，要請一位真正能為人師表的教師難，這也足證古人重視德育的一斑」，他更說：「我衷心希望每一位家長、教育工作者及有關當局，共同重視這點，共同認識到金錢只能提供物質上的享受，對我們更要的是精神文明」，家庭內如能父慈子孝，兄友弟恭；夫婦間同心同德相敬如賓，縱使享受差一點，但因精神生活豐盛，仍能「其樂也融融」，講禮義廉恥及建立道德觀念的社會，有愛心有公德心的人群，才可「安居樂業，才能享受到真正的幸福」，希望教學者及受學者均在「共同在修身、齊家、治國的步伐中多下工夫，把祖國建成名副其實的世界強國」，學校及教員，不只是培育學生知識，更要以教導修身的知識，個人修身良德，自可以促使家人和樂，也可以促使國家強大。[7]

田先生又在〈「中華美德教育行動師資培訓班」訓勉講辭〉說，[8]人生在世除了追求衣食住行，各樣必需要的條件以後，便要禮儀文化，便要實踐道德，尤以實踐中國傳統美德，「我國的傳統很重視美德，如何實踐出來，是我們要努力的地方」、「我相信我國的傳統的美德一定能夠發揚光大」，教育不只是「知識扶貧」，更要給學生培養道德文化，此也是一九八二年開始成立田家炳基金的原因。[9]

談及田先生重視道德教育的原因，主要是其父親的影響。家炳公祖籍已是大埔縣文化甚深的名門家族，三叔翠珊公為清末最後一科秀才，國學基礎深厚，田氏家族為大埔大麻區德高望重的人士，四叔友愚公及五叔修五公在家鄉分別設泰隆及史記商號，經營釀酒、畜牧及民生油米生意，收購柴竹木等買賣。高祖峻亭公生前建成拱辰樓，座南向北，東面是紀念韓愈對潮州教育貢獻而得名的韓江河，家族成員均是守家禮，以「弘揚

---

7　〈田家炳先生在大埔縣田家炳廣播中心向全縣鄉親父老的講話〉（1997年10月22日），頁501。

8　〈「中華美德教育行動師資培訓班」訓勉講辭〉，頁502-503。

9　〈「知識扶貧精神可嘉」〉，頁505。

上代積德精神」為己任，達到「父慈子孝，兄友弟恭，充滿家和萬事興的氣氛」為己任，在大埔族群中也盛稱「拱辰的兒女確是不同」家族各人也以此自勉。家炳公自言：「族人的教導，美好的情況，一直影響我整個人生，更使拱辰樓被譽為書香門第、詩禮傳家的模範家族」。[10]家炳公的先父玉瑚公，家炳公取名，「是希望我能繼承先賢遺志，再創偉績，造福百姓，彪炳百代」，玉瑚公對家炳父要求很高「他除了要我讀正規課程外，更注重品德教育，他把朱柏廬的治家格言五二四字內容反覆教我，不但要我牢記，且要我實踐」，平日，尤注意道德人格的培養，在父親教導下，使家炳先生「品格修為大有長進，鄉眾常常讚譽我說話不亢不卑，溫文雅爾，胸懷豁達，謙恭大方」，家炳公上承玉瑚公的教導，尤重視教導教育「十多年來我在十所大學、逾百所中學舉行報告時，掀出希望大家已立立人，先把家庭營造成幸福且有愛心的好環境，讓兒女們在歡樂的氣氛下長大，孩子自能成為德才兼備的好國民，這都是我的肺腑之言」，家炳公更說以父親教導的誠信為營商指引：「先父超卓的信譽和人格，更教會我『誠信為本』的營商理念」。先父重視孝的道德教育，對家炳公的影響尤大，家炳公指出父親玉瑚公說：「孝親之身不如孝親之心，如能事業有成，多做一些有利國家民族的大事，光宗耀祖，這是孝的最高境界；求其次是減少父母擔心，不做壞事辱親，這些都是孝親之心，要比在生活起居上孝親之身重要得多」。[11]

　　誠然，田先生思想以教育為國家發展的根本要務，而教育除了知識以外，尤重視培育學生的道德品德教育。

## 三　田家炳先生的教學實踐

　　家炳公在營商中運用了道德及中國傳統文化教育，田先生認為「中華文化源遠流長，令我受用最深的是禮義廉恥、忠孝仁愛、信義和平等四維八德學說，教人如何修身立品，共同建立和諧社會，為人類帶來幸福。這是非常難得的文化」。[12]家炳公更言：「誠信為本，站穩腳跟」，[13]「以人和」、「相交以誠」、「大家已立立人，先把家庭營造成幸福且有愛心的好環境」，由是田先生更重視家庭教育。

　　家炳公的子女也實踐了其父重視道德培育。長子慶先說：「父親以身作則，諄諄教誨，讓長幼有序，兄友弟恭，慎終追遠，不忘根本等中國傳統觀念根於我們的內心深處」，[14]長女田淑芳說：「父親有很多做人的座加銘，如：『要對別人好，處處為他人著

---

10　田家炳：《我的幸福人生》，頁32。

11　同上註，頁52。

12　同上註，頁115

13　《我的幸福人生》，頁56。

14　同上註，頁3。

想』、『寧可人負你，不可你負人』、『拿得起，放得下』、『賞罰分明』、『公正嚴明』等等，這都是他常掛在口中，我們最耳熟。」[15]；三女淑蓮也說：「他（按：田家炳先生）有很多與眾不同的待人處事方法——守信用、有毅力、寬厚待人、樂於助人、親力親為、勤勞耕耘、凡事為人著想、奉公守法，這都是值得我們一生學習和效法的，作為他的孩子我們感到無張的光榮與驕傲」。[16]

談及家炳公實踐辦學思想，先見田先生興建廣東嘉應教育學院，依〈廣東嘉應教育學院田家炳大樓碑記〉所言：「我院師生均極感佩田先生造福桑梓之義舉，為彰其徽範，俾今人銘記」；又依〈大埔縣玉瑚中學興建記〉所言：「年來子日增，原有課室不敷容納，當局早謀另建新校，以適應時代之需求，但絀於資力，躊躇者久。田先生獲聞此議，以事關祖籍母校作育英才之盛舉，義不容辭，乃毅然慨允，肩負全部基建及購置教學設施，圖書儀器等費用重責。媛於一九八二年鳩工與建第一期工程，於一九八三年秋完成教室及教師辦公室各十間後，縣政府以當地及鄰鄉小學畢業學子眾多，為嚮應中央推行九年義務教育，方便學子臨近就讀，特詢先生之請，將本校改為中學。一九八六年春，再承田先生捐資與建第二期」；田公更捐助建湖寮大橋（按：日後更名為田家炳大橋），也捐助建平遠縣田家炳中學、仁居中學、廣東省蕉嶺華僑中學、華中師大田家炳教育書院。何堯載〈田家炳先生的希望工程〉也田先生在大埔興學，力倡教育；楊明盛稱田先生「我作為一名從事學校德育的工作的教師，為有這樣一位傾心於學校德育的長者而自豪、欣慰和感奮」。

當然，家炳公營商以誠營商。一、接管其家父磚瓦窰業[17]剛接其家生意，年紀輕，便以禮相待鄉中年長者，「對他們如自己的長輩，憐恤之心油然而生，特別告誡他們的族人要向我好好學習」，使鄉族支持田先生拓展大埔磚瓦窰事業。二、以誠待人，更可營商。田先生承接父親生意後，致力提高磚瓦窰製成品質素，把正價略高，次品分類出售，但其時同業以次品與正品的價格一樣，而家炳先生以「請買家體諒購買若干比例的次品，用在比較不重要的地方，用家也樂意接受這種改變，認為這誠實不欺的作風是市場上很少有的」。其他用家多支持及購買家炳先生的磚瓦窰製成品。由是，家炳公總結是：「我事事將心比心，常為對方設想，以爭取對方的信賴，從未有過不愉快的爭執」三，以誠待商，拓展越南貿易。三十年代，越南為法國殖民地，汕頭大埔同鄉把高陂、光德兩鄉瓷器工業經驗帶往越南西貢北郊開設瓷器廠，也有三家公司把汕頭大埔瓷土運往越南銷售。一九三七年家炳往越南西貢，創立泰安隆瓷土公司，及後以上三家瓷土公司經多層經銷商，成本偏高，而泰安隆瓷土公司以免費送客戶試用產品，更以誠信情

---

15 同上註，頁11。

16 同上註，頁18。

17 《田家炳家書》

義，吸引客戶，使瓷土貿易占優，但家炳不喜壟斷華人市場，以協助同鄉情義於一九三八年主動提出合作方案，成立「茶陽瓷土公司」，股份四家平分，統售統銷全部瓷土市場，貨源由泰安隆瓷土公司占百分之六十，其他三家占百分之四十，合作順利，公司順利占了百分之一百市場。家炳先生自言：「家鄉長輩很支持我這壯舉，在越南市場中人大部份是深知他們三家同業的困境，認為我如能再堅守一、兩年後，三家同業必然自動結束，那時不難獨占市場，比現在四份平分更為有利，認為我太善良太慷慨。」但家炳堅持：「凡事不妨略存忠厚，無須竭澤而漁，迫人太甚」，他更自言：「更大的收穫是家鄉瓷土小供應商仍然能夠生存，皆大歡喜，在越南的瓷業界天是覺得難得的好事，儘管瓷土恢復了較高的售價，令用家的成本增加，倒覺得是大埔人大團結的先兆」，[18]「那時我得到十餘家大瓷器廠的信賴，並將『同行生意便是賊』的風氣完全消除，我也乘機推動大家互相愛護，明白團結就是力量的真諦」。「總公司開業不需要半年即可將累積利潤變成充裕的本錢，不但收購貨款不須遲付，而且還有餘力支持同鄉發展業務。」；「大家因看到茶陽瓷土公司順利組成，而且得到另三家商界頗有成就的股東的信賴和支持，對我的倡議也一呼百應。」

　　家炳公力倡互利胸襟在印尼拓展事業。一九三九年六月，日軍占汕頭，大埔對外貿易被封鎖，瓷土業受負面的影響，茶陽貿易結束，家炳母親勸往印尼，不回大埔，接替家炳兄長家烈先生在印尼的生意。其時，華人多聚居雅加達，印尼平民教育程度較低，只略懂一百以下的加減而已，無法應付稍為複雜的度量衡運算，所以只好相信別人」，「商人最普遍的欺騙手法是叫高買價，叫低賣價，這是大多數小商店採用的不誠實手段。較低層的零售或土產收購商百分之九十由華人操縱，早習以為常」，家炳先生自言：「入行以『勿占便宜』，『刻薄成家，理無久享』」，結果更得到雅加達土著及華僑信賴，公司獲利。家炳先生歸結是：『做生意要有互利胸襟』」。

# 四　小結

　　田先生十分重視教育，尤重視道德教育，更身體力行，其子女也能實踐教導，更對家鄉、社會及國家教育作出重要貢獻，其籌辦的學校，均能實踐田先生的教學思想。更重要的是，處於二十一世紀，田先生展示重視中國傳統文化教育，重視中國傳統道德教育，此將是今天現代文化發展相結合的美好典範。同時，田家炳先生以誠意營商及道德文化教育的理想，正好為研究亞洲商業文化及全球道德文化價值之參考。

---

18 同上註，頁62。

# 《新亞論叢》文章體例

一、每篇論文需包括如下各項：

（一）題目（正副標題）

（二）作者姓名、服務單位、職務簡介

（三）正文

（四）註腳

二、各級標題按「一、」、「（一）」、「1.」、「（1）」順序表示，儘量不超過四級標題.

三、標點

1. 書名號用《》，篇名號用〈〉，書名和篇名連用時，省略篇名號，如《莊子・逍遙遊》。

2. 中文引文用「」，引文內引文用『』；英文引文用""，引文內引文用''。

3. 正文或引文中的內加說明，用全型括弧（）。

> 例：哥白尼的大體模型與第谷大體模型只是同一現象模型用不同的（動態）坐標系統的表示，兩者之間根本毫無衝突，無須爭執。

四、所有標題為新細明體、黑體、12號；正文新細明體、12號、2倍行高；引文為標楷體、12

五、漢譯外國人名、書名、篇名後須附外文名。書名斜體；英文論文篇名加引號""，所有英文字體用 Times New Roman。

> 例：此一圖式是根據亞伯拉姆斯（M. H. Abrams）在《鏡與燈》（*The Mirror and The Lamps*）一書中所設計的四個要素。

六、註解採腳註（footnote）方式。

1. 如為對整句的引用或說明，註解符號用阿拉伯數字上標標示，寫在標點符號後。如屬獨立引文，整段縮排三個字位；若需特別引用之外文，也依中文方式處理。

七、註腳體例

（一）中文註腳

1. 專書、譯著

> 例：莫洛亞著，張愛珠、樹君譯：《生活的智慧》北京：西苑出版社，2004年，頁106。

2. 期刊論文

> 例：陳小紅：〈汕頭大學學生通識教育的調查及分析〉，《汕頭大學學報（人文社會科學版）》，2005年第4期，頁20。

3. 論文集論文

例（1）：唐君毅：〈人之學問與人之存在〉，收入《中華人文與當今世界》臺北：學
生書局，1975年，頁65-109。

4. 再次引用

（1）緊接上註，用「同上註」，或「同上註，頁4」。

（2）如非緊接上註，則舉作者名、書名或篇名和頁碼，無需再列出版資料。

例：唐君毅：〈人之學問與人之存在〉，頁80。

5. 徵引資料來自網頁者，需加註網址以及所引資料的瀏覽日期。網址用〈 〉括起。

例：〈www.cuhk.edu.hk/oge/rcge〉，瀏覽日期：2007年5月14日。

（二）英文註腳

所有英文人名，只需姓氏全拼，其他簡寫為名字 Initial 的大寫字母。如多於一位作
者，按代表名字的字母排序。

1. 專書

例（1）：J. S. Stark and L. R. Lattuca, *Shaping the College Curriculum: Academic Plans in
Action* (Boston: Allyn and Bacon, 1997), 194-195.

例（2）：R. C. Reardon, J. G. Lenz, J. P. Sampon, J. S. Jonston, and G. L. Kramer, *The
"Demand Side" of General Education—A Review of the Literature: Technical
Report Number 11* (Education Resources Information Centre, 1990),www.career.
fsu.edu/documents/technicalreports.

2. 會議文章

例：J. M. Petrosko, "Measuring First-Year College Students on Attitudes towards General
Education Outcomes," paper presented at the annual meeting of the Mid-South
Educational Research Association, Knoxville, TN, 1992.

3. 期刊論文

例：D. A. Nickles, "The Impact of Explicit Instruction about the Nature of Personal
Learning Style on First-Year Students' Perceptions 259 of Successful Learning," *The
Journal of General Education* 52.2 (2003): 108-144.

4. 論文集文章

例：G. Gorer, "The Pornography of Death," in Death: Current Perspective, 4th ed., eds. J. B.
Williamson and E. S. Shneidman (Palo Alto: Mayfield, 1995), 18-22.

5. 再次引用

（1）緊接上註，用「同上註」，或「同上註，頁4」。

（2）舉作者名、書名或篇名和頁碼，無需再列出版資料。

例：G. Gorer, "The Pornography of Death," 23.

大學叢書・新亞論叢 1703007

# 新亞論叢　第二十一期

| | |
|---|---|
| 主　　　編 | 《新亞論叢》編輯委員會 |
| 責任編輯 | 林以邠 |

| | |
|---|---|
| 發 行 人 | 林慶彰 |
| 總 經 理 | 梁錦興 |
| 總 編 輯 | 張晏瑞 |
| 編 輯 所 | 萬卷樓圖書股份有限公司 |
| 排　　版 | 林曉敏 |
| 印　　刷 | 百通科技股份有限公司 |
| 封面設計 | 斐類設計工作室 |

| | |
|---|---|
| 發　　行 | 萬卷樓圖書股份有限公司 |
| | 地址 臺北市羅斯福路二段 41 號 6 樓之 3 |
| | 電話 (02)23216565 |
| | 傳真 (02)23218698 |
| | 電郵 SERVICE@WANJUAN.COM.TW |
| 香港經銷 | 香港聯合書刊物流有限公司 |
| | 電話 (852)21502100 |
| | 傳真 (852)23560735 |

ISBN 978-986-478-434-9（臺灣發行）
ISSN 1682-3494（香港發行）
2020 年 12 月初版一刷
定價：新臺幣 700 元

如何購買本書：

1. 劃撥購書，請透過以下郵政劃撥帳號：
   帳號：15624015
   戶名：萬卷樓圖書股份有限公司

2. 轉帳購書，請透過以下帳戶
   合作金庫銀行 古亭分行
   戶名：萬卷樓圖書股份有限公司
   帳號：0877717092596

3. 網路購書，請透過萬卷樓網站
   網址 WWW.WANJUAN.COM.TW

大量購書，請直接聯繫我們，將有專人為您服務。客服：(02)23216565 分機 610

如有缺頁、破損或裝訂錯誤，請寄回更換

國家圖書館出版品預行編目資料

新亞論叢. 第二十一期/《新亞論叢》編輯委員會主編.-- 初版.-- 臺北市：萬卷樓圖書股份有限公司, 2020.12
　面；　公分.--(大學叢書. 新亞論叢)
年刊
ISBN 978-986-478-434-9(平裝)
1.期刊
051　　　　　　　　　　　　109021292